FACTO school

2-2

초등 수학 팩토

단원별 계산력 수학

1 단원

네 자리 수

매스티안

1-1

1. 9까지의 수

- 0~9까지 수
- 1 큰 수와 1 작은 수
- 수의 크기 비교

1-1

5. 50까지의 수

- 50까지 수
- 수의 크기 비교

1-2

1. 100까지의 수

- 100까지 수
- 수의 크기 비교
- 짝수와 홀수

2-1

1. 세 자리 수

- 세 자리 수
- 수의 크기 비교

1 네 자리 수

Teaching Guide

아이는 1학기 때 백 모형이 8개이면 '팔백'이라고 배웠기 때문에 백 모형이 10개이면 '십백'이라고 잘못 읽을 수 있습니다. 이런 경우에는 아이와 함께 십이 10개면 '십십', '십십'이 10개면 '십십십', '십십십'이 10개면 '십십십십', 다시 '십십십십'이 10개면 어떻게 읽어야 할지, 무엇이 불편한지 이야기 해 봅니다. 이야기를 하다보면 아이들은 일, 십, 백, 천이라는 새로운 단위의 필요성을 스스로 느낄 수 있습니다. 아이는 이미 '일, 십, 백'에 대해 알고 있으므로 이러한 활동을 통하여 '천'과 같은 새로운 단위를 자연스럽게 받아들이게 됩니다.

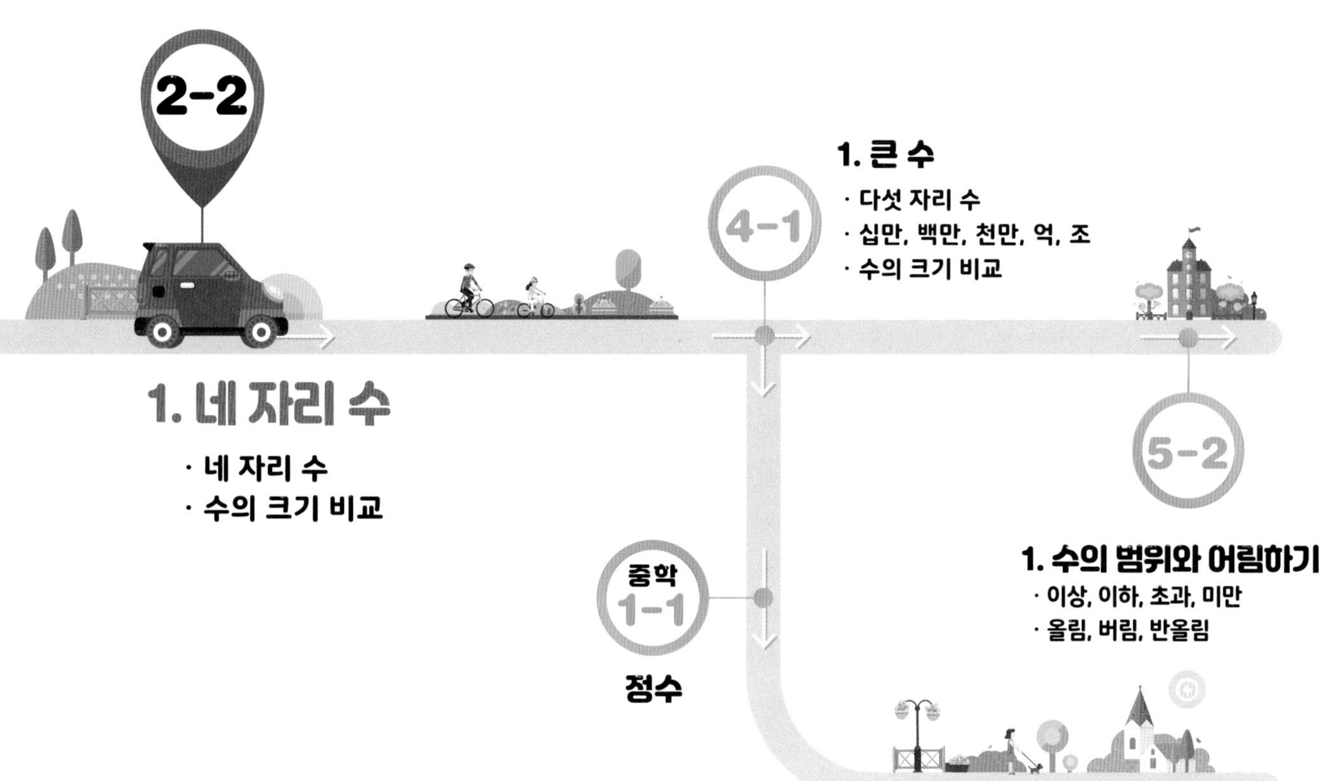
2-2
1. 네 자리 수
· 네 자리 수
· 수의 크기 비교
4-1
1. 큰 수
· 다섯 자리 수
· 십만, 백만, 천만, 억, 조
· 수의 크기 비교
중학 1-1
정수
5-2
1. 수의 범위와 어림하기
· 이상, 이하, 초과, 미만
· 올림, 버림, 반올림

공부한 날짜

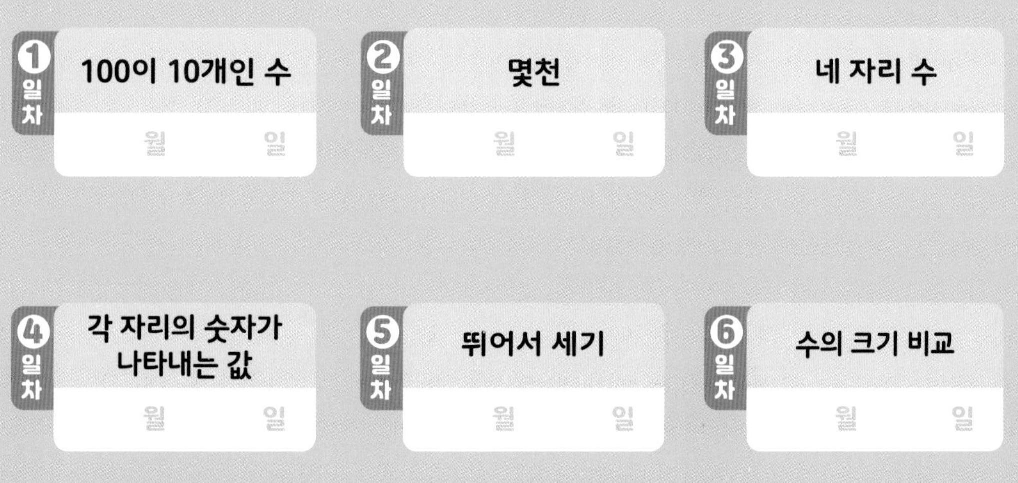
1 일차
100이 10개인 수
월 일
2 일차
몇천
월 일
3 일차
네 자리 수
월 일
4 일차
각 자리의 숫자가 나타내는 값
월 일
5 일차
뛰어서 세기
월 일
6 일차
수의 크기 비교
월 일

7 일차
응용 문제
월 일

8 일차
형성 평가
월 일

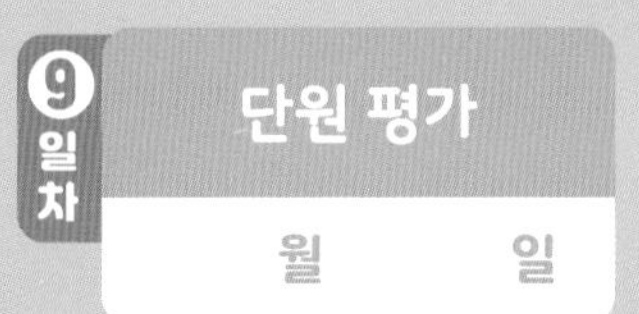
9 일차
단원 평가
월 일

참 잘했어요!

01 1000이 10개인 수

정답 02쪽

1000 알아보기

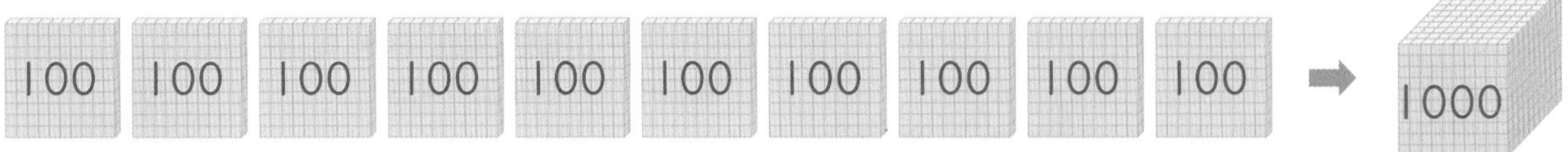

100이 10개이면 1000입니다.

쓰기 1000 읽기 천

1 동전과 수 모형이 나타내는 수를 ☐ 안에 써넣으세요.

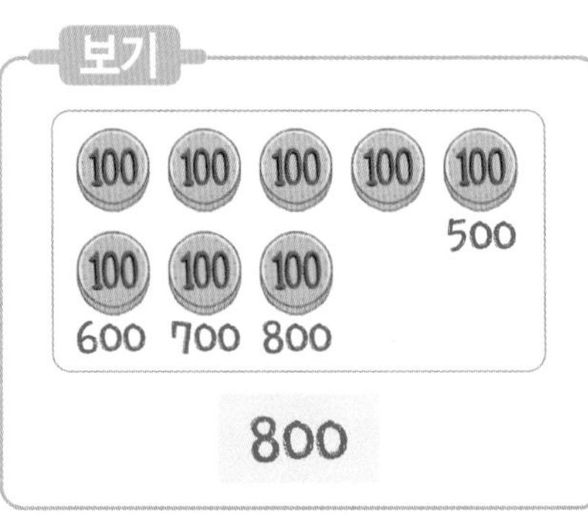

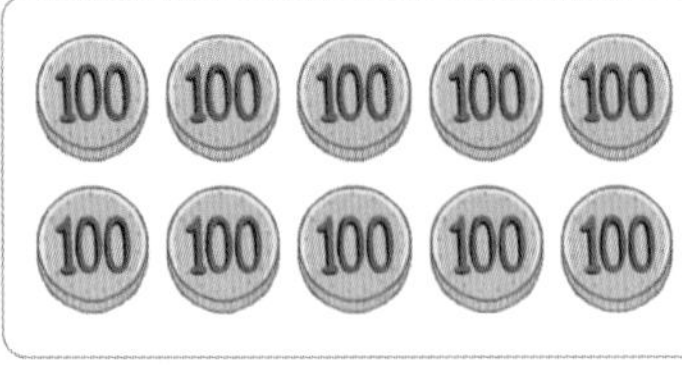

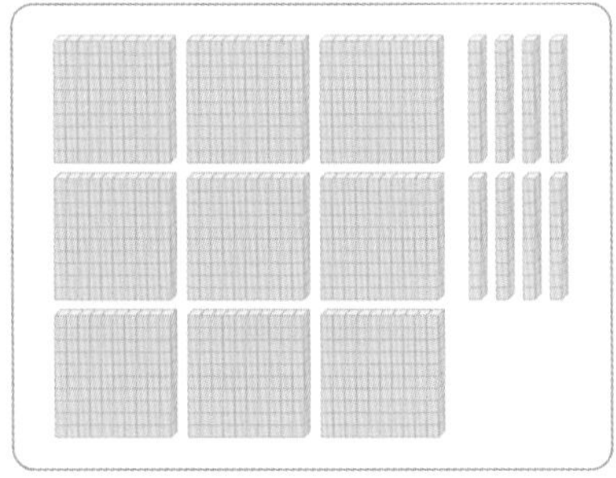

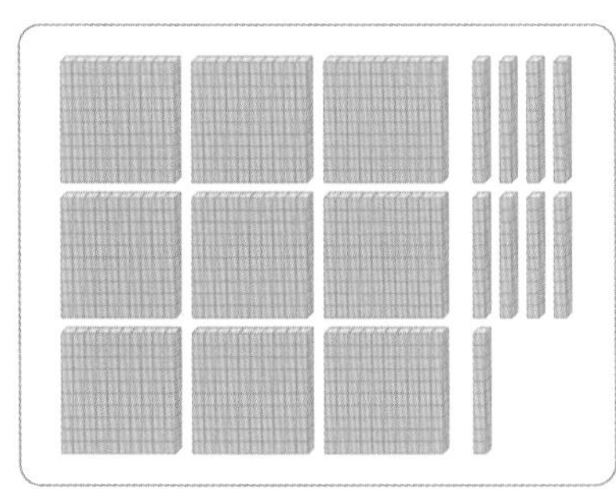

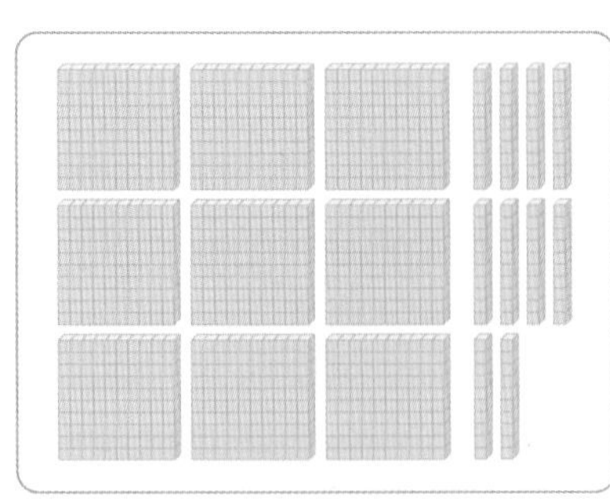

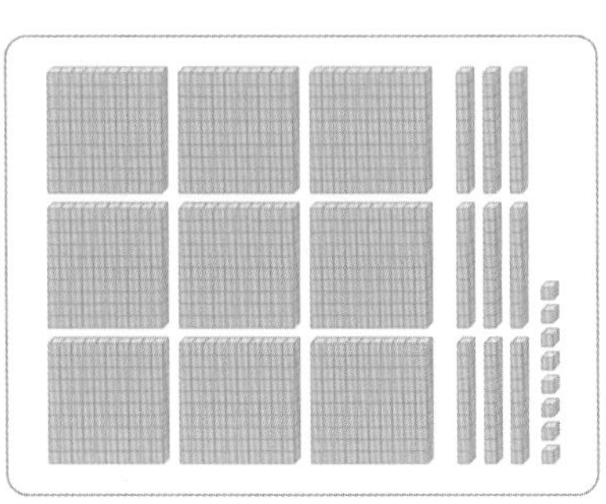

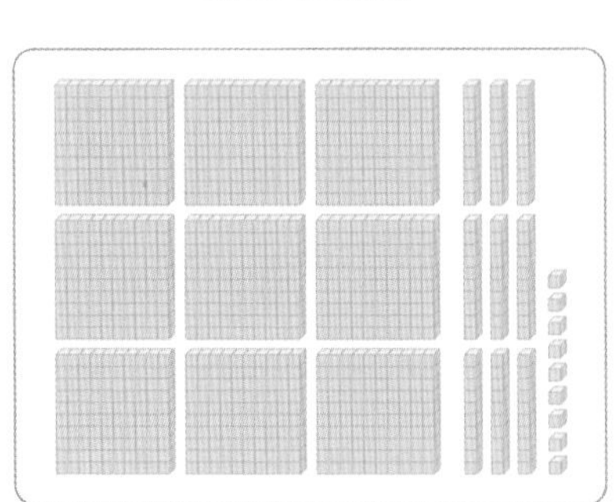

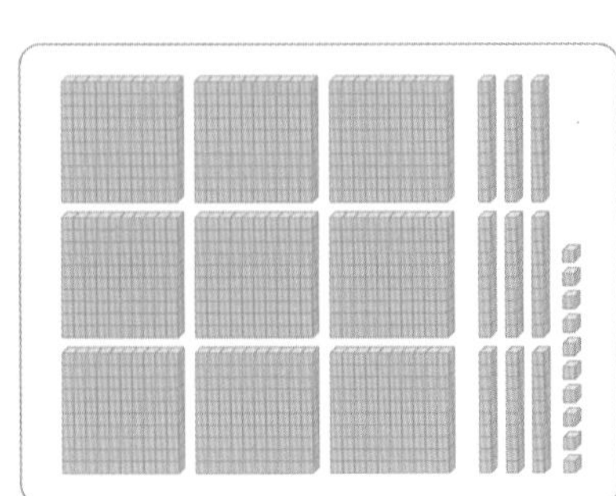

2 수 배열표를 보고 □ 안에 알맞은 수를 써넣으세요.

					970
	76	977	978	979	980
5	986	987	988	989	990
95	996	997	998	999	1000

➡ 1000은 999보다 □ 큰 수입니다.

		968		70
	977	978	979	980
986	987	988	989	990
5	996	997	998	999	1000

➡ 1000은 997보다 □ 큰 수입니다.

		968		70
	977	978	979	980
986	987	988	989	990
5	996	997	998	999	1000

➡ 1000은 990보다 □ 큰 수입니다.

	977	978	979	980
986	987	988	989	990
5	996	997	998	999	1000

➡ 1000은 980보다 □ 큰 수입니다.

			80	690	700
	60	770	780	790	800
0	860	870	880	890	900
50	960	970	980	990	1000

➡ 970보다 □ 큰 수는 1000입니다.

			680	690	700
		70	780	790	800
	860	870	880	890	900
50	960	970	980	990	1000

➡ 960보다 □ 큰 수는 1000입니다.

			680	690	700
		70	780	790	800
	860	870	880	890	900
50	960	970	980	990	1000

➡ 900보다 □ 큰 수는 1000입니다.

			80	690	700
	60	770	780	790	800
0	860	870	880	890	900
50	960	970	980	990	1000

➡ 700보다 □ 큰 수는 1000입니다.

3 모아서 1000이 되도록 알맞게 이어 보세요.

700

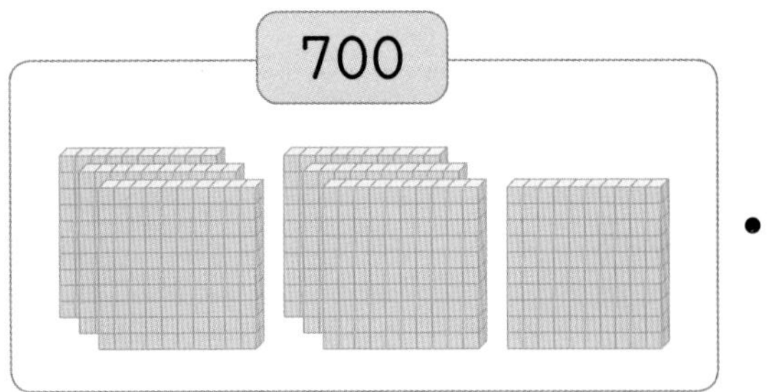

500

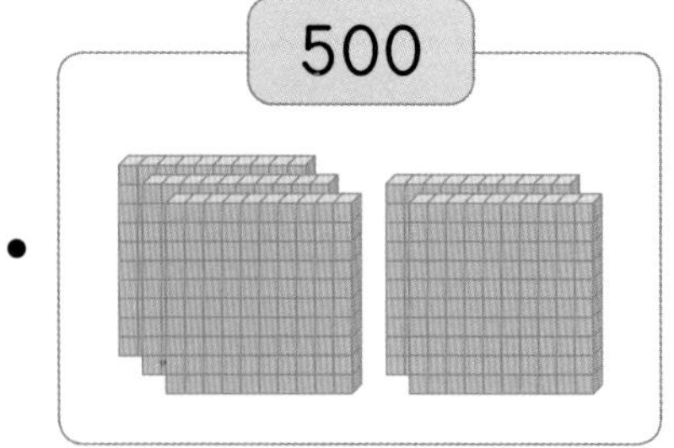

600

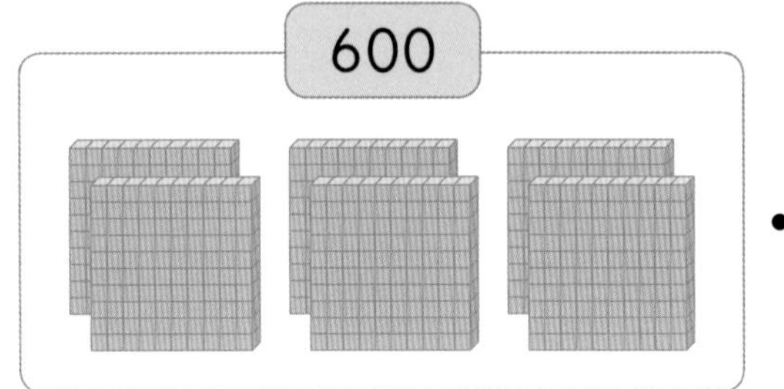

300

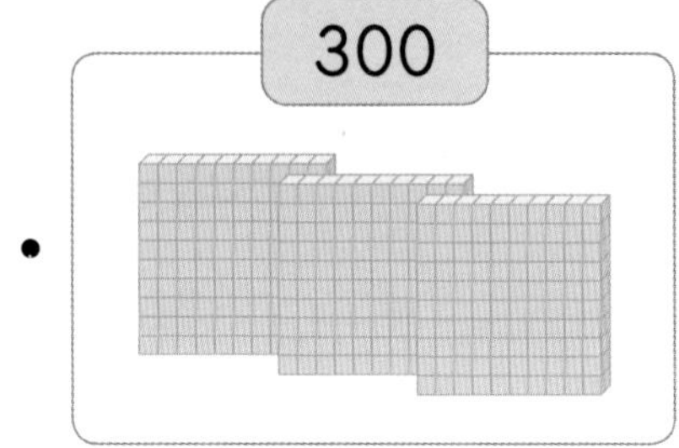

500

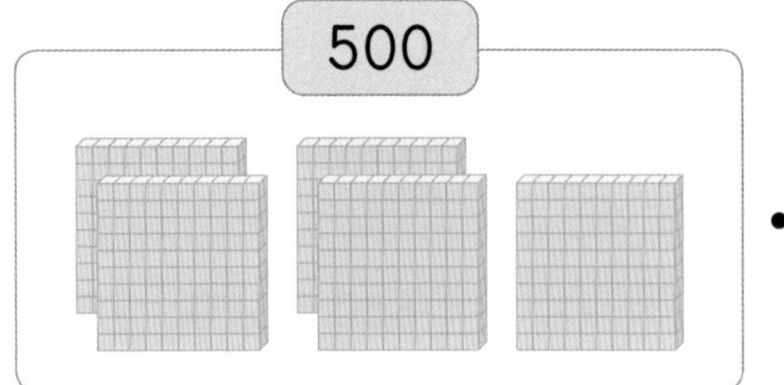

200

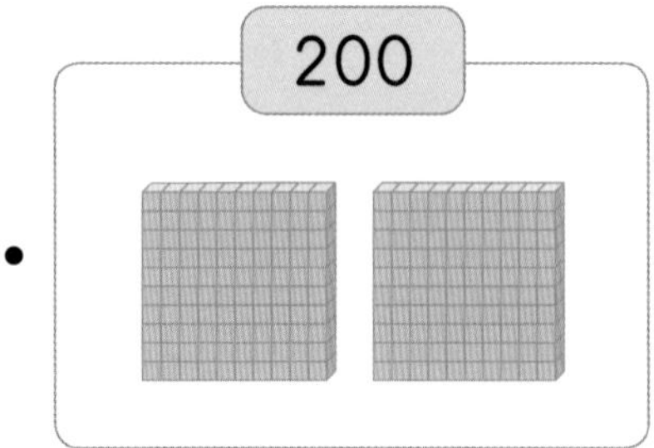

800

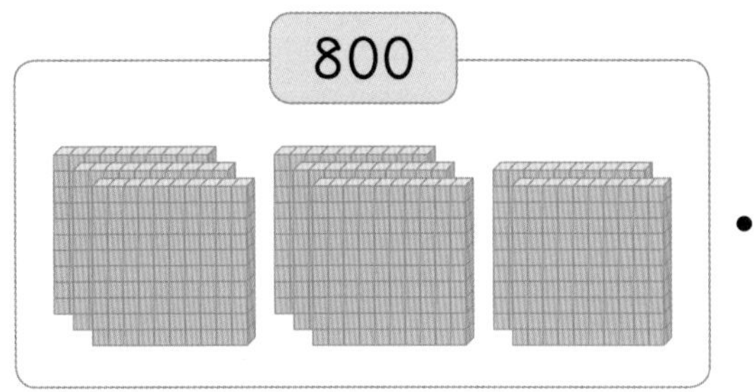

100

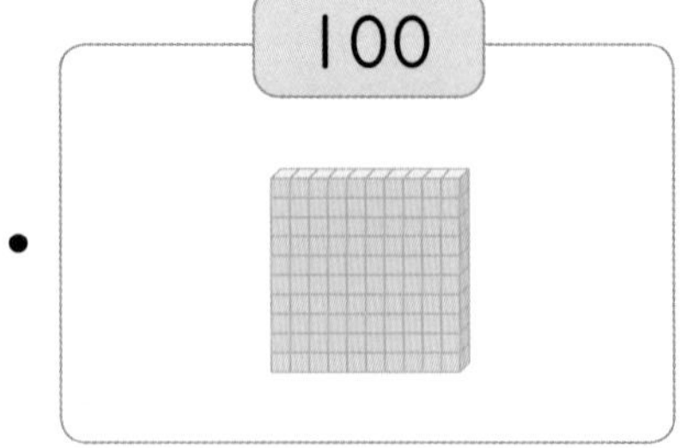

900

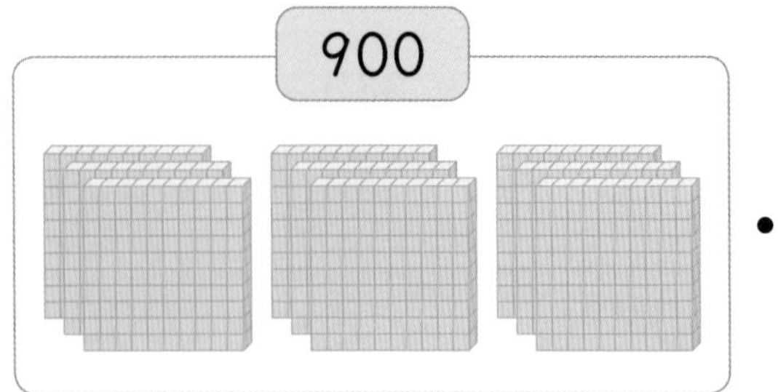

400

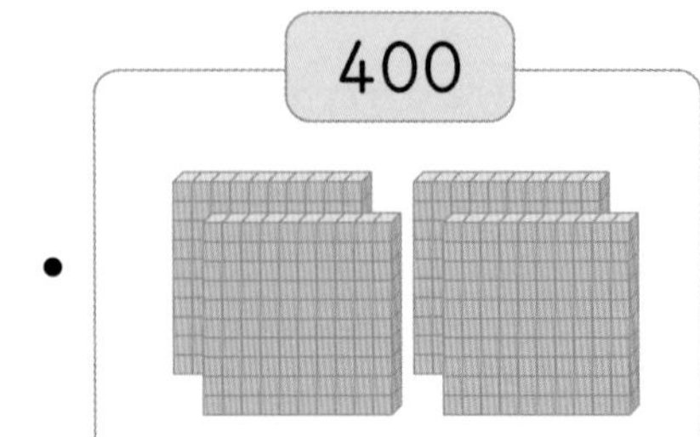

4 1000이 되도록 알맞게 그려 보세요.

보기

9개

9개

02 몇천

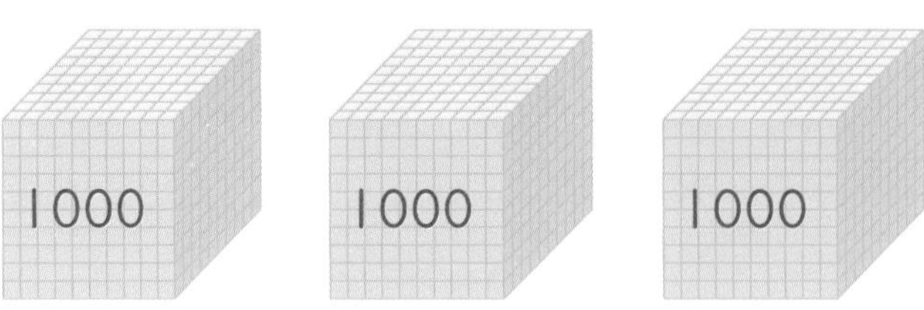

1000이 3개이면 3000입니다.

쓰기 3000　　읽기 삼천

1 수 모형에 맞게 수를 쓰고 읽어 보세요.

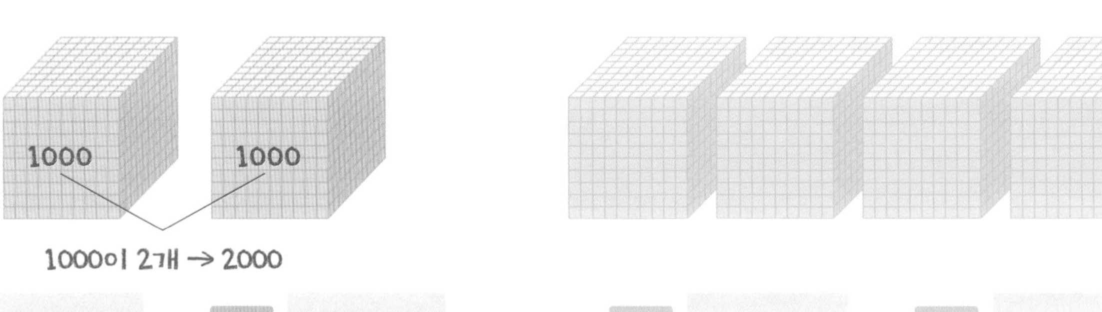

쓰기　　읽기

쓰기　　읽기

쓰기　　읽기

쓰기　　읽기

2 그림을 보고 ☐ 안에 알맞은 수를 써넣으세요.

보기

1000이 3개인 수 ➡ 3000

1000이 2개인 수 ➡ ☐

1000이 ☐개인 수 ➡ 6000

1000이 ☐개인 수 ➡ 8000

1000이 4개인 수 ➡ ☐

1000이 5개인 수 ➡ ☐

1000이 ☐개인 수 ➡ 9000

1000이 ☐개인 수 ➡ 7000

3 그림을 보고 □ 안에 알맞은 수를 써넣으세요.

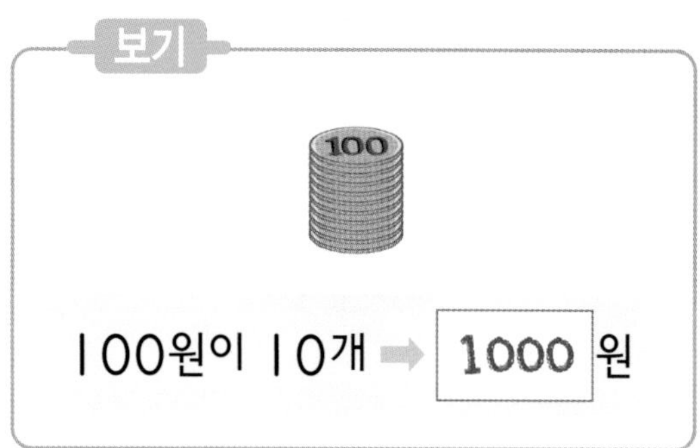

보기

100원이 10개 ➡ 1000 원

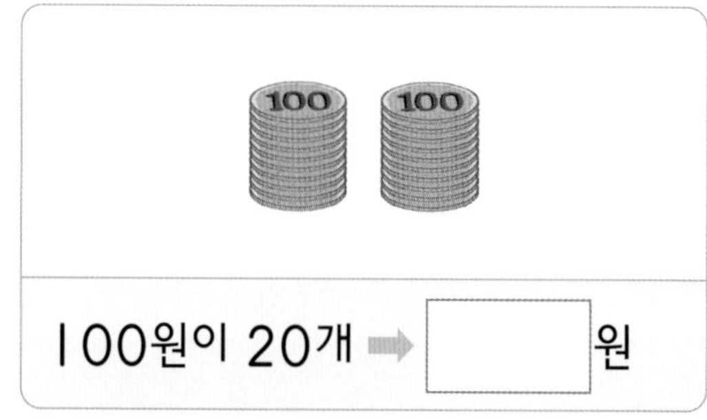

100원이 20개 ➡ □ 원

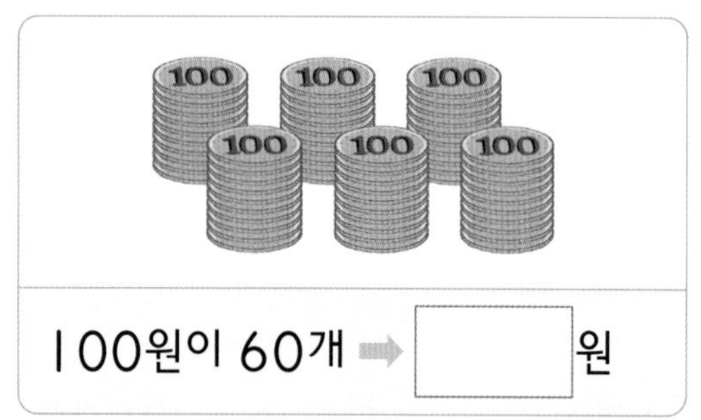

100원이 60개 ➡ □ 원

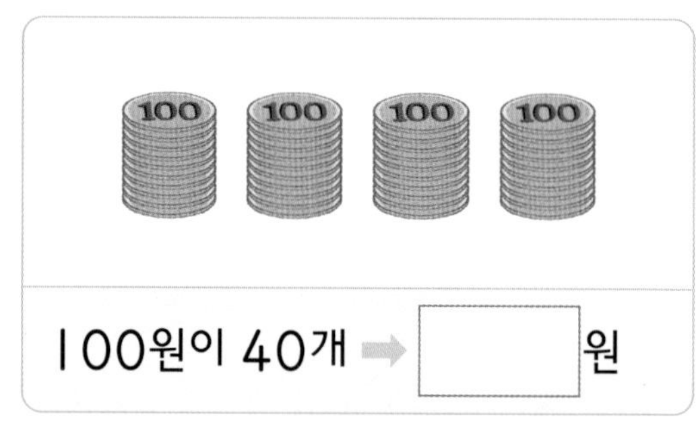

100원이 40개 ➡ □ 원

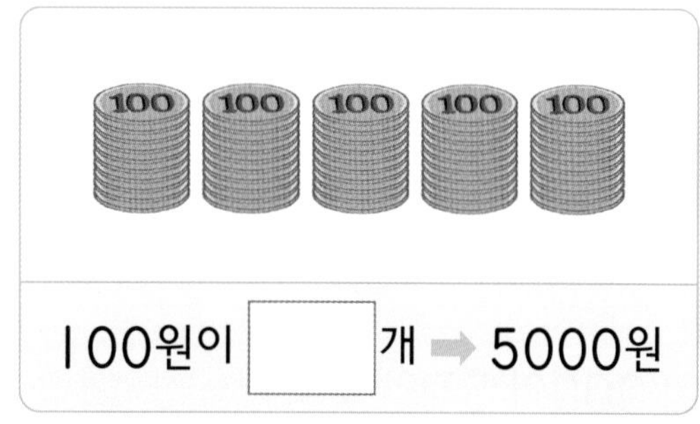

100원이 □ 개 ➡ 5000원

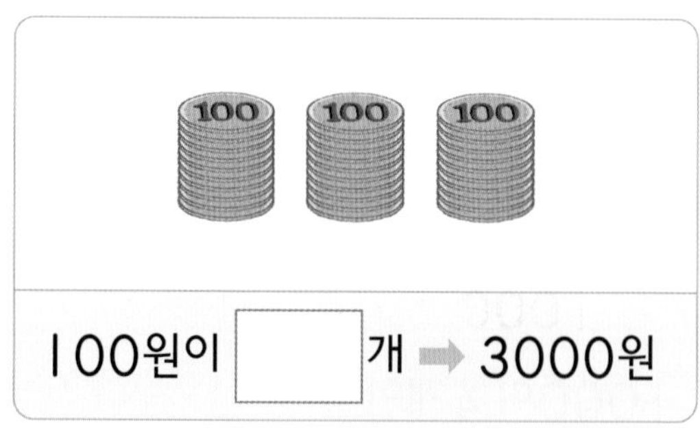

100원이 □ 개 ➡ 3000원

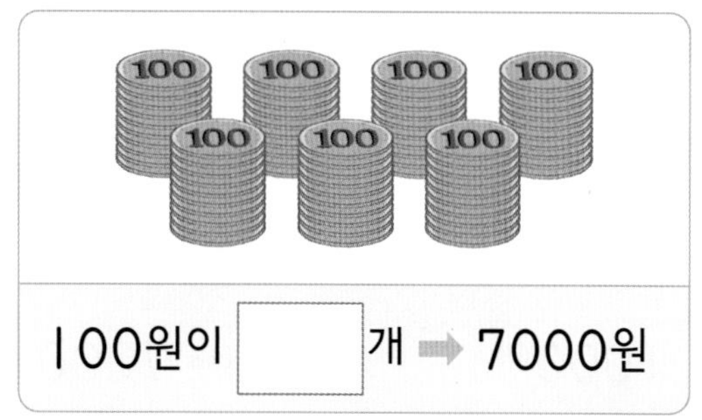

100원이 □ 개 ➡ 7000원

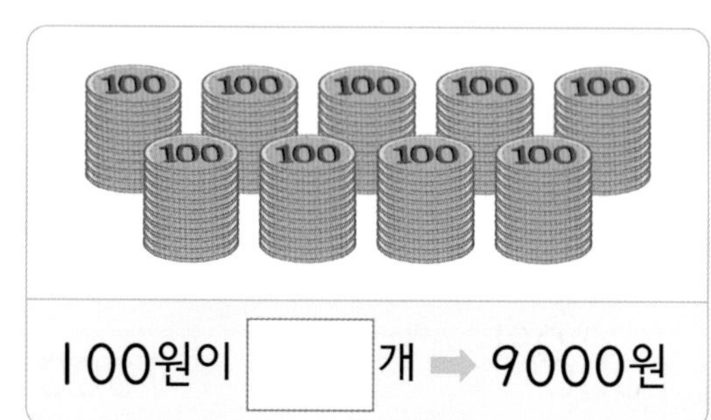

100원이 □ 개 ➡ 9000원

4 ▢ 안에 알맞은 수를 써넣으세요.

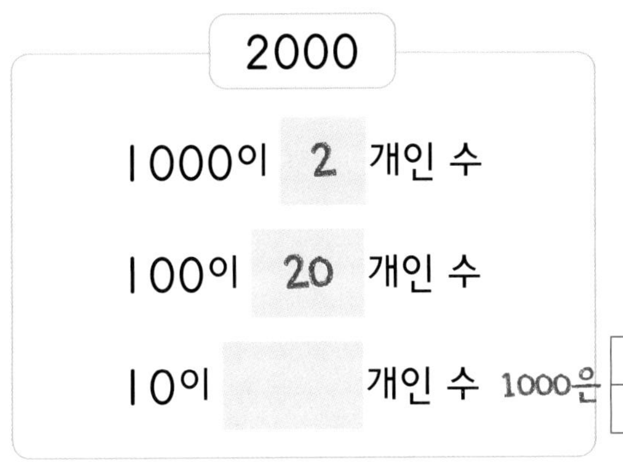

2000

1000이 [2] 개인 수

100이 [20] 개인 수

10이 ▢ 개인 수

1000은
- 1000이 1개인 수
- 100이 10개인 수
- 10이 100개인 수

5000

1000이 ▢ 개인 수

100이 ▢ 개인 수

10이 ▢ 개인 수

4000

1000이 ▢ 개인 수

100이 ▢ 개인 수

10이 ▢ 개인 수

6000

1000이 ▢ 개인 수

100이 ▢ 개인 수

10이 ▢ 개인 수

3000

1000이 ▢ 개인 수

100이 ▢ 개인 수

10이 ▢ 개인 수

8000

1000이 ▢ 개인 수

100이 ▢ 개인 수

10이 ▢ 개인 수

9000

10이 ▢ 개인 수

7000

10이 ▢ 개인 수

03 네 자리 수

정답 04쪽

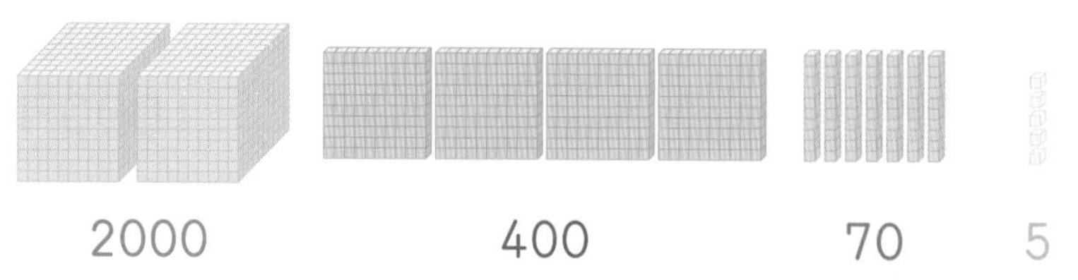

• 1000이 2개, 100이 4개, 10이 7개, 1이 5개이면 2475입니다.
• 2475는 이천사백칠십오라고 읽습니다.

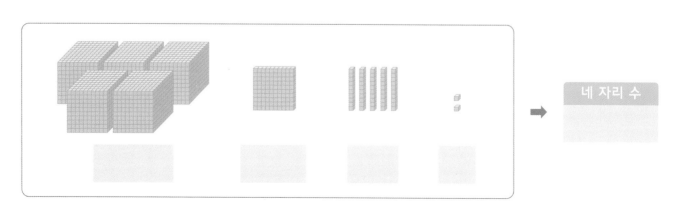

1 수 모형을 보고 안에 알맞은 수를 써넣으세요.

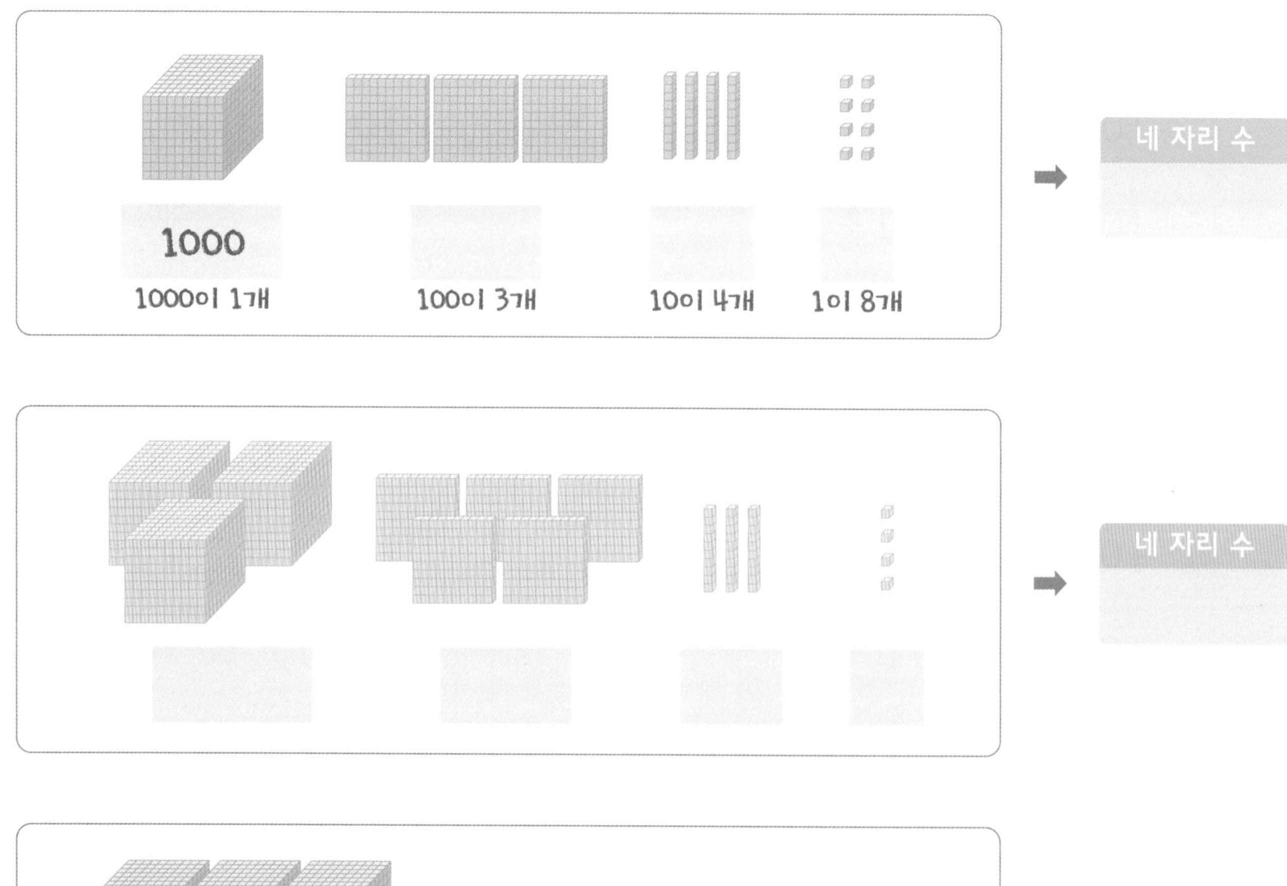

2 수를 읽어 보세요.

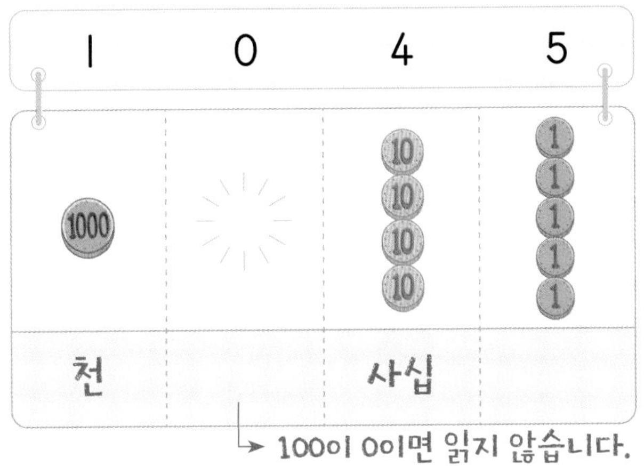

↳ 100이 0이면 읽지 않습니다.

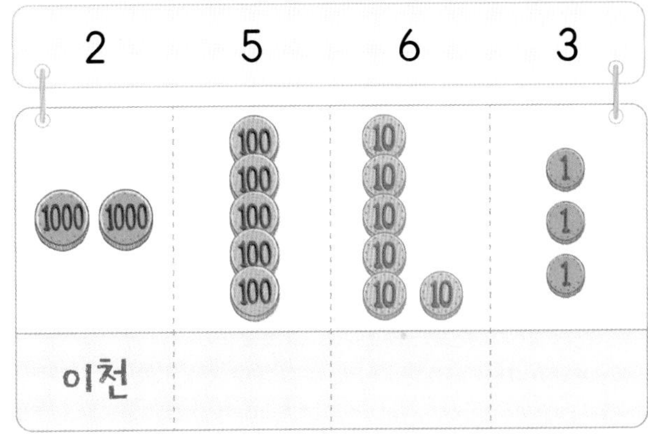

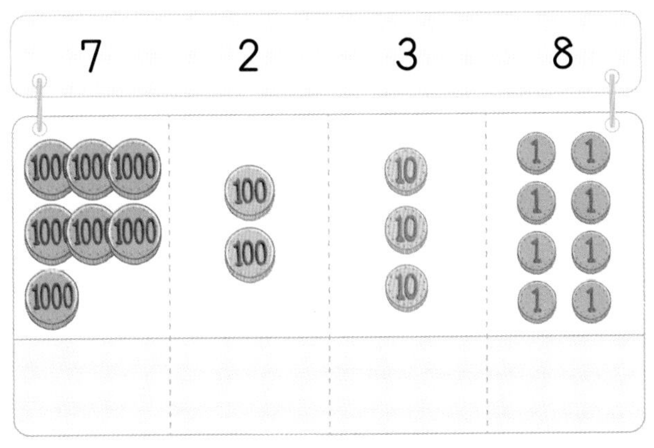

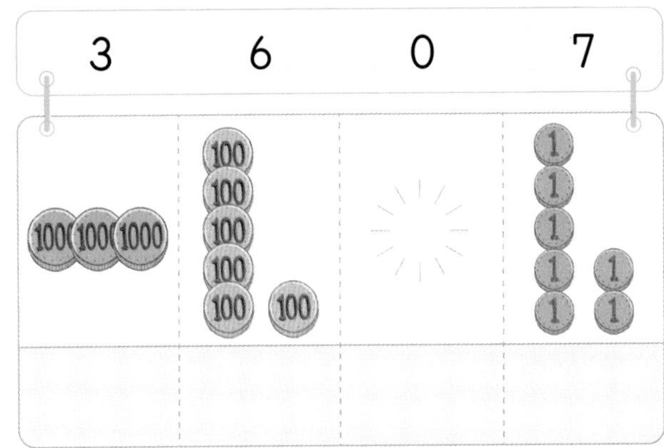

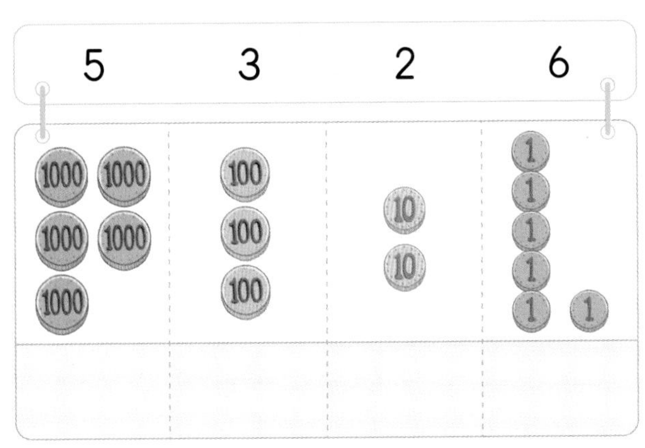

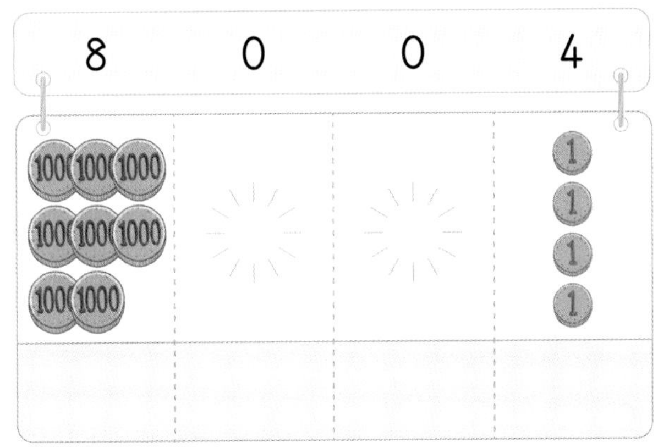

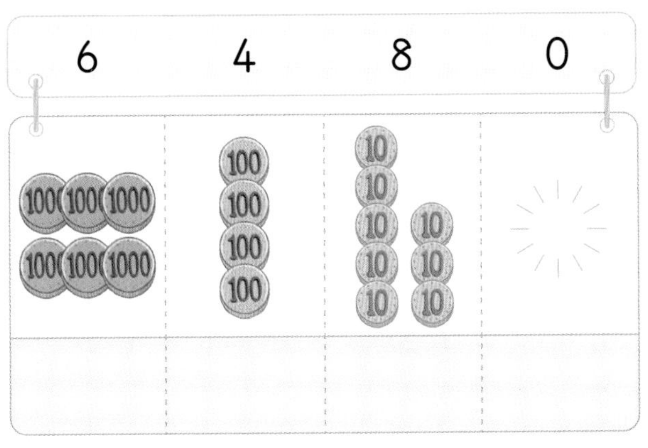

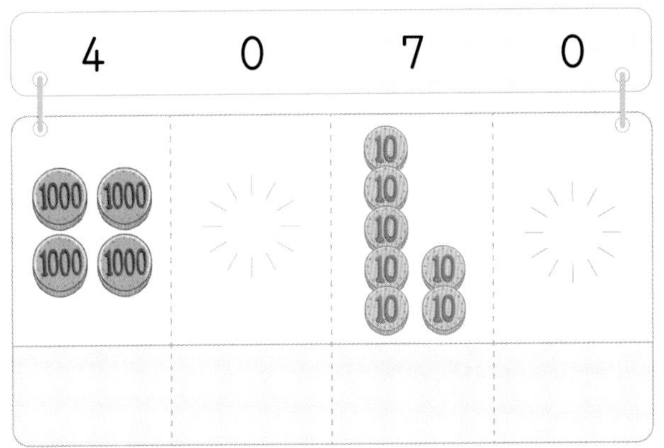

3 빈 곳에 알맞은 수를 써넣으세요.

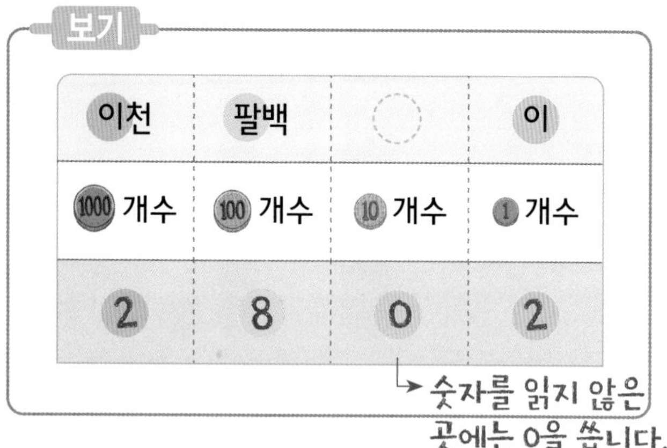

보기

이천	팔백		이
1000 개수	100 개수	10 개수	1 개수
2	8	0	2

삼천	칠백	칠십	구
1000 개수	100 개수	10 개수	1 개수

육천	이백	오십	육
1000 개수	100 개수	10 개수	1 개수

오천	백	삼십	삼
1000 개수	100 개수	10 개수	1 개수

칠천	사백	육십	
1000 개수	100 개수	10 개수	1 개수

사천	사백		육
1000 개수	100 개수	10 개수	1 개수

구천		십	일
1000 개수	100 개수	10 개수	1 개수

팔천		육십	
1000 개수	100 개수	10 개수	1 개수

4 수를 읽거나 수를 써넣으세요.

보기

6052 (천 백 십) — 육천오십이

↳ 자리의 숫자가 0이면 읽지 않습니다.

칠천삼백사십 (7000+300+40) — 7340

수	읽기	읽기	수
2589 (천 백 십)		천육백삼십일 (1000+600+30+1)	
1794		사천구백삼십칠	
3650		구천칠	
6401		오천육백이십	
5039		오천오십이	
7080		팔천이백육십삼	
8147		삼천칠십	

04 각 자리의 숫자가 나타내는 값

정답 05쪽

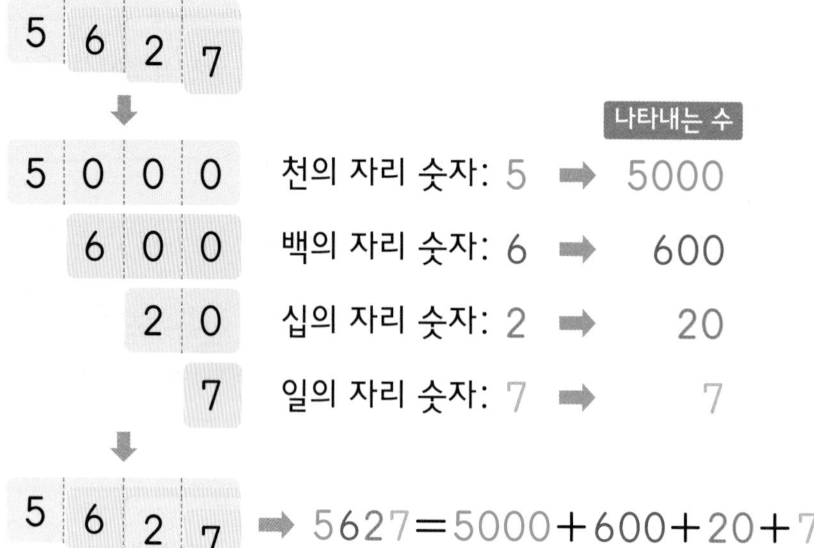

1 빈 곳에 알맞은 수를 써넣으세요.

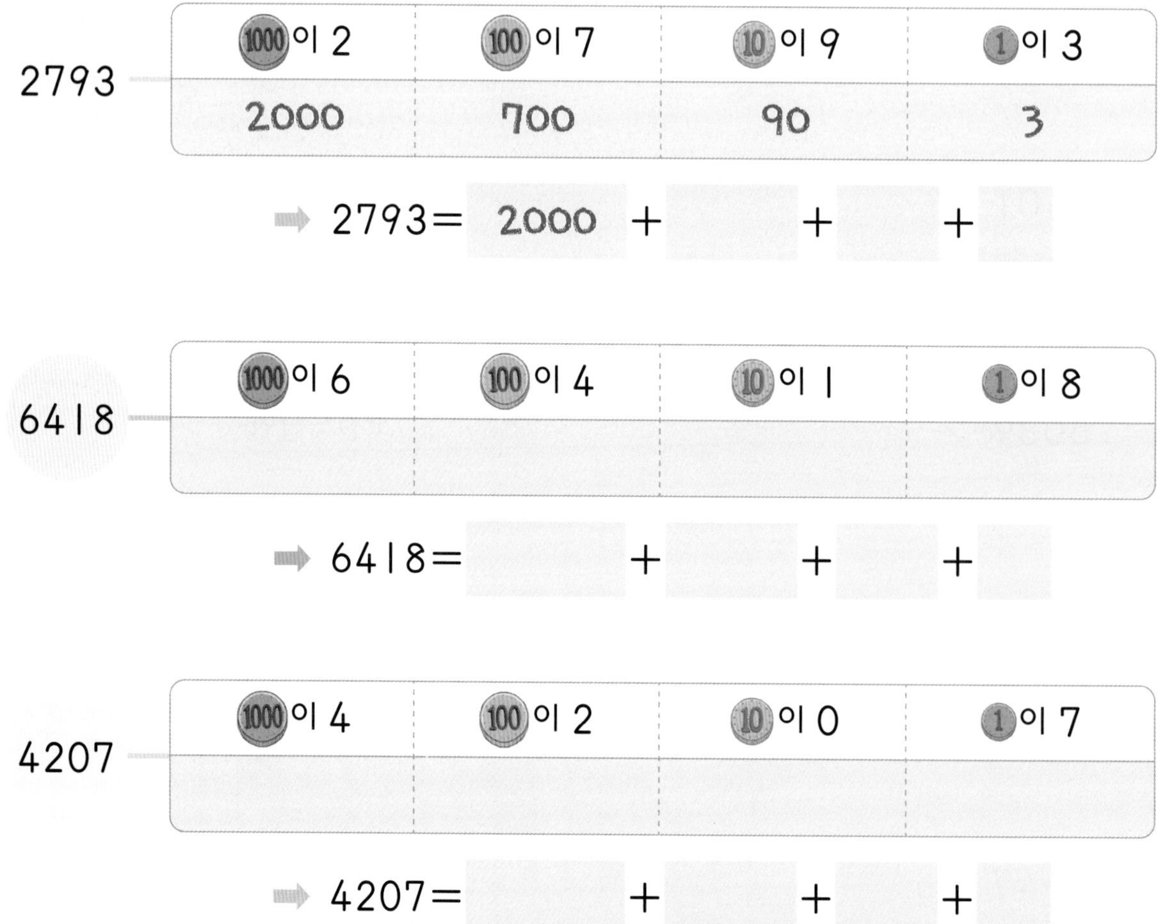

2793	(1000)이 2	(100)이 7	(10)이 9	(1)이 3
	2000	700	90	3

➡ 2793= 2000 + ☐ + ☐ + ☐

6418	(1000)이 6	(100)이 4	(10)이 1	(1)이 8

➡ 6418= ☐ + ☐ + ☐ + ☐

4207	(1000)이 4	(100)이 2	(10)이 0	(1)이 7

➡ 4207= ☐ + ☐ + ☐ + ☐

 안에 알맞은 수를 써넣으세요.

보기

2945 = 2000 + 900 + 40 + 5

2 9 4 5 ➡ 2 0 0 0 + 9 0 0 + 4 0 + 5

1924= + + + 　　　 2350= + + +

6408= + + + 　　　 3056= + + +

4597= + + + 　　　 5010= + + +

8935= + + + 　　　 9653= + + +

3706= + + + 　　　 8030= + + +

5094= + + + 　　　 4621= + + +

5336= + + + 　　　 7595= + + +

3 빨간색 숫자가 나타내는 수를 찾아 ◯표 하세요.

6291 = 6000+200+90+1			
6000	600	60	6

7536			
5000	500	50	5

4872			
7000	700	70	7

8969			
9000	900	90	9

5048			
1000	100	10	0

1345			
1000	100	10	1

9030			
3000	300	30	3

3007			
7000	700	70	7

1860			
8000	800	80	8

1622			
2000	200	20	2

4 □ 안에 알맞은 수를 써넣으세요.

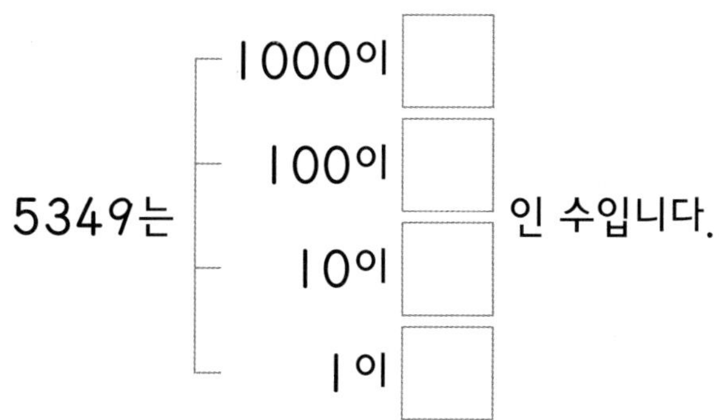

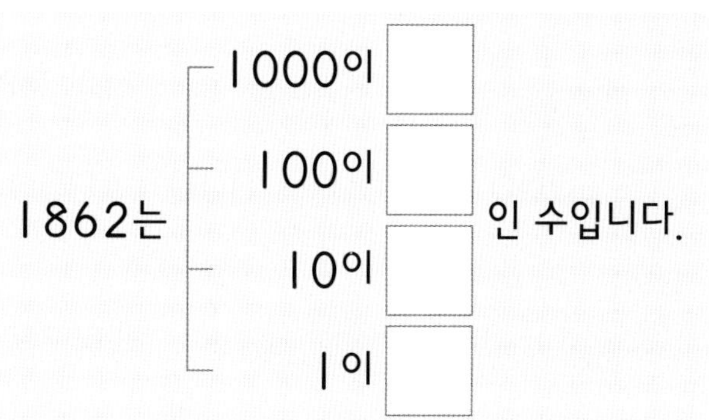

1862는
1000이 □
100이 □
10이 □
1이 □
인 수입니다.

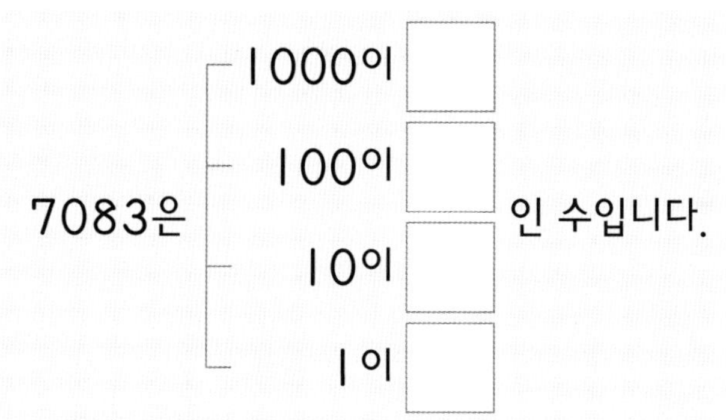

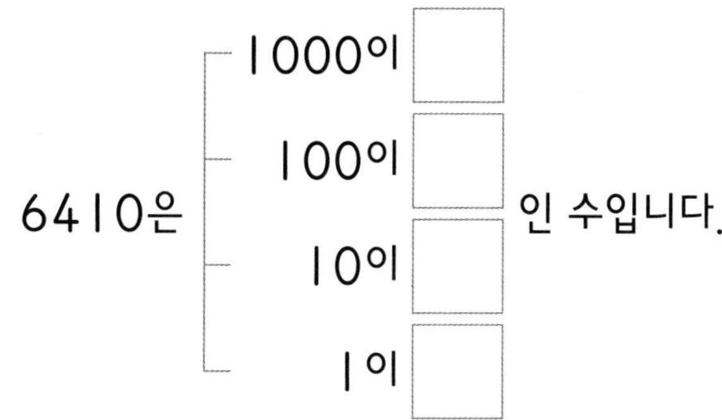

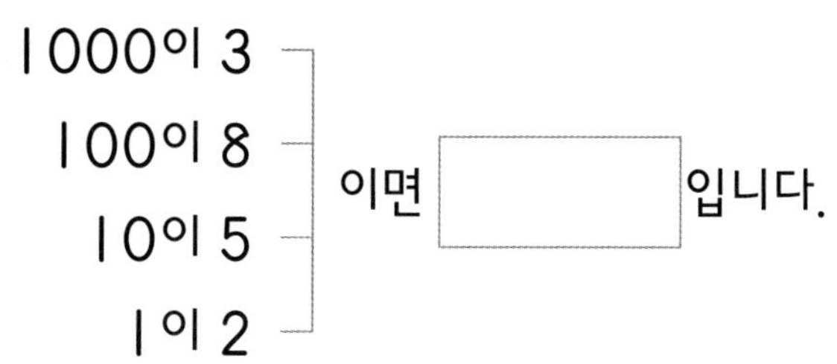

1000이 3
100이 8
10이 5
1이 2
이면 □ 입니다.

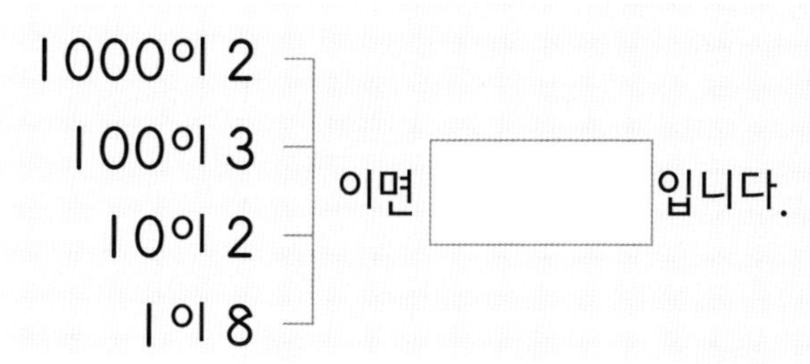

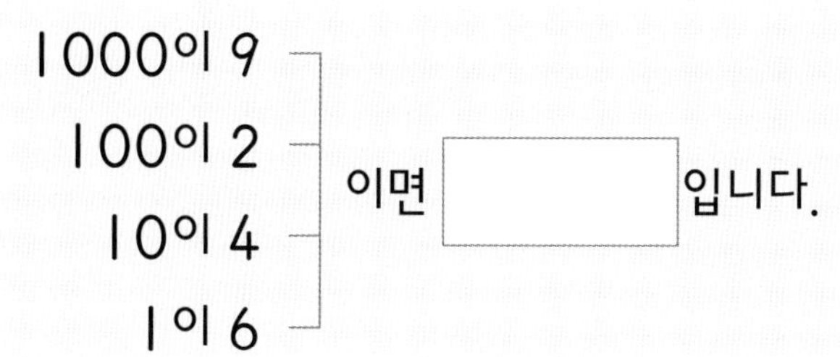

1000이 4
100이 8
10이 3
1이 5
이면 □ 입니다.

1000이 7
100이 9
1이 4
이면 □ 입니다.

1000이 6
10이 5
1이 3
이면 □ 입니다.

05 뛰어서 세기

정답 06쪽

1000씩 뛰어서 세기 ➡ 천의 자리 숫자가 1씩 커집니다.

1000 - 2000 - 3000 - 4000 - 5000 - 6000 - 7000 - 8000 - 9000

100씩 뛰어서 세기 ➡ 백의 자리 숫자가 1씩 커집니다.

9100 - 9200 - 9300 - 9400 - 9500 - 9600 - 9700 - 9800 - 9900

1 동전을 보고 일정한 수만큼씩 뛰어 세어 보세요.

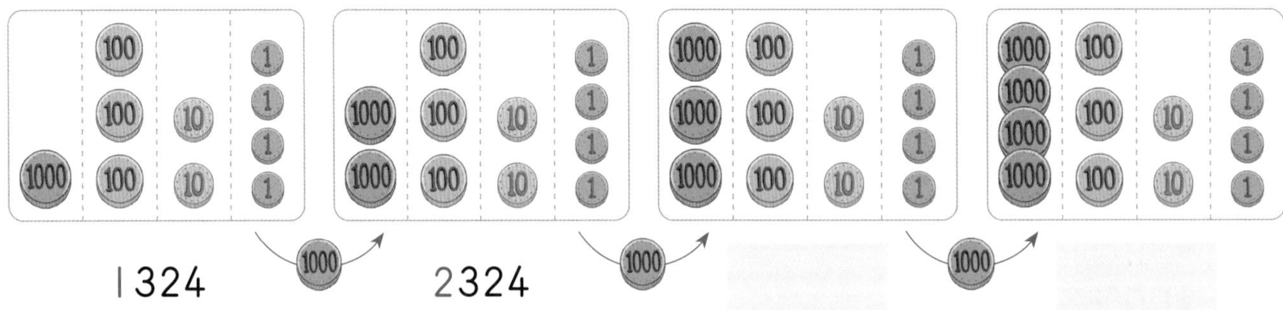

1324 → 2324 → ☐ → ☐

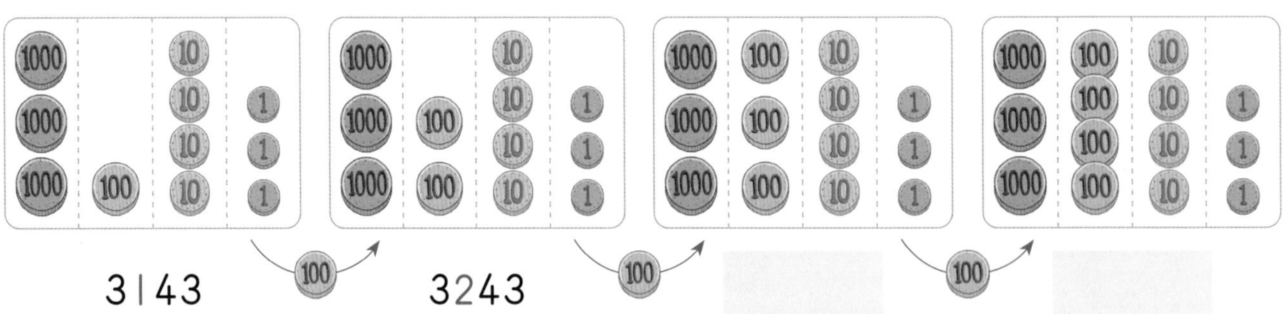

3143 → 3243 → ☐ → ☐

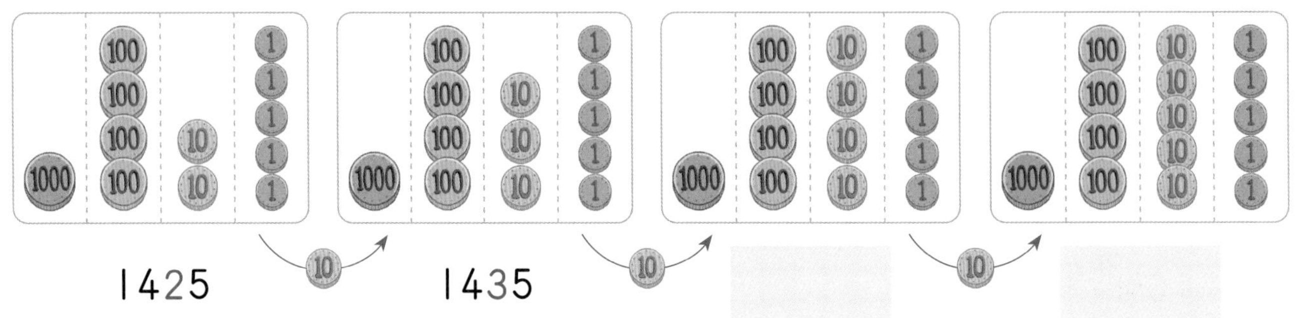

1425 → 1435 → ☐ → ☐

2 주어진 수만큼씩 뛰어 세어 빈 곳에 알맞은 수를 써넣으세요.

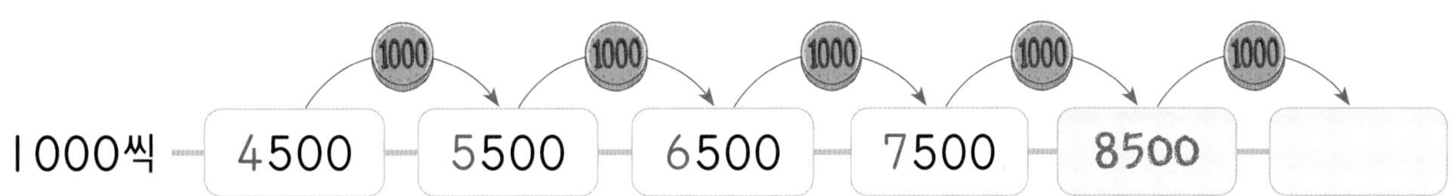

1000씩	4500	5500	6500	7500	8500	

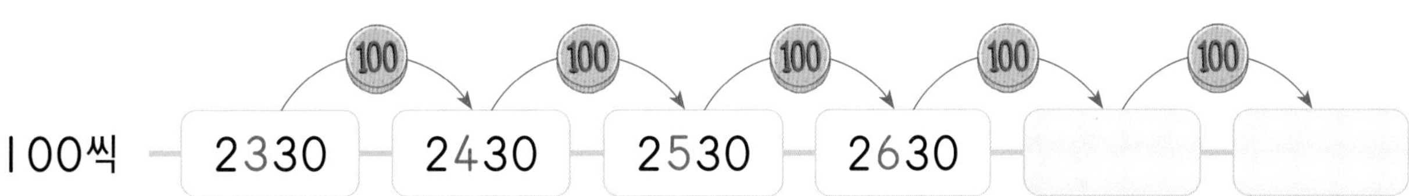

100씩	2330	2430	2530	2630		

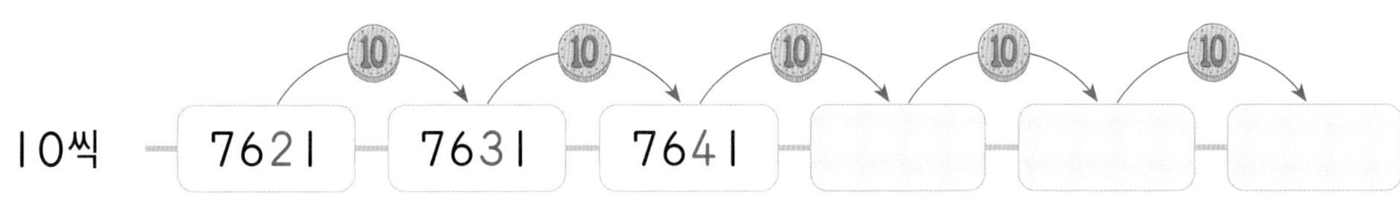

10씩	7621	7631	7641			

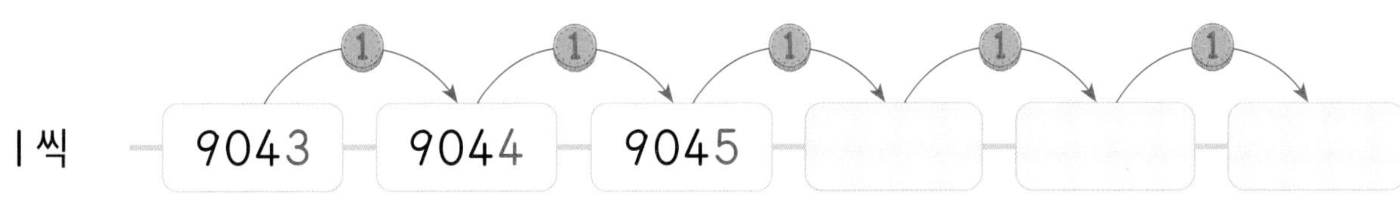

1씩	9043	9044	9045			

1000씩	1450	2450	3450			

100씩	4857	4957		5157		

10씩	5060	5070				5110

3 뛰어 센 규칙을 찾아 빈 곳에 알맞은 수를 써넣으세요.

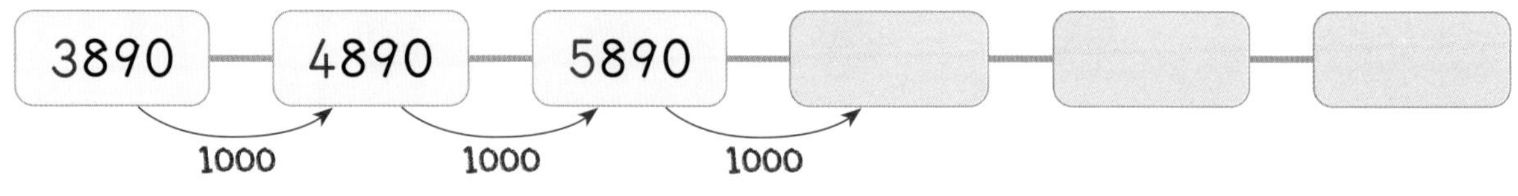

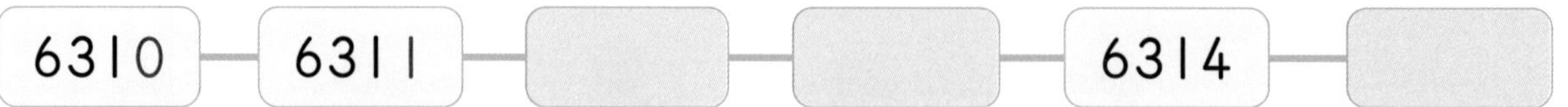

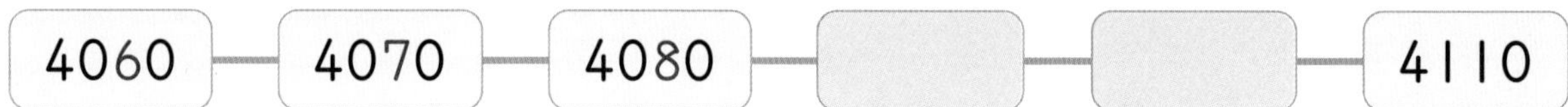

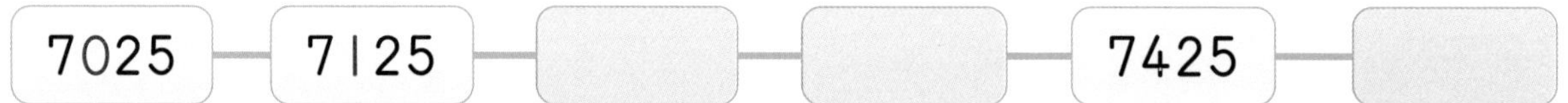

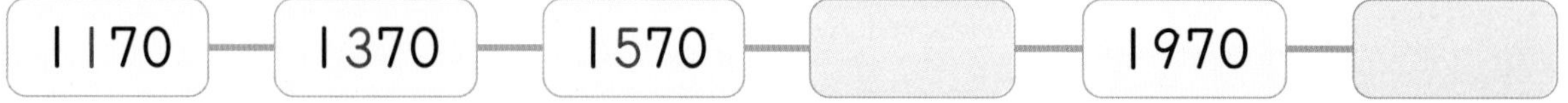

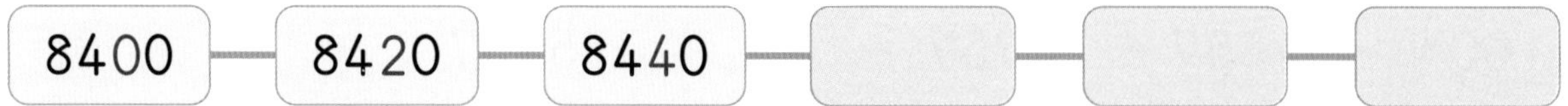

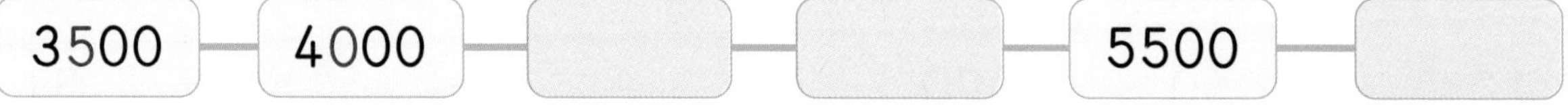

4 규칙에 알맞게 따라가며 선을 그어 보세요.

규칙 100씩 커지는 수 따라가기

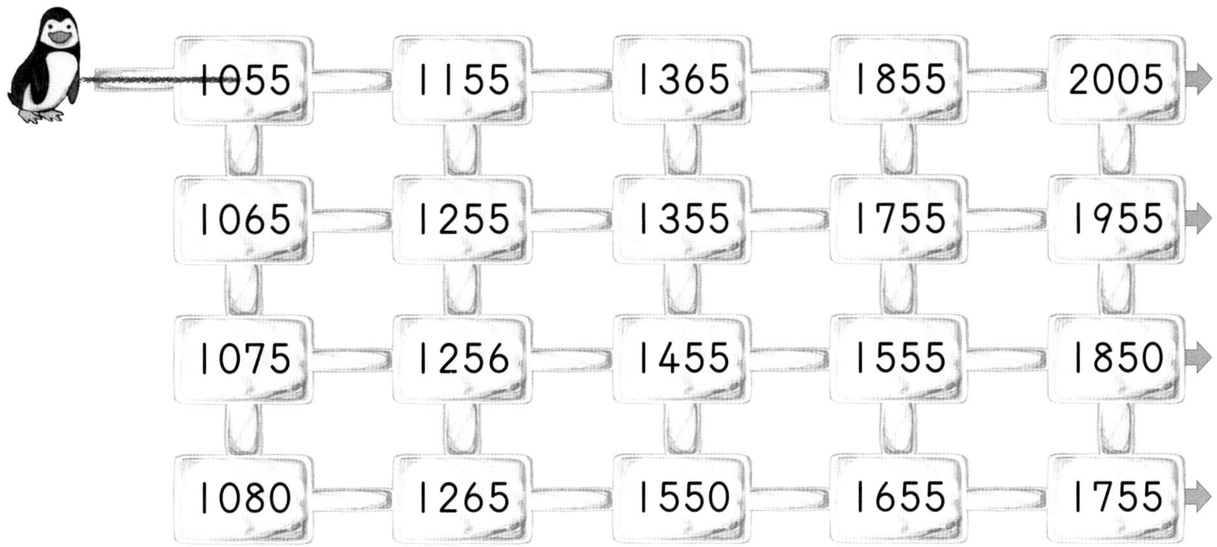

규칙 10씩 커지는 수 따라가기

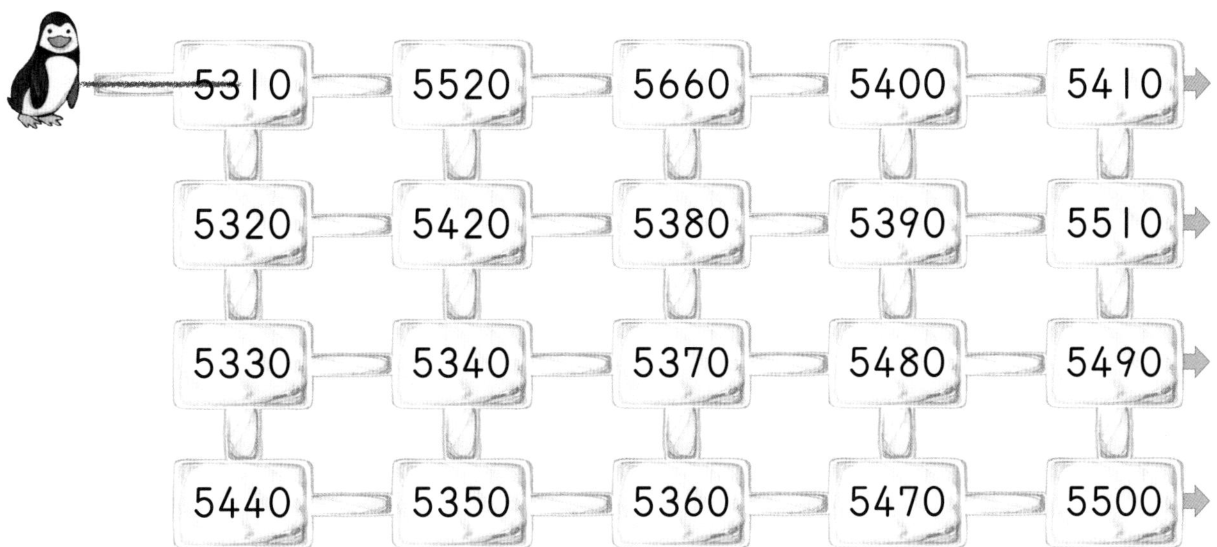

06 수의 크기 비교

정답 07쪽

3243과 3245 비교하기

	천의 자리	백의 자리	십의 자리	일의 자리
3243=	3000	200	40	3
	‖	‖	‖	∧
3245=	3000	200	40	5

➡ 3243 < 3245

1 두 수의 크기를 비교하여 ○ 안에 > 또는 <를 알맞게 써넣으세요.

3535	1000 1000 1000	100 100 100 100 100	10 10 10	1 1 1 1 1
5236	1000 1000 1000 1000 1000	100 100	10 10 10	1 1 1 1 1 1

➡ 3535 ○ 5236

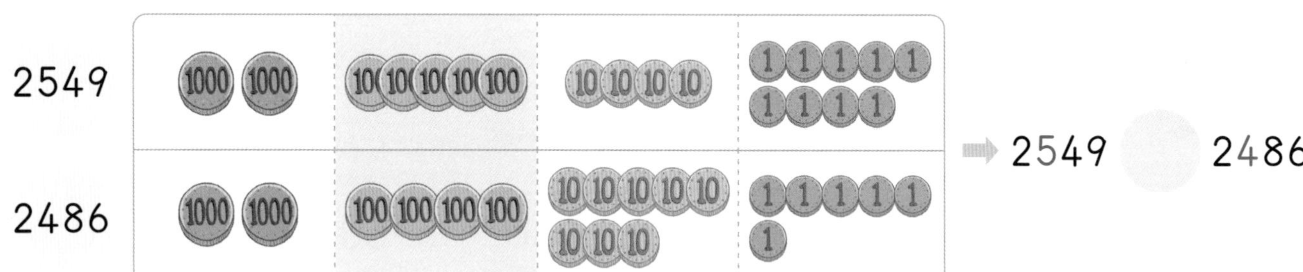

2549	1000 1000	100 100 100 100 100	10 10 10 10	1 1 1 1 1 1 1 1 1
2486	1000 1000	100 100 100 100	10 10 10 10 10 10 10 10	1 1 1 1 1 1

➡ 2549 ○ 2486

4366	1000 1000 1000 1000	100 100 100	10 10 10 10 10 10	1 1 1 1 1 1
4393	1000 1000 1000 1000	100 100 100	10 10 10 10 10 10 10 10 10	1 1 1

➡ 4366 ○ 4393

2 네 자리 수의 크기를 비교하여 빈 곳에 알맞게 써넣으세요.

보기

	천의 자리	백의 자리	십의 자리	일의 자리
3265	3	2	6	5
3845	3	8	4	5

➡ 3265 < 3845

	천의 자리	백의 자리	십의 자리	일의 자리
2296				
1984				

➡ 2296 ◯ 1984

	천의 자리	백의 자리	십의 자리	일의 자리
2613				
2358				

➡ 2613 ◯ 2358

	천의 자리	백의 자리	십의 자리	일의 자리
4908				
4985				

➡ 4908 ◯ 4985

	천의 자리	백의 자리	십의 자리	일의 자리
8807				
9123				

➡ 8807 ◯ 9123

	천의 자리	백의 자리	십의 자리	일의 자리
7415				
7410				

➡ 7415 ◯ 7410

	천의 자리	백의 자리	십의 자리	일의 자리
5255				
5257				

➡ 5255 ◯ 5257

	천의 자리	백의 자리	십의 자리	일의 자리
3653				
3649				

➡ 3653 ◯ 3649

3 두 수의 크기를 비교하여 ◯ 안에 > 또는 <를 알맞게 써넣으세요.

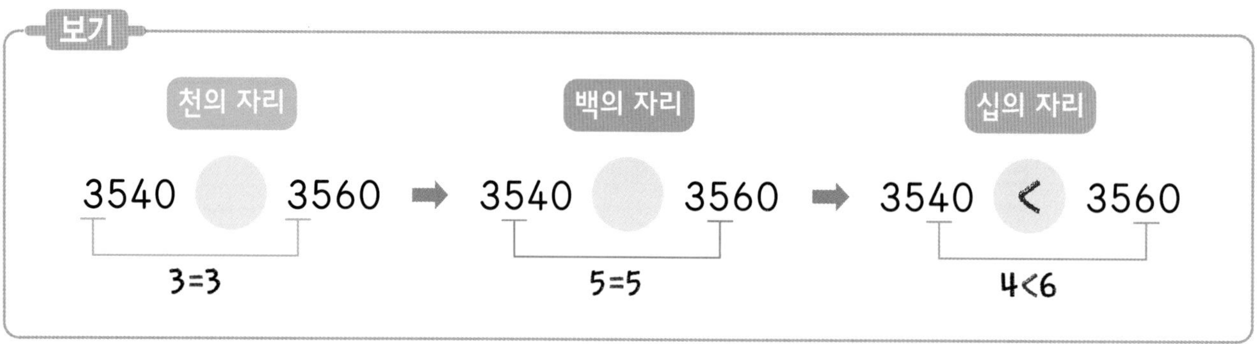

보기
천의 자리
3540 ◯ 3560
3=3
백의 자리
3540 ◯ 3560
5=5
십의 자리
3540 < 3560
4<6

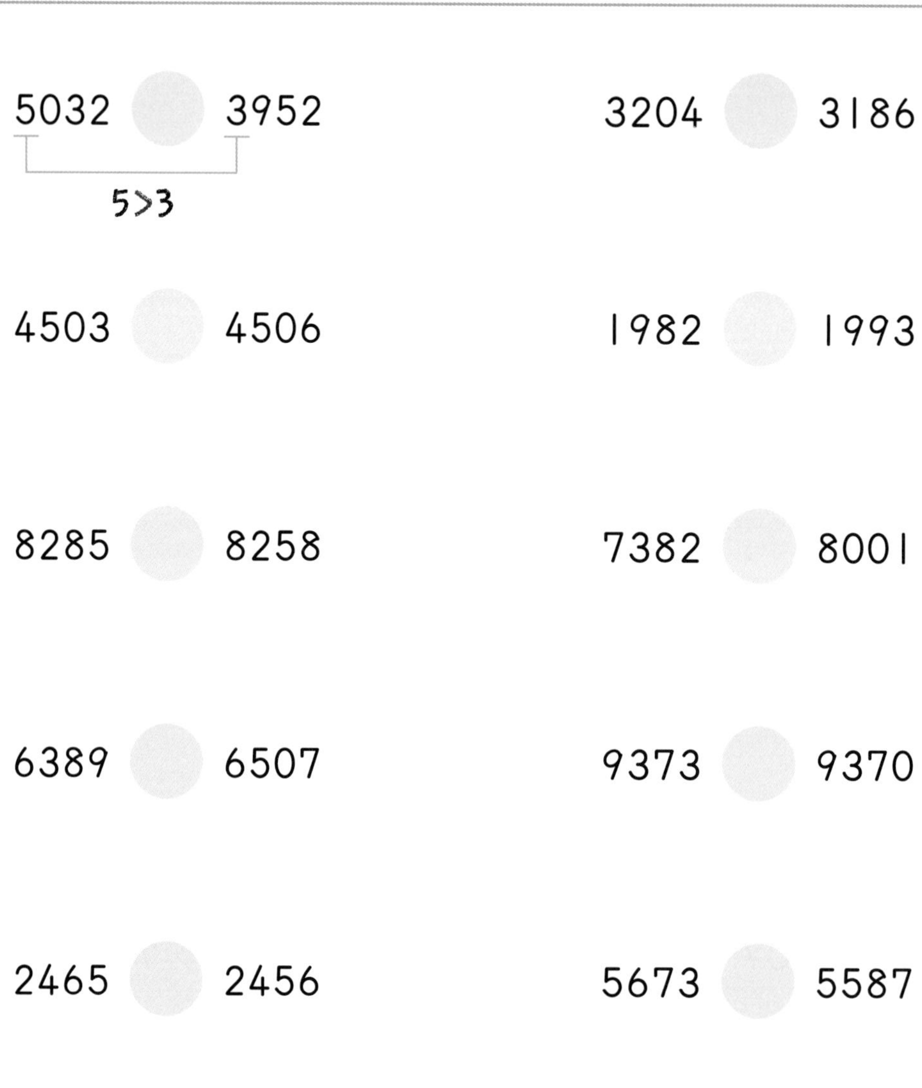

5032 ◯ 3952 (5>3)

3204 ◯ 3186

4503 ◯ 4506

1982 ◯ 1993

8285 ◯ 8258

7382 ◯ 8001

6389 ◯ 6507

9373 ◯ 9370

2465 ◯ 2456

5673 ◯ 5587

6096 ◯ 6099

4537 ◯ 4535

5689 ◯ 5489

1938 ◯ 1957

4 주어진 수보다 큰 수를 모두 찾아 ◯표 하세요.

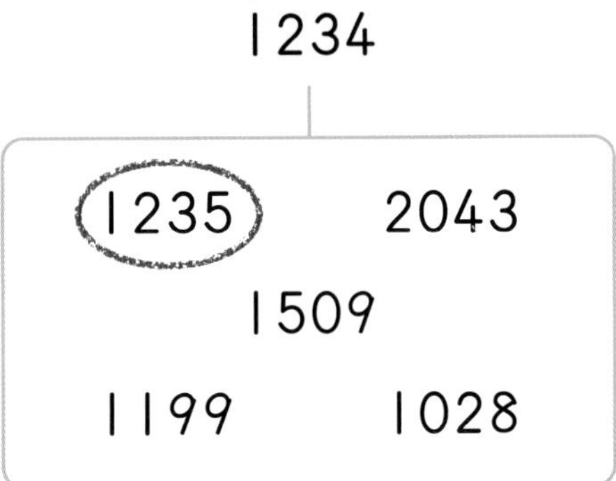

1234

1235　2043
1509
1199　1028

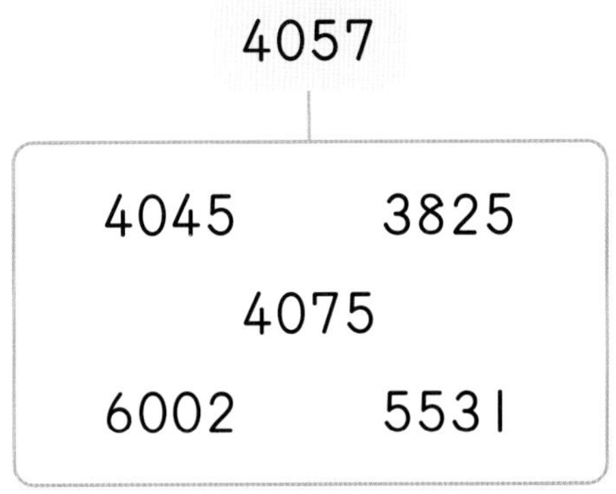

4057

4045　3825
4075
6002　5531

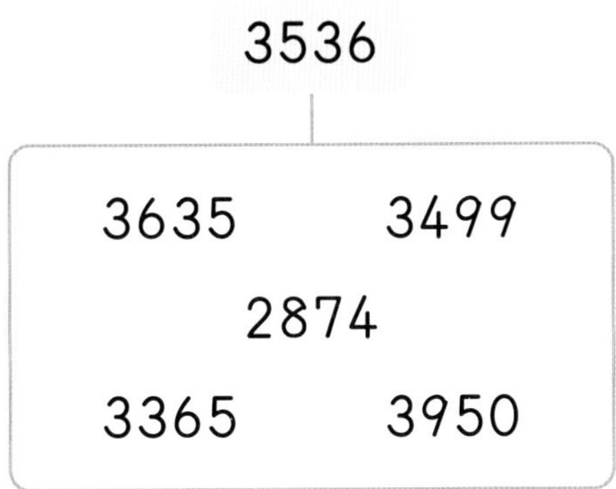

3536

3635　3499
2874
3365　3950

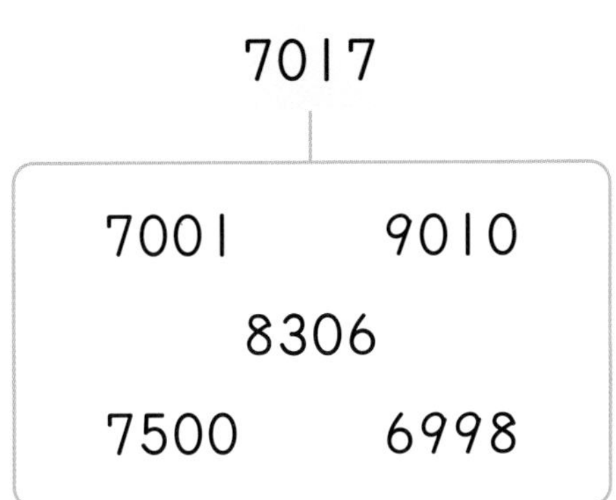

7017

7001　9010
8306
7500　6998

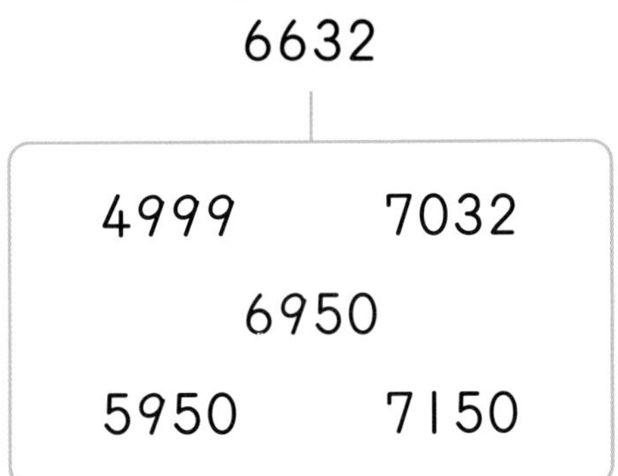

6632

4999　7032
6950
5950　7150

2698

2745　2699
2689
2100　1905

9345

6030　9400
8970
9513　9253

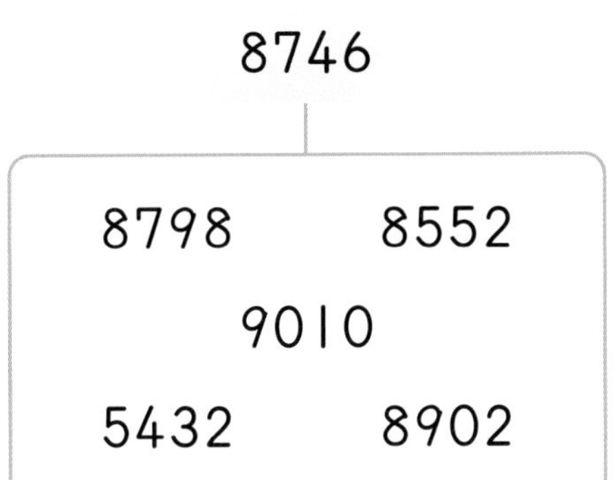

8746

8798　8552
9010
5432　8902

도전! 응용 문제

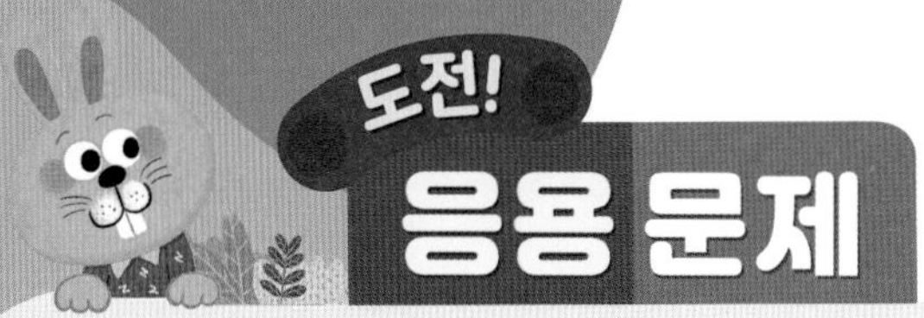

정답 08쪽

수 카드로 네 자리 수 만들기

5 1 3 8 →

가장 큰 수

8	5	3	1

8>5>3>1
큰 수부터 높은 자리에 차례로 씁니다.

가장 작은 수

1	3	5	8

1<3<5<8
작은 수부터 높은 자리에 차례로 씁니다.

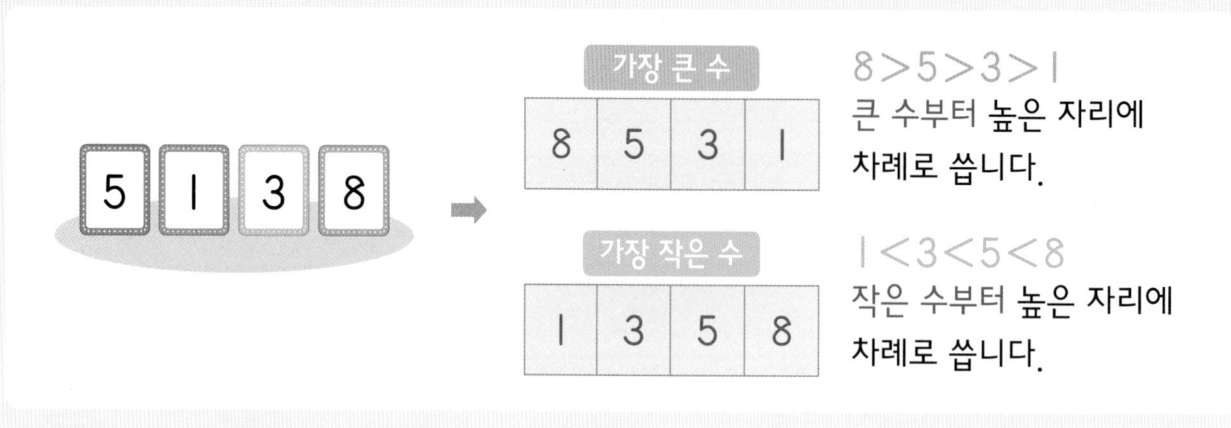

응용 1 수 카드를 한 번씩만 사용하여 가장 큰 네 자리 수 또는 가장 작은 네 자리 수를 만들어 보세요.

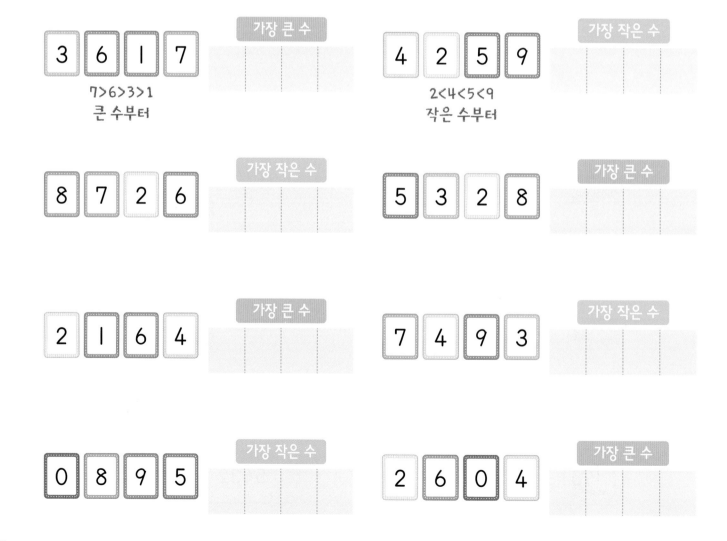

3 6 1 7 — 가장 큰 수

7>6>3>1
큰 수부터

4 2 5 9 — 가장 작은 수

2<4<5<9
작은 수부터

8 7 2 6 — 가장 작은 수

5 3 2 8 — 가장 큰 수

2 1 6 4 — 가장 큰 수

7 4 9 3 — 가장 작은 수

0 8 9 5 — 가장 작은 수

2 6 0 4 — 가장 큰 수

응용 **2** **4장의 수 카드를 한 번씩만 사용하여 조건 에 알맞은 네 자리 수를 만들어 보세요.**

보기

2 6 7 9

조건 십의 자리 숫자가 6인 가장 큰 네 자리 수

➡ 9 7 6 2 9>7>2

4 1 5 8

조건 백의 자리 숫자가 5인 가장 작은 네 자리 수

➡ 5 1<4<8

6 3 2 9

조건 천의 자리 숫자가 3인 가장 큰 네 자리 수

➡ 3

7 4 0 3

조건 일의 자리 숫자가 0인 가장 작은 네 자리 수

➡

8 7 3 5

조건 백의 자리 숫자가 7, 일의 자리 숫자가 5인 네 자리 수

➡ ,

1 2 5 8

조건 천의 자리 숫자가 5, 십의 자리 숫자가 1인 네 자리 수

➡ ,

□ 안에 들어갈 수 있는 숫자

85□8 < 8532 ➡ 85□8 < 8532 ➡ □8 < 32

2 8
1 8
0 8

응용 3 □ 안에 들어갈 수 있는 숫자를 모두 찾아 ○표 하세요.

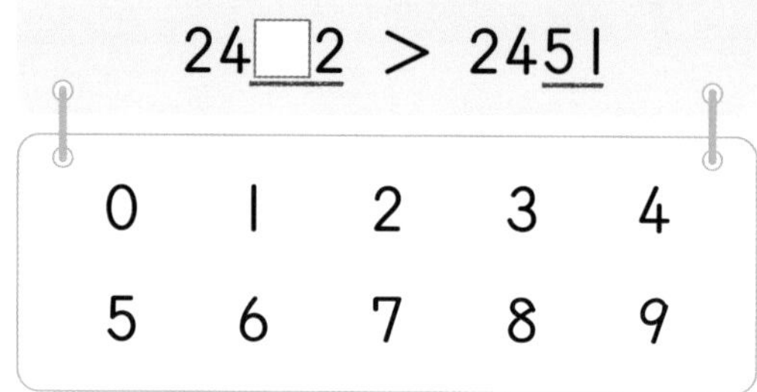

338□ < 3385

0 1 2 3 4
5 6 7 8 9

6235 < 623□

0 1 2 3 4
5 6 7 8 9

4158 > 41□5

0 1 2 3 4
5 6 7 8 9

16□7 > 1642

0 1 2 3 4
5 6 7 8 9

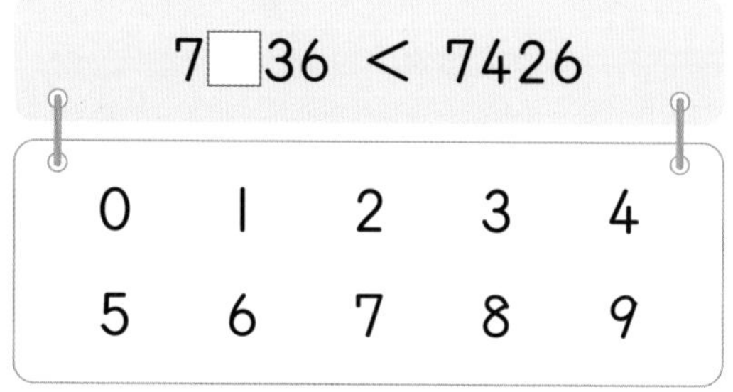

9530 < 9□12

0 1 2 3 4
5 6 7 8 9

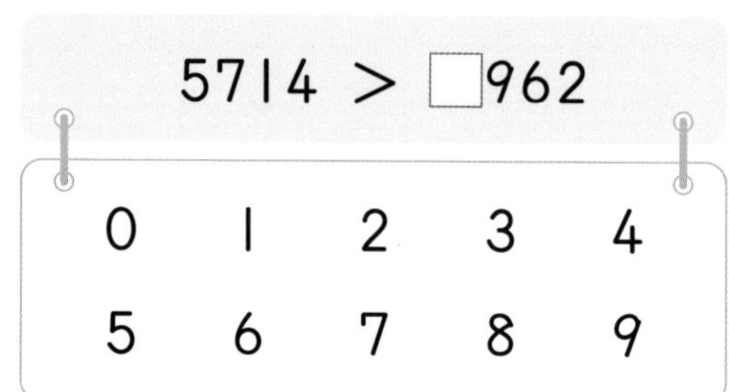

응용 4 □ 안에 들어갈 수 있는 수 중에서 가장 큰 수 또는 가장 작은 수를 구하세요.

837□ < 8373 ➡ □안에 들어갈 수 있는 수 , ,

가장 큰 수

6387 < 638□ ➡ □안에 들어갈 수 있는 수 ,

가장 작은 수

1346 > 13□7 ➡ □안에 들어갈 수 있는 수 , , ,

가장 큰 수

54□4 > 5468 ➡ □안에 들어갈 수 있는 수 , ,

가장 작은 수

3□88 < 3578 ➡ □안에 들어갈 수 있는 수 , , , ,

가장 큰 수

2784 < 2□94 ➡ □안에 들어갈 수 있는 수 , ,

가장 작은 수

4346 > □737 ➡ □안에 들어갈 수 있는 수 , ,

가장 큰 수

01 동전이 나타내는 수를 ▢ 안에 써넣으세요.

(1)

▢

(2)

▢

02 ▢ 안에 알맞은 수를 써넣으세요.

(1)

		977	978	979	980
	986	987	988	989	990
5	996	997	998	999	1000

➡ 1000은 996보다 ▢ 큰 수입니다.

(2)

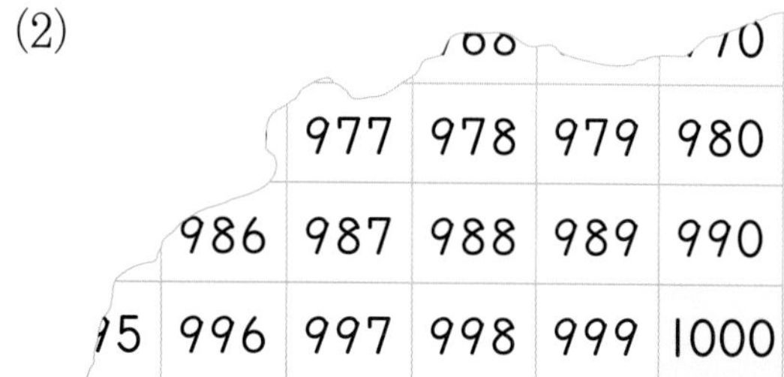

		977	978	979	980
	986	987	988	989	990
5	996	997	998	999	1000

➡ 1000은 980보다 ▢ 큰 수입니다.

03 모아서 1000이 되도록 알맞게 이어 보세요.

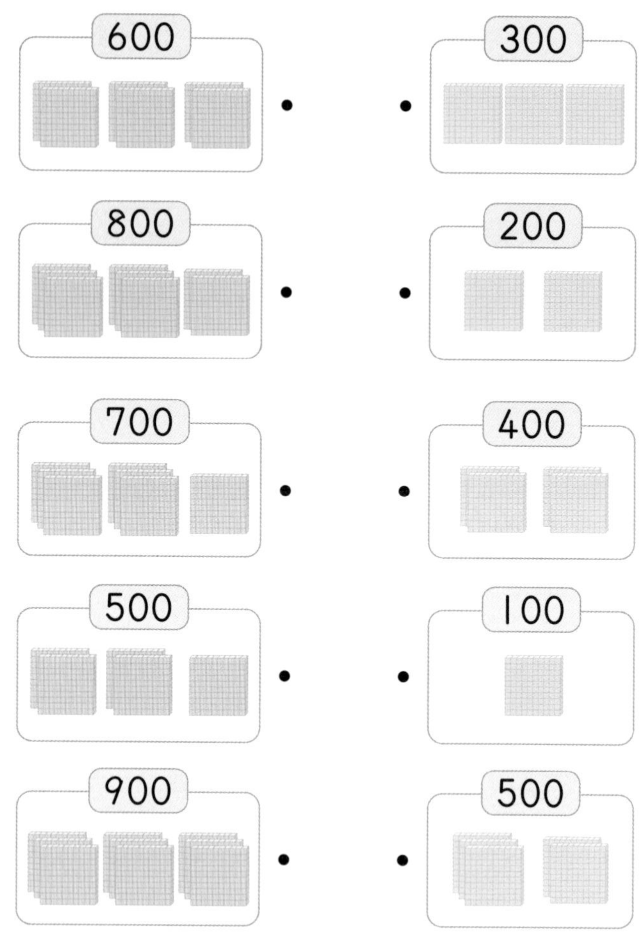

04 1000이 되도록 알맞게 그려 보세요.

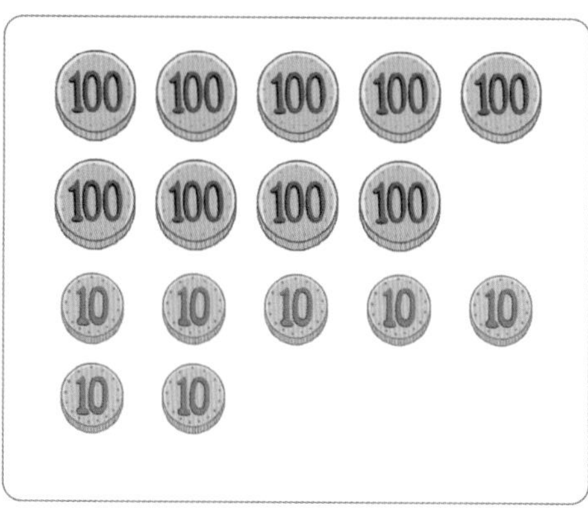

05 수 모형에 맞게 수를 쓰고 읽어 보세요.

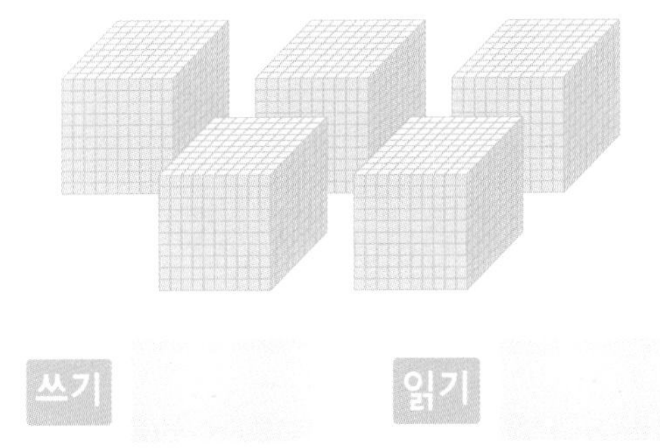

쓰기 [ ] 읽기 [ ]

06 그림을 보고 [ ] 안에 알맞은 수를 써넣으세요.

1000이 [ ] 개인 수 ➡ [ ]

07 [ ] 안에 알맞은 수를 써넣으세요.

(1)

100원이 30개 ➡ [ ] 원

(2)

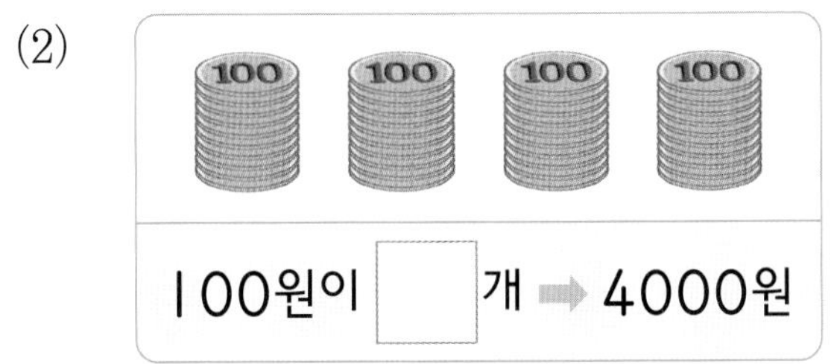

100원이 [ ] 개 ➡ 4000원

08 [ ] 안에 알맞은 수를 써넣으세요.

9000

1000이 [ ] 개인 수

100이 [ ] 개인 수

10이 [ ] 개인 수

09 수를 읽어 보세요.

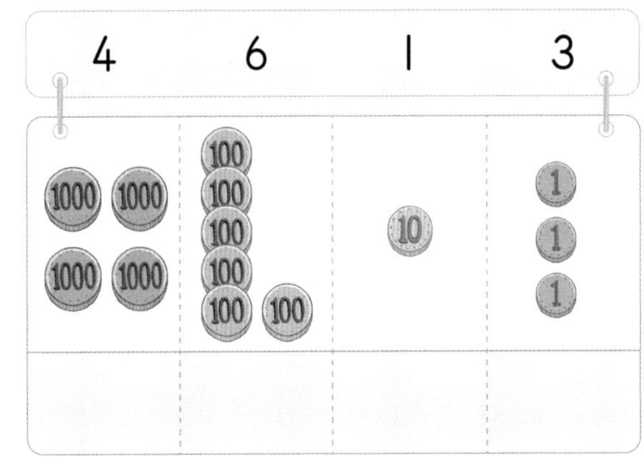

10 빈 곳에 알맞은 수를 써넣으세요.

육천	이백		칠
1000 개수	100 개수	10 개수	1 개수

11 수를 읽거나 수를 써넣으세요.

(1) 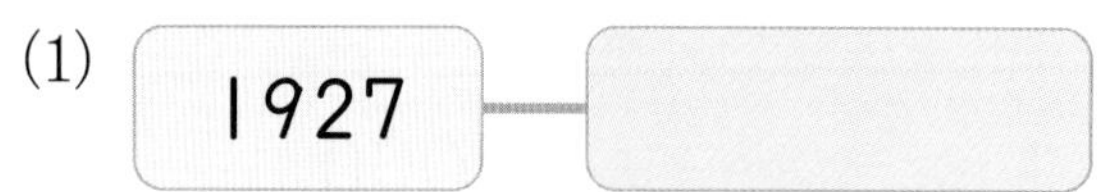

(2) 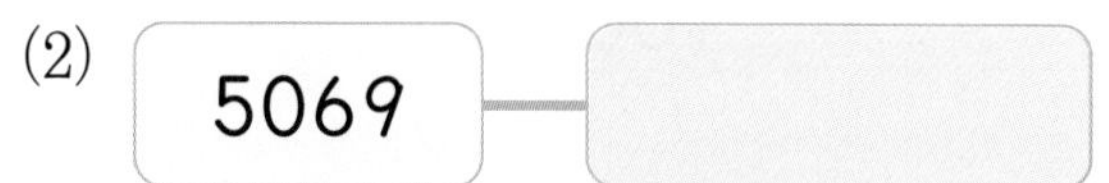

(3) 

(4) 

(5) 

12 보기 와 같이 ☐ 안에 알맞은 수를 써넣으세요.

보기

7503=7000+500+0+3

(1) 2817=☐+☐+☐+☐

(2) 6040=☐+☐+☐+☐

13 빨간색 숫자가 나타내는 수를 찾아 ○표 하세요.

(1)

4780			
4000	400	40	4

(2) 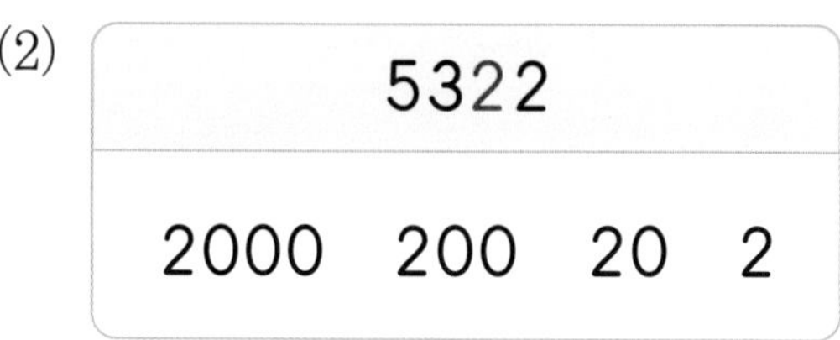

14 ☐ 안에 알맞은 수를 써넣으세요.

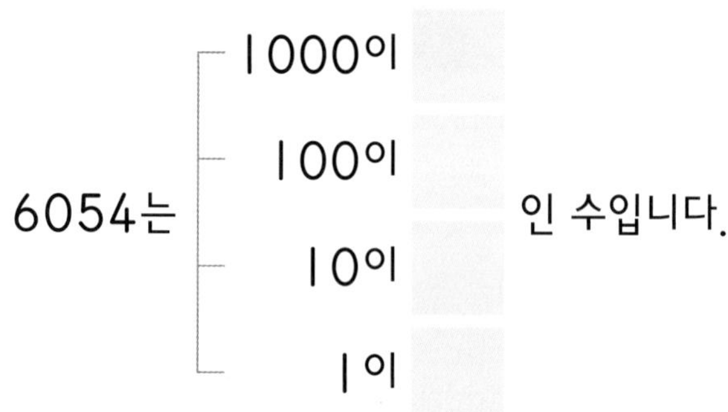

15 주어진 수만큼씩 뛰어 세어 빈 곳에 알맞은 수를 써넣으세요.

16 뛰어 센 규칙을 찾아 빈 곳에 알맞은 수를 써넣으세요.

17 네 자리 수의 크기를 비교하여 빈 곳에 알맞게 써넣으세요.

	천의 자리	백의 자리	십의 자리	일의 자리
2786				
2758				

➡ 2786 ◯ 2758

18 두 수의 크기를 비교하여 ◯ 안에 > 또는 <를 알맞게 써넣으세요.

(1) 2706 ◯ 3706

(2) 3580 ◯ 3579

19 주어진 수보다 큰 수를 모두 찾아 ◯표 하세요.

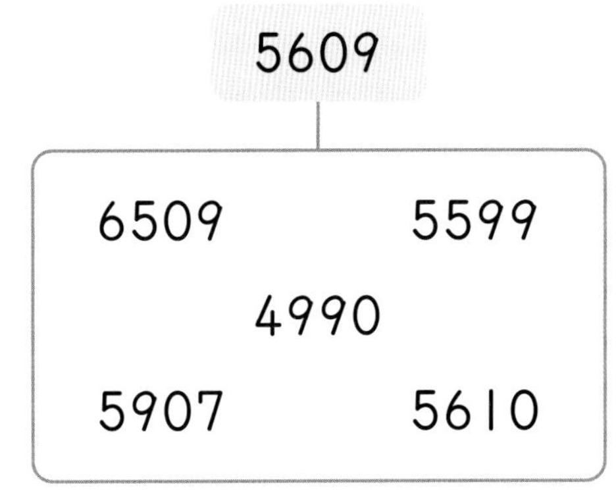

20 주어진 수보다 작은 수를 모두 찾아 ◯표 하세요.

3922

3932 3912
3822
3919 4926

1 동전이 나타내는 수를 쓰고, 읽어 보세요.

쓰기 (   )

읽기 (   )

2 1000을 나타내는 수가 아닌 것을 찾아 기호를 쓰세요.

㉠ 997보다 3 큰 수

㉡ 990보다 100 큰 수

㉢ 100이 10개인 수

(   )

3 1000원이 되려면 얼마가 더 있어야 할까요?

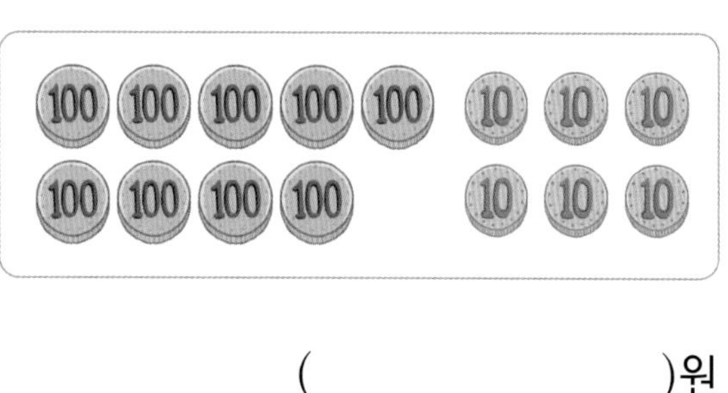

(   )원

4 ㉠과 ㉡에 알맞은 수들의 합을 구해 보세요.

(1)

• 3000은 1000이 ㉠개입니다.

• 5000은 1000이 ㉡개입니다.

(   )

(2)

• 1000이 ㉠개이면 4000입니다.

• 1000이 ㉡개이면 7000입니다.

(   )

5 ☐ 안에 알맞은 수를 써넣으세요.

(1) 6000 ─ 1000이 ☐개인 수, 100이 ☐개인 수, 10이 ☐개인 수

(2)

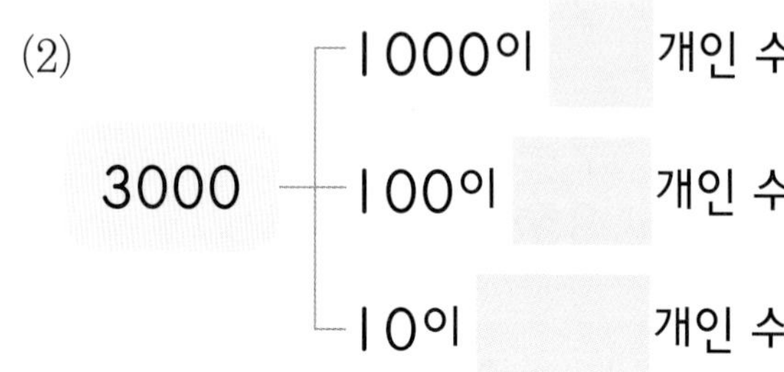

3000 ─ 1000이 ☐개인 수, 100이 ☐개인 수, 10이 ☐개인 수

6 색종이 3000장을 상자에 담으려고 합니다. 한 상자에 1000장씩 담는다면 상자는 모두 몇 개 필요할까요?

( )개

7 수 모형을 보고 알맞은 수를 쓰세요.

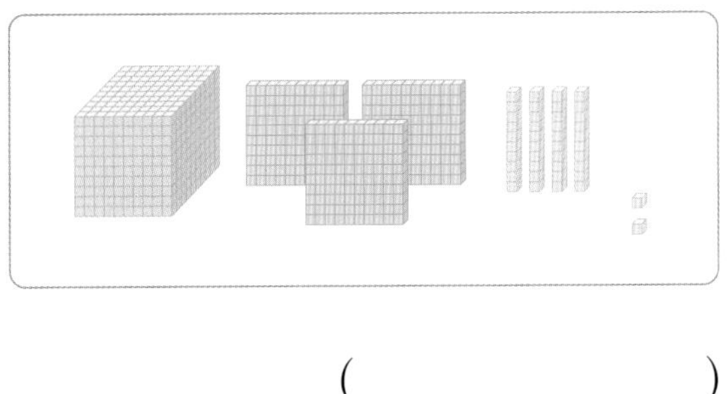

( )

8 알맞게 이어 보세요.

7105	•	•	칠천십오
7015	•	•	칠천백오십
7150	•	•	칠천백오
7115	•	•	칠천오백십일
7511	•	•	칠천백십오

9 숫자 6이 6000을 나타내는 수는 모두 몇 개일까요?

6504 5670 1569
9586 6002 3672

( )개

10 밑줄 친 숫자가 나타내는 값이 가장 큰 수에 ○표, 가장 작은 수에 △표 하세요.

(1)

$3\underline{4}08$ $96\underline{4}2$ $195\underline{4}$ $\underline{4}891$

(2)

$\underline{7}605$ $8\underline{7}42$ $351\underline{7}$ $98\underline{7}5$

11 다음 수를 구하세요.

(1)

1000이 5, 100이 8, 1이 9인 수

(　　　　　　　)

(2)

1000이 7, 100이 2, 10이 3인 수

(　　　　　　　)

12 주원이는 문구점에서 1000원짜리 연필 5자루, 100원짜리 지우개 2개를 샀습니다. 주원이는 얼마를 내야 하는지 풀이 과정을 쓰고 답을 구하세요.

풀이

답

13 뛰어 센 수를 보고 몇 씩 뛰어서 세었는지 쓰세요.

5803 — 5813 — 5823 — 5833 — 5843 — 5853

(　　　　　　　)씩

14 뛰어 세는 규칙을 찾아 ㉠에 알맞은 수를 구하세요.

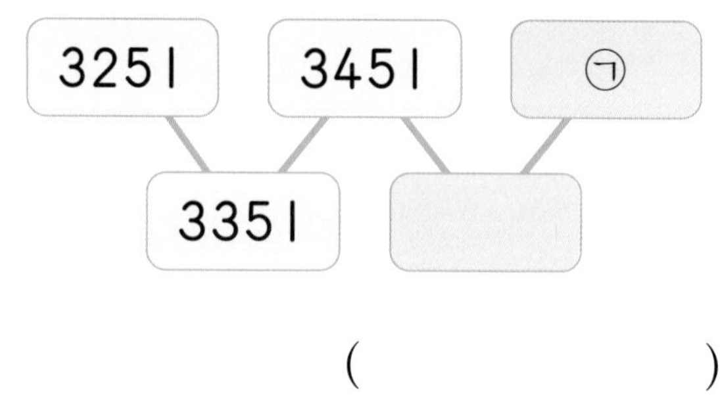

(　　　　　　　)

15 2529에서 큰 쪽으로 1000씩 5번 뛰어서 센 수를 구하세요.

(　　　　　　　)

16 더 큰 수를 말한 사람은 누구일까요?

1000이 8, 100이 3,
10이 5인 수
준서

(　　　　　　)

17 큰 수부터 차례대로 기호를 쓰세요.

㉠ 3691　㉡ 3951　㉢ 3799

(　　　　　　)

18 산의 높이를 조사한 것입니다. 가장 낮은 산을 쓰세요.

산	높이(m)
지리산	1915
한라산	1947
백두산	2744

(　　　　　　)

19 수 카드를 한 번씩만 사용하여 가장 큰 네 자리 수와 가장 작은 네 자리 수를 각각 만들어 보세요.

5　2　0　8

가장 큰 수 (　　　　　　)

가장 작은 수 (　　　　　　)

20 조건 에 맞는 네 자리 수를 구하세요.

조건
- 천의 자리 숫자와 백의 자리 숫자는 8입니다.
- 십의 자리 숫자는 백의 자리 숫자보다 2 작습니다.
- 일의 자리 숫자와 십의 자리 숫자의 합은 10입니다.

(　　　　　　)

memo

논리적 사고력과 창의적 문제해결력을 키워 주는

매스티안 교재 활용법!

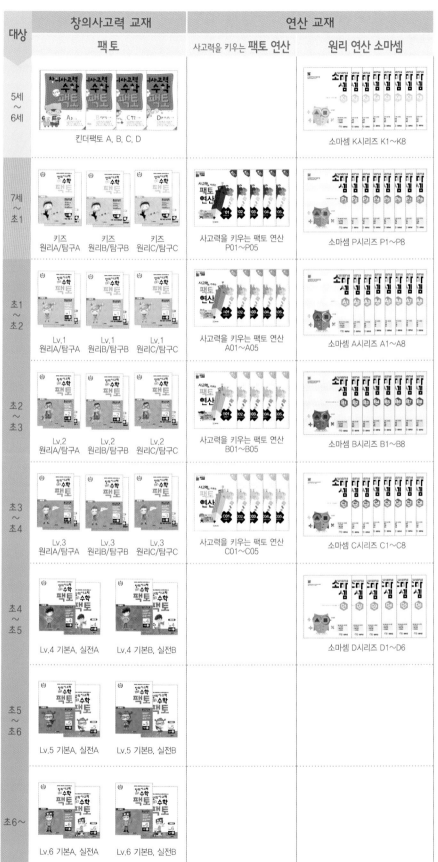

대상	창의사고력 교재: 팩토			연산 교재: 사고력을 키우는 팩토 연산	연산 교재: 원리 연산 소마셈
5세~6세	 킨더팩토 A, B, C, D				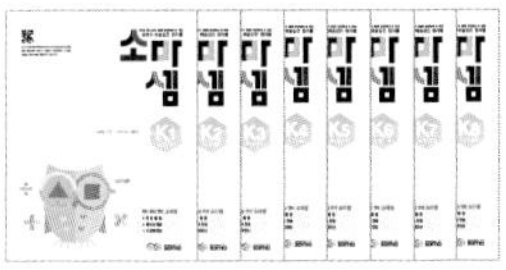 소마셈 K시리즈 K1~K8
7세~초1	 키즈 원리A/탐구A	키즈 원리B/탐구B	키즈 원리C/탐구C	 사고력을 키우는 팩토 연산 P01~P05	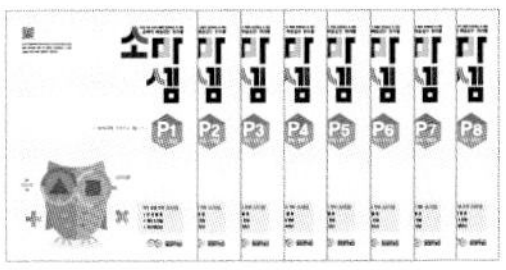 소마셈 P시리즈 P1~P8
초1~초2	 Lv.1 원리A/탐구A	Lv.1 원리B/탐구B	Lv.1 원리C/탐구C	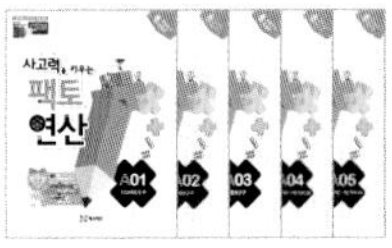 사고력을 키우는 팩토 연산 A01~A05	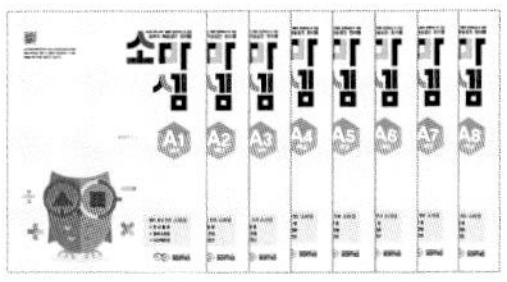 소마셈 A시리즈 A1~A8
초2~초3	 Lv.2 원리A/탐구A	Lv.2 원리B/탐구B	Lv.2 원리C/탐구C	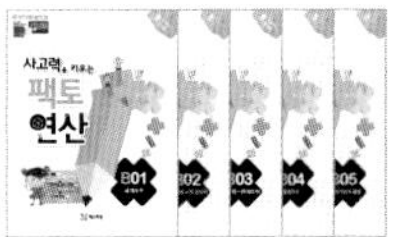 사고력을 키우는 팩토 연산 B01~B05	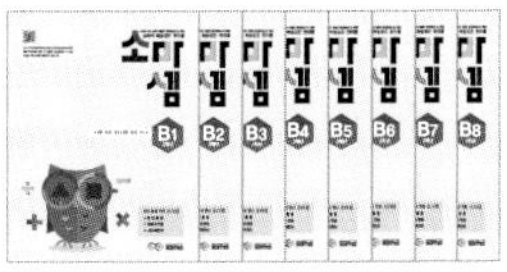 소마셈 B시리즈 B1~B8
초3~초4	 Lv.3 원리A/탐구A	Lv.3 원리B/탐구B	Lv.3 원리C/탐구C	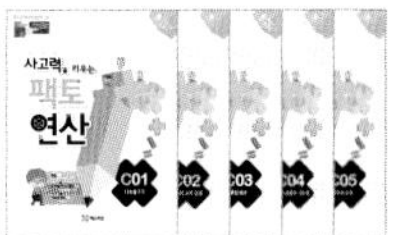 사고력을 키우는 팩토 연산 C01~C05	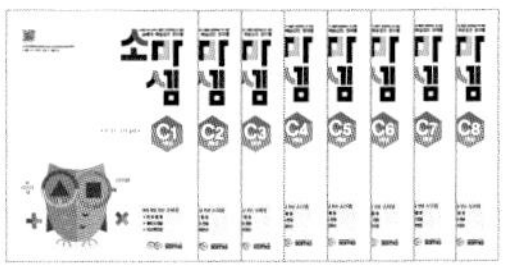 소마셈 C시리즈 C1~C8
초4~초5	 Lv.4 기본A, 실전A	Lv.4 기본B, 실전B			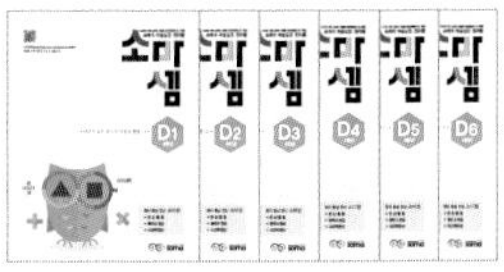 소마셈 D시리즈 D1~D6
초5~초6	 Lv.5 기본A, 실전A	Lv.5 기본B, 실전B			
초6~	 Lv.6 기본A, 실전A	Lv.6 기본B, 실전B			

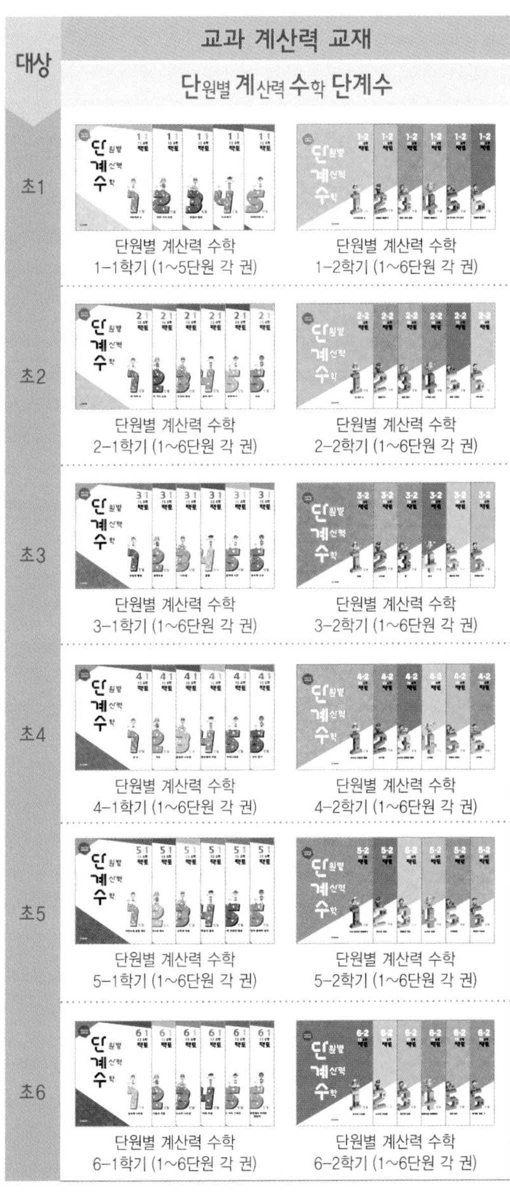

대상	교과 계산력 교재: 단원별 계산력 수학 단계수	
초1	단원별 계산력 수학 1-1학기 (1~5단원 각 권)	단원별 계산력 수학 1-2학기 (1~6단원 각 권)
초2	단원별 계산력 수학 2-1학기 (1~6단원 각 권)	단원별 계산력 수학 2-2학기 (1~6단원 각 권)
초3	단원별 계산력 수학 3-1학기 (1~6단원 각 권)	단원별 계산력 수학 3-2학기 (1~6단원 각 권)
초4	단원별 계산력 수학 4-1학기 (1~6단원 각 권)	단원별 계산력 수학 4-2학기 (1~6단원 각 권)
초5	단원별 계산력 수학 5-1학기 (1~6단원 각 권)	단원별 계산력 수학 5-2학기 (1~6단원 각 권)
초6	단원별 계산력 수학 6-1학기 (1~6단원 각 권)	단원별 계산력 수학 6-2학기 (1~6단원 각 권)

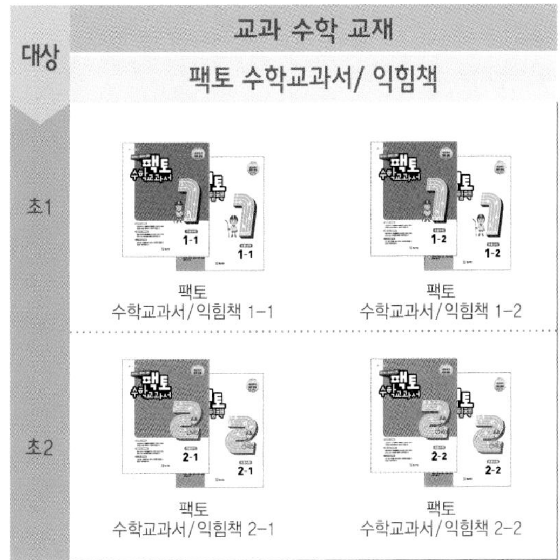

대상	교과 수학 교재: 팩토 수학교과서/ 익힘책	
초1	팩토 수학교과서/익힘책 1-1	팩토 수학교과서/익힘책 1-2
초2	팩토 수학교과서/익힘책 2-1	팩토 수학교과서/익힘책 2-2

단계수 학습 순서

매일 학습

단원별로 꼭 알아야 할 개념만 쏙쏙 학습하고, 다양한 연산 문제를 통해 필수 개념을 숙달하여 계산력을 쑥쑥 키울 수 있습니다.

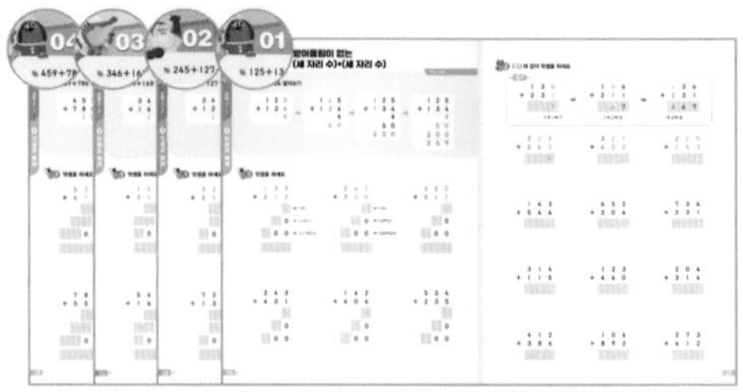

도전! 응용문제

필수 개념을 활용한 **응용** 문제 또는 **서술형** 문제를 통해 사고력과 문제해결력을 기를 수 있습니다.

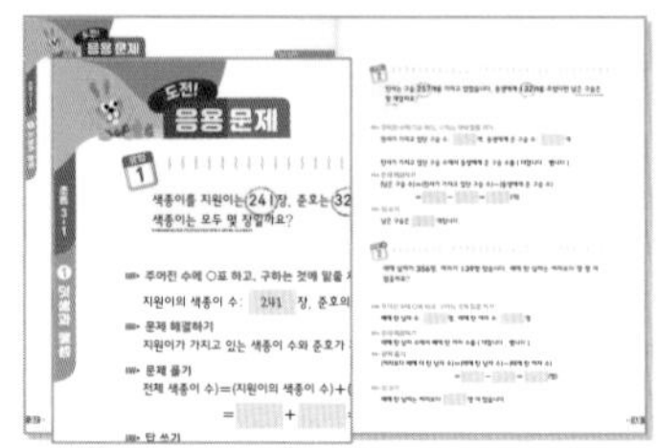

형성 평가

단원의 **복습 단계**로 문제를 풀면서 학습한 내용을 잘 알고 있는지 다시 한 번 확인할 수 있습니다.

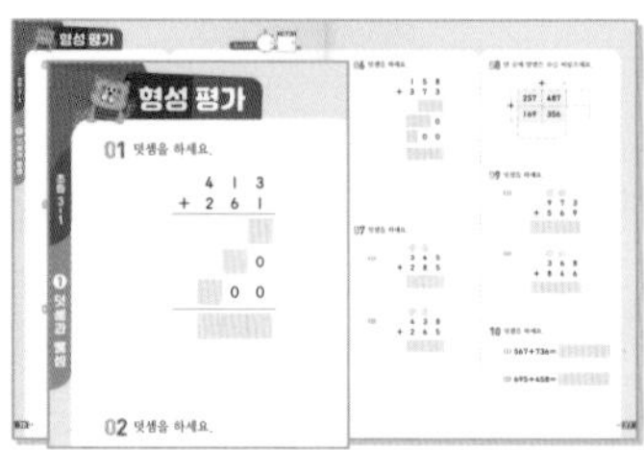

단원 평가

단원의 **마무리 학습**으로 학교 시험에 자주 나오는 문제 유형을 통해서 수시 평가 등 학교 시험에 대비할 수 있습니다.

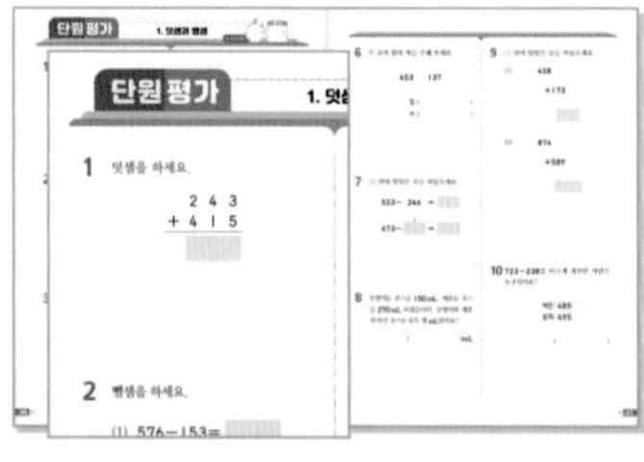

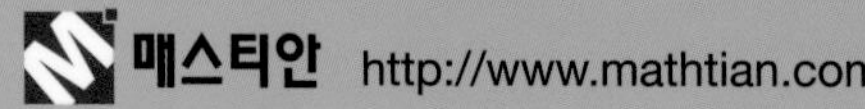

http://www.mathtian.com

자율안전확인신고필증번호 : B361H200-4001

1. 주소 : 06153 서울특별시 강남구 봉은사로 442 (삼성동)
2. 문의전화 : 1588-6066
3. 제조국 : 대한민국
4. 사용연령 : 9세 이상

※ KC마크는 이 제품이 공통안전기준에 적합하였음을 의미합니다.

⚠ 주의

종이, 모서리에 다칠 수 있으니 주의하세요!

초등학교	반 번
이름	

FACTO school

2-2

초등 수학 팩토

단원별 계산력 수학

2단원

곱셈구구

매스티안

팩토는 자유롭게 자신감있게 창의적으로 생각하는 주니어수학자입니다.

단원별 계산력 수학

펴낸 곳 (주)타임교육C&P 펴낸이 이길호 지은이 매스티안R&D센터
주소 06153 서울특별시 강남구 봉은사로 442(삼성동) 문의전화 1588.6066
팩토카페 http://cafe.naver.com/factos 홈페이지 http://www.mathtian.com

※ 정답과 풀이는 온라인 팩토카페(http://cafe.naver.com/factos)를 통해서도 확인할 수 있습니다.

MW2204

생각이 자유로운 사람들! 매스티안R&D센터

매스티안R&D센터의 논리적 사고력과 창의적 문제해결력을 키우는 수학 콘텐츠는 국내외 수많은 교육 현장에서 그 우수성을 높이 평가받고 있습니다.
매스티안R&D센터는 여기에 안주하지 않고 앞으로도 학생, 교사, 학부모 모두가 행복한 수학 시간을 만들 수 있도록 노력하겠습니다.

매스티안 공식 홈페이지 ··· (http://www.mathtian.com)

· 매스티안의 다양한 출간 교재 소개
· 출간 교재와 관련된 학습 자료(보충 학습지, 활동지 등) 제공
· 출간 교재와 관련된 평가 시험 및 분석 제공

매스티안 공식 카페 ··· 팩토 (http://cafe.naver.com/factos)

· 창의사고력 수학 팩토 무료 동영상 강의 제공
· 출간 교재에 관한 질문 및 답변
· 영재교육원 대비 자료(기출 문제, 예상 문제) 제공
· 초등 수학 비법 및 Q&A

FACTO school

2-2

초등 수학 팩토

단원별 계산력 수학

곱셈구구

매스티안

3. 덧셈과 뺄셈

· 9 이하 수의 모으기와 가르기
· 덧셈과 뺄셈

2. 덧셈과 뺄셈 (1)

· 받아올림이 없는 (몇십몇)+(몇)
· 받아내림이 없는 (몇십몇)-(몇)

4. 덧셈과 뺄셈 (2)

· 10이 되는 더하기, 10에서 빼기

6. 덧셈과 뺄셈 (3)

· 10을 이용한 모으기와 가르기
· 덧셈과 뺄셈

6. 곱셈

· 묶어 세기, 몇 배
· 곱셈식으로 나타내기

2. 곱셈구구

· 1단부터 9단까지 곱셈구구
· 0과 어떤 수의 곱

3. 나눗셈

· 똑같이 나누기
· 곱셈과 나눗셈의 관계
· 나눗셈의 몫 구하기

4. 곱셈

· (두 자리 수)×(한 자리 수)

2 곱셈구구

Teaching Guide

곱셈을 지도할 때 보통 구구단 암송에 많이 치중합니다. 그러나 구구단 암송 전에 1학기 때 배운 뛰어세기, 묶어세기의 불편함이 무엇인지 생각해 보고, 구구단 암송의 필요성을 아이 스스로 느끼게 지도합니다. 교과서에는 구구단이 2, 3, 4, …… , 7, 8, 9 단의 순서로 되어 있지 않습니다. 교과서에는 2단과 5단이 먼저 나옵니다. 그 이유는 곱셈의 원리인 동수누가(같은 수를 반복해서 더하는 것)를 이용하여 아이들이 가장 쉽게 암송할 수 있는 수의 규칙을 가졌기 때문입니다. 그 다음 3단과 6단, 4단과 8단의 순서로 나옵니다. 이는 3단을 2배 하면 6단, 4단을 2배 하면 8단이 된다는 두 단 사이의 관계를 이해하면 암송하는데 편리하기 때문입니다.

3. 덧셈과 뺄셈
- 두 자리 수의 덧셈과 뺄셈
- 세 수의 계산

1. 덧셈과 뺄셈
- 세 자리 수의 덧셈과 뺄셈

1. 자연수의 혼합 계산
- 괄호가 없을 때와 있을 때의 덧셈, 뺄셈, 곱셈, 나눗셈의 혼합 계산

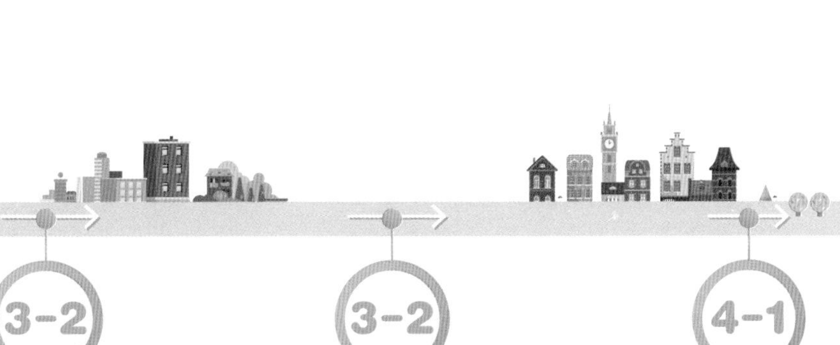

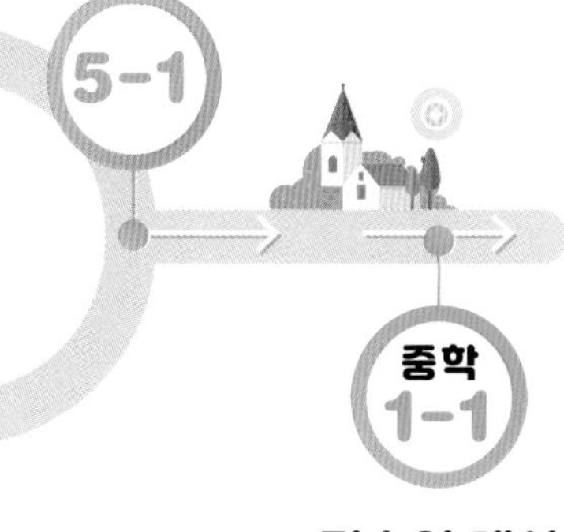

정수의 계산

3-2
1. 곱셈
- (세 자리 수)×(한 자리 수)
- (두 자리 수)×(두 자리 수)

3-2
2. 나눗셈
- (두 자리 수)÷(한 자리 수)
- (세 자리 수)÷(한 자리 수)

4-1
3. 곱셈과 나눗셈
- (세 자리 수)×(두 자리 수)
- (두 자리 수)÷(두 자리 수)
- (세 자리 수)÷(두 자리 수)

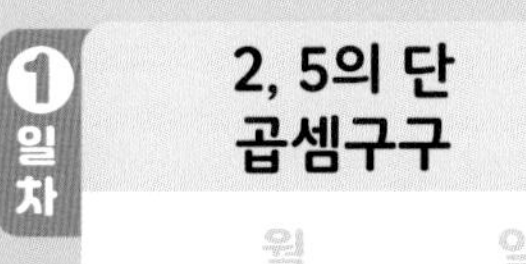

일차	내용	날짜
1일차	2, 5의 단 곱셈구구	월 일
2일차	3, 6의 단 곱셈구구	월 일
3일차	2, 5, 3, 6의 단을 이용하여 문제 해결하기	월 일
4일차	4, 8의 단 곱셈구구	월 일
5일차	7, 9의 단 곱셈구구	월 일
6일차	4, 8, 7, 9의 단을 이용하여 문제 해결하기	월 일
7일차	응용 문제	월 일
8일차	형성 평가	월 일
9일차	단원 평가	월 일

01 2, 5의 단 곱셈구구

정답 11쪽

2의 단, 5의 단 곱셈구구 20초 안에 외우기

1 구슬이 모두 몇 개인지 ☐ 안에 알맞은 수를 써넣으세요.

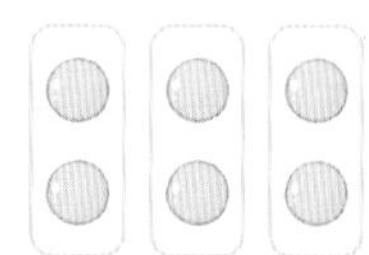

$2\times3=$ ☐

2+2+2=6 → 2×3=6

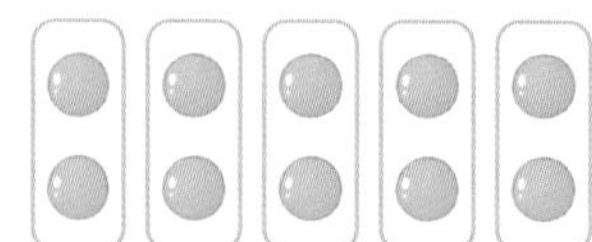

$2\times5=$ ☐

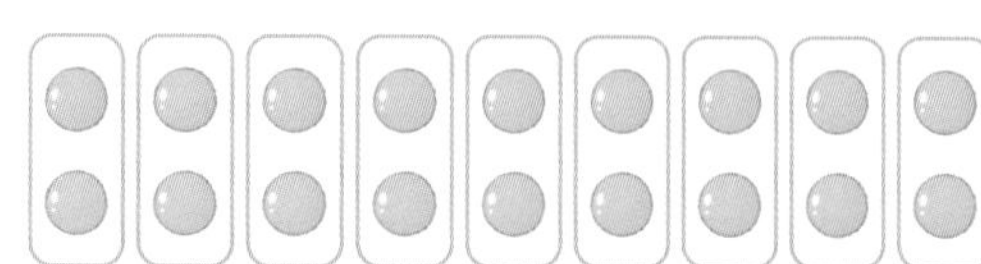

$2\times9=$ ☐

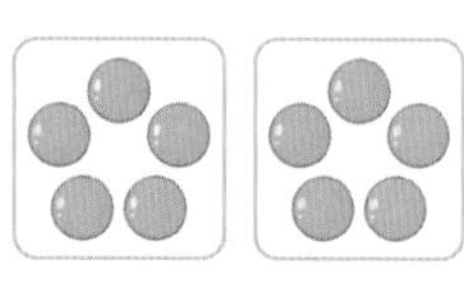

$5\times2=$ ☐

5+5=10 → 5×2=10

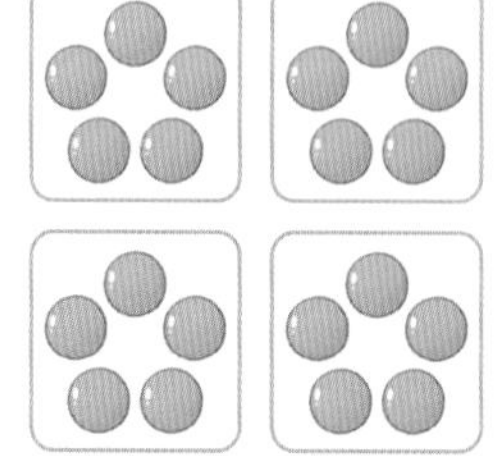

$5\times4=$ ☐

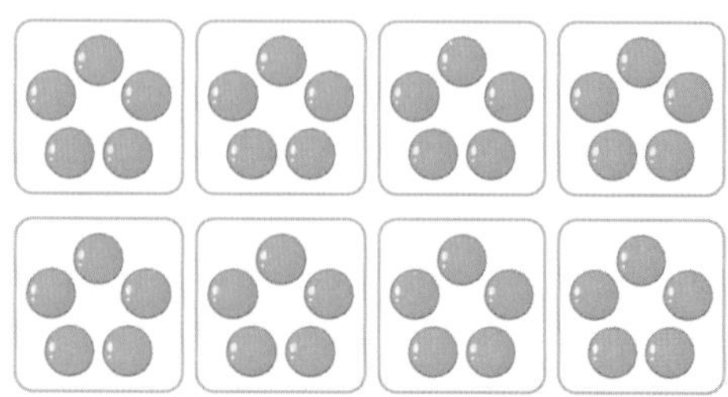

$5\times8=$ ☐

2 주어진 수의 단 곱셈구구의 값을 차례로 연결하여 미로를 통과해 보세요.

2의 단

2 (2×1)	6	8	10
4 (2×2)	6 (2×3)	12	18
12	8	10	16
10	14	12	14

5의 단

20	25	35	45
15 (5×3)	20	25	40
10 (5×2)	20	30	35
5 (5×1)	10	15	20

2의 단

6	12	16	8
8	10	12	18
2	8	14	16
4	6	10	12

5의 단

15	30	25	40
10	15	30	35
5	20	25	30
10	25	40	35
15	35	45	30

2의 단

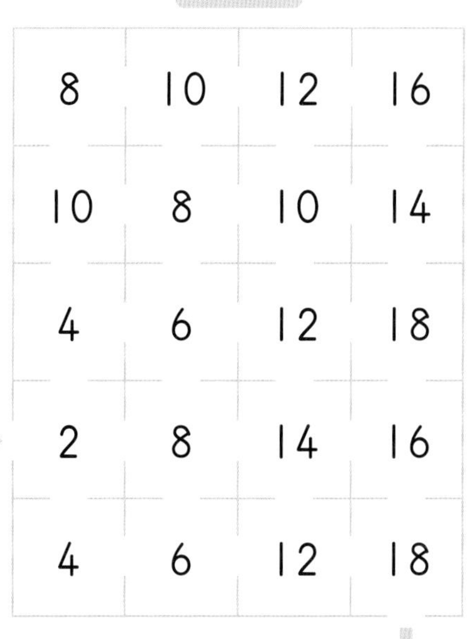

8	10	12	16
10	8	10	14
4	6	12	18
2	8	14	16
4	6	12	18

3 ☐ 안에 알맞은 수를 써넣으세요.

$2\times3=\square$ $2\times6=\square$ $2\times5=\square$

$5\times2=\square$ $5\times7=\square$ $5\times8=\square$

$2\times8=\square$ $2\times4=\square$ $2\times7=\square$

$5\times9=\square$ $5\times6=\square$ $5\times3=\square$

$2\times1=\square$ $2\times5=\square$ $2\times4=\square$

$5\times5=\square$ $5\times4=\square$ $5\times1=\square$

$2\times6=\square$ $2\times2=\square$ $2\times9=\square$

$5\times3=\square$ $5\times9=\square$ $5\times7=\square$

보기 와 같은 방법으로 ▢ 안에 알맞은 수를 써넣으세요.

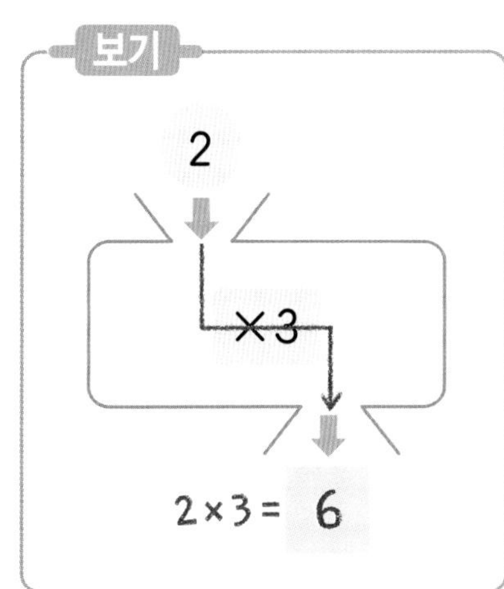

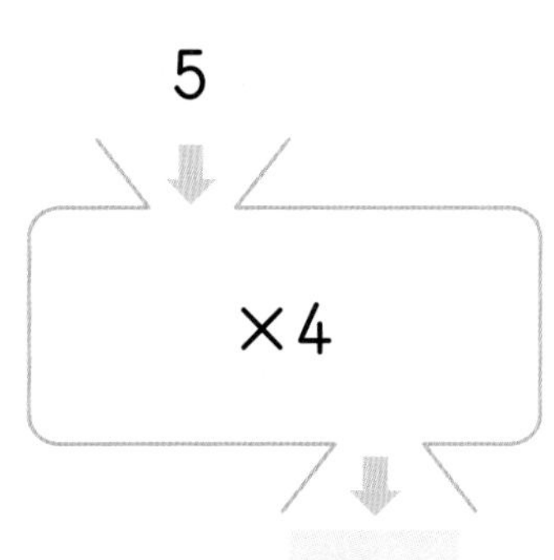

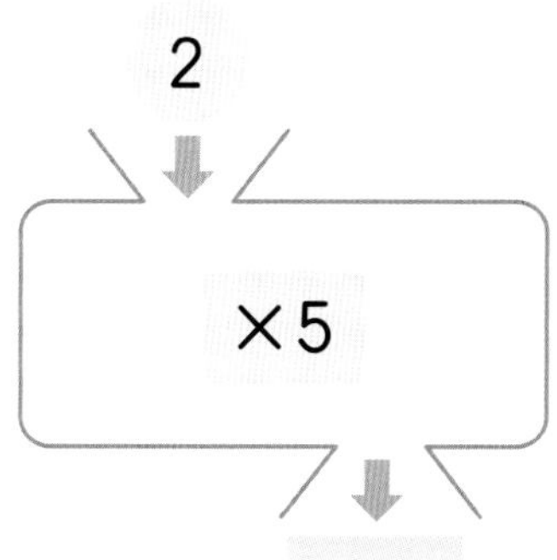

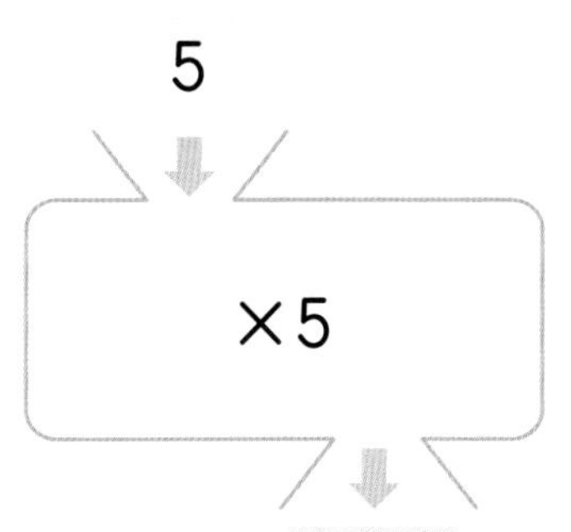

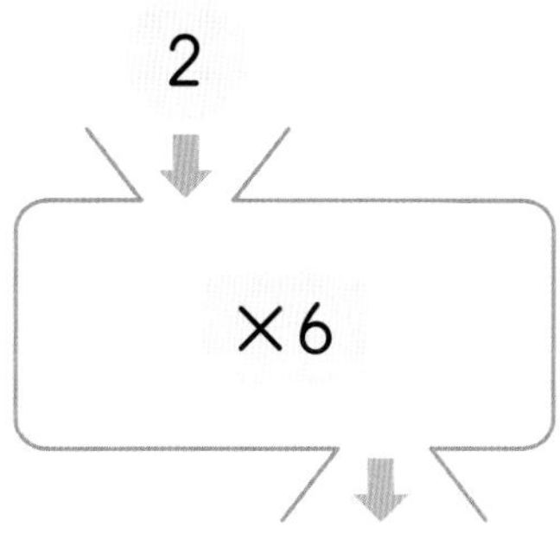

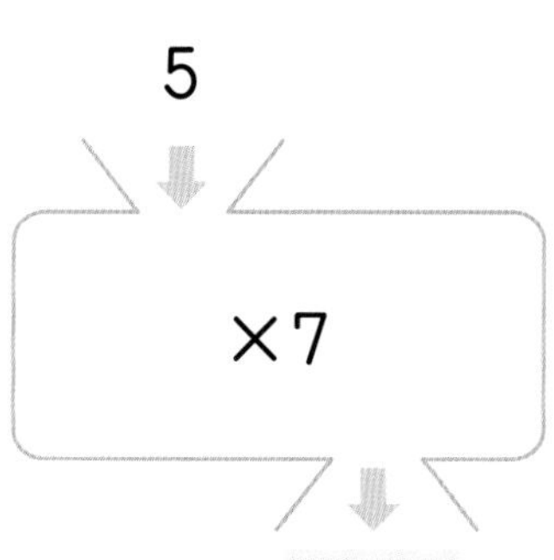

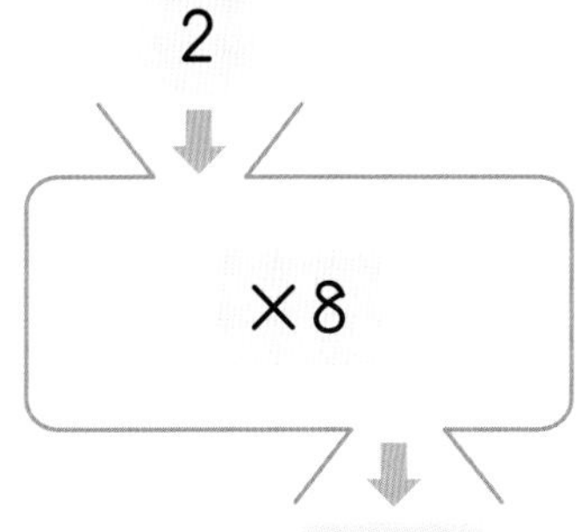

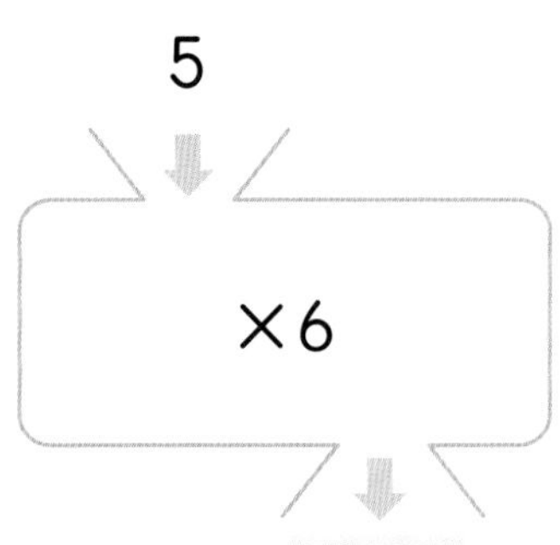

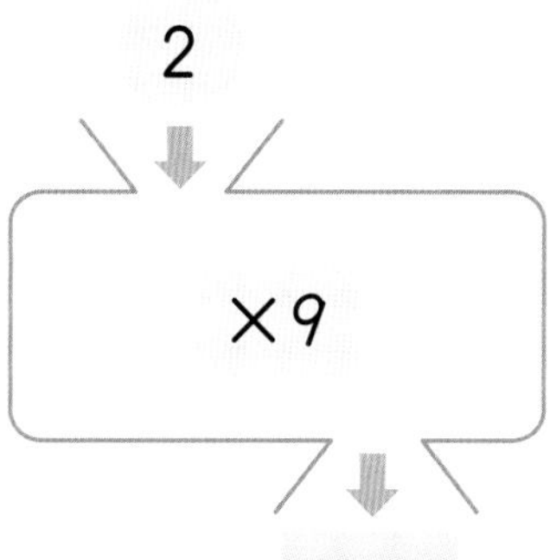

5

×9

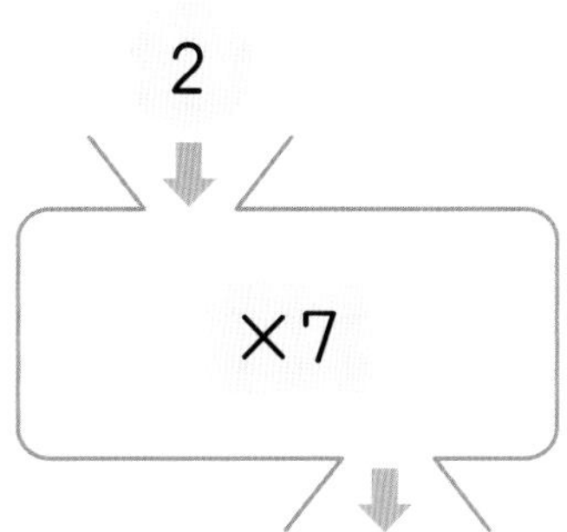

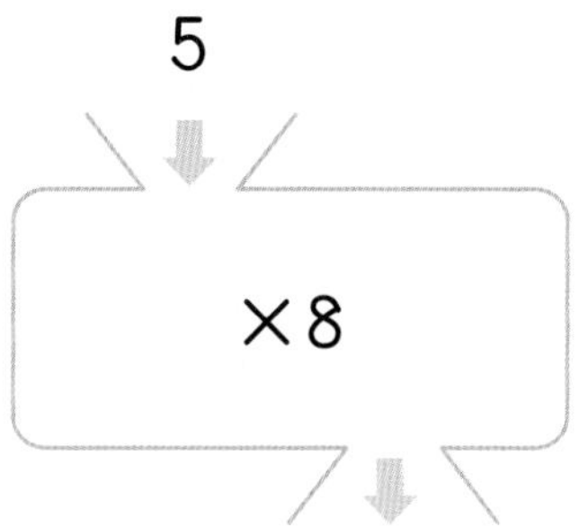

02 3, 6의 단 곱셈구구

정답 12쪽

3의 단, 6의 단 곱셈구구 20초 안에 외우기

1 ☐ 안에 알맞은 수를 써넣으세요.

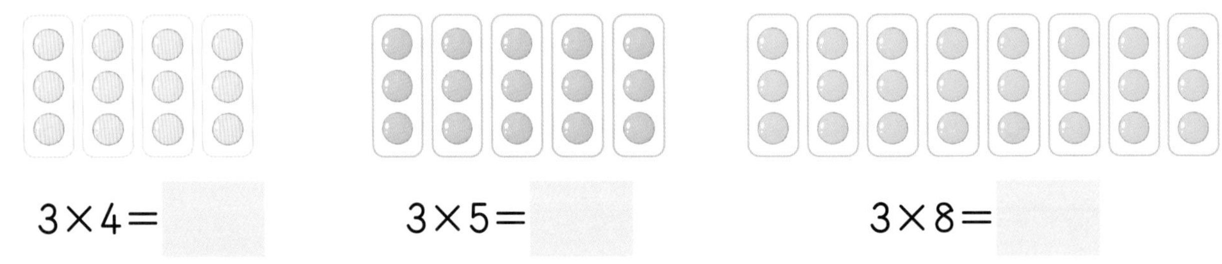

3×4=☐　　3×5=☐　　3×8=☐

3+3+3+3=12 → 3×4=12

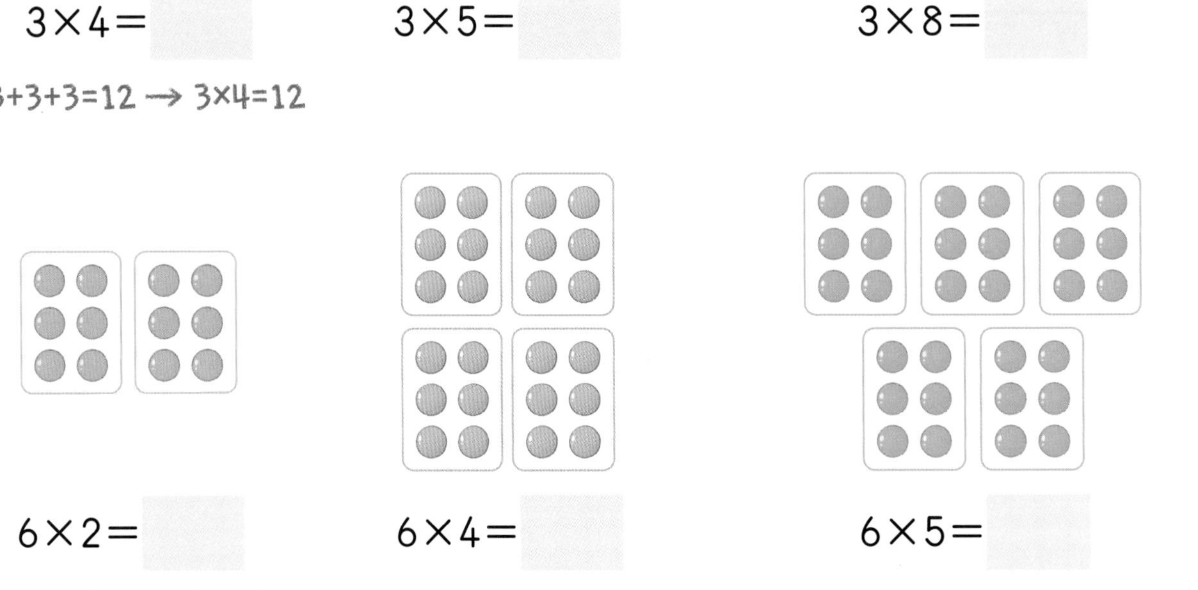

6×2=☐　　6×4=☐　　6×5=☐

6+6=12 → 6×2=12

 주어진 수의 단 곱셈구구의 값을 차례로 연결하여 미로를 통과해 보세요.

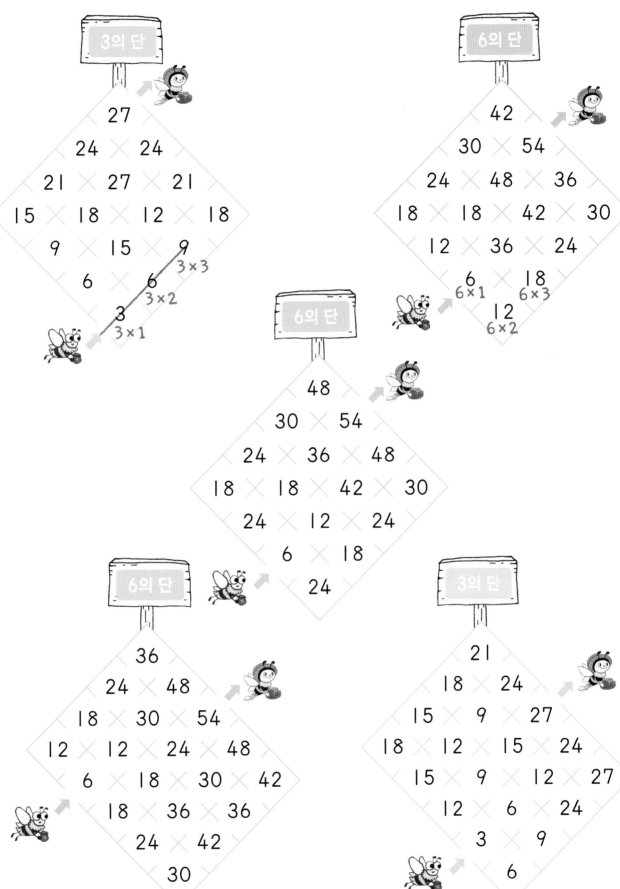

3의 단

27
24 24
21 27 21
15 18 12 18
9 15 9
6 6
3

3×1, 3×2, 3×3

6의 단

42
30 54
24 48 36
18 18 42 30
12 36 24
6 18
12

6×1, 6×2, 6×3

6의 단

48
30 54
24 36 48
18 18 42 30
24 12 24
6 18
24

6의 단

36
24 48
18 30 54
12 12 24 48
6 18 30 42
18 36 36
24 42
30

3의 단

21
18 24
15 9 27
18 12 15 24
15 9 12 27
12 6 24
3 9
6

3 □ 안에 알맞은 수를 써넣으세요.

$3 \times 2 =$ □ $3 \times 5 =$ □ $3 \times 8 =$ □

$6 \times 6 =$ □ $6 \times 3 =$ □ $6 \times 1 =$ □

$3 \times 6 =$ □ $3 \times 1 =$ □ $3 \times 4 =$ □

$6 \times 5 =$ □ $6 \times 8 =$ □ $6 \times 2 =$ □

$3 \times 3 =$ □ $3 \times 9 =$ □ $3 \times 7 =$ □

$6 \times 4 =$ □ $6 \times 7 =$ □ $6 \times 9 =$ □

$3 \times 4 =$ □ $3 \times 8 =$ □ $3 \times 6 =$ □

$6 \times 8 =$ □ $6 \times 5 =$ □ $6 \times 6 =$ □

4 보기 와 같은 방법으로 빈 곳에 알맞은 수를 써넣으세요.

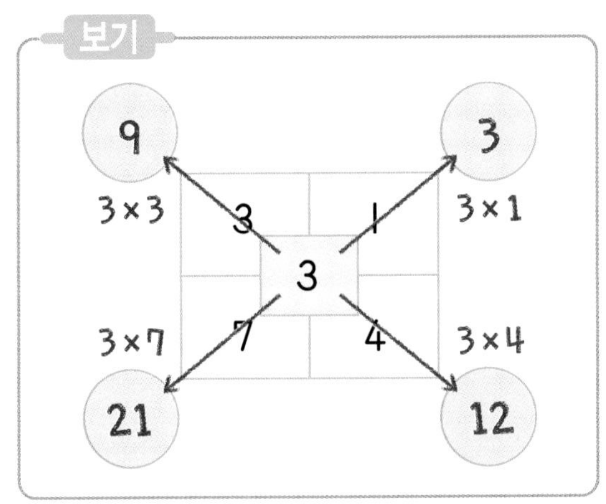

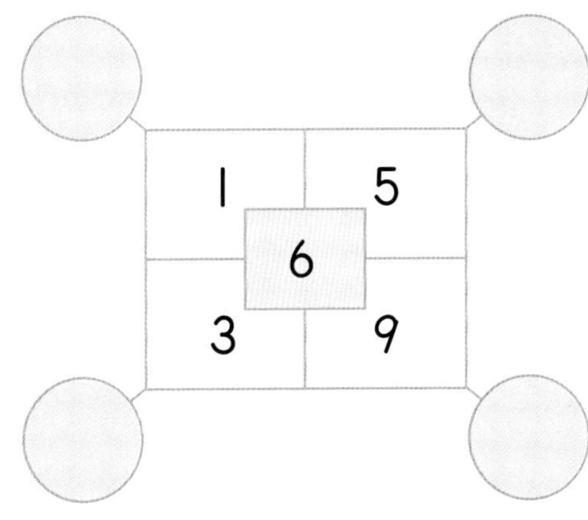

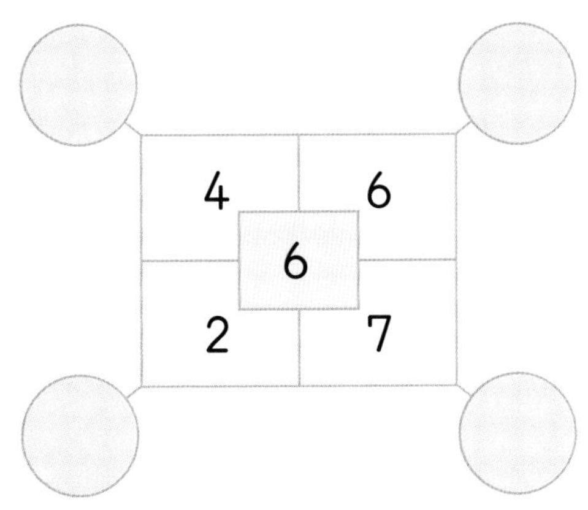

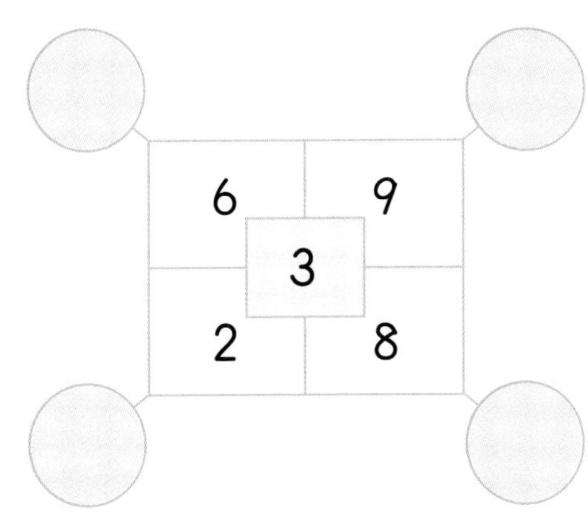

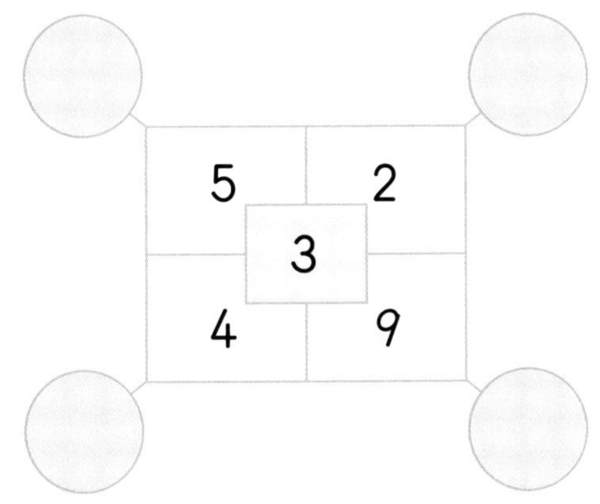

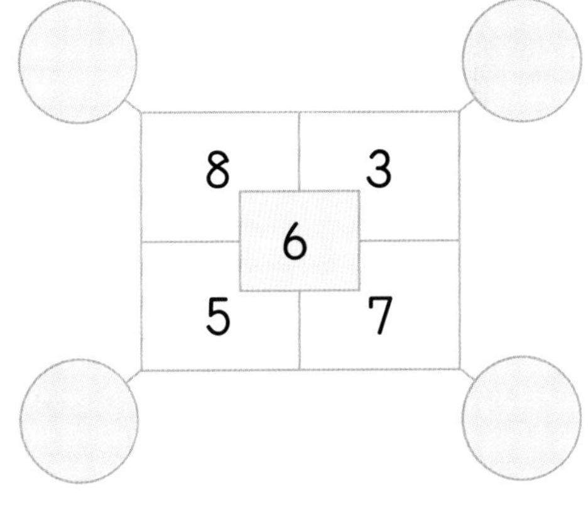

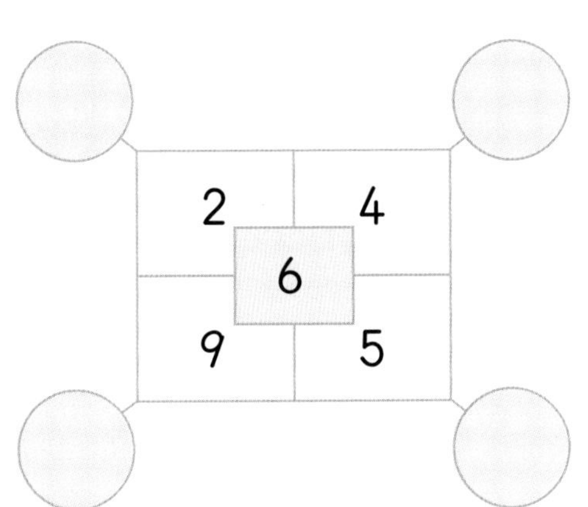

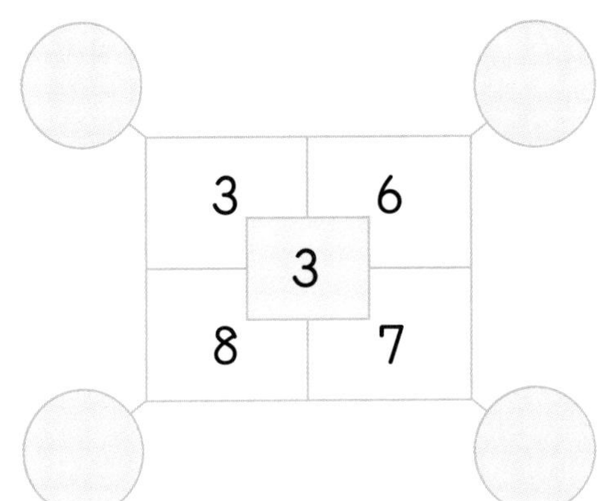

03 2, 5, 3, 6의 단을 이용하여 문제 해결하기

정답 13쪽

물건의 개수 세기

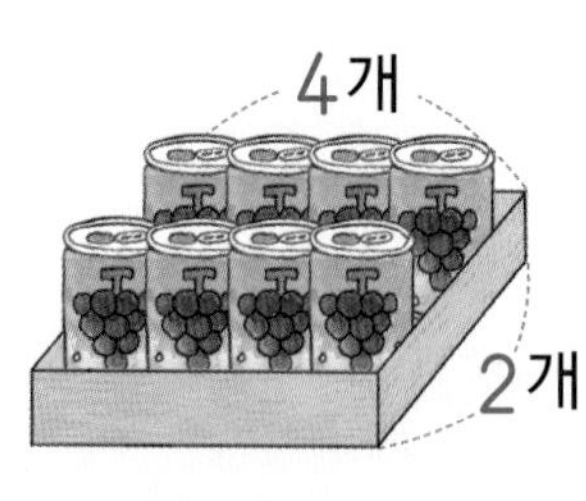

2×4=8(개)

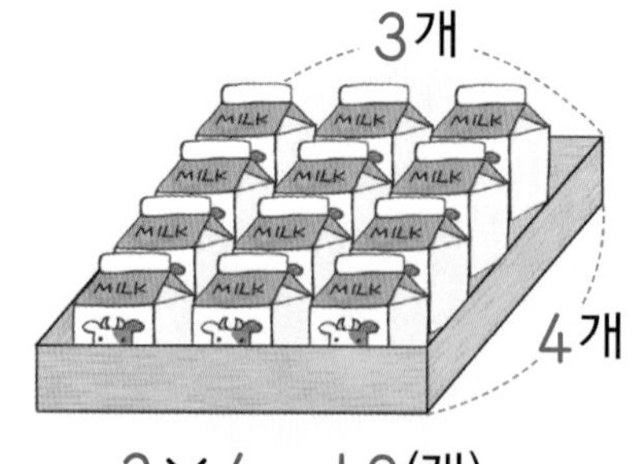

3×4=12(개)

1 물건의 개수를 세어 ☐ 안에 알맞은 수를 써넣으세요.

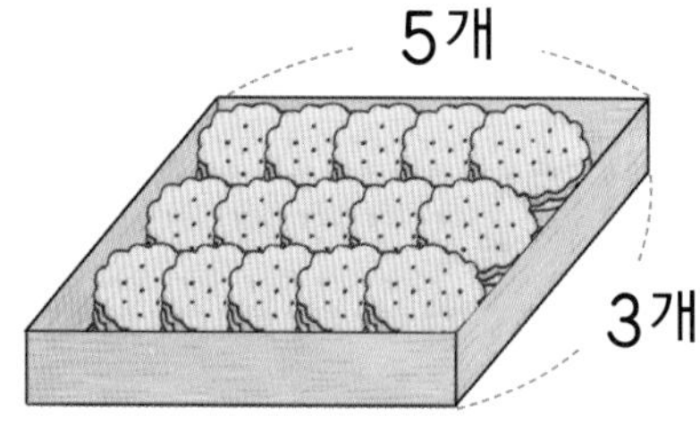

5×3= ☐ 개

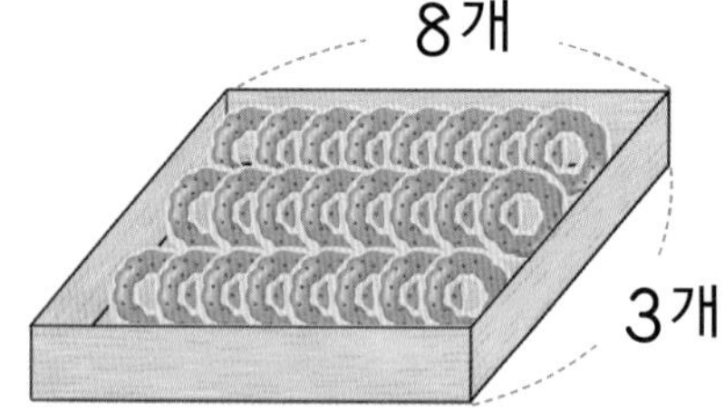

3×8= ☐ 개

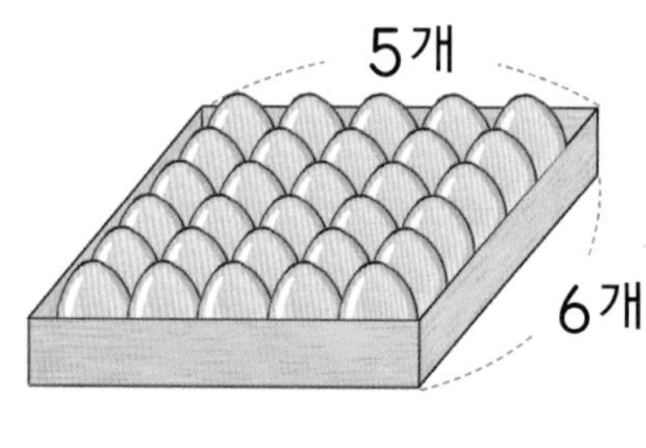

☐ 개

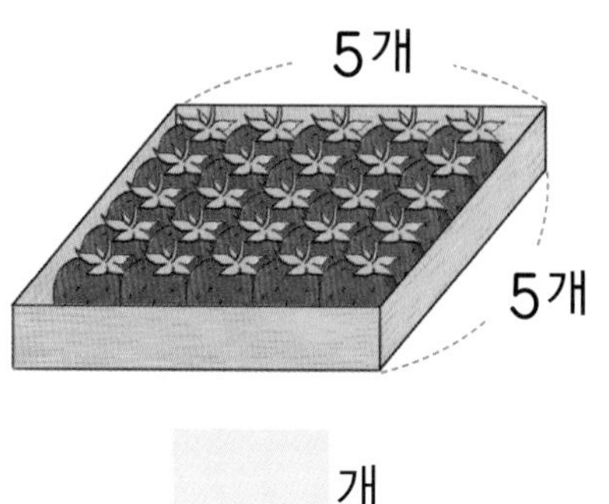

☐ 개

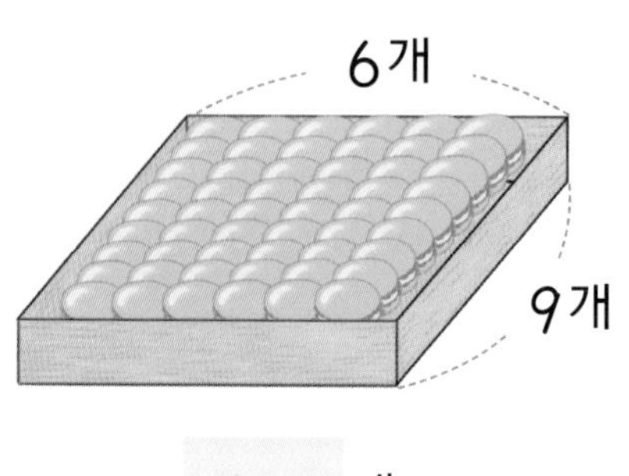

☐ 개

2 크기를 비교하여 ○ 안에 >, =, <를 알맞게 써넣으세요.

3×4 =12	○	15	2×5	○	8	25	○	5×6
2×6	○	14	5×4	○	20	50	○	6×8
6×5	○	28	3×9	○	32	35	○	5×7
2×8	○	21	6×3	○	15	18	○	3×5
5×2	○	2×7	2×2	○	3×2	3×3	○	6×2
6×4	○	3×8	2×4	○	6×1	6×6	○	5×7
3×5	○	2×9	5×3	○	2×8	6×7	○	5×8
3×7	○	5×5	6×9	○	5×9	2×9	○	3×6

3 올바른 곱셈식이 되도록 선을 그어 보세요.

보기

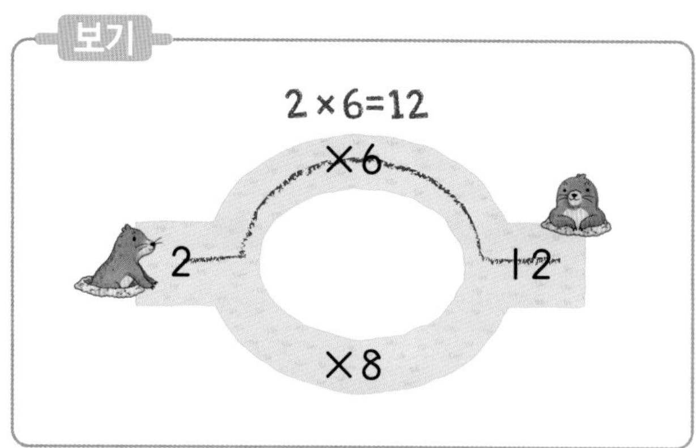

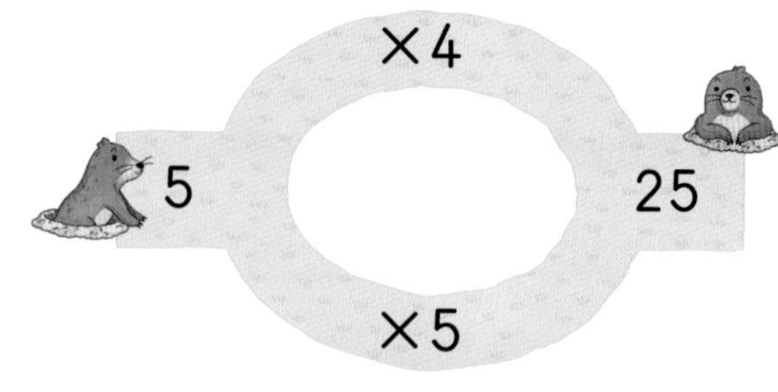

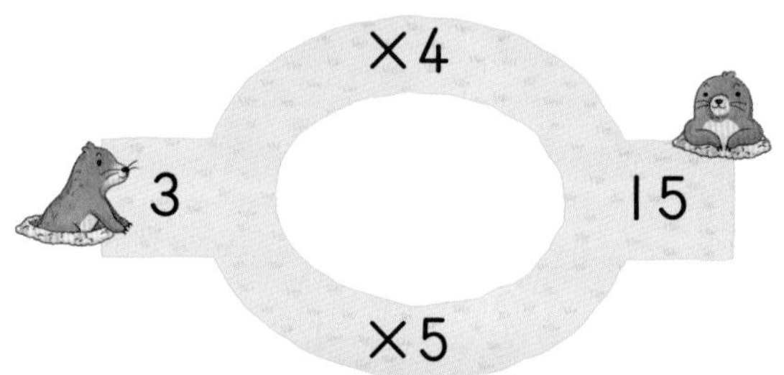

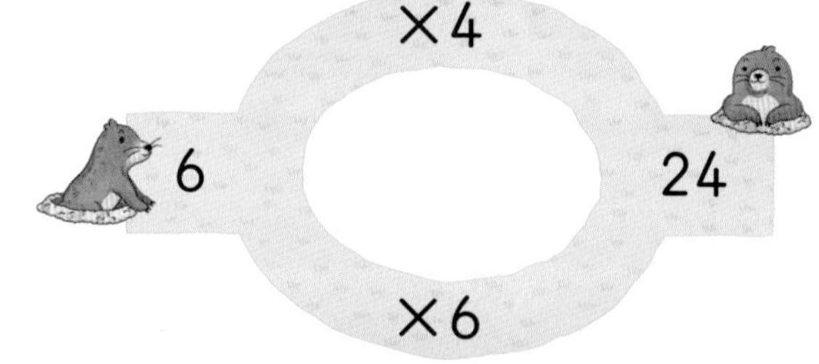

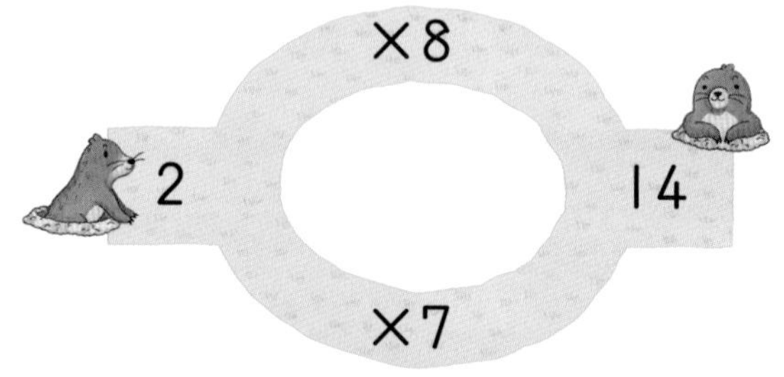

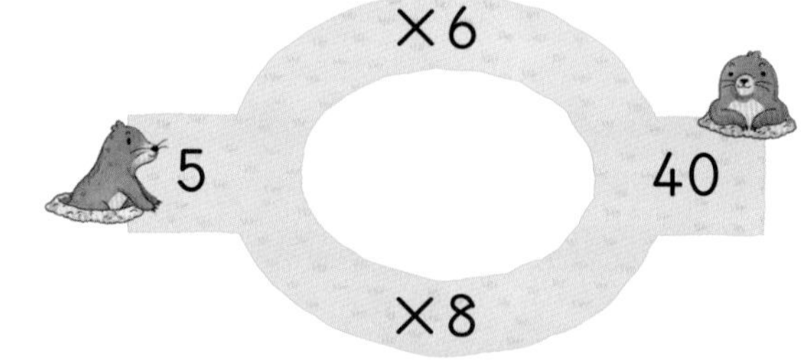

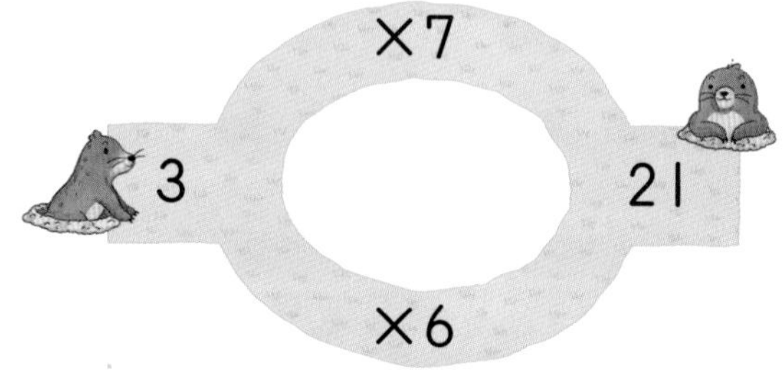

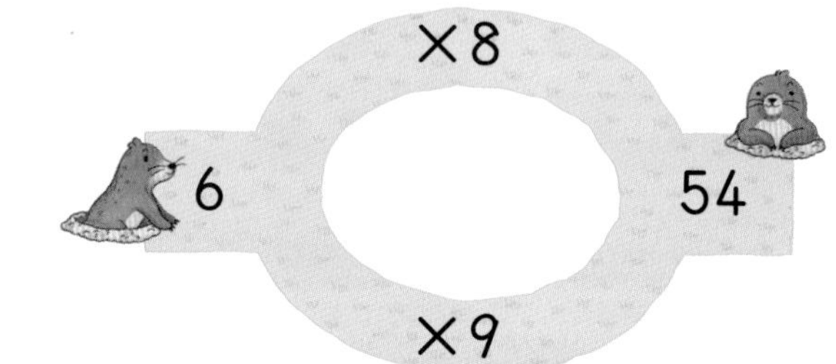

빈칸에 알맞은 수를 써넣으세요.

×	1	2	3	4	5	6	7
2	2	4 (2×2)	6			12	
3	3	6	(3×3)	12			21

×	3	5	8
2		10	
5	15		
6	18		48

×	2	7	9
3		21	
5	10		45
6		42	

×	1	3	4	6	7	8	9
5	5	15		30	35		
6		18	24			48	

×	4	5	6
2	8	10	
3			18
5	20		

×	3	7	8
2	6		16
3		21	
6		42	

04 4, 8의 단 곱셈구구

정답 14쪽

4의 단, 8의 단 곱셈구구 20초 안에 외우기

1 ☐ 안에 알맞은 수를 써넣으세요.

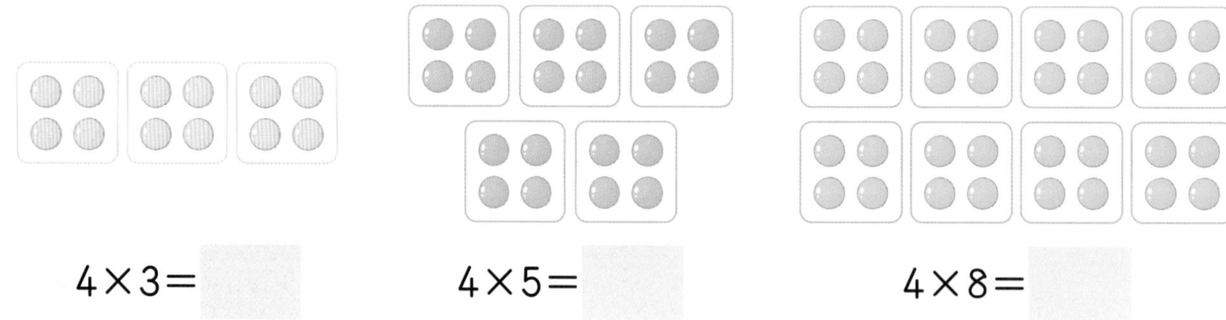

4×3=☐

4+4+4=12 → 4×3=12

4×5=☐

4×8=☐

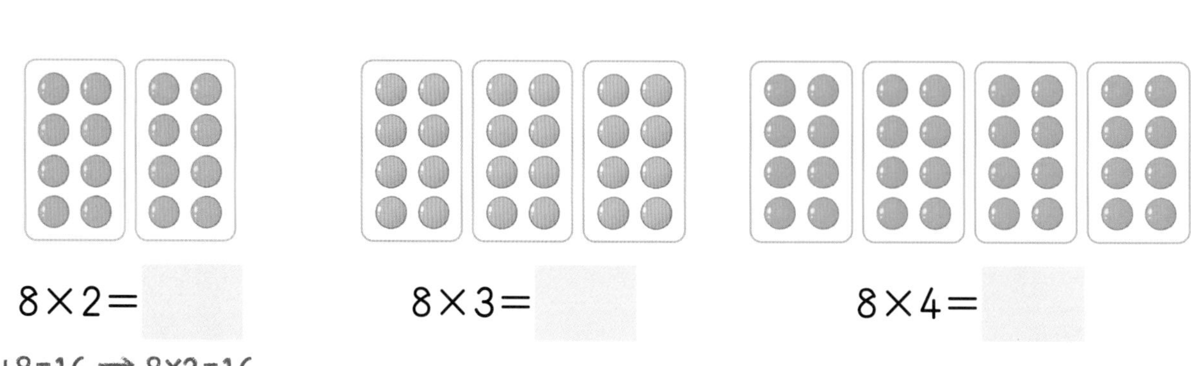

8×2=☐

8+8=16 → 8×2=16

8×3=☐

8×4=☐

2 주어진 수의 단 곱셈구구의 값을 차례로 연결하여 미로를 통과해 보세요.

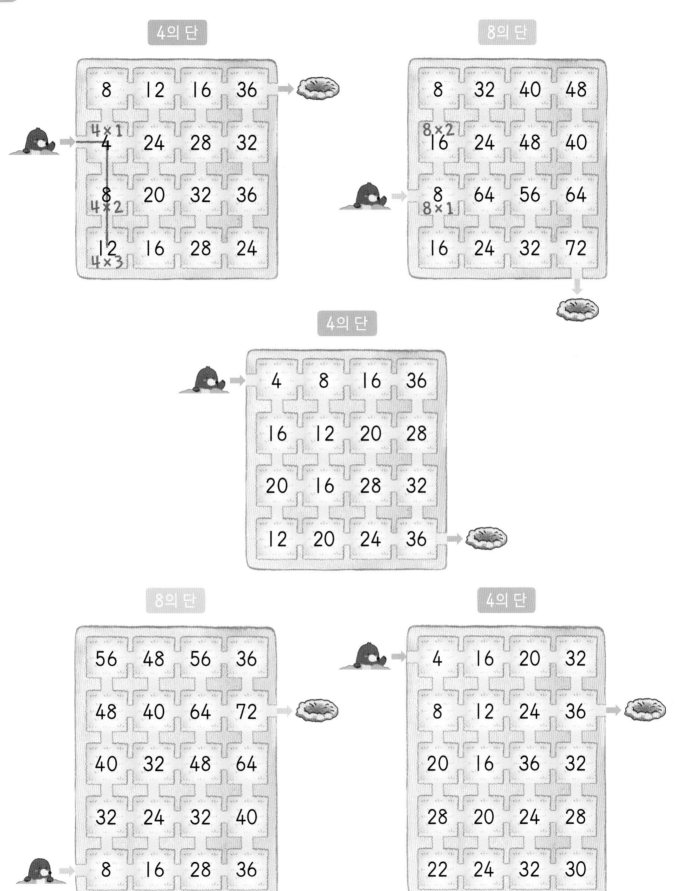

4의 단

8	12	16	36
4×1 4	24	28	32
8 4×2	20	32	36
12 4×3	16	28	24

8의 단

8	32	40	48
8×2 16	24	48	40
8 8×1	64	56	64
16	24	32	72

4의 단

4	8	16	36
16	12	20	28
20	16	28	32
12	20	24	36

8의 단

56	48	56	36
48	40	64	72
40	32	48	64
32	24	32	40
8	16	28	36

4의 단

4	16	20	32
8	12	24	36
20	16	36	32
28	20	24	28
22	24	32	30

3 ☐ 안에 알맞은 수를 써넣으세요.

$4 \times 3 =$ ☐	$4 \times 6 =$ ☐	$4 \times 2 =$ ☐
$8 \times 5 =$ ☐	$8 \times 4 =$ ☐	$8 \times 2 =$ ☐
$4 \times 8 =$ ☐	$4 \times 4 =$ ☐	$4 \times 7 =$ ☐
$8 \times 1 =$ ☐	$8 \times 8 =$ ☐	$8 \times 6 =$ ☐
$4 \times 9 =$ ☐	$4 \times 1 =$ ☐	$4 \times 5 =$ ☐
$8 \times 7 =$ ☐	$8 \times 9 =$ ☐	$8 \times 3 =$ ☐
$4 \times 6 =$ ☐	$4 \times 3 =$ ☐	$4 \times 8 =$ ☐
$8 \times 4 =$ ☐	$8 \times 5 =$ ☐	$8 \times 8 =$ ☐

4 보기 와 같은 방법으로 빈 곳에 알맞은 수를 써넣으세요.

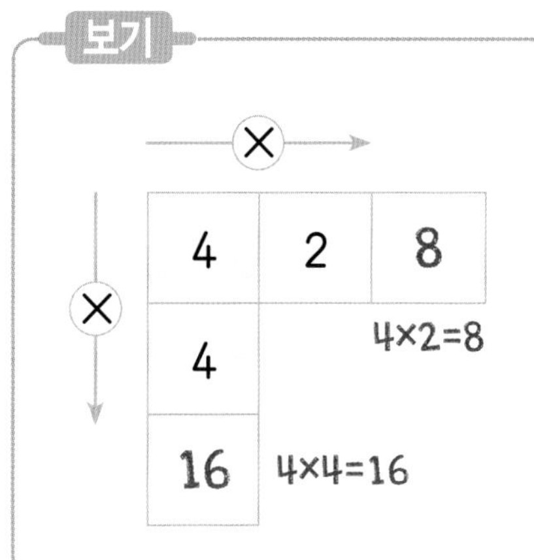

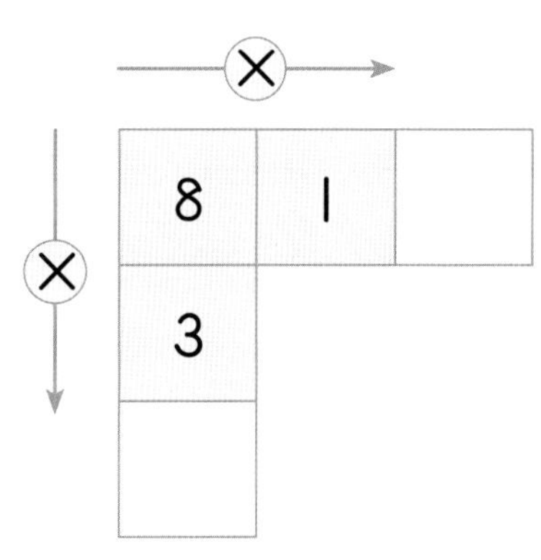

×
4
5
6

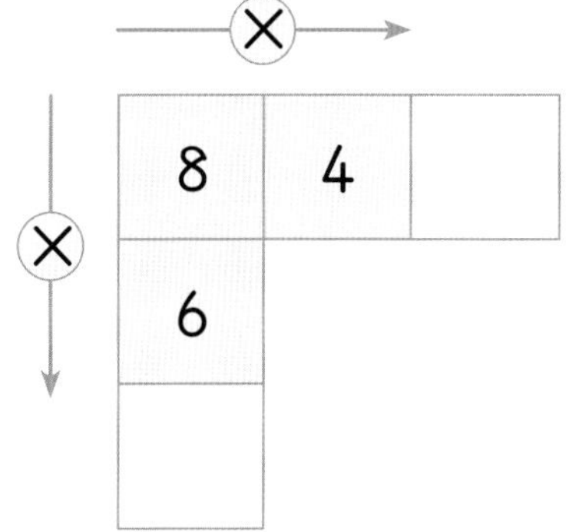

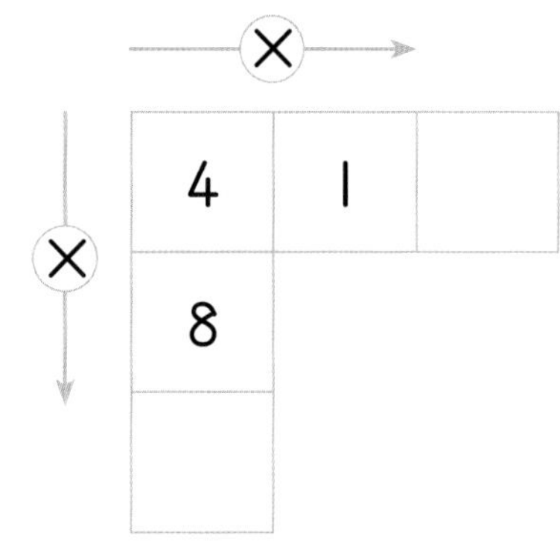

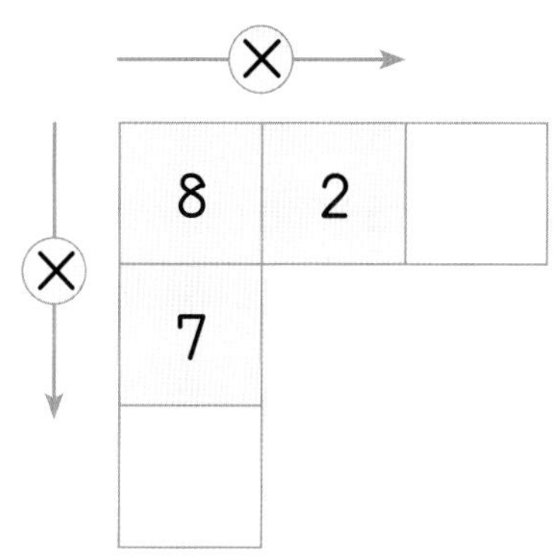

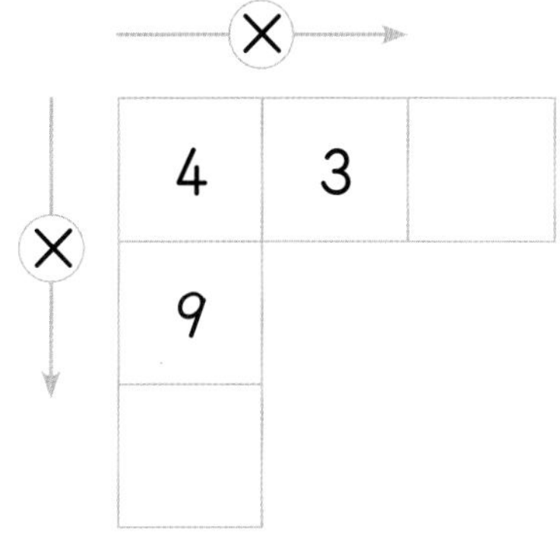

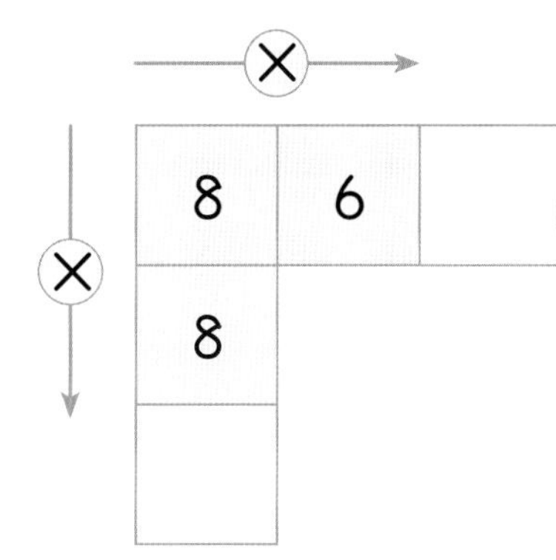

×
4
4
7

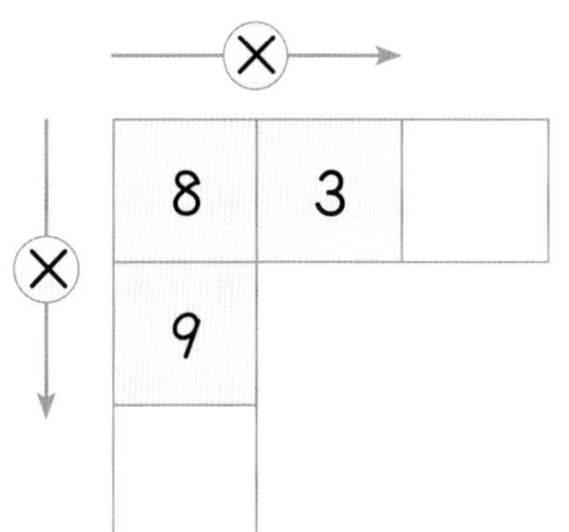

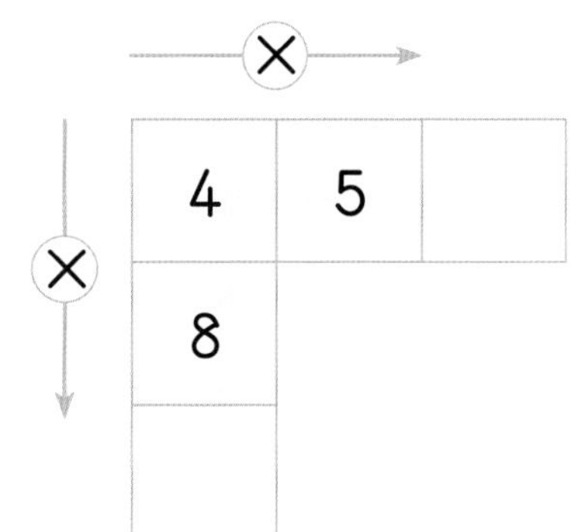

×
8
5
7

05 7, 9의 단 곱셈구구

정답 15쪽

7의 단, 9의 단 곱셈구구 20초 안에 외우기

1 안에 알맞은 수를 써넣으세요.

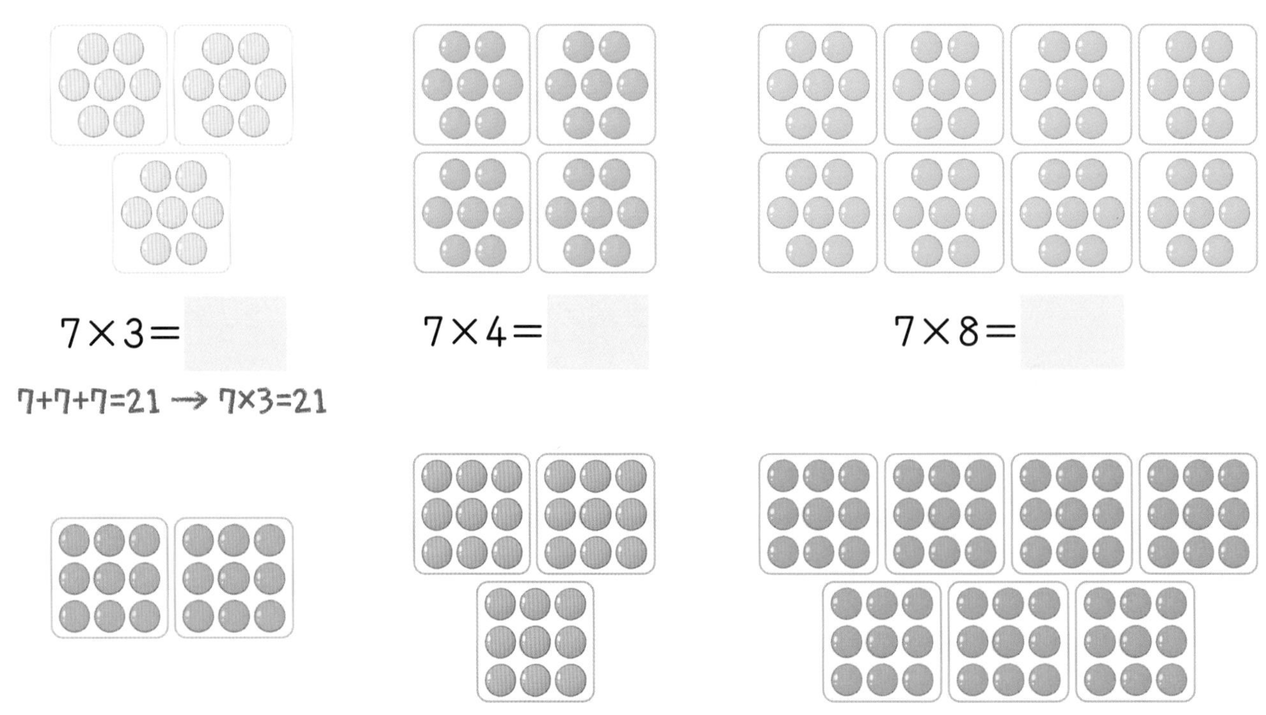

7×3=

7+7+7=21 → 7×3=21

7×4=

7×8=

9×2=

9+9=18 → 9×2=18

9×3=

9×7=

2 주어진 수의 단 곱셈구구의 값을 차례로 연결하여 미로를 통과해 보세요.

7의 단

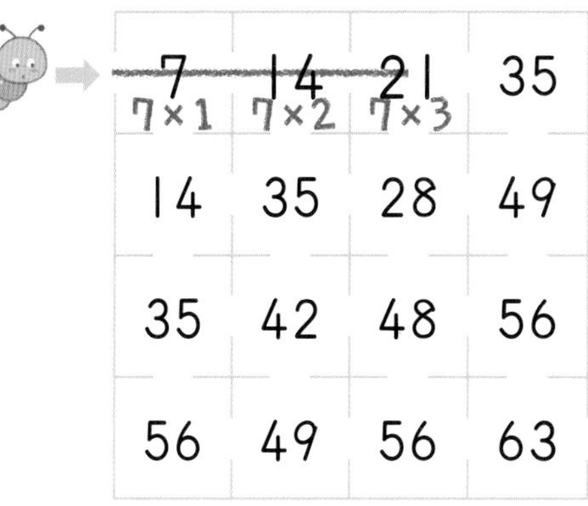

7	14	21	35
14	35	28	49
35	42	48	56
56	49	56	63

9의 단

27	36	45	72
18	63	54	81
9	36	63	72
18	27	72	63

9의 단

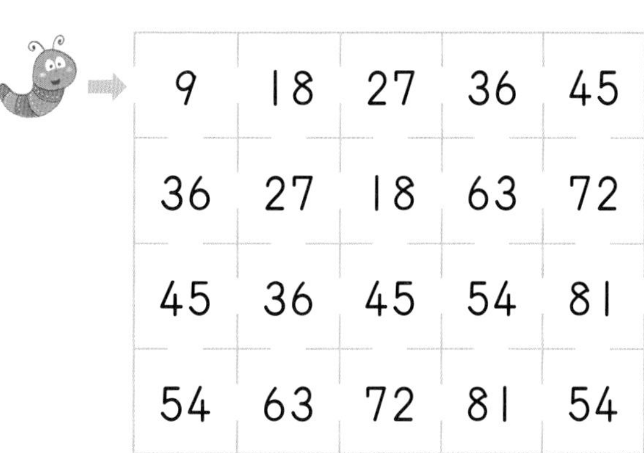

9	18	27	36	45
36	27	18	63	72
45	36	45	54	81
54	63	72	81	54

9의 단

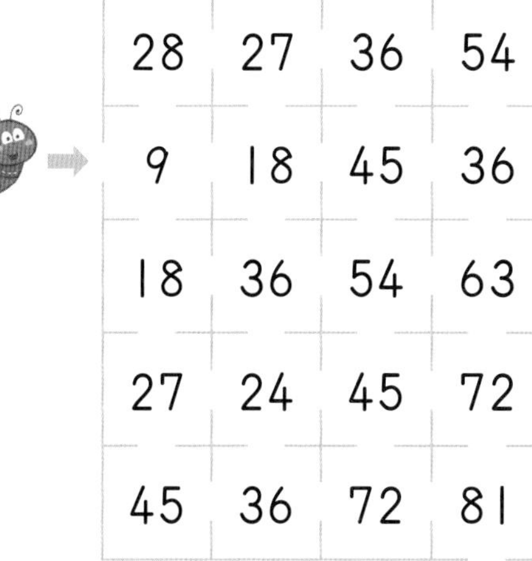

28	27	36	54
9	18	45	36
18	36	54	63
27	24	45	72
45	36	72	81

7의 단

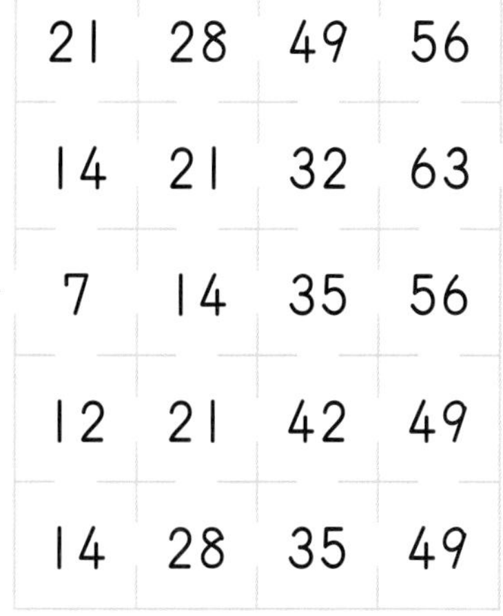

21	28	49	56
14	21	32	63
7	14	35	56
12	21	42	49
14	28	35	49

3 □ 안에 알맞은 수를 써넣으세요.

$7\times2=\square$ $7\times7=\square$ $7\times4=\square$

$9\times5=\square$ $9\times3=\square$ $9\times6=\square$

$7\times8=\square$ $7\times1=\square$ $7\times6=\square$

$9\times4=\square$ $9\times9=\square$ $9\times2=\square$

$7\times5=\square$ $7\times3=\square$ $7\times9=\square$

$9\times7=\square$ $9\times8=\square$ $9\times1=\square$

$7\times4=\square$ $7\times2=\square$ $7\times7=\square$

$9\times3=\square$ $9\times6=\square$ $9\times9=\square$

 4 빈 곳에 알맞은 수를 써넣으세요.

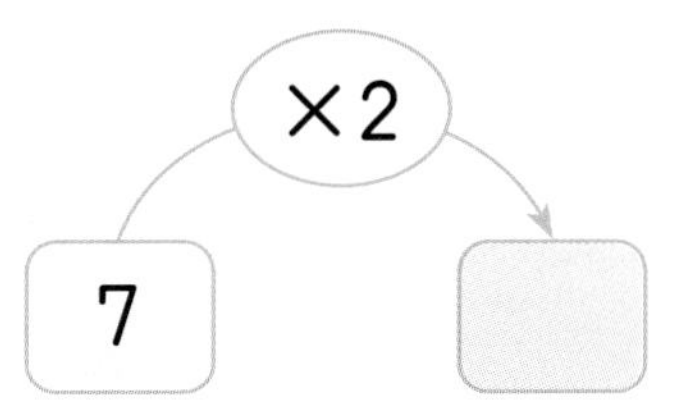

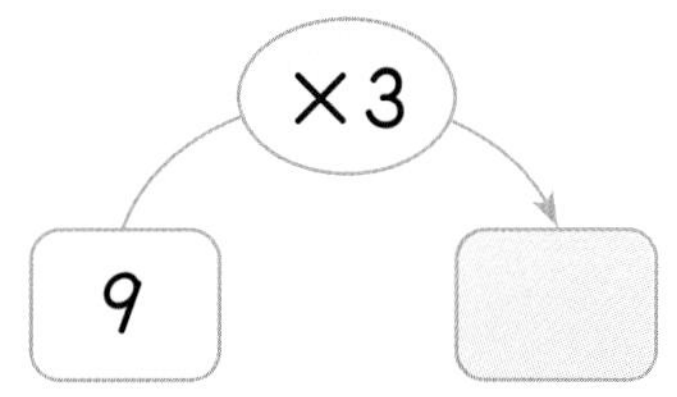

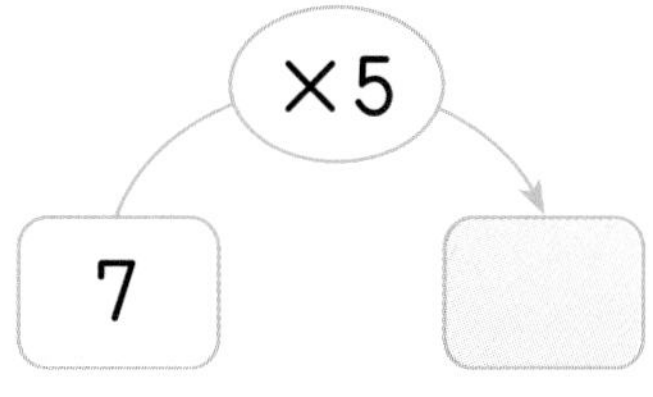

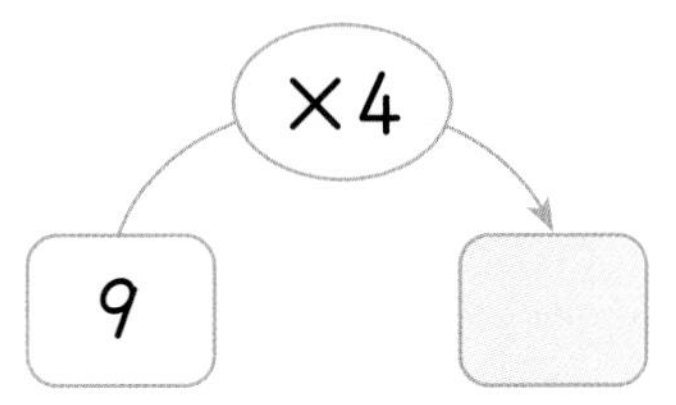

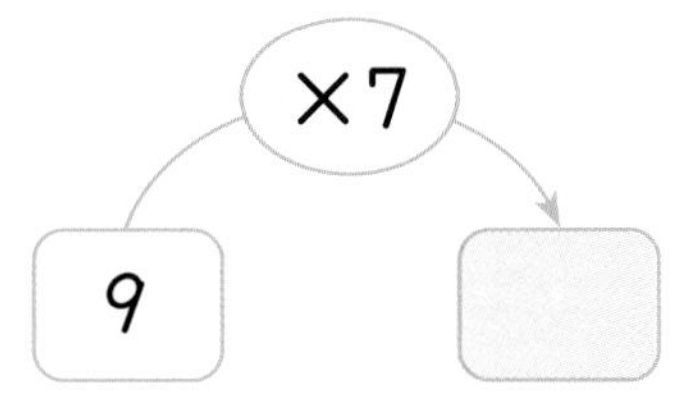

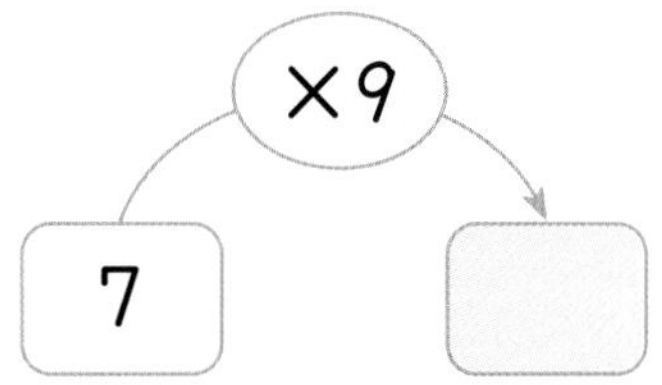

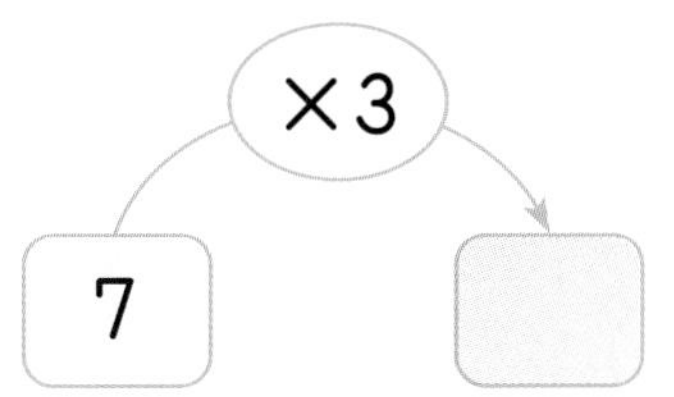

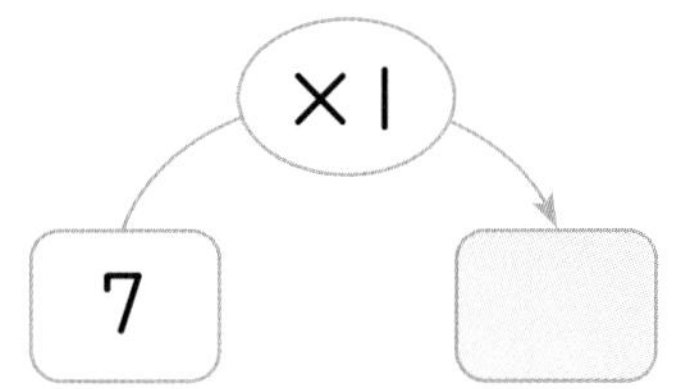

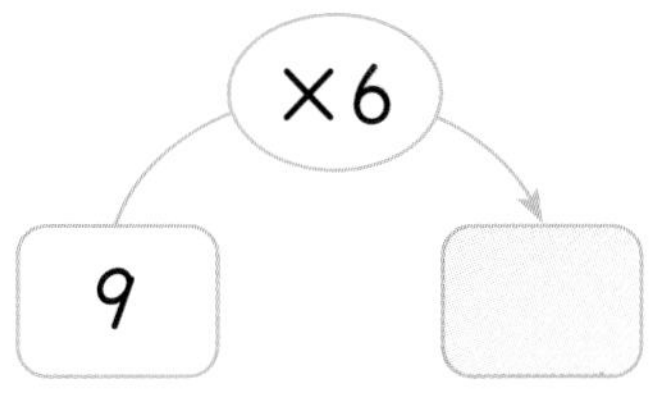

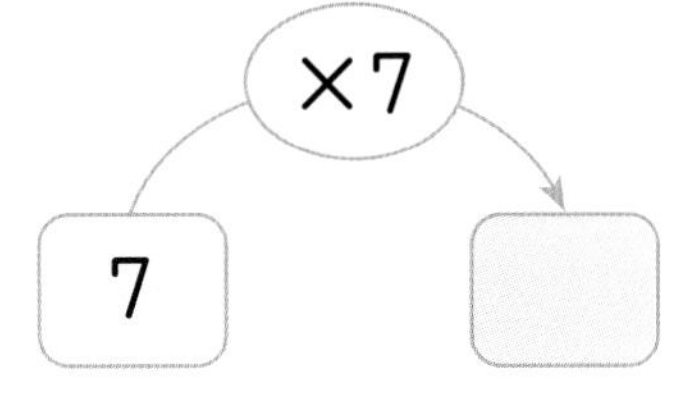

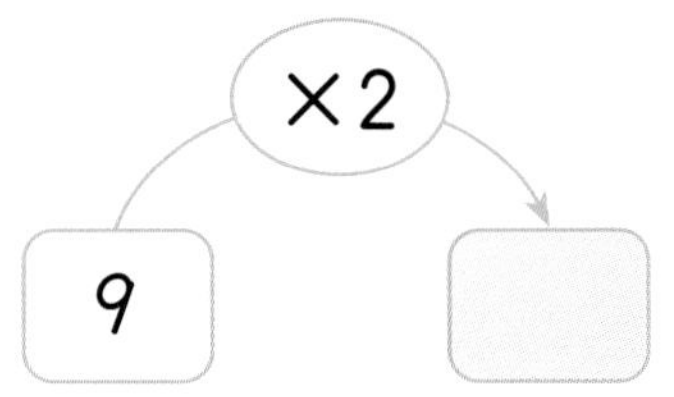

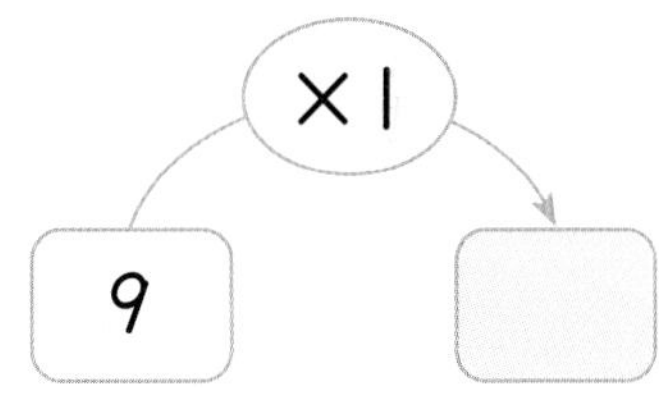

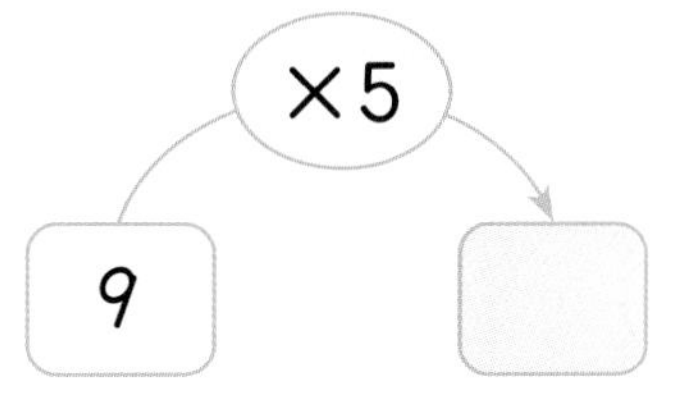

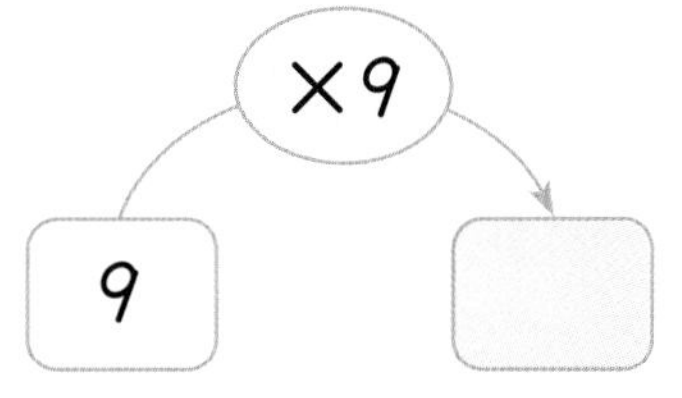

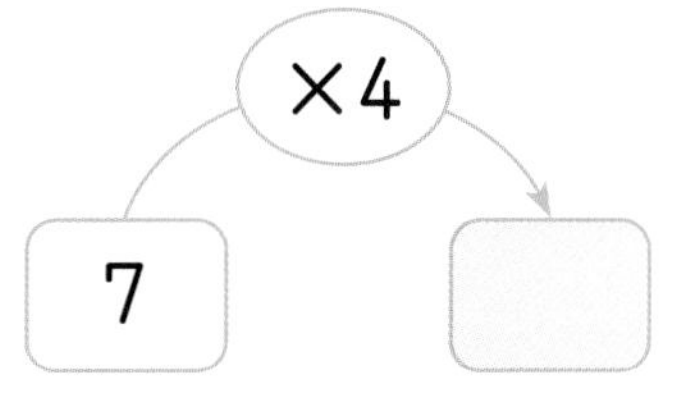

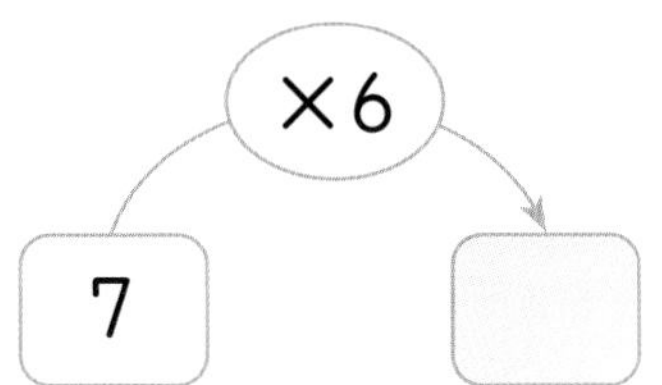

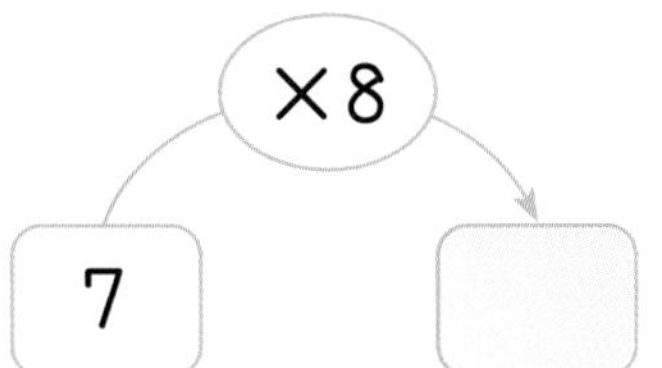

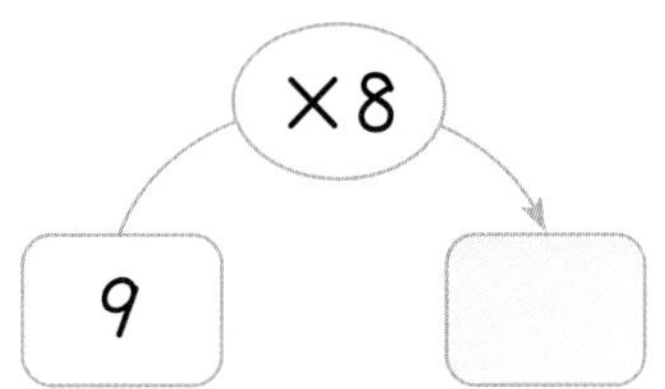

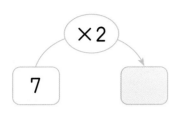

06 4, 8, 7, 9의 단을 이용하여 문제 해결하기

정답 16쪽

두 가지 곱셈식으로 나타내어 보기

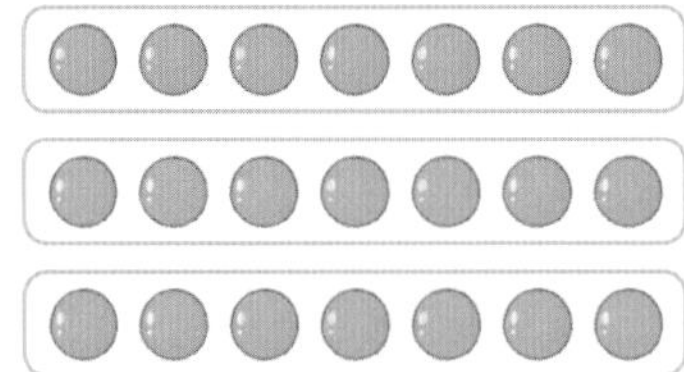

7씩 3묶음

➡ 7×3=21

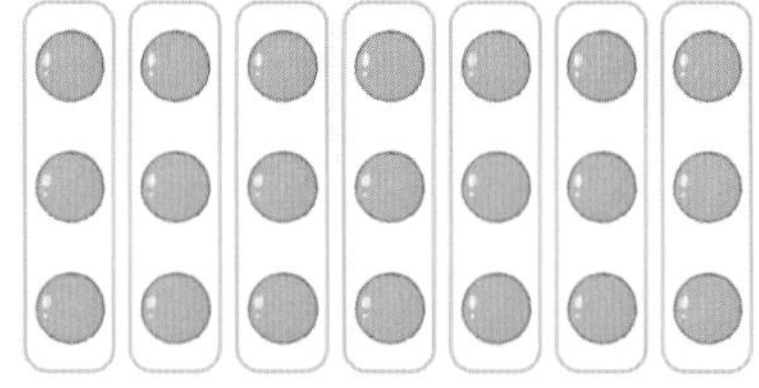

3씩 7묶음

➡ 3×7=21

1 두 가지 곱셈식으로 나타내어 보세요.

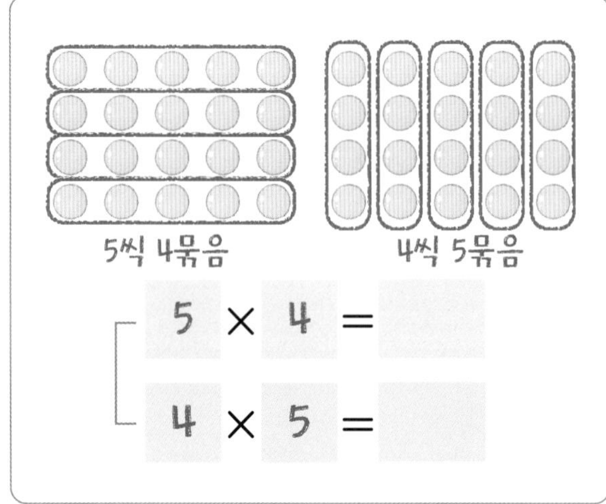

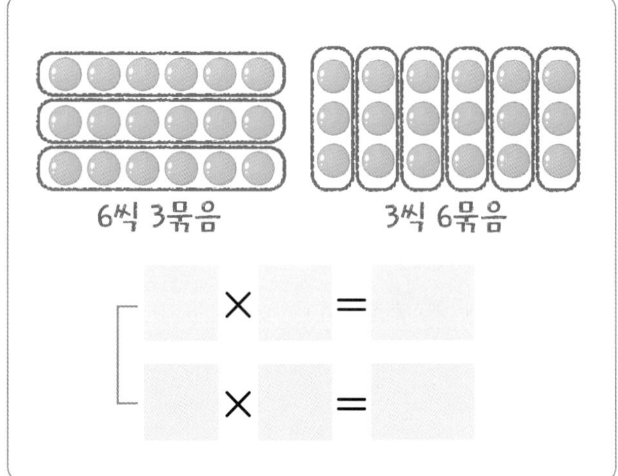

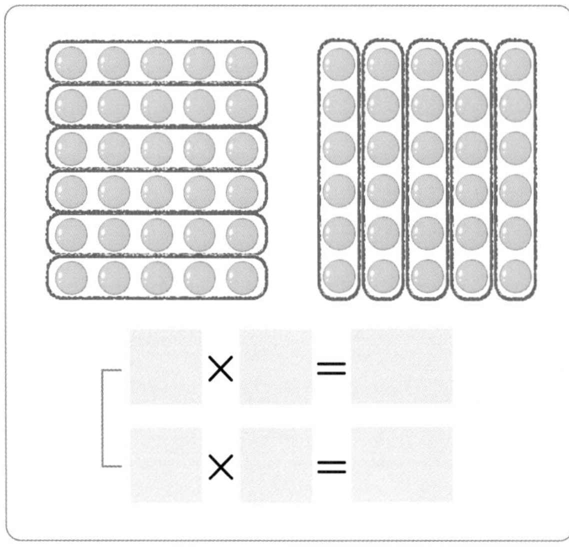

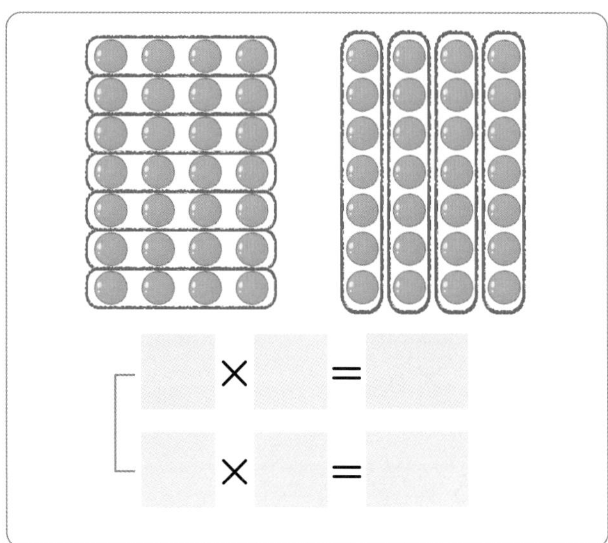

 크기를 비교하여 ◯ 안에 >, =, <를 알맞게 써넣으세요.

4×5 =20	◯	22	8×8	◯	67	15	◯	7×2
8×3	◯	20	7×5	◯	32	43	◯	9×5
7×6	◯	42	4×3	◯	18	36	◯	8×4
9×7	◯	62	8×9	◯	82	28	◯	4×7
8×2	◯	4×5	9×4	◯	4×9	7×4	◯	8×5
9×3	◯	4×6	7×8	◯	9×8	8×7	◯	9×6
7×7	◯	8×6	9×9	◯	4×9	9×3	◯	4×8
4×6	◯	8×3	7×9	◯	9×6	8×5	◯	7×6

3 올바른 곱셈식이 되도록 선을 그어 보세요.

보기

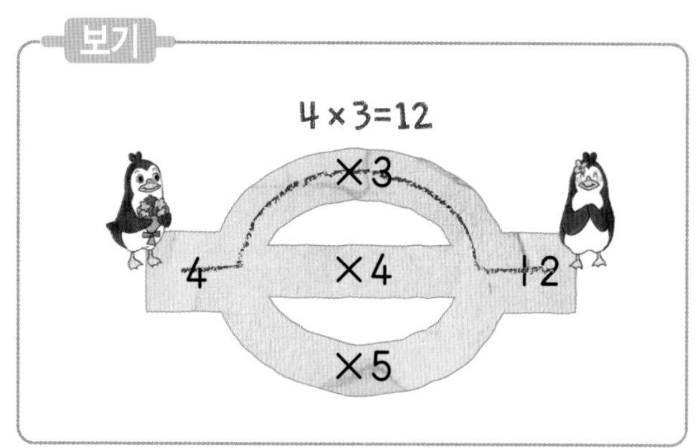

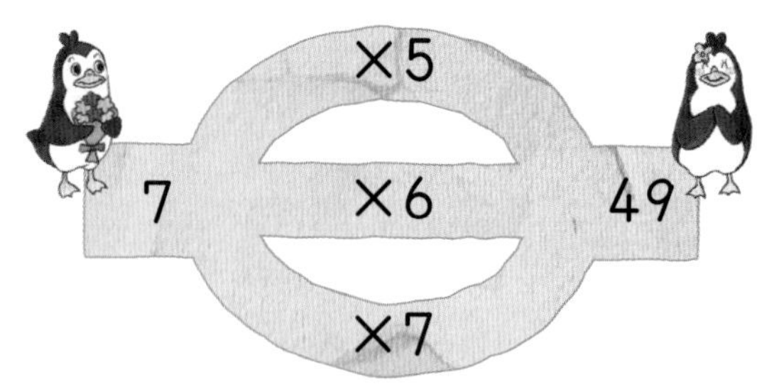

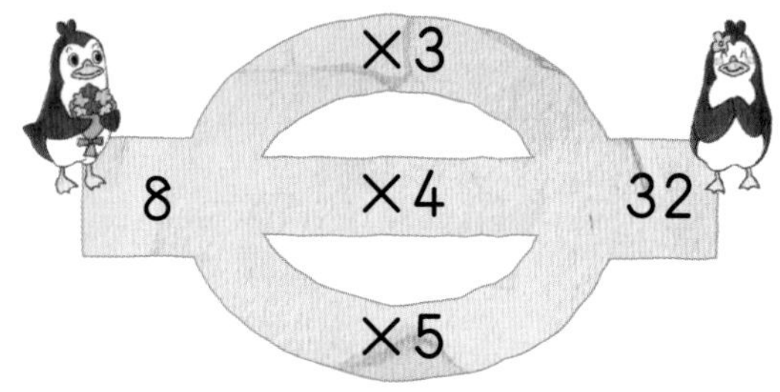

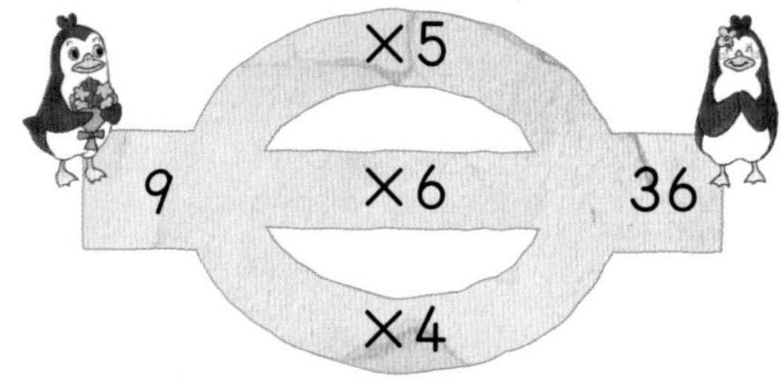

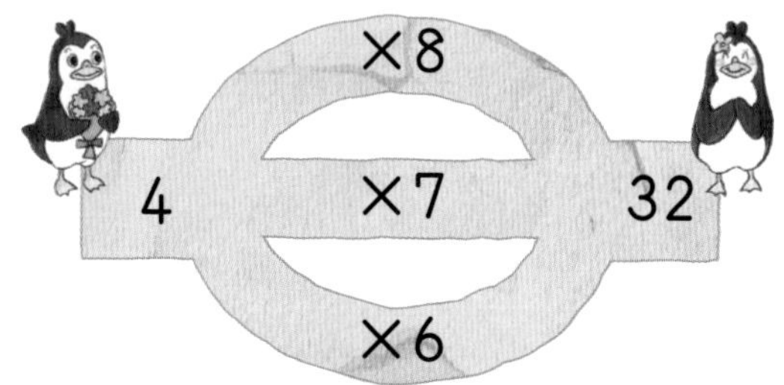

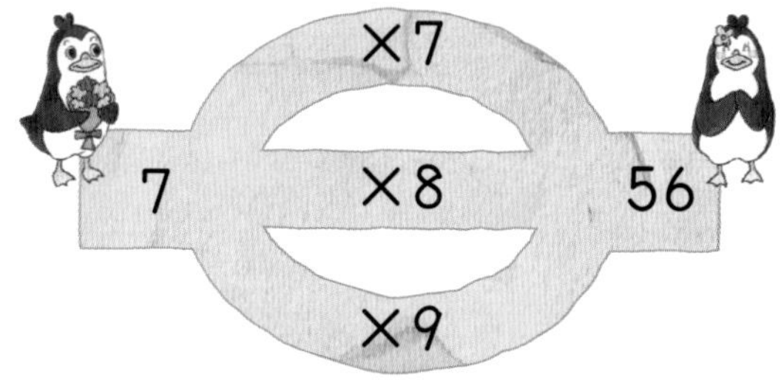

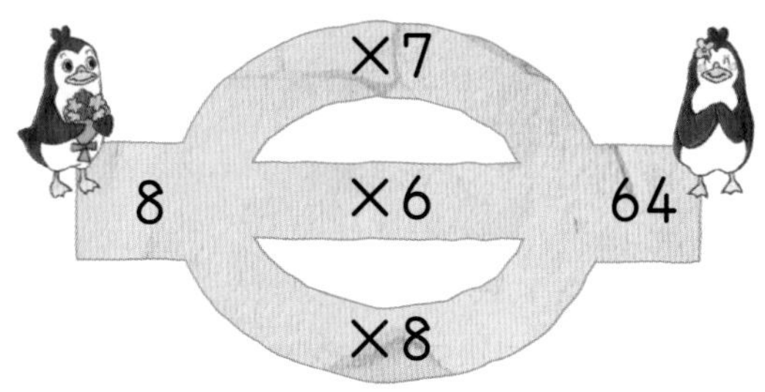

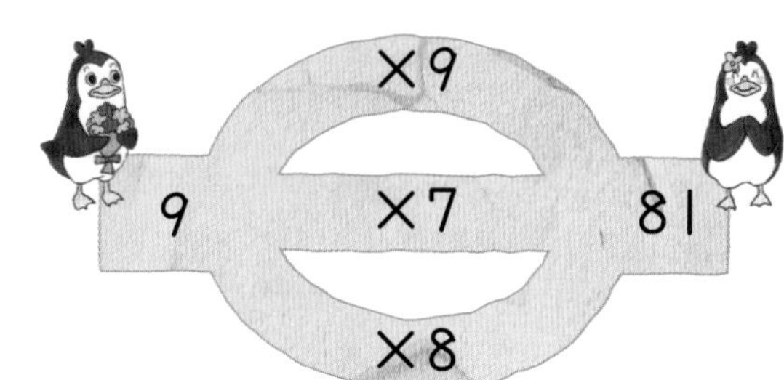

4 빈 곳에 알맞은 수를 써넣어 퍼즐을 완성하세요.

① 2	㉠ 4		③	㉢
	②	㉡		
㉣				
④				

가로 열쇠

① 4×6 = 24 ② 9×3

③ 8×3 ④ 8×8

세로 열쇠

㉠ 7×6 = 42 ㉡ 8×9

㉢ 9×5 ㉣ 4×4

㉢		①	㉠	
③			②	㉡
		㉣		
		④		

가로 열쇠

① 8×4 ② 9×9

③ 7×3 ④ 7×9

세로 열쇠

㉠ 4×7 ㉡ 4×3

㉢ 9×8 ㉣ 8×2

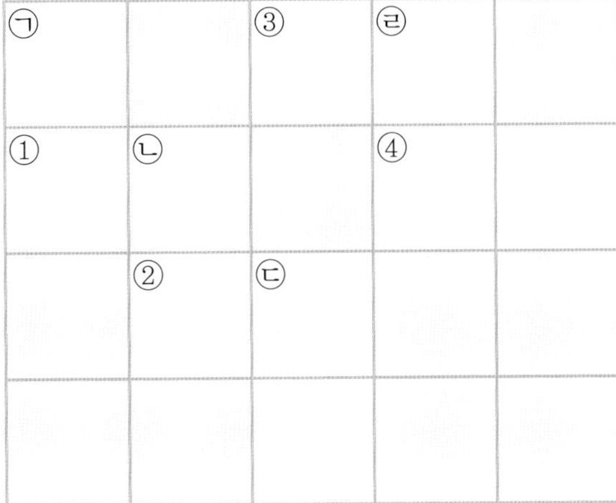

가로 열쇠

① 4×7 ② 7×2

③ 7×9 ④ 9×6

세로 열쇠

㉠ 8×9 ㉡ 9×9

㉢ 7×7 ㉣ 7×5

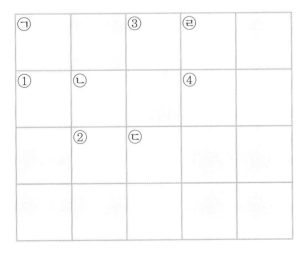

정답 17쪽

유형 1

문어 한 마리의 다리는 8개입니다. 문어 6마리의 다리는 모두 몇 개일까요?

주어진 수에 ○표 하고, 구하는 것에 밑줄 치기

문어 한 마리의 다리 수: 8 개, 문어의 수: ☐ 마리

문제 해결하기

문어 한 마리의 다리 수와 문어의 수를 (더합니다 , 곱합니다).

문제 풀기

(전체 문어 다리의 수)=(문어 한 마리의 다리 수)×(문어의 수)

=☐×☐=☐(개)

답 쓰기 문어 6마리의 다리는 모두 ☐ 개입니다.

강당에 4명씩 앉을 수 있는 긴 의자가 7개 있습니다. 모두 몇 명이 앉을 수 있을까요?

주어진 수에 ○표 하고, 구하는 것에 밑줄 치기

의자 한 개에 앉을 수 있는 학생 수: ☐ 명, 의자의 수: ☐ 개

문제 해결하기

의자 한 개에 앉을 수 있는 학생 수와 의자의 수를 (더합니다 , 곱합니다).

문제 풀기

(전체 앉을 수 있는 학생 수)=(의자 한 개에 앉을 수 있는 학생 수)×(의자의 수)

=☐×☐=☐(명)

답 쓰기 앉을 수 있는 학생은 모두 ☐ 명입니다.

유형 2

사과가 한 상자에 ⑨개씩 ③상자 있습니다. 배는 한 상자에 ⑥개씩 ④상자 있습니다. 과일은 모두 몇 개일까요?

주어진 수에 ○표 하고, 구하는 것에 밑줄 치기

한 상자에 있는 과일 수: 사과 　　개, 배 　　개, 상자 수: 사과 　　상자, 배 　　상자

문제 해결하기

한 상자에 있는 과일 수와 상자 수를 각각 (더한 , 곱한) 다음 두 과일의 수를 (더합니다 , 곱합니다).

문제 풀기

(사과의 수)=(한 상자에 들어 있는 사과 수)×(상자 수)= 　　× 　　= 　　(개)

(배의 수)=(한 상자에 들어 있는 배 수)×(상자 수)= 　　× 　　= 　　(개)

(전체 과일의 수)= 　　+ 　　= 　　(개)

답 쓰기 과일은 모두 　　개입니다.

유형+ 2

공 꺼내기 놀이에서 0점짜리 공 2개, 1점짜리 공 4개, 2점짜리 공 3개를 꺼냈습니다. 꺼낸 공의 점수는 모두 몇 점일까요?

주어진 수에 ○표 하고, 구하는 것에 밑줄 치기

꺼낸 공의 수: 0점짜리 　　개, 1점짜리 　　개, 2점짜리 　　개

문제 해결하기

공의 점수와 꺼낸 공의 수를 각각(더한 , 곱한) 다음 세 점수를 (더합니다 , 곱합니다).

문제 풀기

(0점짜리 공의 점수)=0×(꺼낸 공의 수)=0× 　　= 　　(점)

(1점짜리 공의 점수)=1×(꺼낸 공의 수)=1× 　　= 　　(점)

(2점짜리 공의 점수)=2×(꺼낸 공의 수)=2× 　　= 　　(점)

(전체 점수)= 　　+ 　　+ 　　= 　　(점)

답 쓰기 꺼낸 공의 점수는 모두 　　점입니다.

● ▢ 안에 알맞은 수를 써넣고 답을 구하세요.

1 Drill

세발자전거가 6대 있습니다. 세발자전거의 바퀴는 모두 몇 개일까요?

주어진 수에 ○표 하고, 구하는 것에 밑줄 쫙!

풀이 (전체 바퀴의 수)=(자전거 한 대의 바퀴 수)×(자전거의 수)

=▢×▢=▢(개)

답 개

2 Drill

도넛이 한 봉지에 5개씩 들어 있습니다. 6봉지에 들어 있는 도넛은 모두 몇 개일까요?

풀이 (전체 도넛의 수)=(한 봉지에 들어 있는 도넛의 수)×(봉지 수)

=▢×▢=▢(개)

답 개

3 Drill

지수네 농장에서 오리 5마리와 염소 4마리를 기르고 있습니다. 지수네 농장에서 기르는 오리와 염소의 다리는 모두 몇 개일까요?

풀이 (오리의 다리 수)=(오리 한 마리의 다리 수)×(오리의 수)=▢×▢=▢(개)

(염소의 다리 수)=(염소 한 마리의 다리 수)×(염소의 수)=▢×▢=▢(개)

(전체 다리 수)=▢+▢=▢(개)

답 개

4 Drill

화살 쏘기 경기에서 0점에 4번, 1점에 5번, 2점에 3번 맞혔습니다. 맞힌 화살의 점수는 모두 몇 점일까요?

풀이 (0점에 맞힌 화살의 점수)=0×(맞힌 횟수)=▢×▢=▢(점)

(1점에 맞힌 화살의 점수)=1×(맞힌 횟수)=▢×▢=▢(점)

(2점에 맞힌 화살의 점수)=2×(맞힌 횟수)=▢×▢=▢(점)

(전체 점수)=▢+▢+▢=▢(점)

답 점

● 서술형 문제를 읽고 풀이 과정과 답을 쓰세요.

도전 1

책꽂이 한 칸에 책이 6권씩 있습니다. 책꽂이 7칸에 있는 책은 모두 몇 권일까요?

풀이

답

도전 2

꽃게가 한 상자에 8마리씩 들어 있습니다. 3상자에 들어 있는 꽃게는 모두 몇 마리일까요?

풀이

답

도전 3

주차장에 오토바이 4대, 자동차 7대가 있습니다. 주차장에 있는 오토바이와 자동차의 바퀴는 모두 몇 개일까요?

풀이

답

도전 4

주사위를 굴려 나온 눈의 수만큼 점수를 얻는 게임에서 3의 눈이 3번, 5의 눈이 4번 나왔습니다. 얻은 점수는 모두 몇 점일까요?

풀이

답

01 구슬이 모두 몇 개인지 □ 안에 알맞은 수를 써넣으세요.

(1)

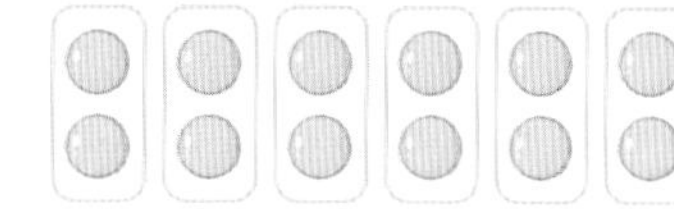

$2\times6=$ □

(2)

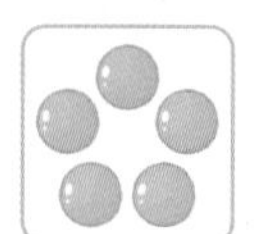 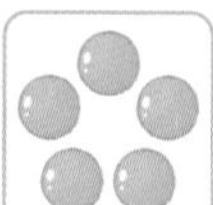 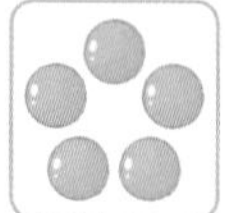

$5\times3=$ □

02 5의 단 곱셈구구의 값을 차례로 연결하여 미로를 통과해 보세요.

	20	35	40	45 → (도착)
	15	30	25	30
	10	15	20	35
(출발) →	5	20	25	30

03 □ 안에 알맞은 수를 써넣으세요.

(1) $2\times7=$ □

(2) $5\times9=$ □

04 □ 안에 알맞은 수를 써넣으세요.

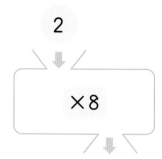

(1)

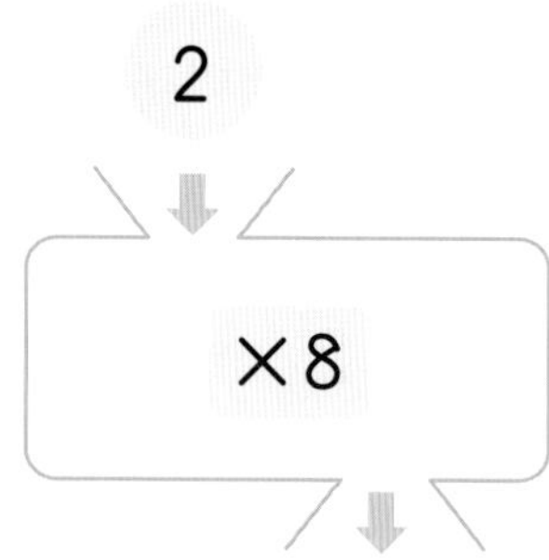

(2)

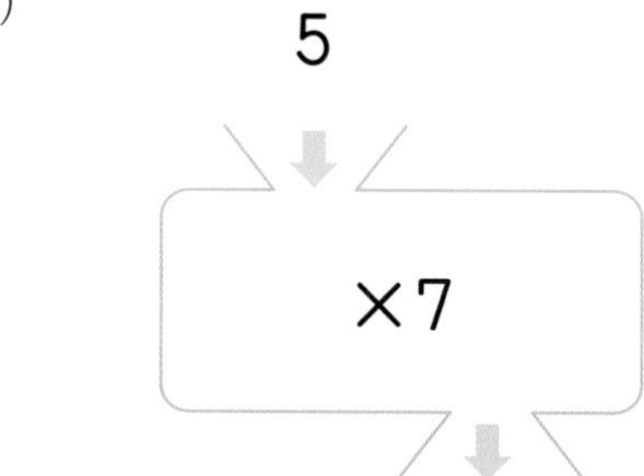

05 □ 안에 알맞은 수를 써넣으세요.

(1)

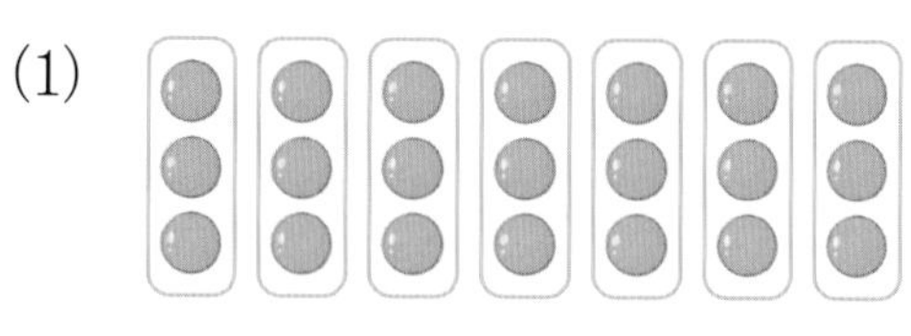

$3\times7=$ □

(2)

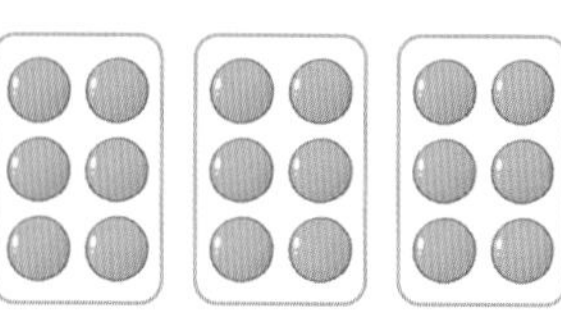

$6\times3=$ □

06 6의 단 곱셈구구의 값을 차례로 연결하여 미로를 통과해 보세요.

07 ☐ 안에 알맞은 수를 써넣으세요.

(1) 3×8=☐

(2) 6×7=☐

08 빈 곳에 알맞은 수를 써넣으세요.

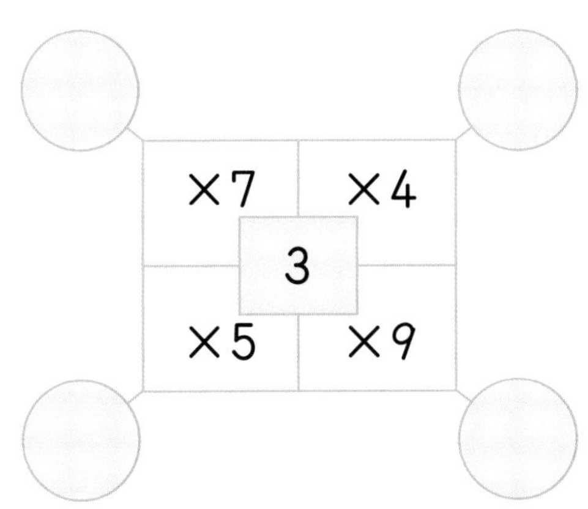

09 올바른 곱셈식이 되도록 선을 그어 보세요.

(1)

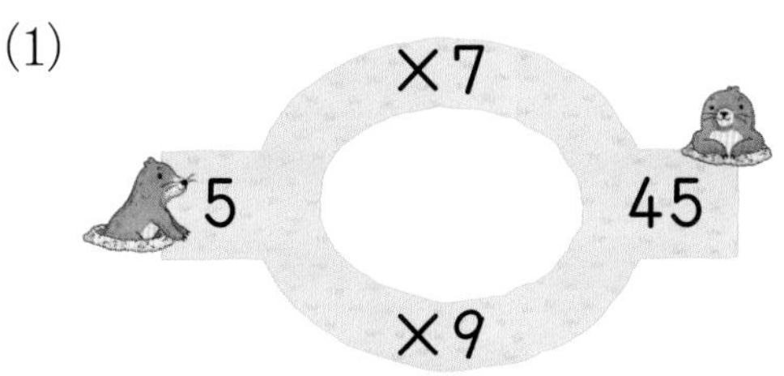

(2)

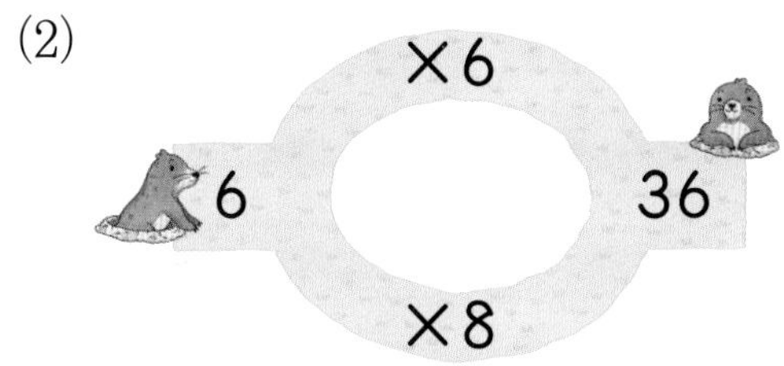

10 빈칸에 알맞은 수를 써넣으세요.

×	3	6	7	9
2	6		14	
5		30		45
6		36		

11 ☐ 안에 알맞은 수를 써넣으세요.

(1)

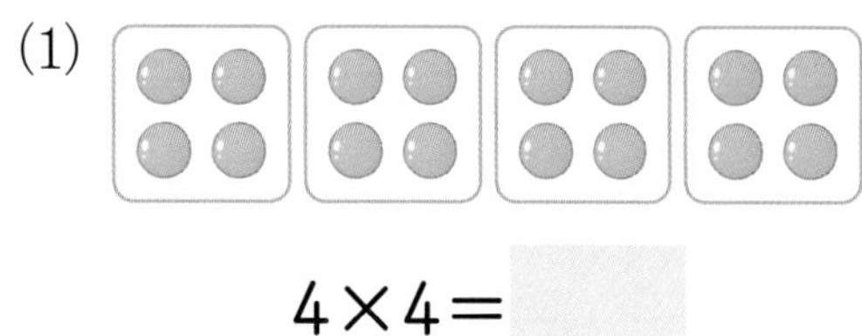

$4\times4=$ ☐

(2)

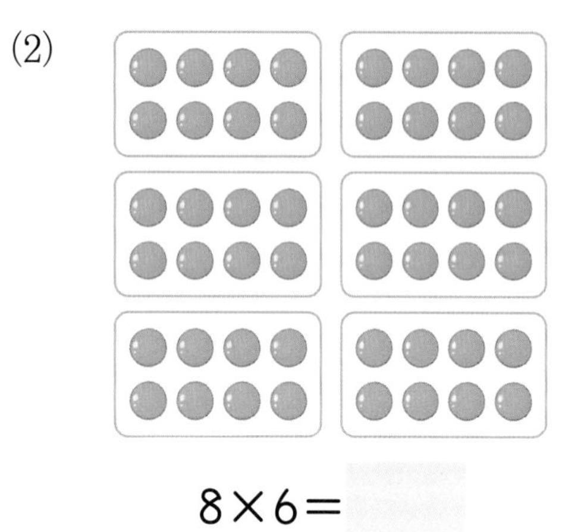

$8\times6=$ ☐

12 8의 단 곱셈구구의 값을 차례로 연결하여 미로를 통과해 보세요.

13 ☐ 안에 알맞은 수를 써넣으세요.

(1) $4\times9=$ ☐

(2) $8\times7=$ ☐

14 빈 곳에 알맞은 수를 써넣으세요.

(1)

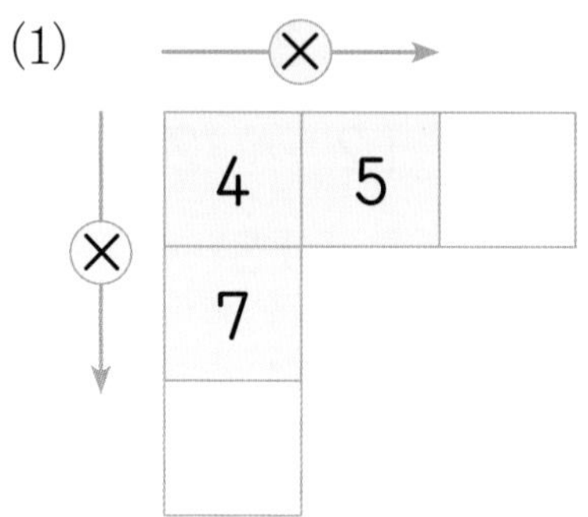

(2)

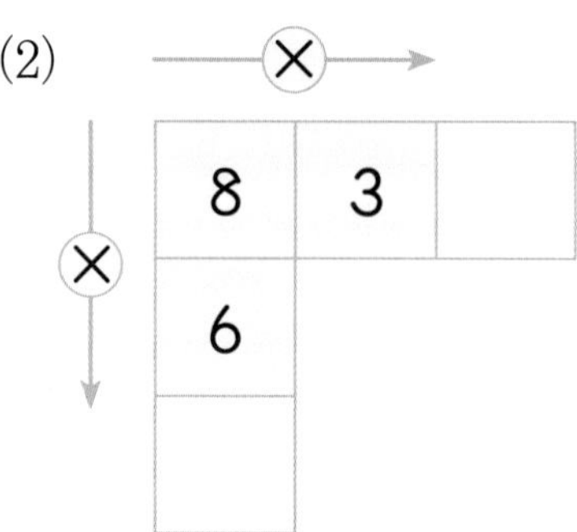

15 ☐ 안에 알맞은 수를 써넣으세요.

(1)

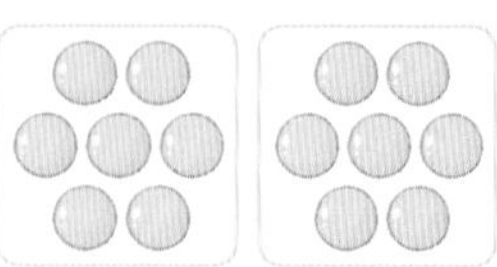

$7\times2=$ ☐

(2)

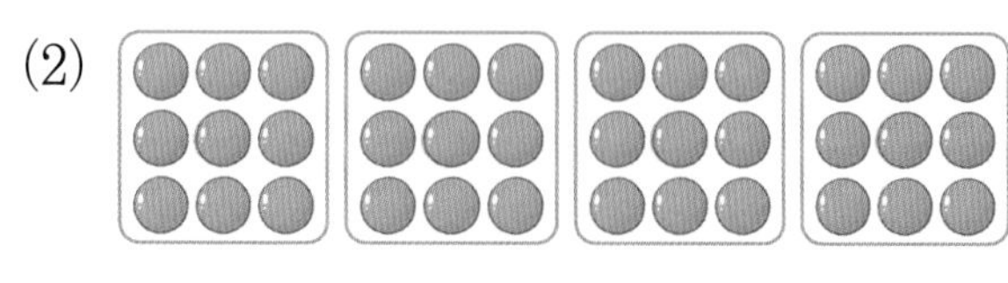

$9\times4=$ ☐

16 7의 단 곱셈구구의 값을 차례로 연결하여 미로를 통과해 보세요.

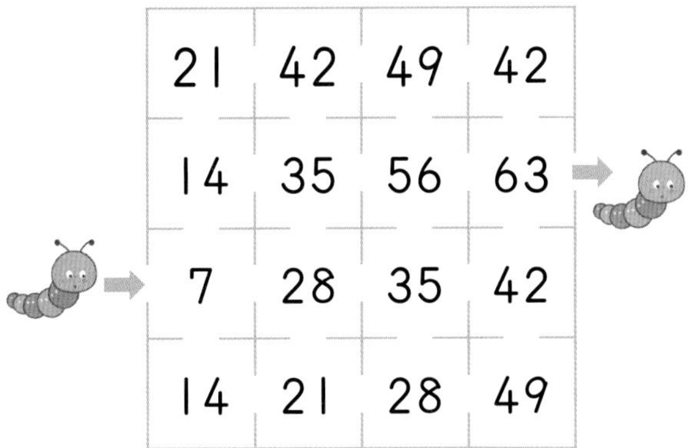

21	42	49	42
14	35	56	63
7	28	35	42
14	21	28	49

17 안에 알맞은 수를 써넣으세요.

(1) $7\times7=$

(2) $9\times3=$

18 빈 곳에 알맞은 수를 써넣으세요.

(1)

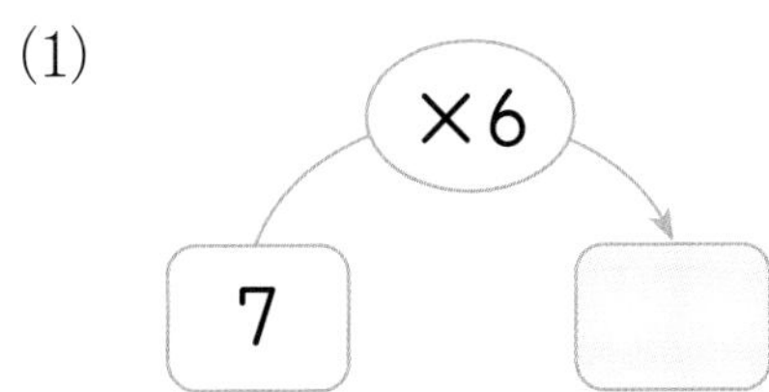

(2)

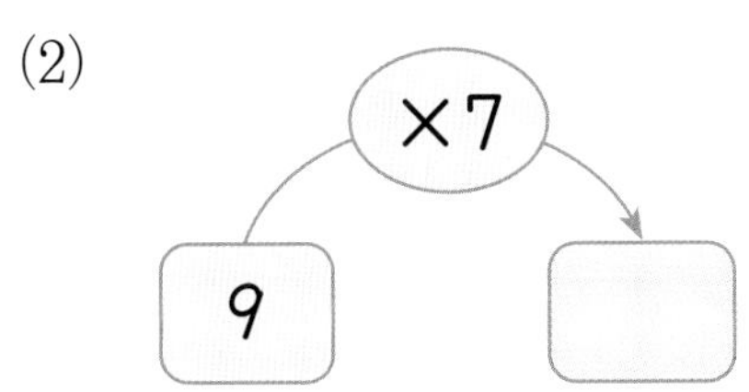

19 크기를 비교하여 안에 >, =, < 를 알맞게 써넣으세요.

(1) 7×3 ◯ 20

(2) 8×6 ◯ 52

(3) 54 ◯ 9×7

(4) 27 ◯ 4×6

(5) 4×9 ◯ 6×6

20 올바른 곱셈식이 되도록 선을 그어 보세요.

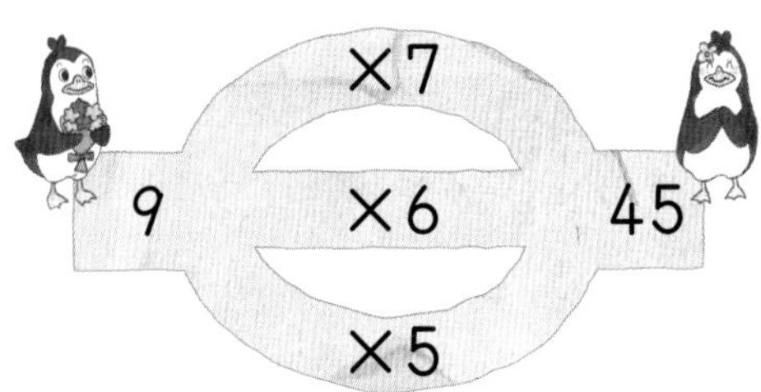

1 수직선을 보고 곱셈식으로 나타내어 보세요.

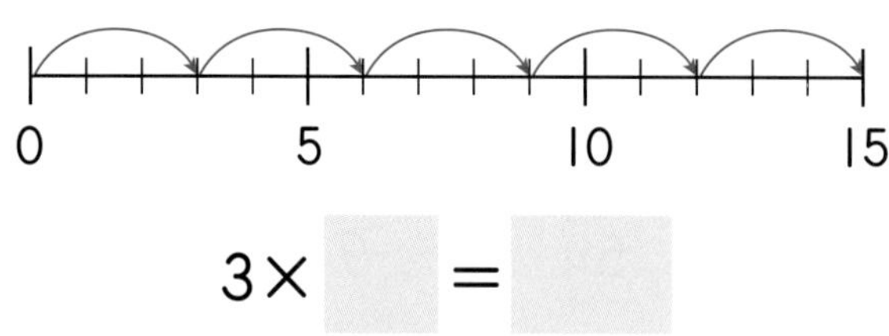

3× ☐ = ☐

2 그림을 보고 ☐ 안에 알맞은 수를 써넣으세요.

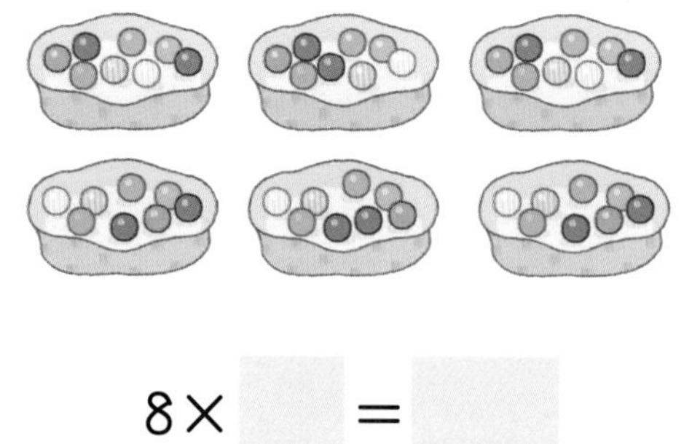

8× ☐ = ☐

3 빵이 한 봉지에 3개씩 들어 있습니다. 4봉지에 들어 있는 빵은 모두 몇 개인지 곱셈식으로 나타내어 보세요.

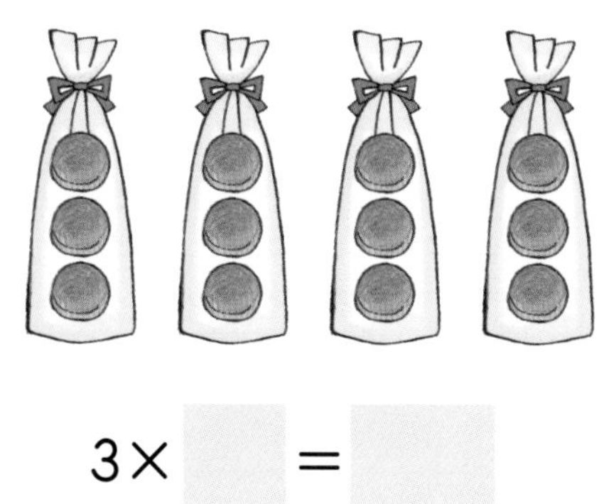

3× ☐ = ☐

4 ☐ 안에 알맞은 수를 써넣으세요.

(1) 2×3= ☐

(2) 5×8= ☐

(3) 4×6= ☐

(4) 7×4= ☐

(5) 9×5= ☐

5 야구공은 모두 몇 개인지 두 가지 곱셈식으로 나타내어 보세요.

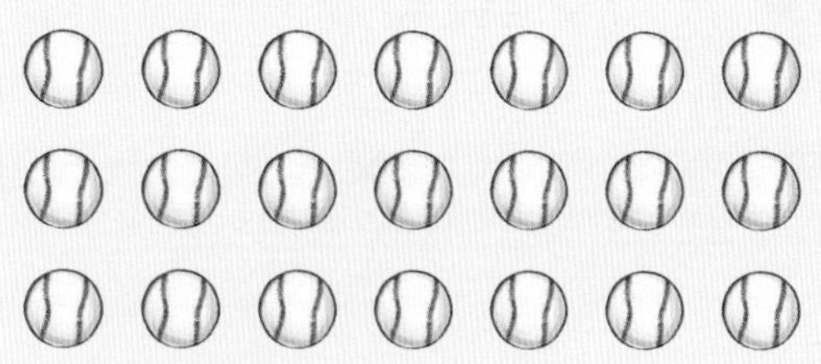

3× ☐ = ☐

7× ☐ = ☐

6 올바른 곱셈식이 되도록 선을 그어 보세요.

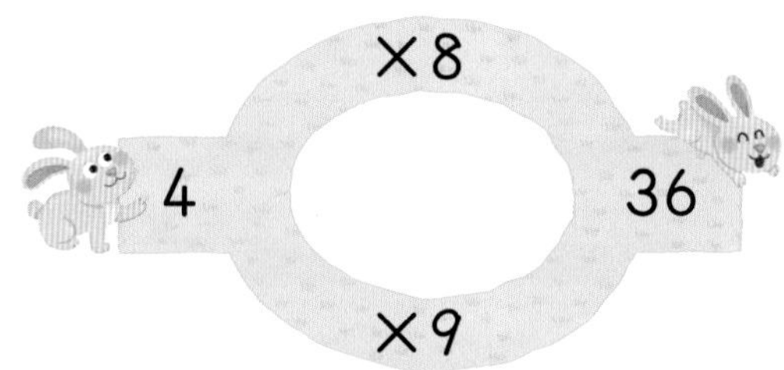

7 안에 알맞은 수를 써넣으세요.

(1) $6\times4=4\times$ ☐

(2) $8\times3=3\times$ ☐

(3) $7\times5=5\times$ ☐

(4) $9\times3=3\times$ ☐

(5) $2\times6=6\times$ ☐

8 빈 곳에 알맞은 수를 써넣으세요.

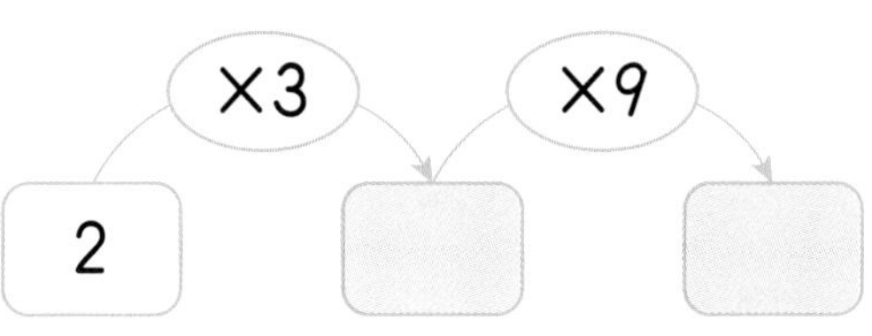

9 곱의 크기를 비교하여 ○ 안에 >, =, <를 알맞게 써넣으세요.

7×7 ○ 8×6

10 곱이 같은 것끼리 선으로 이어 보세요.

6×6 •	• 4×6
3×4 •	• 2×6
8×3 •	• 9×4

11 ●에 알맞은 수를 구하세요.

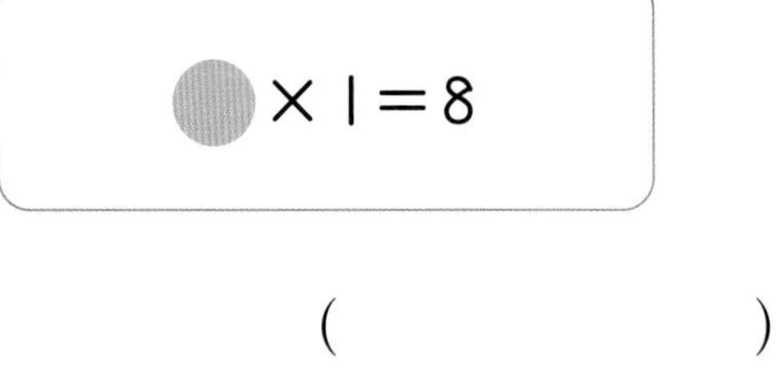

(　　　　　　)

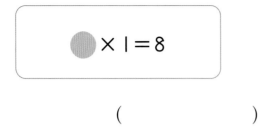

12 6의 단 곱셈구구의 값에 모두 ○표 하세요.

6	14	18	26
35	36	44	54

13 곱셈표를 완성하세요.

×	2	3	4
5			
6			
7			

14 □ 안에 알맞은 수가 가장 작은 것을 찾아 기호를 써 보세요.

㉠ 8×4=□　　㉡ 7×5=□

㉢ 9×2=□　　㉣ 5×5=□

(　　　　　　)

15 한 상자에 사탕이 7개씩 들어 있습니다. 4상자에 들어 있는 사탕은 모두 몇 개인지 풀이 과정을 쓰고 답을 구하세요.

풀이

답

16 군밤이 한 봉지에 9개씩 들어 있습니다. 7봉지에 들어 있는 군밤은 모두 몇 개일까요?

(　　　　　　)개

17 다음 두 식의 값이 같아지도록 □ 안에 알맞은 수를 구하세요.

4×6　　　　$8 \times \square$

(　　　　　　)

18 공 꺼내기 놀이에서 0점짜리 공 2개, 1점짜리 공 3개, 2점짜리 공 4개를 꺼냈습니다. 꺼낸 공의 점수는 모두 몇 점일까요?

(　　　　　　)점

19 수 카드를 한 번씩만 사용하여 곱셈식을 만들려고 합니다. □ 안에 알맞은 수를 써넣으세요.

9　6　3

$4 \times \square = \square\square$

20 소희는 공원에서 세잎클로버 5개와 네잎클로버 2개를 찾았습니다. 소희가 찾은 클로버의 잎은 모두 몇 장인지 풀이 과정을 쓰고 답을 구하세요.

풀이

답

memo

논리적 사고력과 창의적 문제해결력을 키워 주는

매스티안 교재 활용법!

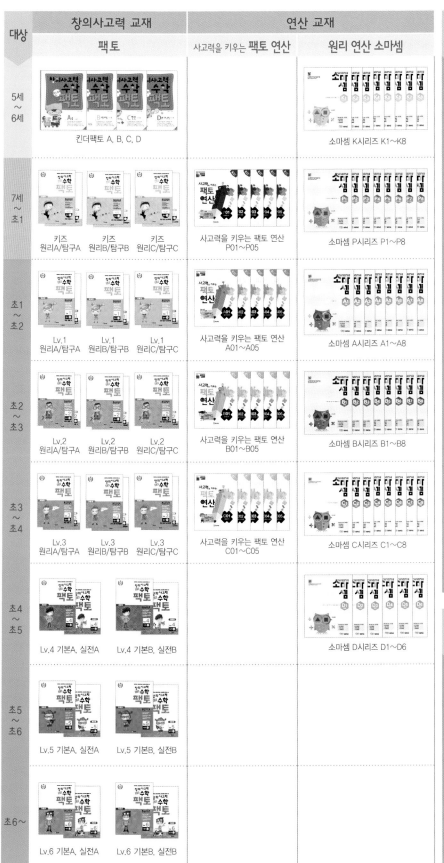

대상	창의사고력 교재	연산 교재	
	팩토	사고력을 키우는 팩토 연산	원리 연산 소마셈
5세~6세	 킨더팩토 A, B, C, D		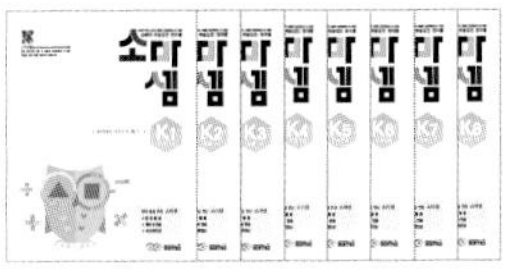 소마셈 K시리즈 K1~K8
7세~초1	 키즈 원리A/탐구A 키즈 원리B/탐구B 키즈 원리C/탐구C	 사고력을 키우는 팩토 연산 P01~P05	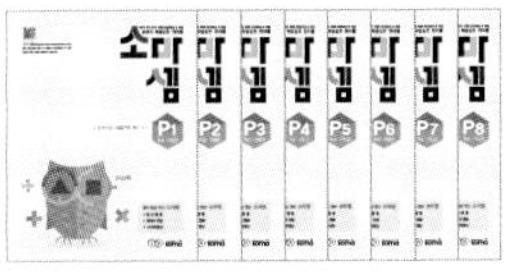 소마셈 P시리즈 P1~P8
초1~초2	 Lv.1 원리A/탐구A Lv.1 원리B/탐구B Lv.1 원리C/탐구C	 사고력을 키우는 팩토 연산 A01~A05	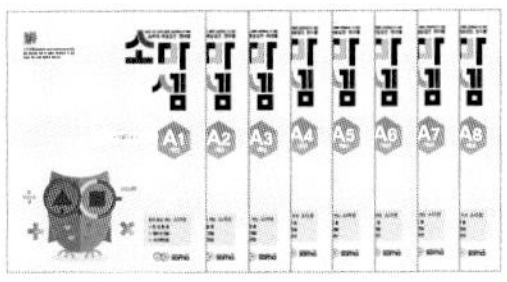 소마셈 A시리즈 A1~A8
초2~초3	 Lv.2 원리A/탐구A Lv.2 원리B/탐구B Lv.2 원리C/탐구C	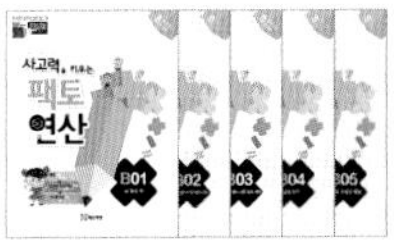 사고력을 키우는 팩토 연산 B01~B05	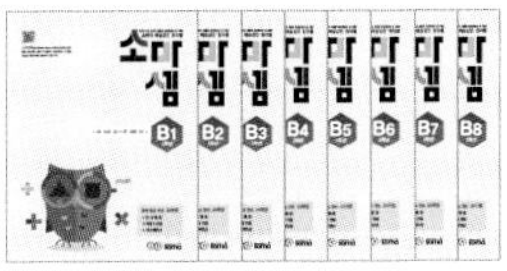 소마셈 B시리즈 B1~B8
초3~초4	 Lv.3 원리A/탐구A Lv.3 원리B/탐구B Lv.3 원리C/탐구C	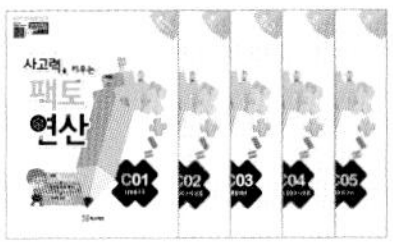 사고력을 키우는 팩토 연산 C01~C05	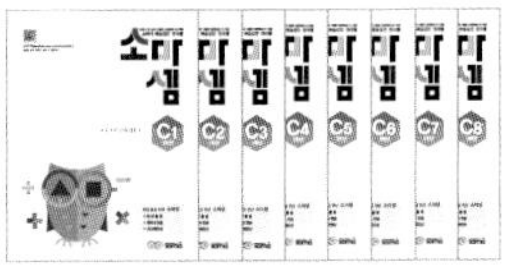 소마셈 C시리즈 C1~C8
초4~초5	 Lv.4 기본A, 실전A Lv.4 기본B, 실전B		 소마셈 D시리즈 D1~D6
초5~초6	 Lv.5 기본A, 실전A Lv.5 기본B, 실전B		
초6~	 Lv.6 기본A, 실전A Lv.6 기본B, 실전B		

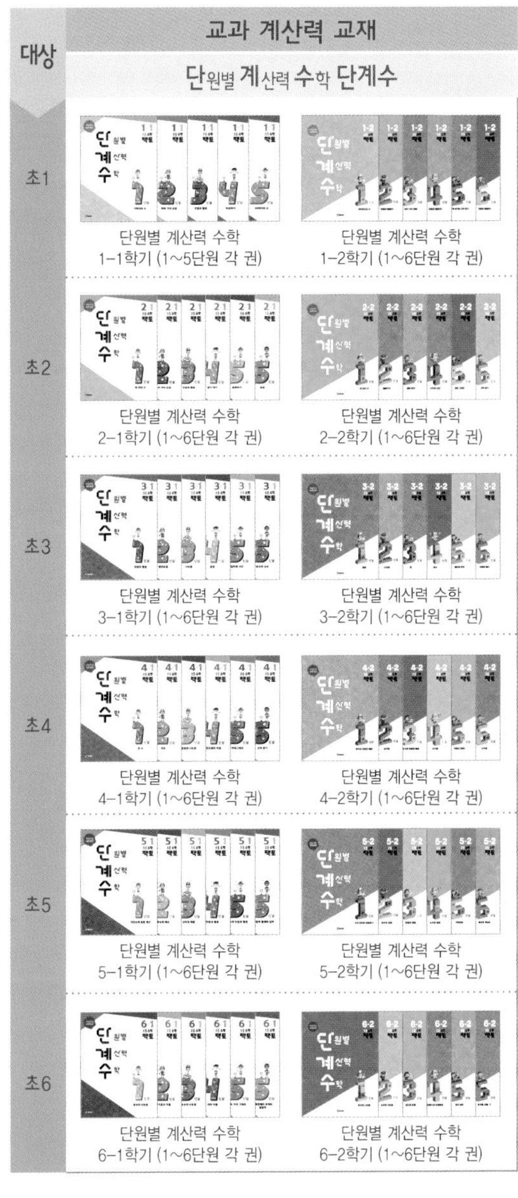

대상	교과 계산력 교재	
	단원별 계산력 수학 단계수	
초1	단원별 계산력 수학 1-1학기 (1~5단원 각 권)	단원별 계산력 수학 1-2학기 (1~6단원 각 권)
초2	단원별 계산력 수학 2-1학기 (1~6단원 각 권)	단원별 계산력 수학 2-2학기 (1~6단원 각 권)
초3	단원별 계산력 수학 3-1학기 (1~6단원 각 권)	단원별 계산력 수학 3-2학기 (1~6단원 각 권)
초4	단원별 계산력 수학 4-1학기 (1~6단원 각 권)	단원별 계산력 수학 4-2학기 (1~6단원 각 권)
초5	단원별 계산력 수학 5-1학기 (1~6단원 각 권)	단원별 계산력 수학 5-2학기 (1~6단원 각 권)
초6	단원별 계산력 수학 6-1학기 (1~6단원 각 권)	단원별 계산력 수학 6-2학기 (1~6단원 각 권)

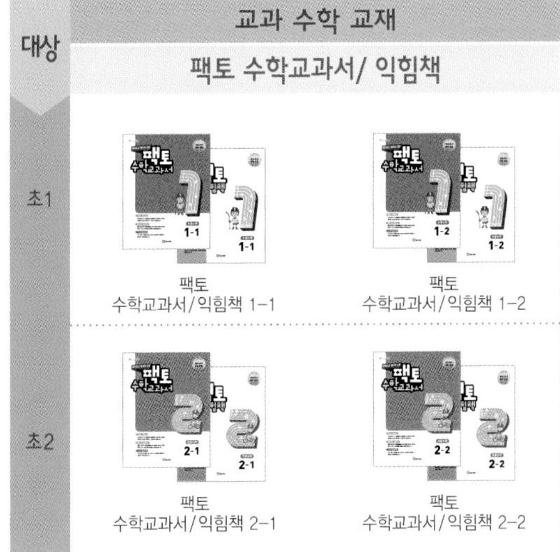

대상	교과 수학 교재	
	팩토 수학교과서/ 익힘책	
초1	팩토 수학교과서/익힘책 1-1	팩토 수학교과서/익힘책 1-2
초2	팩토 수학교과서/익힘책 2-1	팩토 수학교과서/익힘책 2-2

단계수 학습 순서

매일 학습

단원별로 꼭 알아야 할 개념만 쏙쏙 학습하고, 다양한 연산 문제를 통해 필수 개념을 숙달하여 계산력을 쑥쑥 키울 수 있습니다.

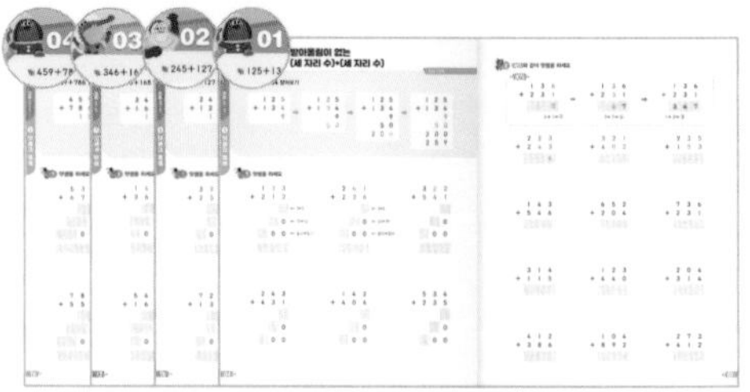

도전! 응용문제

필수 개념을 활용한 **응용** 문제 또는 **서술형** 문제를 통해 사고력과 문제해결력을 기를 수 있습니다.

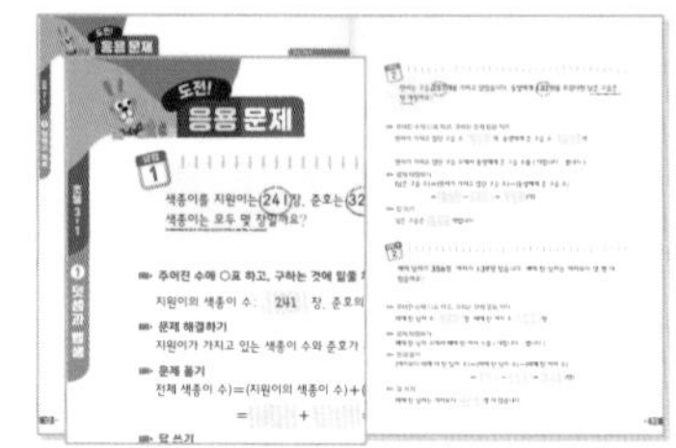

형성 평가

단원의 **복습 단계**로 문제를 풀면서 학습한 내용을 잘 알고 있는지 다시 한 번 확인할 수 있습니다.

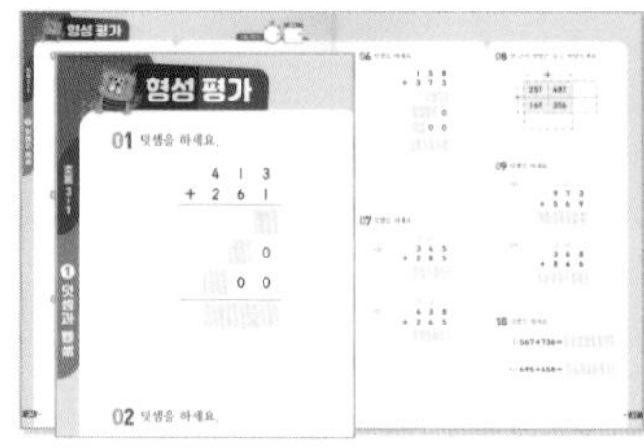

단원 평가

단원의 **마무리 학습**으로 학교 시험에 자주 나오는 문제 유형을 통해서 수시 평가 등 학교 시험에 대비할 수 있습니다.

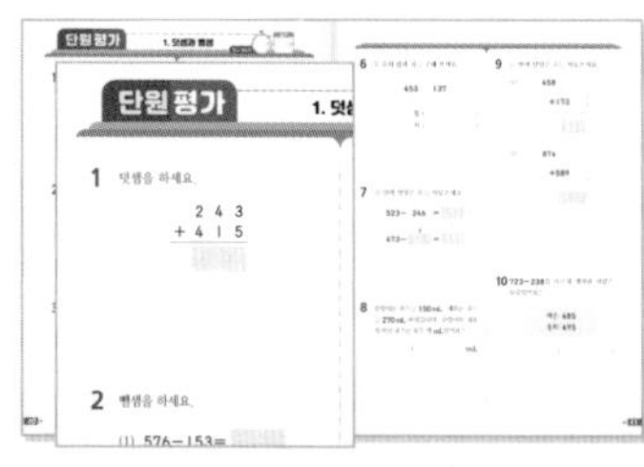

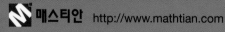

매스티안 http://www.mathtian.com

자율안전확인신고필증번호 : B361H200-4001
1. 주소 : 06153 서울특별시 강남구 봉은사로 442 (삼성동)
2. 문의전화 : 1588-6066
3. 제조국 : 대한민국
4. 사용연령 : 9세 이상
※ KC마크는 이 제품이 공통안전기준에 적합하였음을 의미합니다.

⚠주의

종이, 모서리에 다칠 수 있으니 주의하세요!

초등학교	반 번
이름	

FACTO school

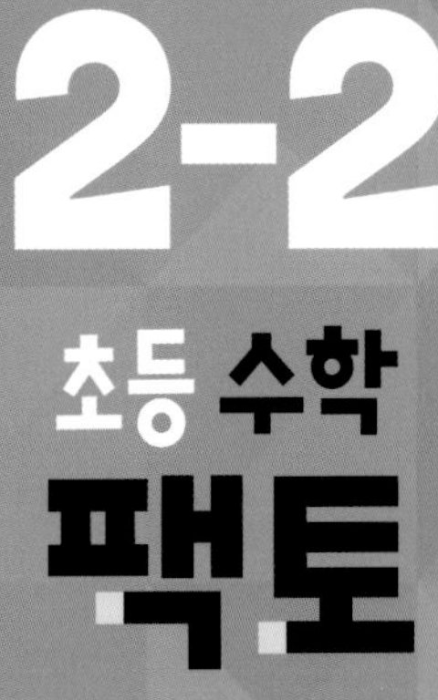

단원별 계산력 수학

3 단원

길이 재기

매스티안

팩토는 자유롭게 자신감있게 창의적으로 생각하는 주니어수학자입니다.

단계별 원리 계산력 수학

펴낸 곳 (주)타임교육C&P 펴낸이 이길호 지은이 매스티안R&D센터
주소 06153 서울특별시 강남구 봉은사로 442 (삼성동) 문의전화 1588.6066
팩토카페 http://cafe.naver.com/factos 홈페이지 http://www.mathtian.com

※ 정답과 풀이는 온라인 팩토카페(http://cafe.naver.com/factos)를 통해서도 확인할 수 있습니다.

MW2204

생각이 자유로운 사람들! 매스티안R&D센터

매스티안R&D센터의 논리적 사고력과 창의적 문제해결력을 키우는 수학 콘텐츠는 국내외 수많은 교육 현장에서 그 우수성을 높이 평가받고 있습니다.
매스티안R&D센터는 여기에 안주하지 않고 앞으로도 학생, 교사, 학부모 모두가 행복한 수학 시간을 만들 수 있도록 노력하겠습니다.

매스티안 공식 홈페이지 ··· (http://www.mathtian.com)

- 매스티안의 다양한 출간 교재 소개
- 출간 교재와 관련된 학습 자료(보충 학습지, 활동지 등) 제공
- 출간 교재와 관련된 평가 시험 및 분석 제공

매스티안 공식 카페 ··· 팩토 (http://cafe.naver.com/factos)

- 창의사고력 수학 팩토 무료 동영상 강의 제공
- 출간 교재에 관한 질문 및 답변
- 영재교육원 대비 자료(기출 문제, 예상 문제) 제공
- 초등 수학 비법 및 Q&A

FACTO school

2-2

초등 수학 팩토

단원별 계산력 수학

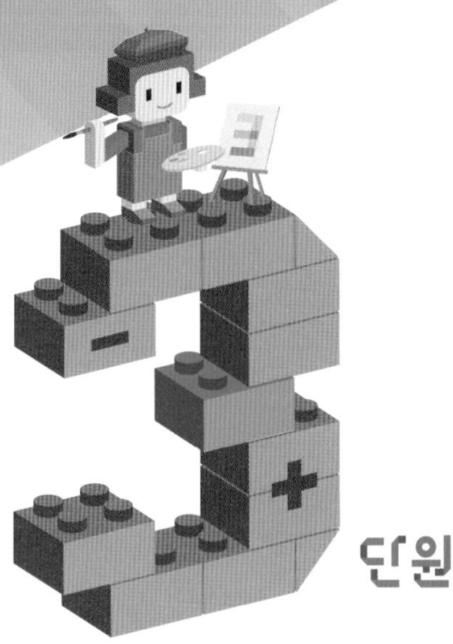

3단원

길이 재기

매스티안

4. 비교하기

· 길이, 무게, 넓이, 들이 비교하기

4. 길이 재기

· 길이 비교하기
· 1cm와 '자' 활용하기
· 길이 어림하기, 길이 재기

5. 시계 보기와 규칙 찾기

· '몇 시', '몇 시 30분'
· 물체, 무늬, 수 배열에서 규칙 찾기

3 길이 재기

Teaching Guide

1학기 때 배웠던 센티미터(cm)에 이어 미터(m)가 표준단위로 제시됩니다. 미터(m)는 센티미터(cm)에 비해 교실의 칠판, 식탁, 가구 등과 같이 길이가 긴 물건의 길이를 잴 때 편리합니다. 그러나 미터(m) 단위는 센티미터(cm) 단위의 100배이므로 사물의 길이를 정확히 나타내는 것이 힘듭니다. 따라서 453cm와 같이 하나의 단위로 길이를 나타내는 단명수 표기법 뿐만 아니라 4m 53cm와 같이 미터(m), 센티미터(cm) 두 단위를 함께 사용하여 길이를 나타내는 복명수 표기법을 배우게 됩니다. 복명수 표기법은 아이들이 처음 접하는 방식이므로 충분히 연습하도록 지도합니다.

3. 길이 재기

- 1m=100cm
- 길이의 합과 차
- 길이 어림하기

3-2

5. 들이와 무게

- 들이와 무게 비교하기
- 들이와 무게의 덧셈과 뺄셈

4. 시각과 시간

- 시각을 분 단위로 읽기
- 1일=24시간, 1주일=7일, 1년=12개월

5. 길이와 시간

- 1cm=10mm, 1km=1000m
- 길이 어림하고 재어 보기
- 시간의 덧셈과 뺄셈

공부한 날짜

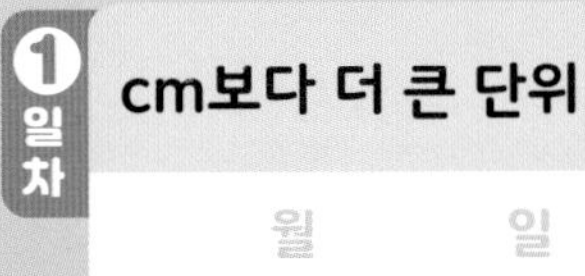

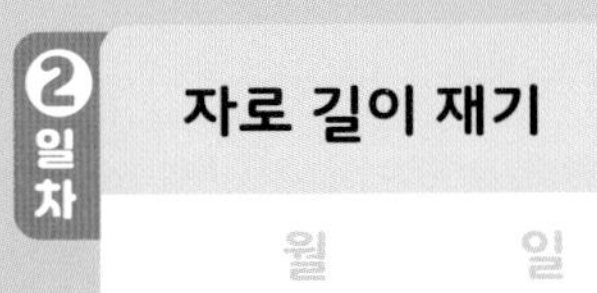

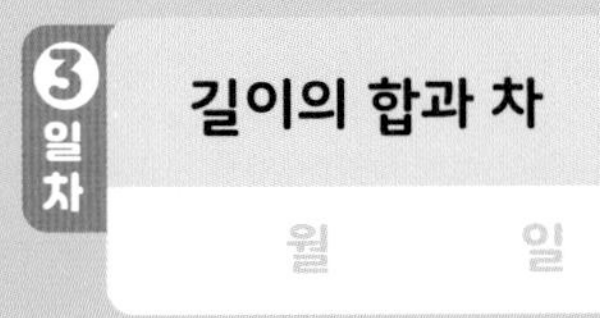

5 일차
응용 문제
월 일

01 cm보다 더 큰 단위

정답 20쪽

초등 2-2 3 길이 재기

1m 알아보기

100cm = 1m

쓰기 1m

읽기 1 미터

1 색 테이프의 길이를 쓰고 읽어 보세요.

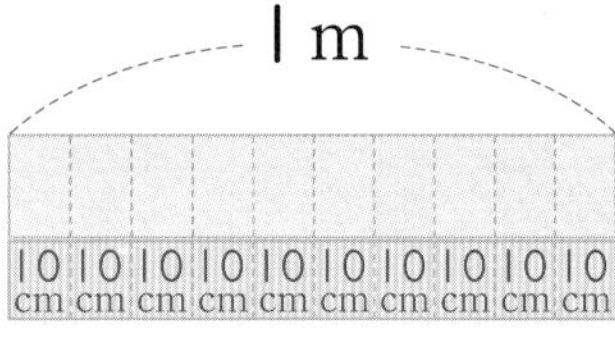

쓰기 1m 1m　읽기 1 미터 1 미터

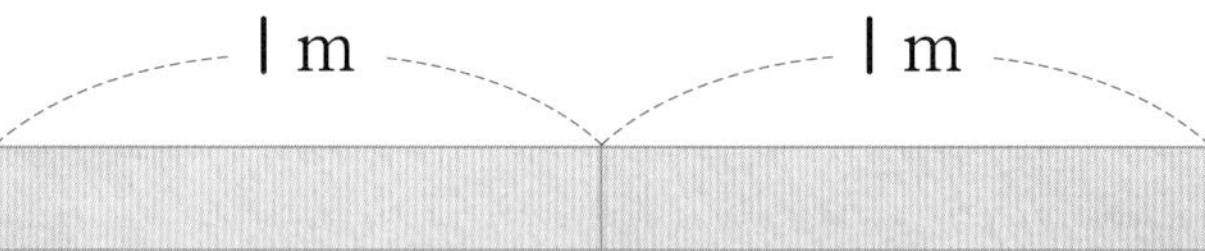

쓰기 2m 2m　읽기 2 미터 2 미터

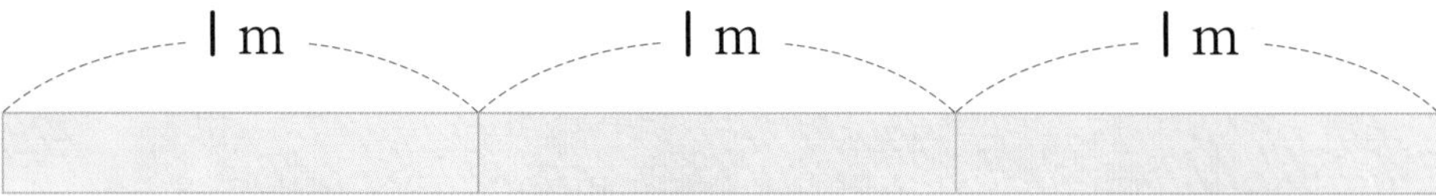

쓰기 3m 3m　읽기 3 미터 3 미터

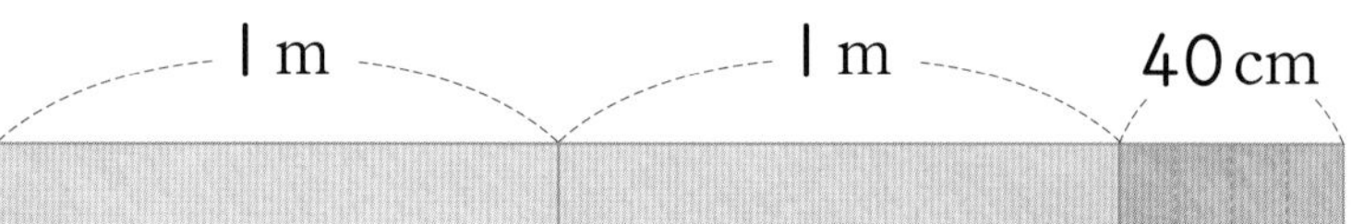

쓰기 2m 40cm　읽기 2 미터 40 센티미터

2 그림을 보고 □ 안에 알맞은 수를 써넣으세요.

1 m

1 m
□ cm

➡ 1 m= □ cm

1 m 40 cm

1 m 40 cm
□ cm 40 cm

➡ 1 m 40 cm= □ cm

1 m 70 cm

1 m 70 cm
□ cm 70 cm

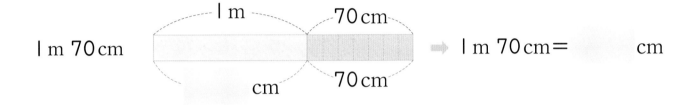

➡ 1 m 70 cm= □ cm

2 m

1 m 1 m
□ cm □ cm

➡ 2 m= □ cm

2 m 30 cm

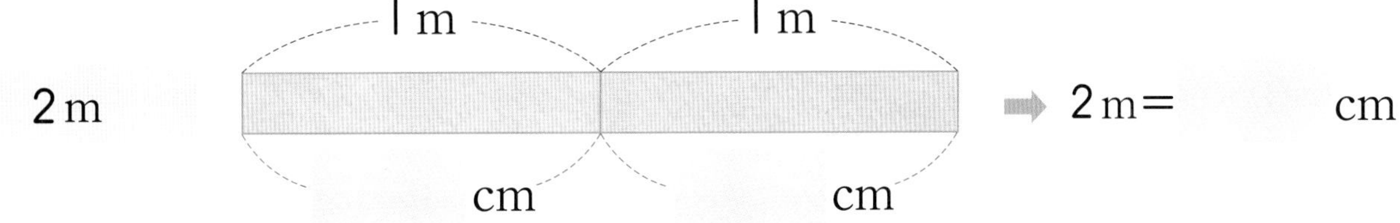

➡ 2 m 30 cm= □ cm

3 m 10 cm

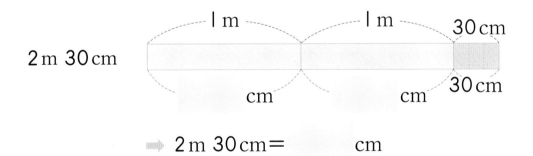

1 m 1 m 1 m 10 cm
□ cm □ cm □ cm 10 cm

➡ 3 m 10 cm= □ cm

3 그림을 보고 ☐ 안에 알맞은 수를 써넣으세요.

100 cm

100 cm / ☐ m

➡ 100 cm = ☐ m

130 cm

100 cm, 30 cm / ☐ m, 30 cm

➡ 130 cm = ☐ m ☐ cm

160 cm

100 cm, 60 cm / ☐ m, 60 cm

➡ 160 cm = ☐ m ☐ cm

200 cm

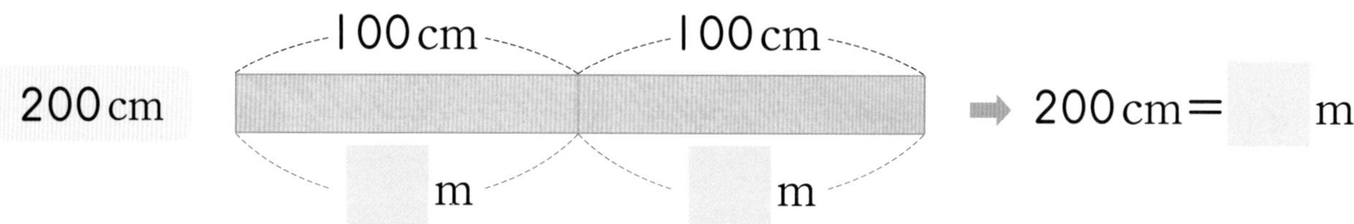

➡ 200 cm = ☐ m

240 cm

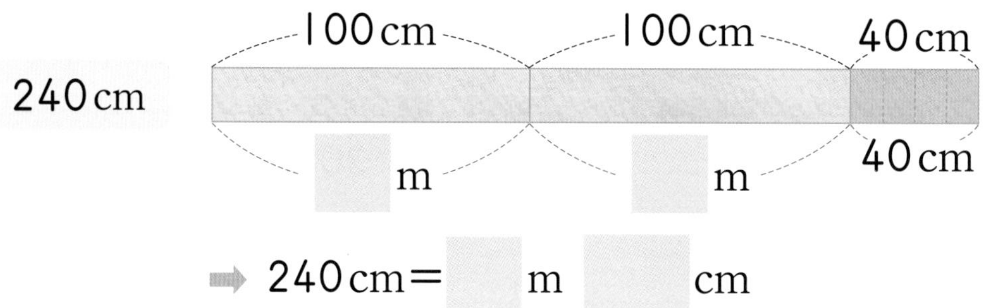

➡ 240 cm = ☐ m ☐ cm

320 cm

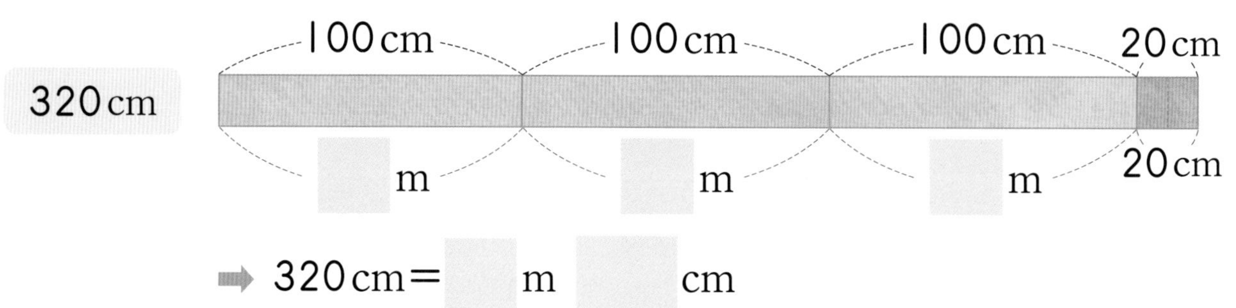

➡ 320 cm = ☐ m ☐ cm

안에 알맞은 수를 써넣으세요.

1 m = ☐ cm　　4 m = ☐ cm

5 m = ☐ cm　　8 m = ☐ cm

1 m 50 cm = 1 m + 50 cm
= ☐ cm + 50 cm
= ☐ cm

3 m 45 cm = 3 m + 45 cm
= ☐ cm + 45 cm
= ☐ cm

6 m 8 cm = 6 m + 8 cm
= ☐ cm + 8 cm
= ☐ cm

9 m 11 cm = 9 m + 11 cm
= ☐ cm + 11 cm
= ☐ cm

200 cm = ☐ m　　300 cm = ☐ m

700 cm = ☐ m　　900 cm = ☐ m

428 cm = 400 cm + 28 cm
= ☐ m + 28 cm
= ☐ m ☐ cm

590 cm = 500 cm + 90 cm
= ☐ m + 90 cm
= ☐ m ☐ cm

669 cm = 600 cm + 69 cm
= ☐ m + ☐ cm
= ☐ m ☐ cm

803 cm = 800 cm + 3 cm
= ☐ m + ☐ cm
= ☐ m ☐ cm

02 자로 길이 재기

정답 21쪽

줄자를 사용하여 길이를 재는 방법

① 막대의 한끝을 줄자의 눈금 0에 맞춥니다.

② 막대의 다른 쪽 끝에 있는 줄자의 눈금을 읽습니다.

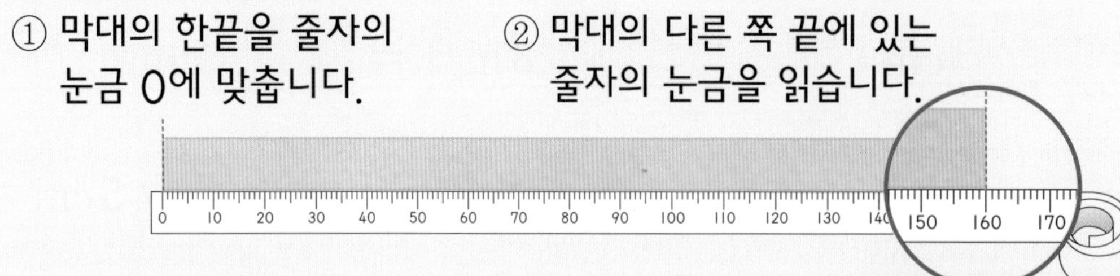

➡ 눈금이 160이므로 막대의 길이는 1 m 60 cm입니다.

1 물건의 길이를 재어 보세요.

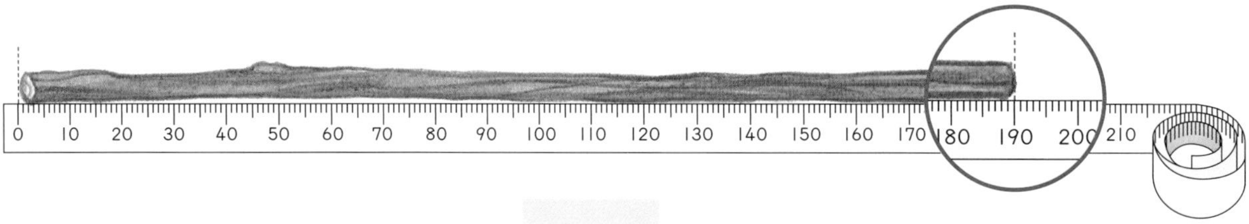

□ cm

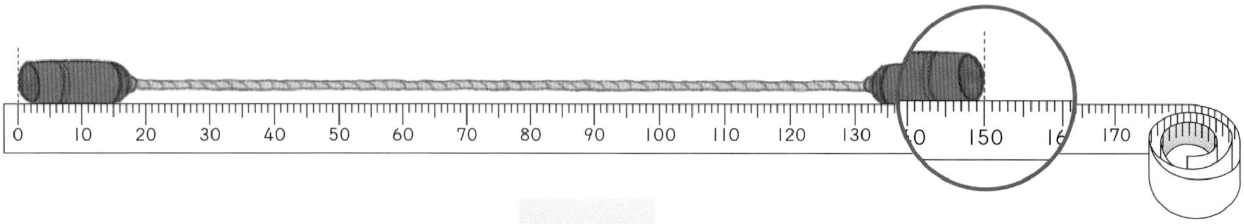

□ cm

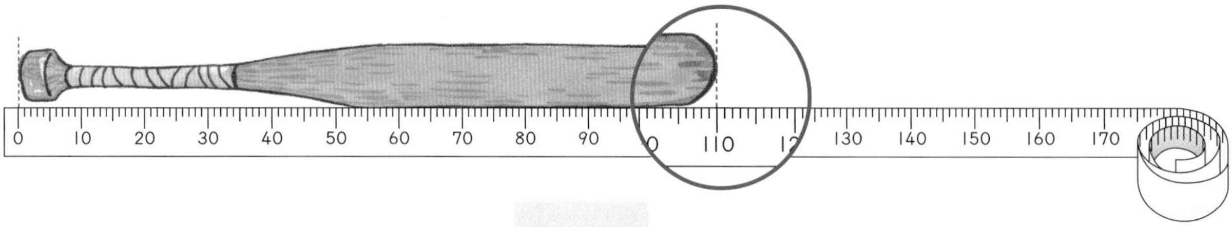

□ cm

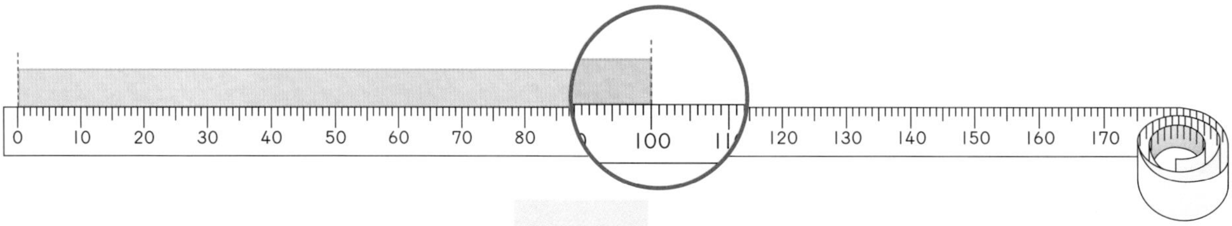

□ cm

2 자의 눈금을 읽어 보세요.

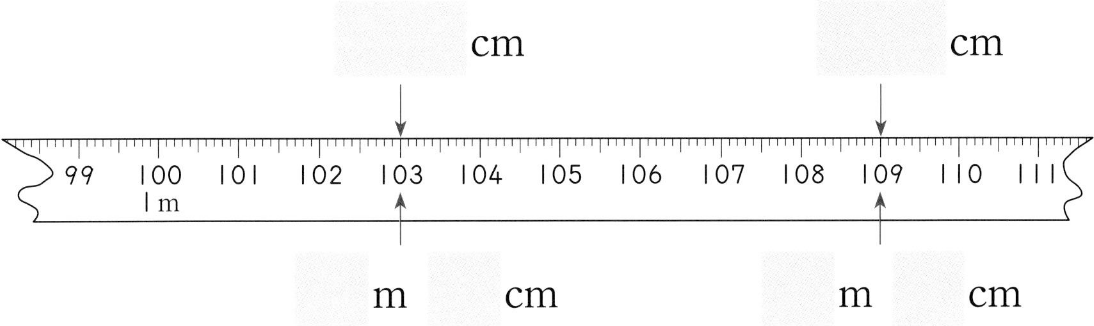

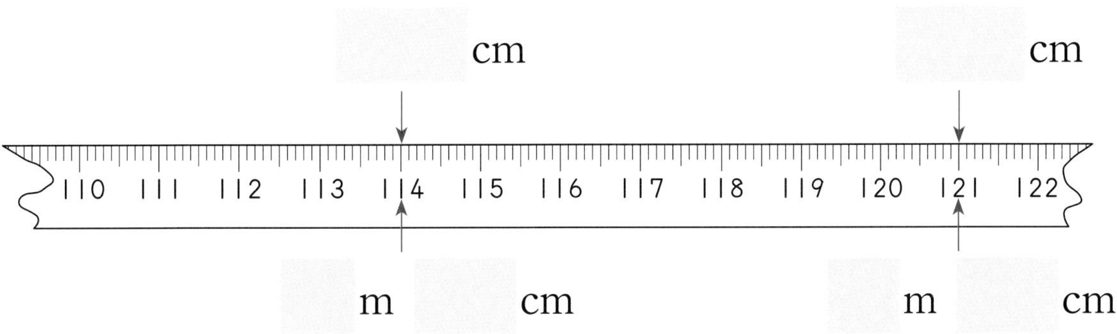

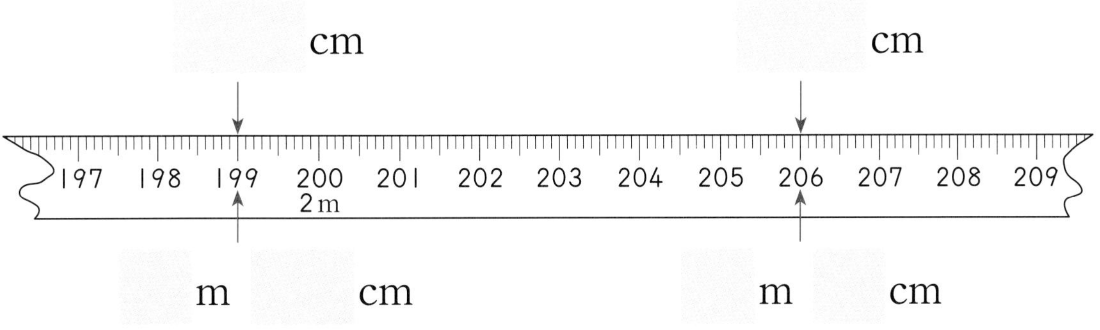

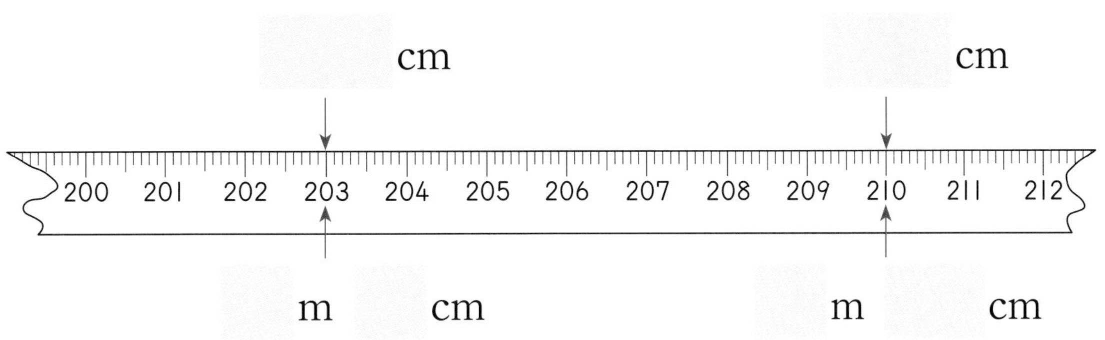

3 물건의 길이를 재어 보세요.

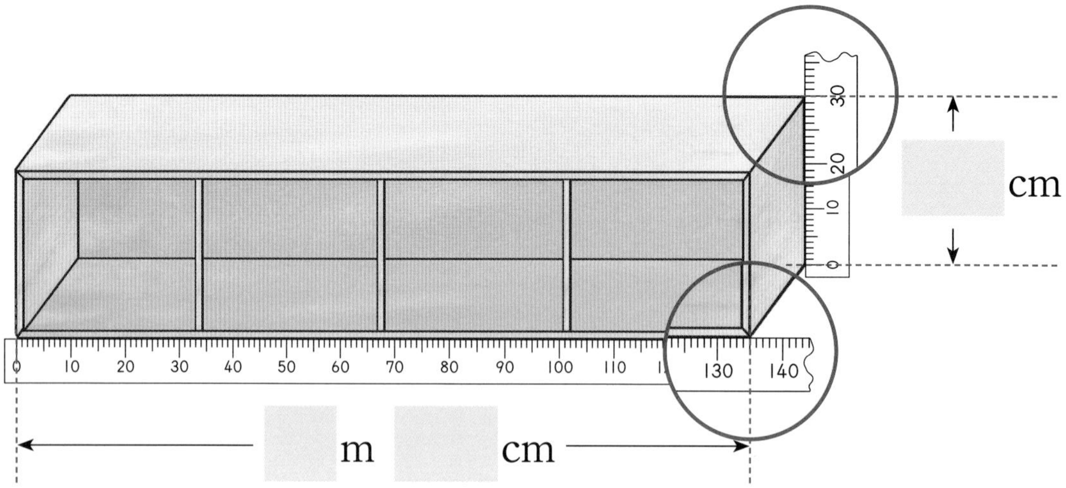

cm

m cm

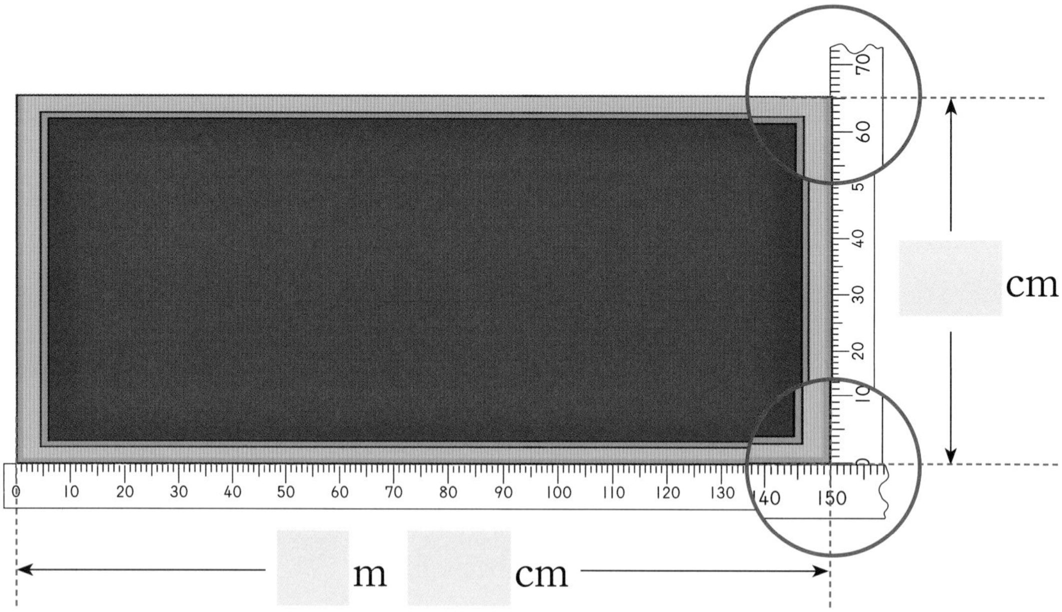

cm

m cm

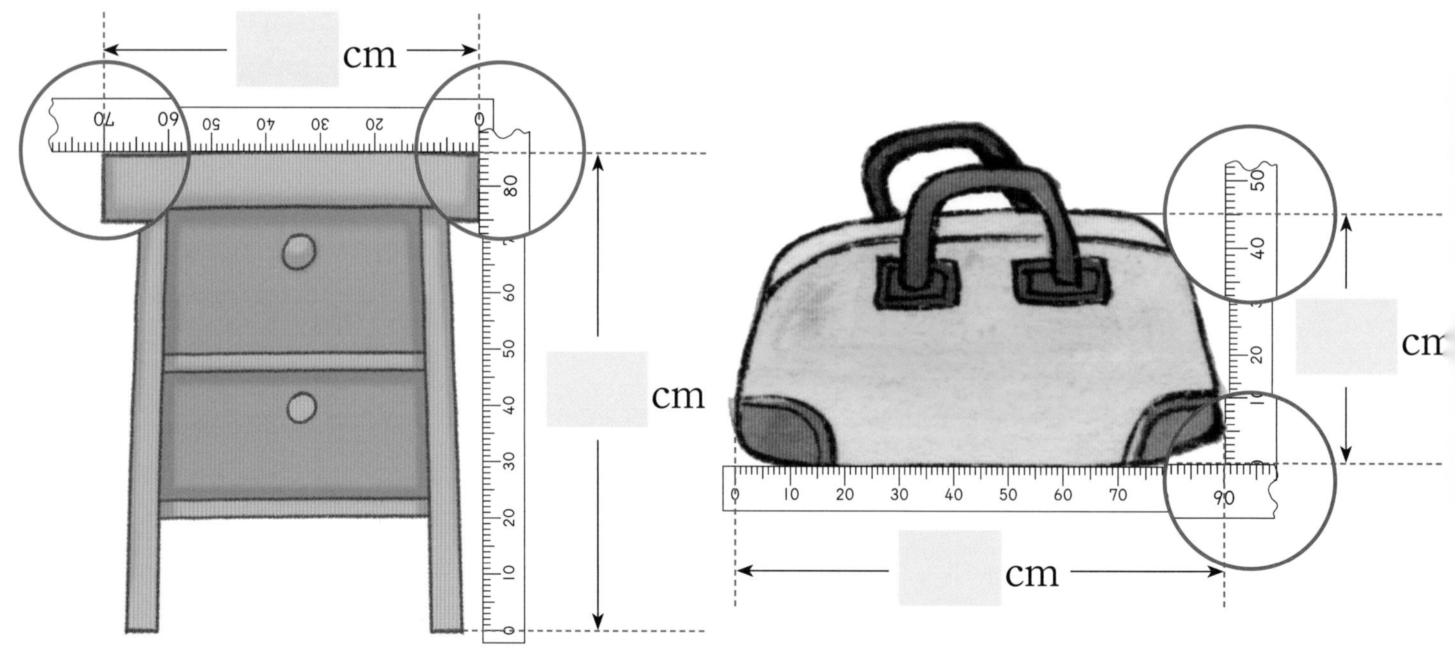

4 친구들이 키를 잰 것입니다. □ 안에 알맞은 수를 써넣고, 키가 가장 큰 친구부터 차례로 이름을 써 보세요.

민지: □ m □ cm 승기: □ m □ cm

수아: □ m □ cm 현서: □ m □ cm

➡ □, □, □, □

03 길이의 합과 차

정답 22쪽

길이의 합과 차 구하기

	1 m	30 cm			1 m	30 cm			1 m	30 cm
+	1 m	20 cm	➡	+	1 m	20 cm	➡	+	1 m	20 cm
						50 cm			2 m	50 cm

	3 m	45 cm			3 m	45 cm			3 m	45 cm
−	1 m	20 cm	➡	−	1 m	20 cm	➡	−	1 m	20 cm
						25 cm			2 m	25 cm

1 두 색 테이프의 길이의 합과 차를 각각 구해 보세요.

1 m 40 cm + 1 m 20 cm

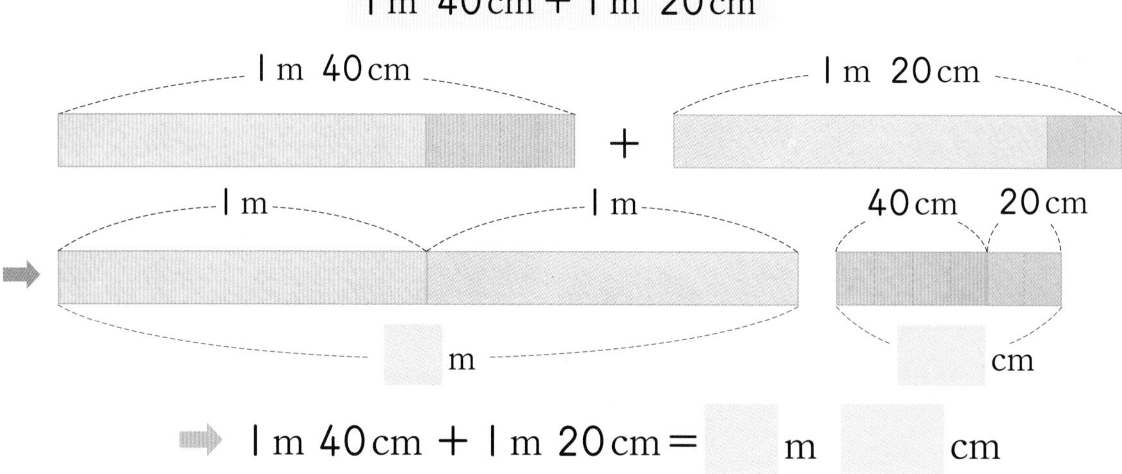

➡ 1 m 40 cm + 1 m 20 cm = ☐ m ☐ cm

2 m 50 cm − 1 m 20 cm

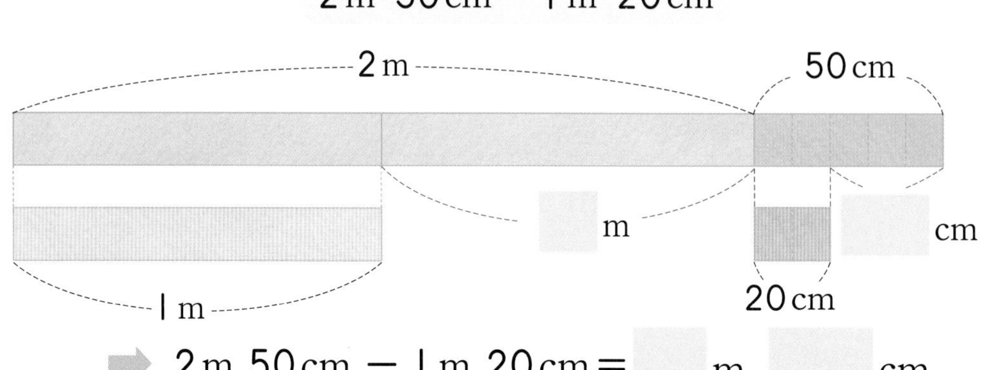

➡ 2 m 50 cm − 1 m 20 cm = ☐ m ☐ cm

2 길이의 합을 구해 보세요.

보기

1 m 30 cm + 1 m 20 cm = 2 m 50 cm

1 m 13 cm + 1 m 40 cm = ☐ m ☐ cm

2 m 15 cm + 3 m 43 cm = ☐ m ☐ cm

6 m 32 cm + 2 m 9 cm = ☐ m ☐ cm

		m		cm
	3	m	7	cm
+	3	m	18	cm
	☐	m	☐	cm

		m		cm
	5	m	50	cm
+	4	m	23	cm
	☐	m	☐	cm

		m		cm
	2	m	5	cm
+	6	m	33	cm
	☐	m	☐	cm

		m		cm
	1	m	24	cm
+	2	m	50	cm
	☐	m	☐	cm

		m		cm
	7	m	8	cm
+	1	m	90	cm
	☐	m	☐	cm

		m		cm
	9	m	28	cm
+	8	m	9	cm
	☐	m	☐	cm

3 길이의 차를 구해 보세요.

보기

2 m 50 cm − 1 m 30 cm = 1 m 20 cm

2 m 45 cm − 1 m 22 cm = ☐ m ☐ cm

5 m 37 cm − 3 m 16 cm = ☐ m ☐ cm

4 m 60 cm − 2 m 8 cm = ☐ m ☐ cm

	5	m	47	cm
−	1	m	15	cm
	☐	m	☐	cm

	6	m	48	cm
−	4	m	32	cm
	☐	m	☐	cm

	7	m	25	cm
−	3	m	13	cm
	☐	m	☐	cm

	13	m	78	cm
−	7	m	54	cm
	☐	m	☐	cm

	9	m	49	cm
−	6	m	27	cm
	☐	m	☐	cm

	8	m	65	cm
−	5	m	46	cm
	☐	m	☐	cm

두 색 테이프의 길이의 합과 차는 각각 몇 m 몇 cm인지 구해 보세요.

5 m 56 cm

3 m 23 cm

길이의 합 ☐ m ☐ cm

길이의 차 ☐ m ☐ cm

6 m 27 cm

4 m 16 cm

길이의 합 ☐ m ☐ cm

길이의 차 ☐ m ☐ cm

4 m 85 cm

4 m 5 cm

길이의 합 ☐ m ☐ cm

길이의 차 ☐ cm

5 m 68 cm

2 m 22 cm

길이의 합 ☐ m ☐ cm

길이의 차 ☐ m ☐ cm

04 길이 어림하기

정답 23쪽

길이 어림하기

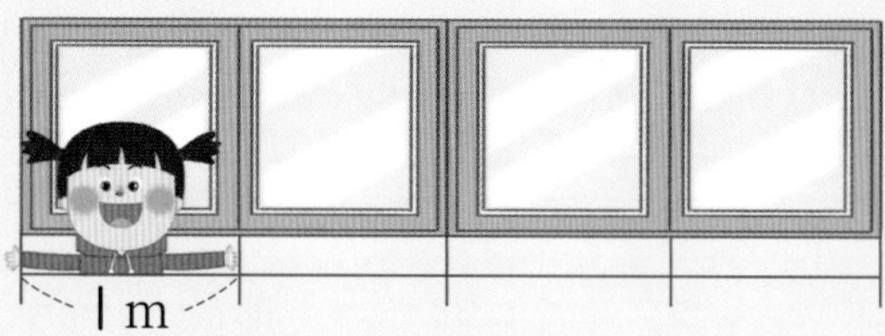

창문의 길이 1 m인 양팔 사이의 길이의 4배 ➡ 약 4m

1 주어진 길이를 이용하여 각각의 높이를 구해 보세요.

희재의 키: 약 ☐ m ☐ cm

태경이의 키: 약 ☐ m ☐ cm

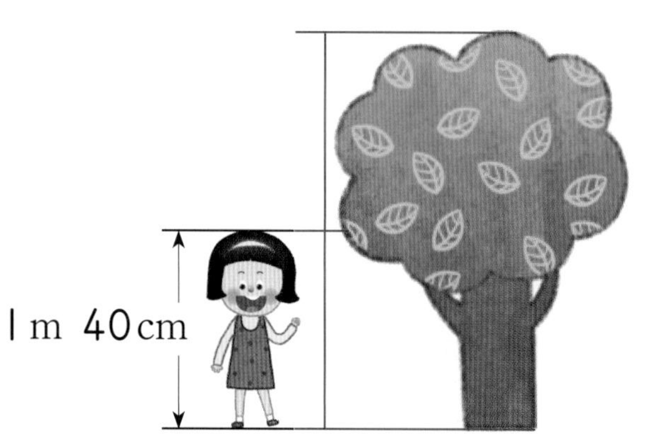

나무의 높이: 약 ☐ m ☐ cm

2 m 15 cm

국기 게양대의 높이: 약 ☐ m ☐ cm

2 안에 알맞은 기호를 써넣고, 길이가 2 m에 가장 가까운 줄넘기를 찾아보세요.

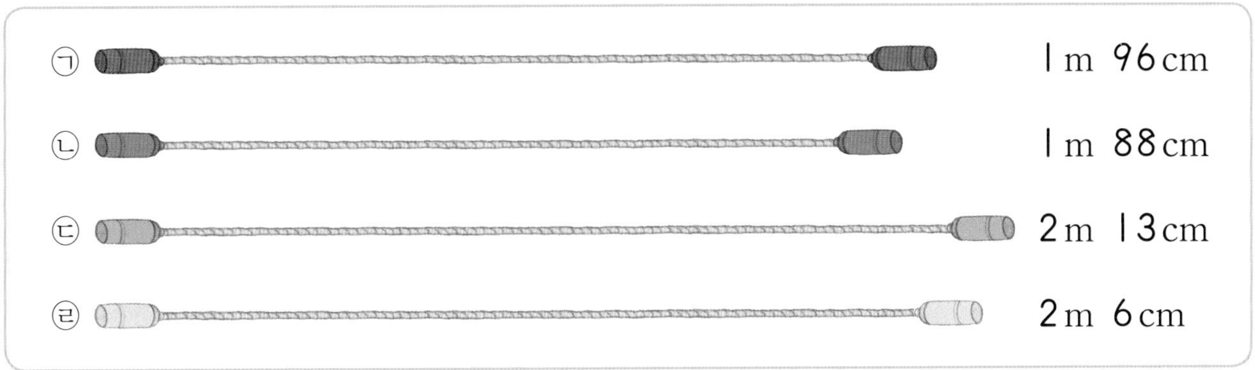

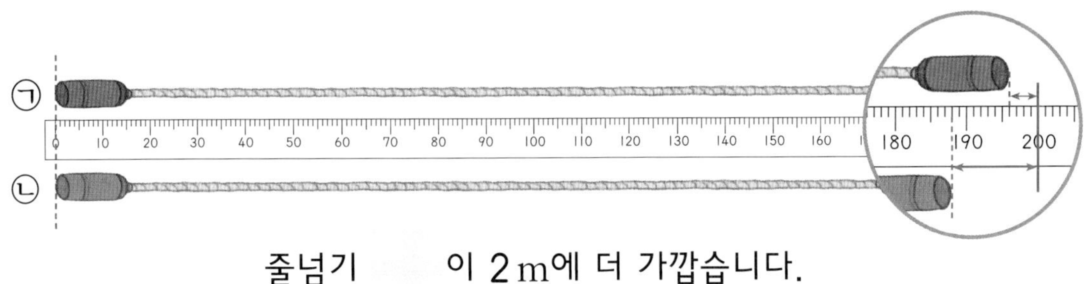

줄넘기 　　 이 2 m에 더 가깝습니다.

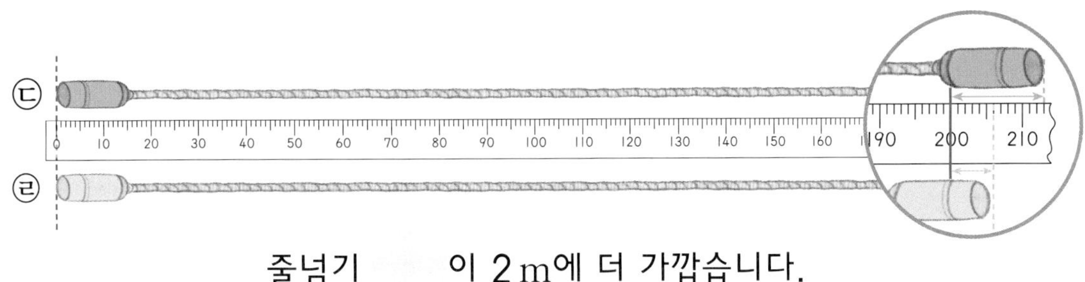

줄넘기 　　 이 2 m에 더 가깝습니다.

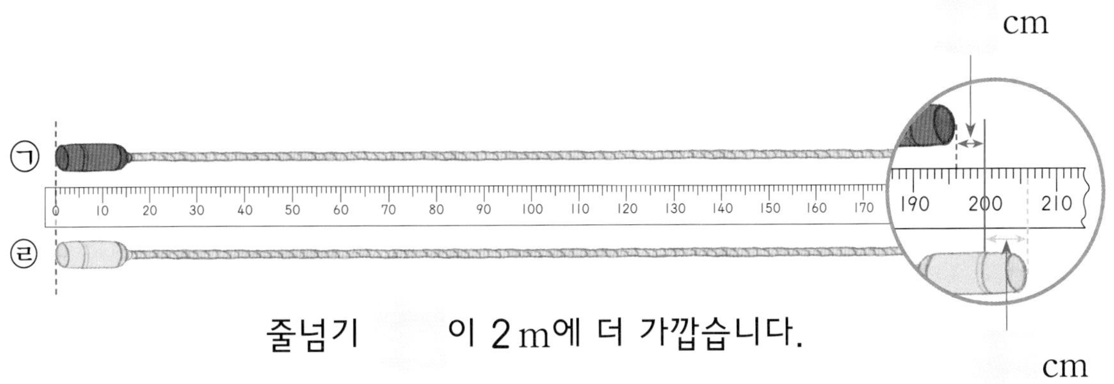

줄넘기 　　 이 2 m에 더 가깝습니다.

➡ 길이가 2 m에 가장 가까운 줄넘기는 　　 입니다.

3 지혜네 가족들이 어림한 길이를 구해 보세요.

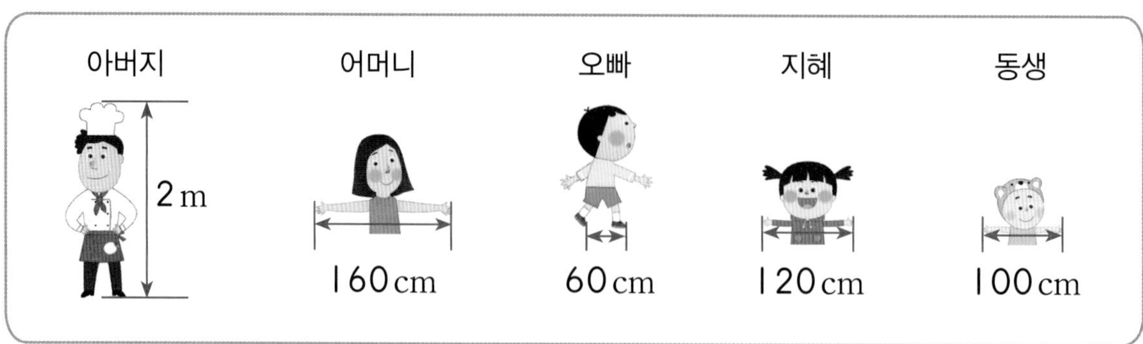

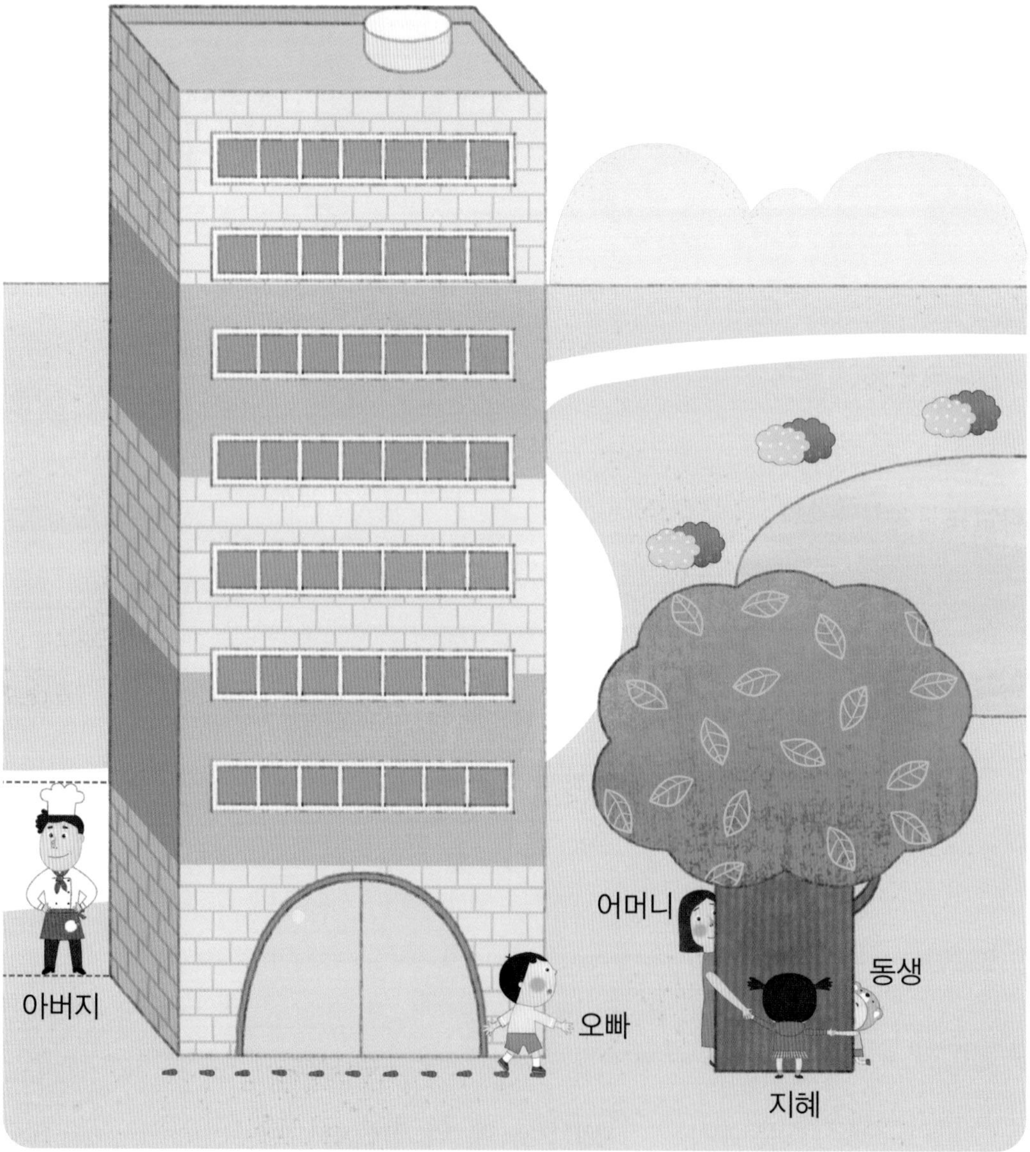

건물의 높이

약 ☐ m

건물의 가로 길이

약 ☐ m

나무의 둘레

약 ☐ m ☐ cm

4 그림을 보고 ☐ 안에 알맞은 수를 써넣으세요.

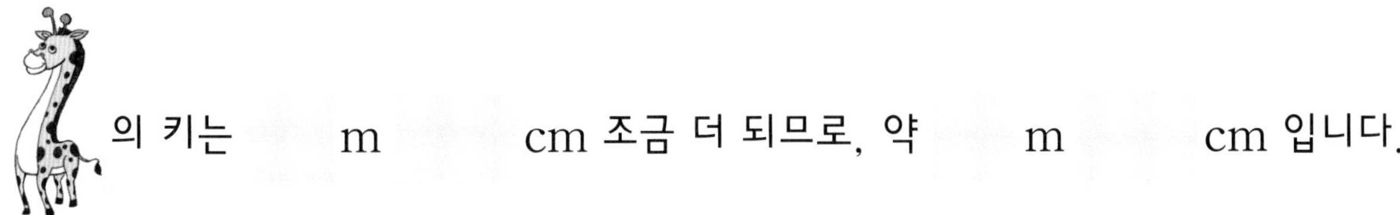

의 키는 ☐ m ☐ cm 조금 더 되므로, 약 ☐ m ☐ cm 입니다.

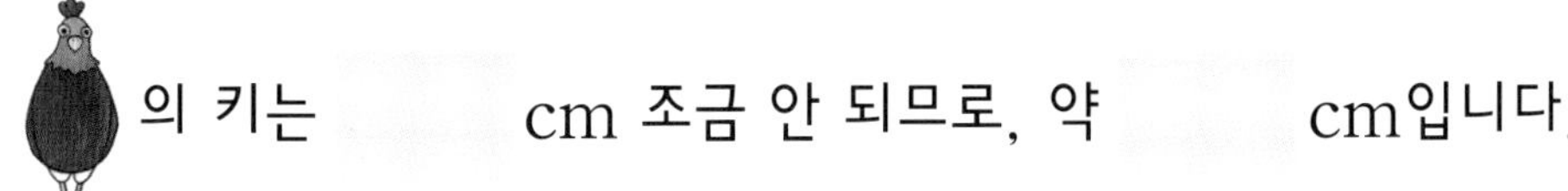

의 키는 ☐ cm 조금 안 되므로, 약 ☐ cm입니다.

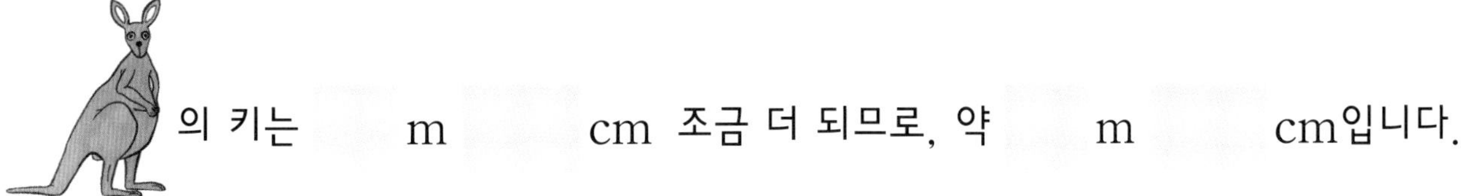

의 키는 ☐ m ☐ cm 조금 더 되므로, 약 ☐ m ☐ cm입니다.

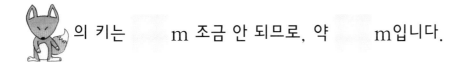

의 키는 ☐ m 조금 안 되므로, 약 ☐ m입니다.

정답 24쪽

유형 1

지원이가 가진 리본 끈은 3 m 40 cm이고, 민준이가 가진 리본 끈은 5 m 27 cm입니다. 두 사람이 가지고 있는 리본 끈의 길이는 모두 몇 m 몇 cm일까요?

주어진 수에 ○표 하고, 구하는 것에 밑줄 치기

지원이가 가진 리본 끈: 3 m 40 cm, 민준이가 가진 리본 끈: ☐ m ☐ cm

문제 해결하기

지원이가 가진 리본 끈의 길이와 민준이가 가진 리본 끈의 길이를 (더합니다 , 뺍니다).

문제 풀기

(두 사람이 가진 리본 끈의 길이)=(지원이가 가진 리본 끈의 길이)+(민준이가 가진 리본 끈의 길이)

=☐ m ☐ cm+☐ m ☐ cm=☐ m ☐ cm

답 쓰기 두 사람이 가지고 있는 리본 끈의 길이는 모두 ☐ m ☐ cm입니다.

집에서 학교를 거쳐 도서관까지 가는 거리는 몇 m 몇 cm일까요?

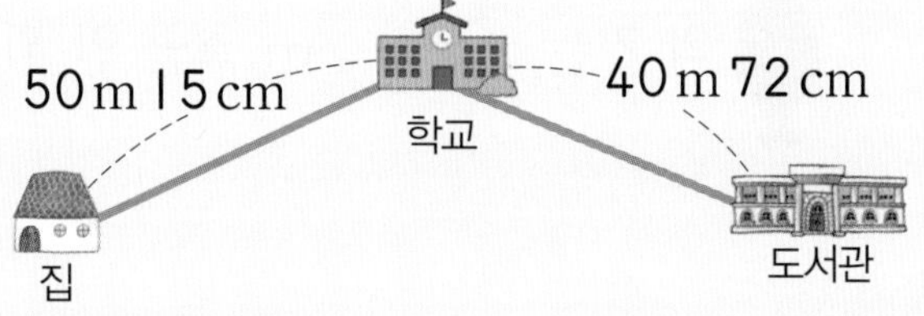

주어진 수에 ○표 하고, 구하는 것에 밑줄 치기

집에서 학교까지의 거리: ☐ m ☐ cm, 학교에서 도서관까지의 거리: ☐ m ☐ cm

문제 해결하기

집에서 학교까지의 거리와 학교에서 도서관까지의 거리를 (더합니다 , 뺍니다).

문제 풀기

(집에서 도서관까지 가는 거리)=(집에서 학교까지의 거리)+(학교에서 도서관까지의 거리)

=☐ m ☐ cm+☐ m ☐ cm=☐ m ☐ cm

답 쓰기 집에서 학교를 거쳐 도서관까지 가는 거리는 ☐ m ☐ cm입니다.

유형 2

세윤이는 길이가 755 cm인 철사 중 4 m 35 cm를 사용하였습니다. 남은 철사의 길이는 몇 m 몇 cm일까요?

주어진 수에 ○표 하고, 구하는 것에 밑줄 치기

처음 철사의 길이: m cm, 사용한 철사의 길이: m cm

문제 해결하기

처음 철사의 길이에서 사용한 철사의 길이를 (더합니다 , 뺍니다).

문제 풀기

(남은 철사의 길이)=(처음 철사의 길이)−(사용한 철사의 길이)

= m cm− m cm= m cm

답 쓰기 남은 철사의 길이는 m cm입니다.

유형+ 2

집에서 병원까지의 거리는 집에서 놀이터까지의 거리보다 몇 m 몇 cm 더 멀까요?

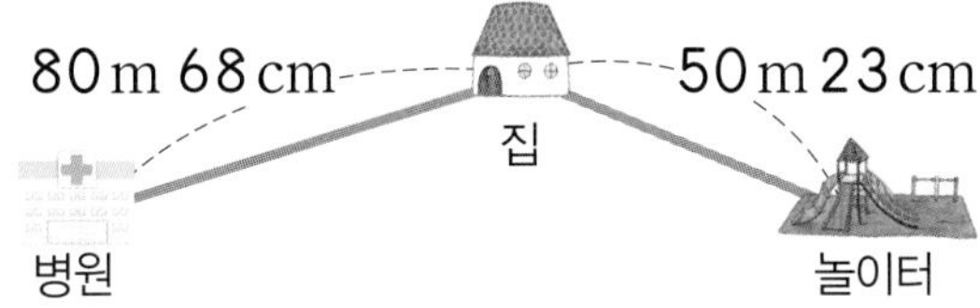

주어진 수에 ○표 하고, 구하는 것에 밑줄 치기

집에서 병원까지의 거리: m cm, 집에서 놀이터까지의 거리: m cm

문제 해결하기

집에서 병원까지의 거리에서 집에서 놀이터까지의 거리를 (더합니다 , 뺍니다).

문제 풀기

(두 거리의 차)=(집에서 병원까지의 거리) − (집에서 놀이터까지의 거리)

= m cm− m cm= m cm

답 쓰기 두 거리의 차는 m cm입니다.

● ▢ 안에 알맞은 수를 써넣고 답을 구하세요.

1 Drill

현수가 가진 줄넘기는 215cm이고, 선미가 가진 줄넘기는 3m 20cm입니다. 두 사람이 가지고 있는 줄넘기의 길이는 모두 몇 m 몇 cm일까요?

주어진 수에 ○표 하고, 구하는 것에 밑줄 쫙!

풀이 (두 사람이 가진 줄넘기의 길이)
=(현수가 가진 줄넘기의 길이)+(선미가 가진 줄넘기의 길이)
= ▢ m ▢ cm+ ▢ m ▢ cm= ▢ m ▢ cm

답 ____________

2 Drill

집에서 놀이터를 거쳐 피자 가게까지 가는 거리는 몇 m 몇 cm일까요?

풀이 (집에서 놀이터를 거쳐 피자 가게까지 가는 거리)
=(집에서 놀이터까지의 거리)+(놀이터에서 피자 가게까지의 거리)
= ▢ m ▢ cm+ ▢ m ▢ cm= ▢ m ▢ cm

답 ____________

3 Drill

재희가 가진 리본은 7m 68cm이고, 주원이가 가진 리본은 3m 17cm입니다. 재희가 가진 리본은 주원이가 가진 리본보다 몇 m 몇 cm 더 길까요?

풀이 (두 사람이 가진 리본 길이의 차)
=(재희가 가진 리본의 길이)−(주원이가 가진 리본의 길이)
= ▢ m ▢ cm− ▢ m ▢ cm= ▢ m ▢ cm

답 ____________

4 Drill

집에서 피아노 학원까지의 거리는 집에서 학교까지의 거리보다 몇 m 몇 cm 더 멀까요?

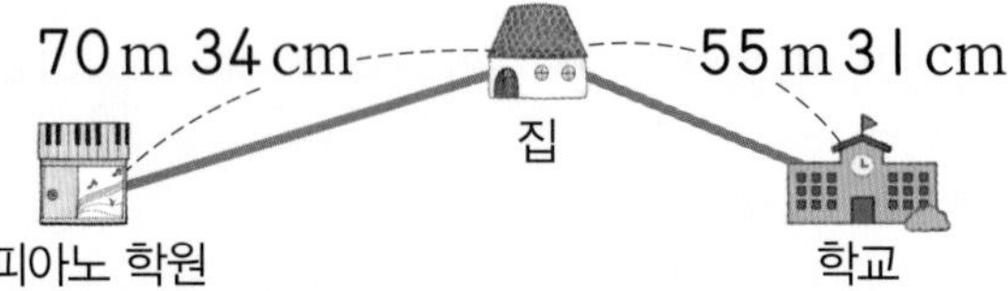

풀이 (두 거리의 차)=(집에서 피아노 학원까지의 거리)−(집에서 학교까지의 거리)
= ▢ m ▢ cm− ▢ m ▢ cm= ▢ m ▢ cm

답 ____________

서술형 문제를 읽고 풀이 과정과 답을 쓰세요.

현서가 가진 고무줄은 4 m 43 cm이고, 재원이가 가진 고무줄은 352 cm입니다. 두 사람이 가지고 있는 고무줄의 길이는 모두 몇 m 몇 cm일까요?

풀이

답 ______

도전 2

학교에서 문구점을 거쳐 소방서까지 가는 거리는 몇 m 몇 cm일까요?

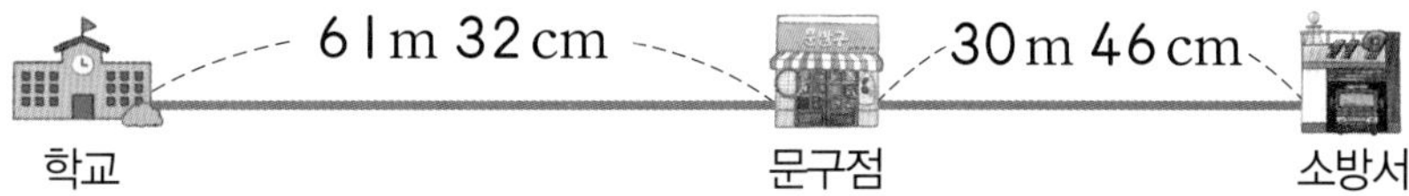

풀이

답 ______

도전 3

길이가 846 cm인 색 테이프 중 4 m 35 cm를 사용하였습니다. 남은 색 테이프의 길이는 몇 m 몇 cm일까요?

풀이

답 ______

도전 4

집에서 공원까지의 거리는 집에서 서점까지의 거리보다 몇 m 몇 cm 더 멀까요?

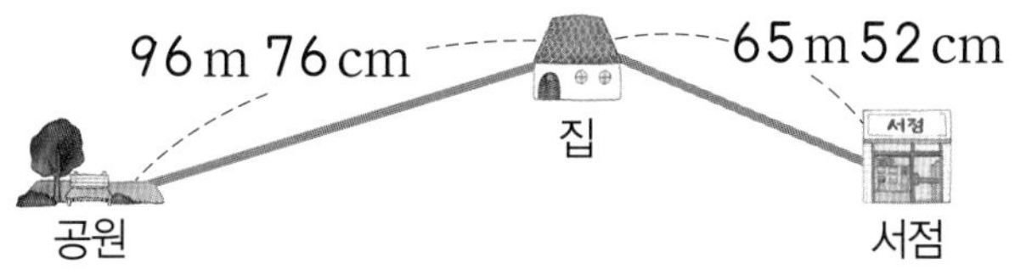

풀이

답 ______

01 색 테이프의 길이를 쓰고 읽어 보세요.

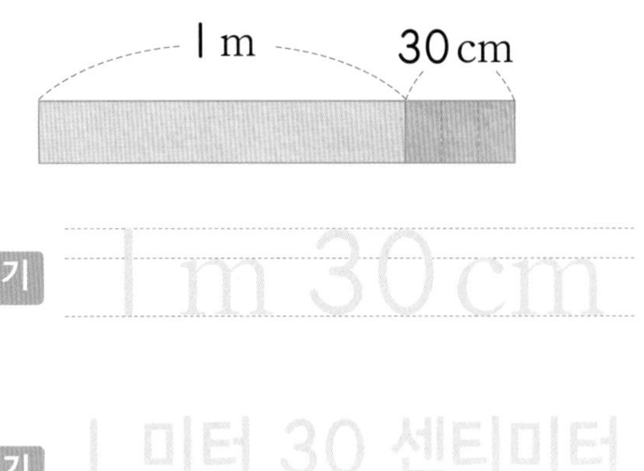

02 그림을 보고 ☐ 안에 알맞은 수를 써넣으세요.

(1) 1 m 30 cm

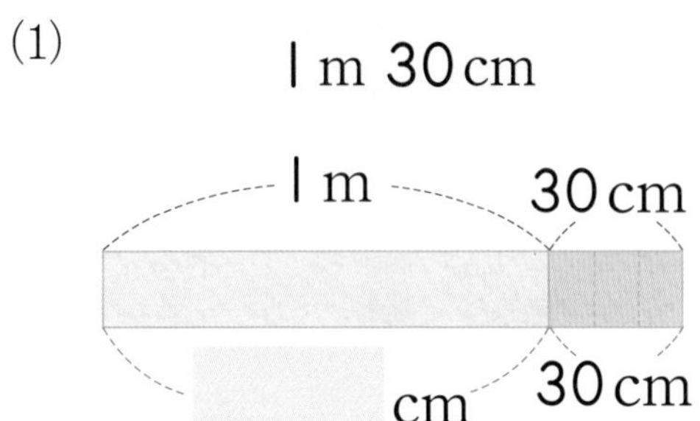

➡ 1 m 30 cm = ☐ cm

(2) 1 m 60 cm

1 m 60 cm

☐ cm 60 cm

➡ 1 m 60 cm = ☐ cm

03 그림을 보고 ☐ 안에 알맞은 수를 써넣으세요.

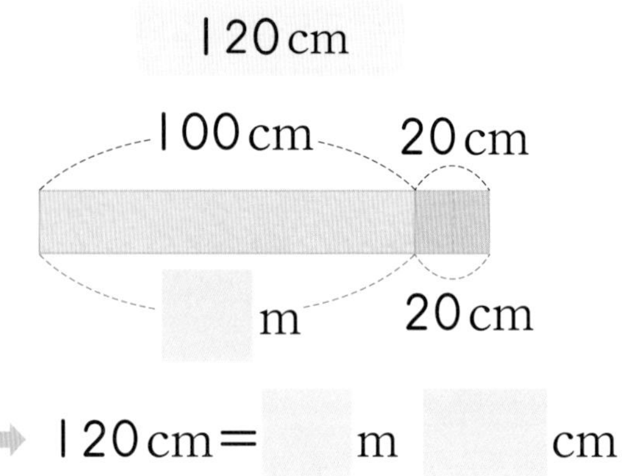

➡ 120 cm = ☐ m ☐ cm

04 ☐ 안에 알맞은 수를 써넣으세요.

(1) 3 m = ☐ cm

(2) 4 m 63 cm
= 4 m + 63 cm
= ☐ cm + 63 cm
= ☐ cm

05 ☐ 안에 알맞은 수를 써넣으세요.

(1) 500 cm = ☐ m

(2) 705 cm
= 700 cm + 5 cm
= ☐ m + ☐ cm
= ☐ m ☐ cm

06 물건의 길이를 재어 보세요.

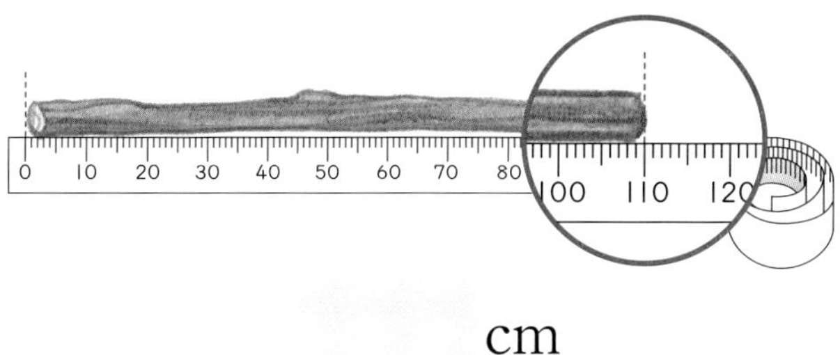

07 자의 눈금을 읽어 보세요.

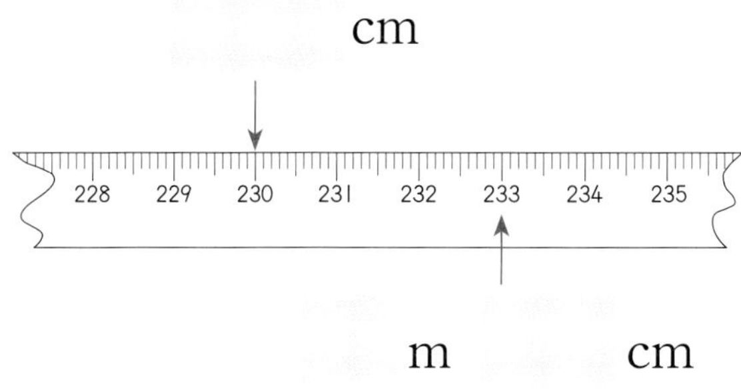

08 물건의 길이를 재어 보세요.

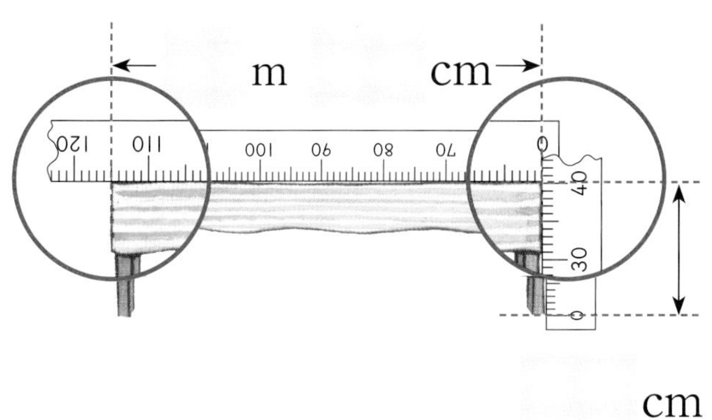

09 한솔이가 키를 잰 것입니다. ☐ 안에 알맞은 수를 써넣으세요.

10 두 색 테이프의 길이의 합을 구해 보세요.

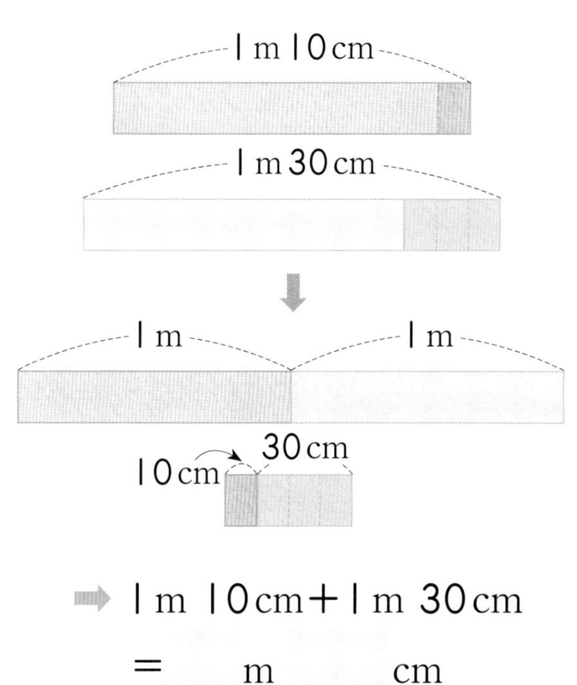

11 두 색 테이프의 길이의 차를 구해 보세요.

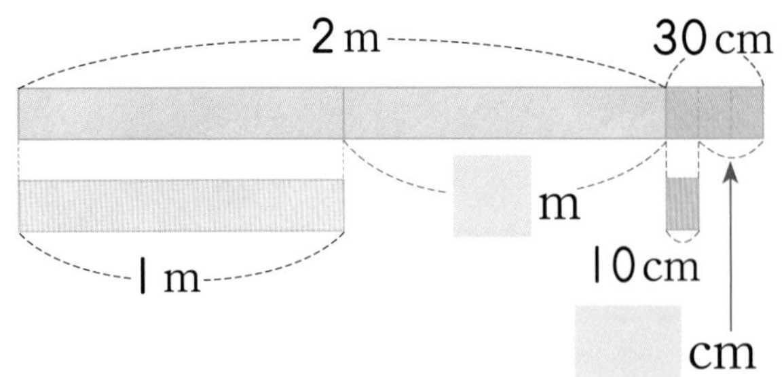

➡ 2 m 30 cm－1 m 10 cm

＝ ☐ m ☐ cm

12 길이의 합을 구해 보세요.

(1) 3 m 15 cm＋4 m 62 cm

＝ ☐ m ☐ cm

(2) 7 m 3 cm＋2 m 57 cm

＝ ☐ m ☐ cm

13 길이의 차를 구해 보세요.

(1) 2 m 86 cm－1 m 40 cm

＝ ☐ m ☐ cm

(2) 6 m 78 cm－3 m 37 cm

＝ ☐ m ☐ cm

14 길이의 합과 차를 구해 보세요.

(1)

	5 m	32 cm
＋	3 m	51 cm
	☐ m	☐ cm

(2)

	12 m	48 cm
－	7 m	23 cm
	☐ m	☐ cm

15 두 색 테이프의 길이의 합은 몇 m 몇 cm인지 구해 보세요.

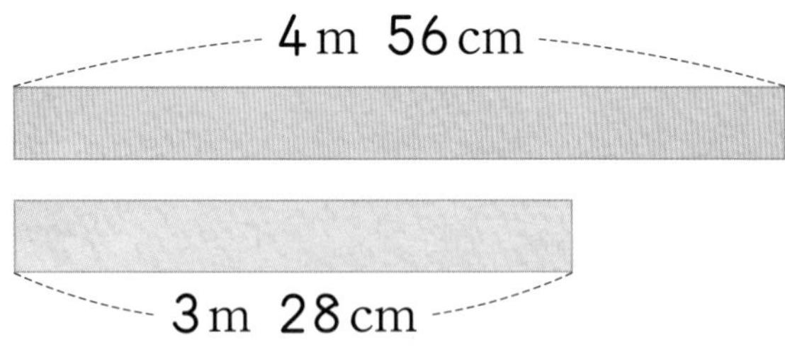

길이의 합 ☐ m ☐ cm

16 두 색 테이프의 길이의 차는 몇 m 몇 cm인지 구해 보세요.

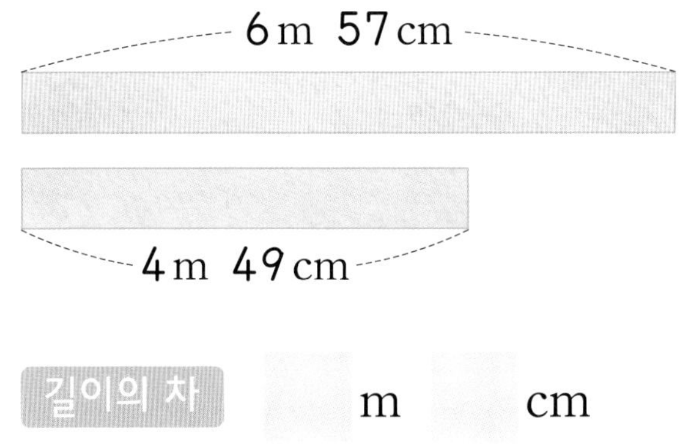

길이의 차 m cm

17 주어진 길이를 이용하여 가로등의 높이를 구해 보세요.

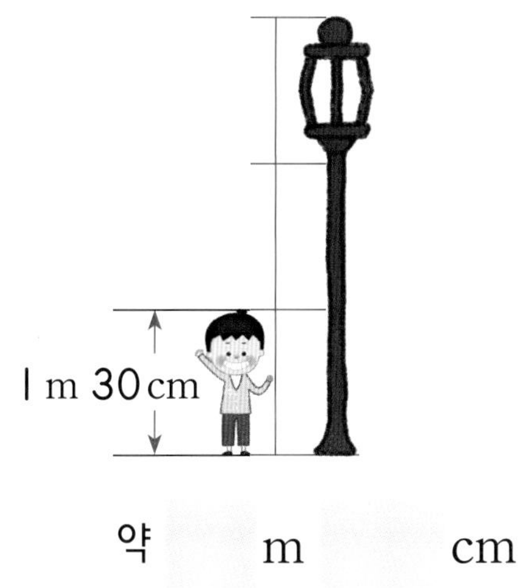

약 m cm

18 안에 알맞은 기호를 써넣으세요.

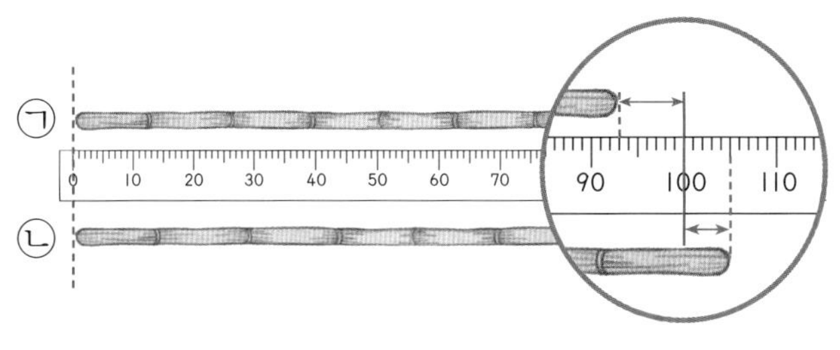

밧줄 이 1 m에 더 가깝습니다.

19 건물의 가로 길이를 어림한 길이를 구해 보세요.

약 m

20 그림을 보고 안에 알맞은 수를 써넣으세요.

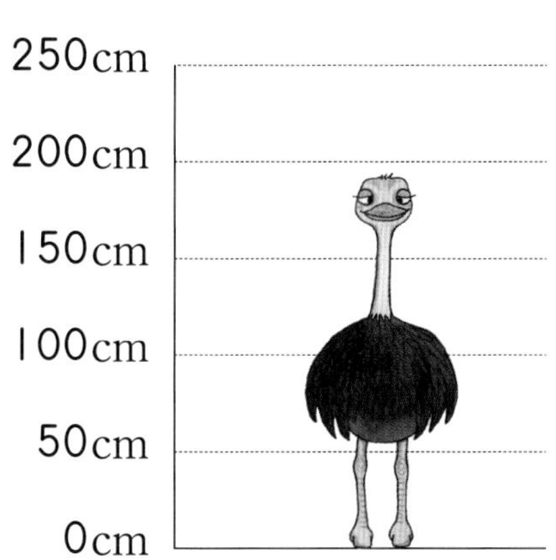

타조의 키는 m 조금 안 되므로, 약 m입니다.

1 □ 안에 알맞은 수를 써넣으세요.

(1) 6 m= □ cm

(2) 2 m 36 cm= □ cm

(3) 800 cm= □ m

(4) 747 cm= □ m □ cm

(5) 509 cm= □ m □ cm

2 다음을 읽어 보세요.

2 m 67 cm

읽기 ______________________

3 알맞은 단위를 골라 ○표 하세요.

5(cm , m)　　5(cm , m)

4 둘 중 더 긴 것의 이름을 써 보세요.

(1)

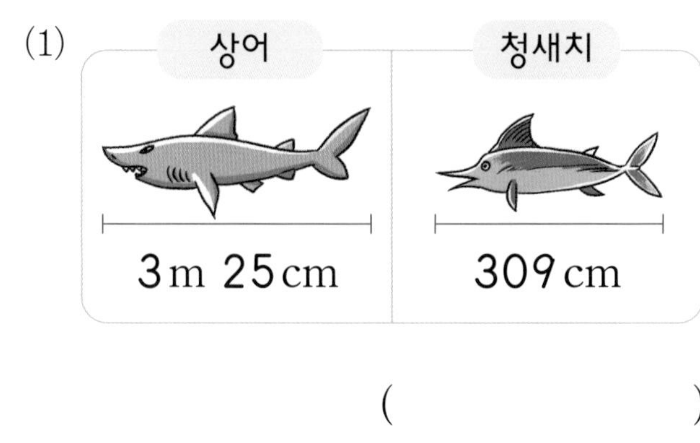

(　　　　　)

(2)

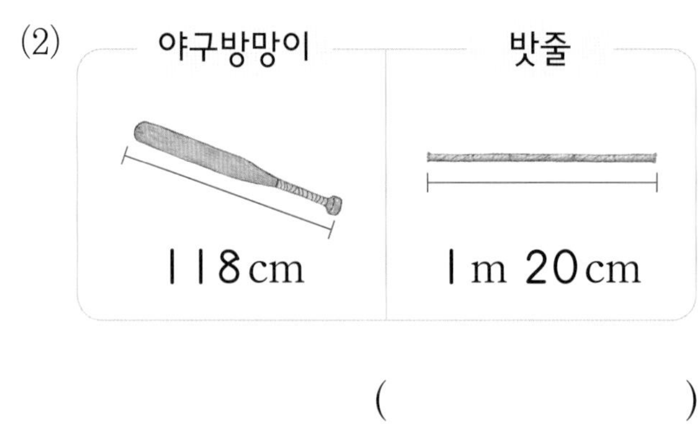

(　　　　　)

5 자의 눈금을 읽어 보세요.

□ cm　　□ cm

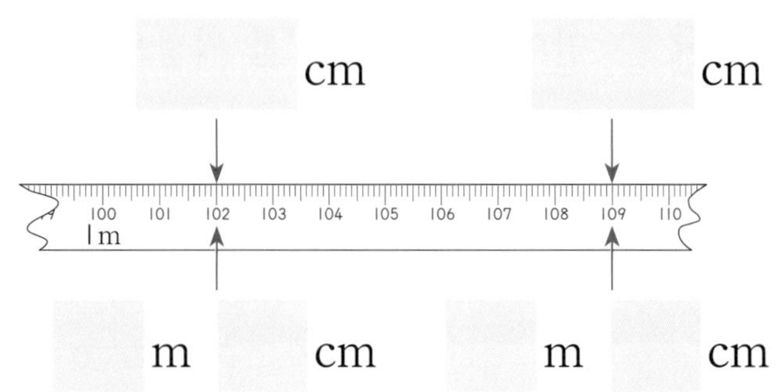

□ m □ cm　　□ m □ cm

6 1m 보다 긴 것을 모두 찾아 기호를 써 보세요.

㉠ 운동화의 길이
㉡ 아버지의 키
㉢ 필통의 긴 쪽의 길이
㉣ 칠판의 긴 쪽의 길이

( )

7 길이를 비교하여 ◯ 안에 >, <를 알맞게 써넣으세요.

(1) 612cm ◯ 5m 98cm

(2) 409cm ◯ 4m 60cm

8 색 테이프의 길이를 재어 보세요.

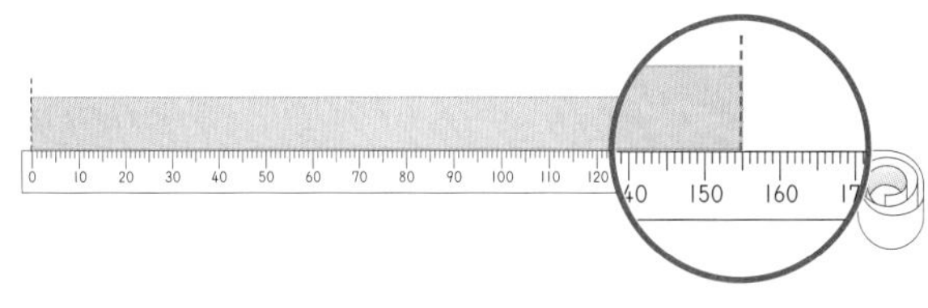

□ m □ cm

9 친구의 키를 재어 보세요.

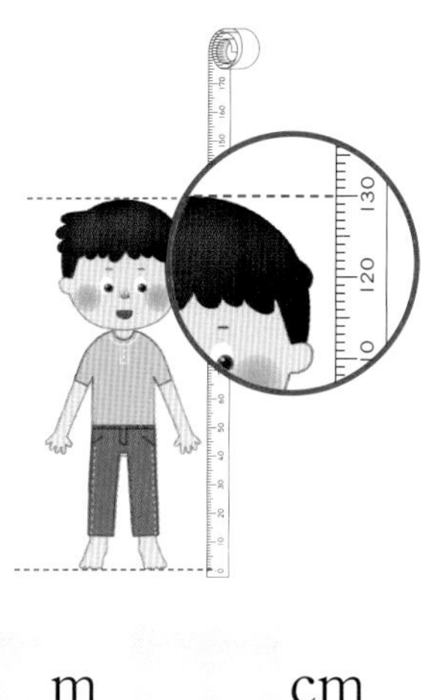

□ m □ cm

10 길이의 합을 구해 보세요.

(1) 5m 63cm+5m 16cm
= □ m □ cm

(2) 2m 6cm+4m 17cm
= □ m □ cm

(3) 310cm+1m 42cm
= □ m □ cm

(4)
	2	m	17	cm
+	3	m	3	cm
	□	m	□	cm

(5)
	7	m	43	cm
+	2	m	36	cm
	□	m	□	cm

11 두 색 테이프의 길이의 합은 몇 m 몇 cm인지 구해 보세요.

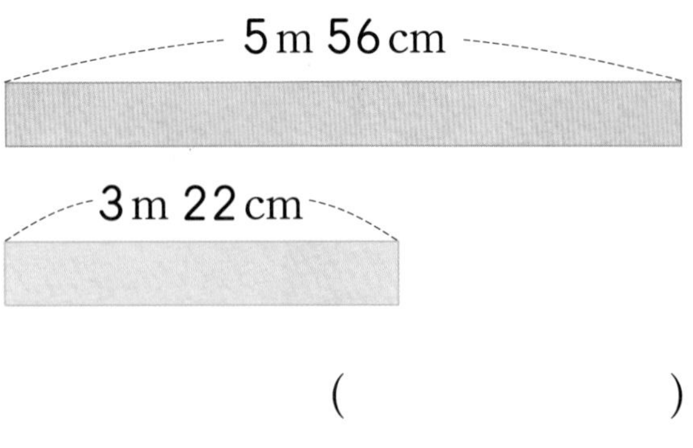

(　　　　　　　)

12 길이의 차를 구해 보세요.

(1) 6 m 65 cm − 4 m 32 cm

= ☐ m ☐ cm

(2)

	8	m	50	cm
−	3	m	25	cm
	☐	m	☐	cm

13 사용한 색 테이프의 길이는 몇 m 몇 cm인지 구해 보세요.

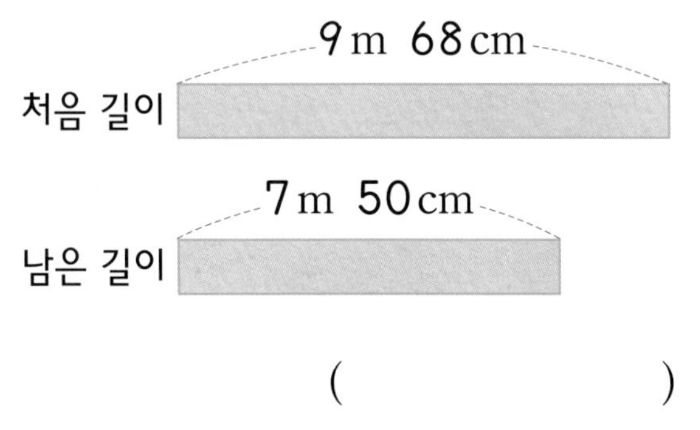

(　　　　　　　)

14 신발장의 길이를 다음과 같은 방법으로 재려고 합니다. 여러 번 재어야 하는 것부터 차례로 기호를 써 보세요.

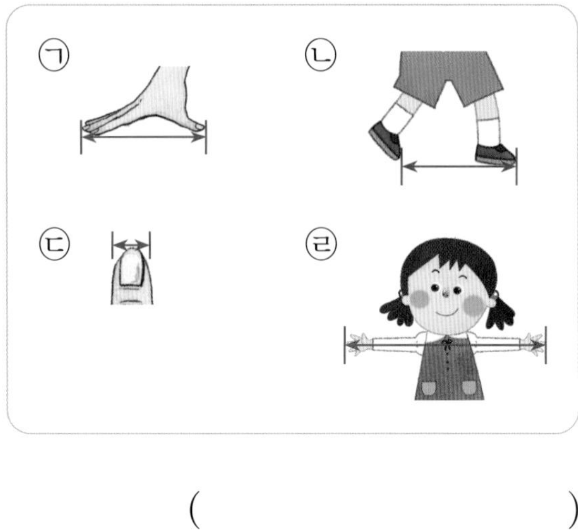

(　　　　　　　)

15 여러 가지 길이를 몸의 어느 부분을 이용하여 어림하여 재는 것이 좋을지 알맞은 기호를 써 보세요.

㉠ 한 뼘의 길이
㉡ 엄지손가락의 너비
㉢ 한 걸음의 길이

- 운동장 긴 쪽의 길이 ……… (　　　)
- 책상의 짧은 쪽의 길이 …… (　　　)
- 지우개의 길이 ……………… (　　　)

16 원숭이의 키가 1 m일 때 기린의 키는 약 몇 m일까요?

약 (   ) m

17 영철이와 은이가 다음과 같이 줄넘기의 길이를 어림했습니다. 줄넘기의 실제 길이가 1 m 50 cm일 때 더 가깝게 어림한 친구의 이름을 써 보세요.

영철	은이
1 m 25 cm	1 m 70 cm

(   )

18 알맞은 길이를 골라 문장을 완성해 보세요.

30 cm   180 cm   5 m

- 내 침대의 길이는 약 ________ 입니다.
- 가로등의 높이는 약 ________ 입니다.

19 재호가 가진 끈의 길이는 2 m 64 cm이고, 아영이가 가진 끈의 길이는 재호의 끈보다 1 m 12 cm 더 깁니다. 아영이가 가진 끈의 길이는 몇 m 몇 cm일까요?

(   )

20 선우는 길이가 678 cm인 색 테이프 중 3 m 24 cm를 사용하였습니다. 남은 색 테이프의 길이는 몇 m 몇 cm인지 풀이 과정을 쓰고 답을 구하세요.

풀이

답

memo

논리적 사고력과 창의적 문제해결력을 키워 주는

매스티안 교재 활용법!

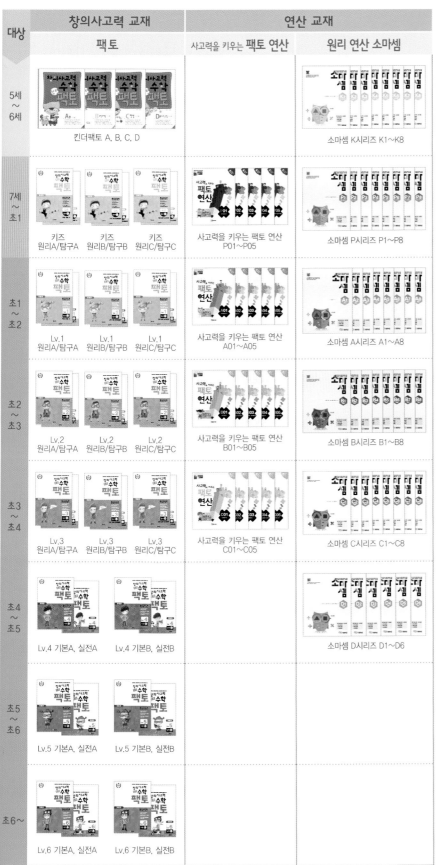

대상	창의사고력 교재			연산 교재	
	팩토			사고력을 키우는 팩토 연산	원리 연산 소마셈
5세~6세	킨더팩토 A, B, C, D				소마셈 K시리즈 K1~K8
7세~초1	키즈 원리A/탐구A	키즈 원리B/탐구B	키즈 원리C/탐구C	사고력을 키우는 팩토 연산 P01~P05	소마셈 P시리즈 P1~P8
초1~초2	Lv.1 원리A/탐구A	Lv.1 원리B/탐구B	Lv.1 원리C/탐구C	사고력을 키우는 팩토 연산 A01~A05	소마셈 A시리즈 A1~A8
초2~초3	Lv.2 원리A/탐구A	Lv.2 원리B/탐구B	Lv.2 원리C/탐구C	사고력을 키우는 팩토 연산 B01~B05	소마셈 B시리즈 B1~B8
초3~초4	Lv.3 원리A/탐구A	Lv.3 원리B/탐구B	Lv.3 원리C/탐구C	사고력을 키우는 팩토 연산 C01~C05	소마셈 C시리즈 C1~C8
초4~초5	Lv.4 기본A, 실전A	Lv.4 기본B, 실전B			소마셈 D시리즈 D1~D6
초5~초6	Lv.5 기본A, 실전A	Lv.5 기본B, 실전B			
초6~	Lv.6 기본A, 실전A	Lv.6 기본B, 실전B			

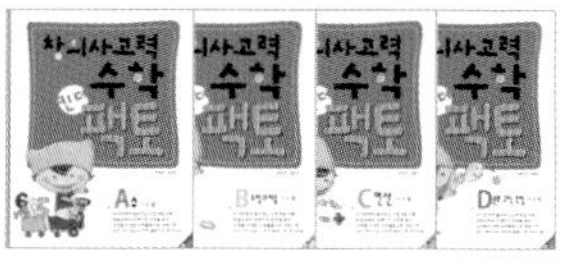

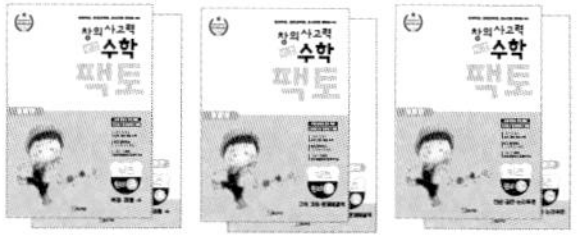

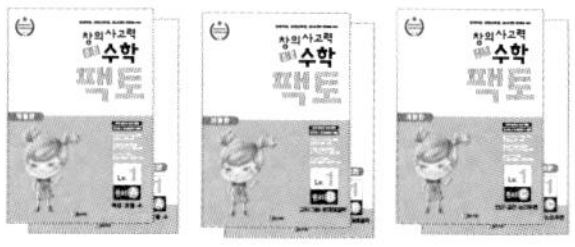

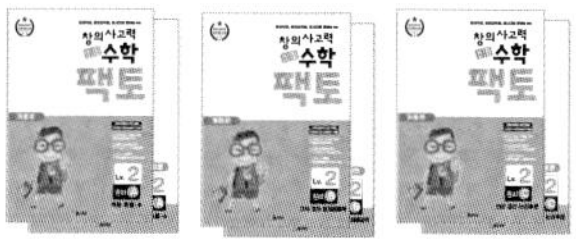

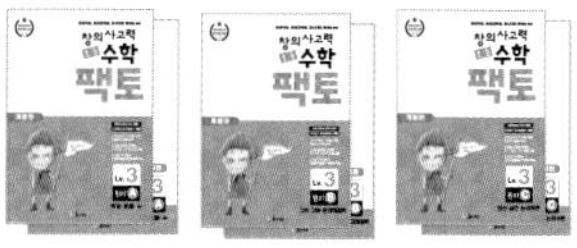

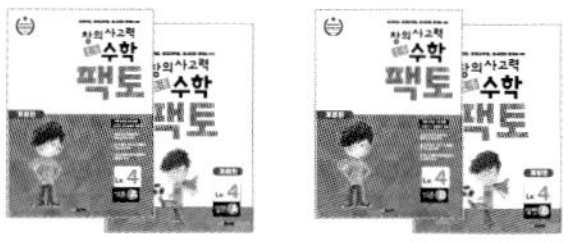

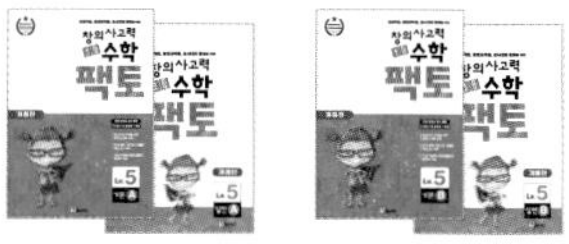

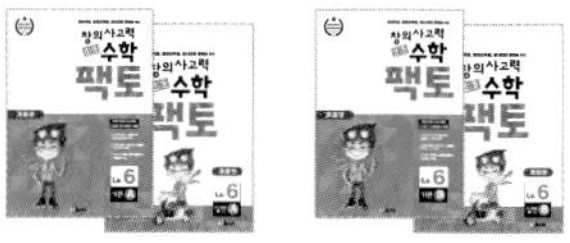

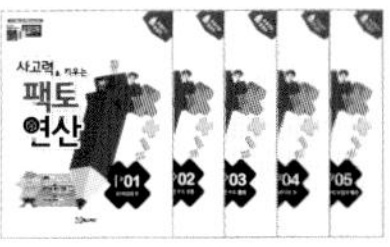

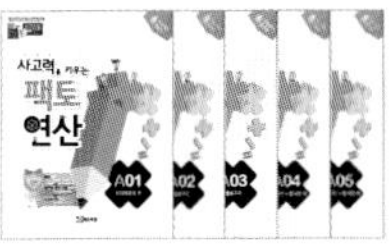

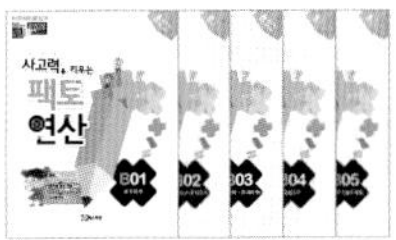

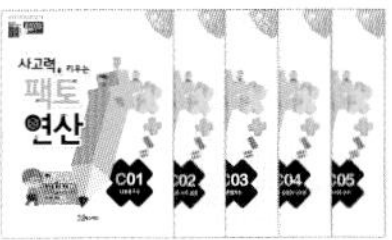

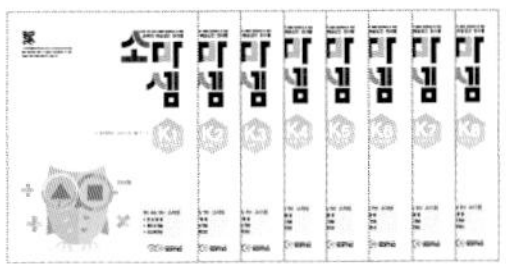

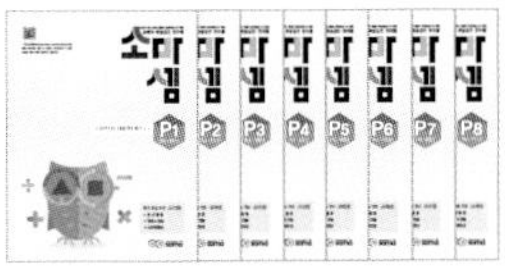

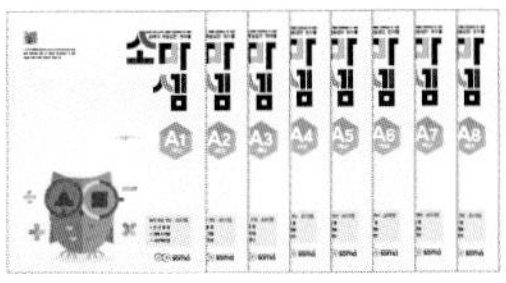

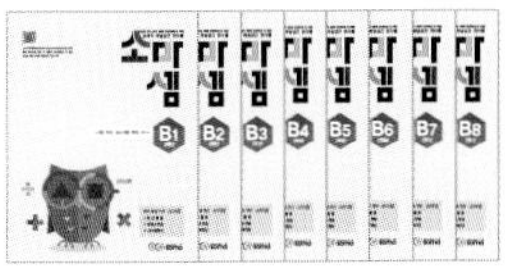

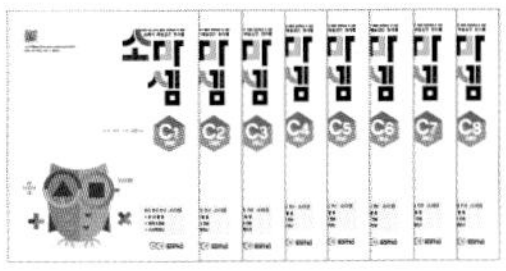

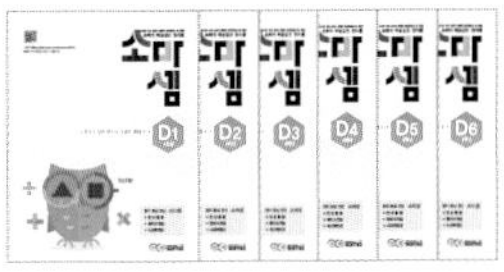

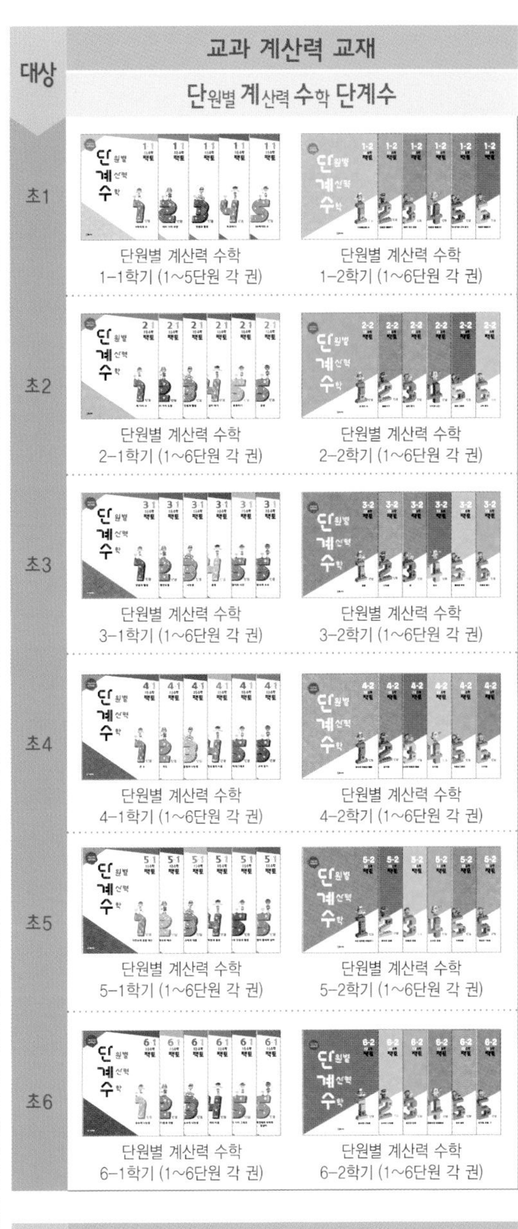

대상	교과 계산력 교재	
	단원별 계산력 수학 단계수	
초1	단원별 계산력 수학 1-1학기 (1~5단원 각 권)	단원별 계산력 수학 1-2학기 (1~6단원 각 권)
초2	단원별 계산력 수학 2-1학기 (1~6단원 각 권)	단원별 계산력 수학 2-2학기 (1~6단원 각 권)
초3	단원별 계산력 수학 3-1학기 (1~6단원 각 권)	단원별 계산력 수학 3-2학기 (1~6단원 각 권)
초4	단원별 계산력 수학 4-1학기 (1~6단원 각 권)	단원별 계산력 수학 4-2학기 (1~6단원 각 권)
초5	단원별 계산력 수학 5-1학기 (1~6단원 각 권)	단원별 계산력 수학 5-2학기 (1~6단원 각 권)
초6	단원별 계산력 수학 6-1학기 (1~6단원 각 권)	단원별 계산력 수학 6-2학기 (1~6단원 각 권)

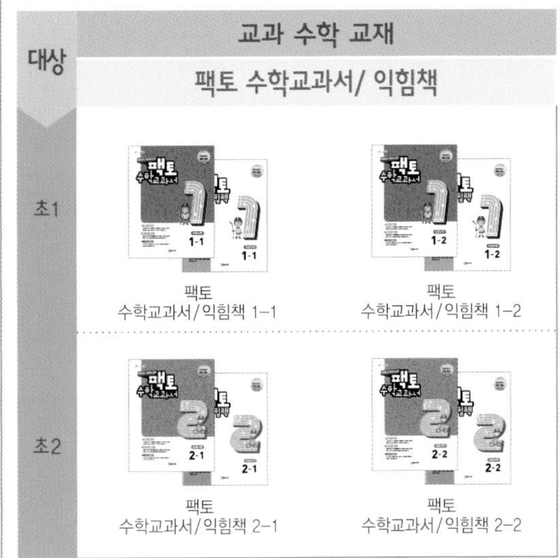

대상	교과 수학 교재	
	팩토 수학교과서/ 익힘책	
초1	팩토 수학교과서/익힘책 1-1	팩토 수학교과서/익힘책 1-2
초2	팩토 수학교과서/익힘책 2-1	팩토 수학교과서/익힘책 2-2

단계수 학습 순서

매일 학습

단원별로 꼭 알아야 할 개념만 쏙쏙 학습하고, 다양한 연산 문제를 통해 필수 개념을 숙달하여 계산력을 쑥쑥 키울 수 있습니다.

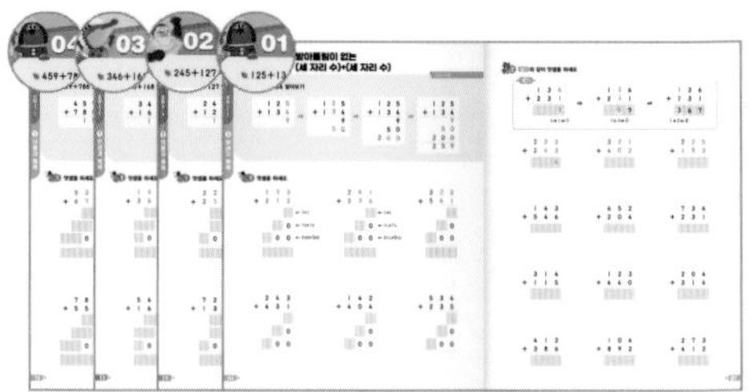

도전! 응용문제

필수 개념을 활용한 **응용** 문제 또는 **서술형** 문제를 통해 사고력과 문제해결력을 기를 수 있습니다.

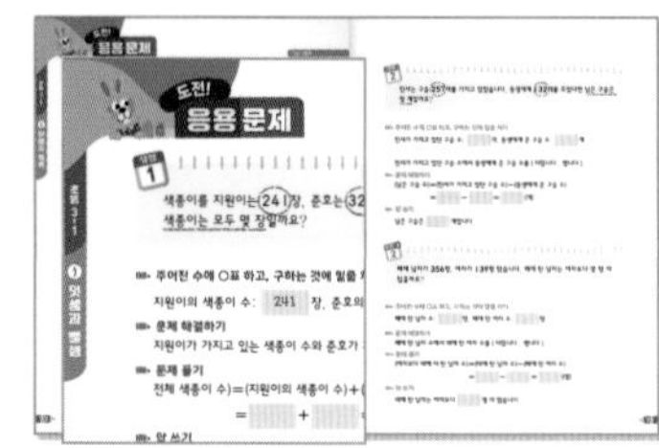

형성 평가

단원의 **복습 단계**로 문제를 풀면서 학습한 내용을 잘 알고 있는지 다시 한 번 확인할 수 있습니다.

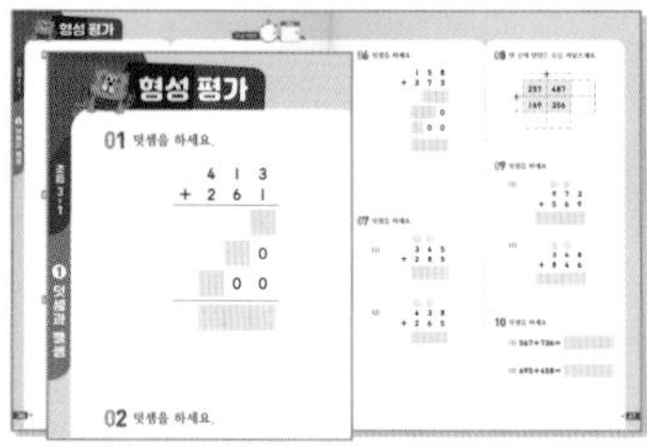

단원 평가

단원의 **마무리 학습**으로 학교 시험에 자주 나오는 문제 유형을 통해서 수시 평가 등 학교 시험에 대비할 수 있습니다.

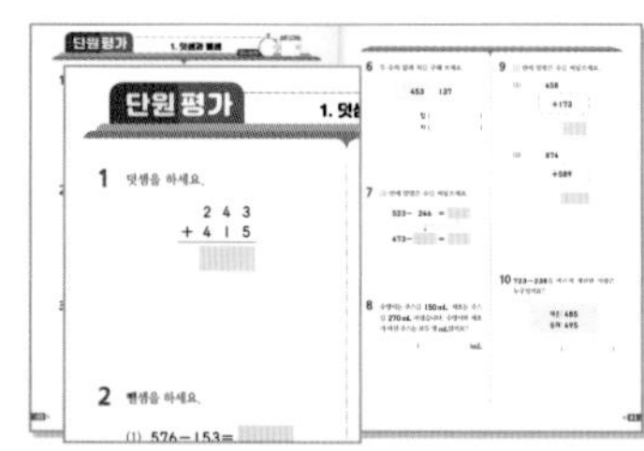

자율안전확인신고필증번호 : B361H200-4001
1. 주소 : 06153 서울특별시 강남구 봉은사로 442 (삼성동)
2. 문의전화 : 1588-6066
3. 제조국 : 대한민국
4. 사용연령 : 9세 이상
※ KC마크는 이 제품이 공통안전기준에 적합하였음을 의미합니다.

▲주의

종이, 모서리에 다칠 수 있으니 주의하세요!

초등학교	반 번
이름	

FACTO school

2-2

초등 수학 팩토

단원별 계산력 수학

4 단원

시각과 시간

매스티안

팩토는 자유롭게 자신감있게 창의적으로 생각하는 주니어수학자입니다.

단계수학 (단원별 계산력 수학)

펴낸 곳 (주)타임교육C&P 펴낸이 이길호 지은이 매스티안R&D센터
주소 06153 서울특별시 강남구 봉은사로 442 (삼성동) 문의전화 1588.6066
팩토카페 http://cafe.naver.com/factos 홈페이지 http://www.mathtian.com

※ 정답과 풀이는 온라인 팩토카페(http://cafe.naver.com/factos)를 통해서도 확인할 수 있습니다.

MW2204

FACTO school

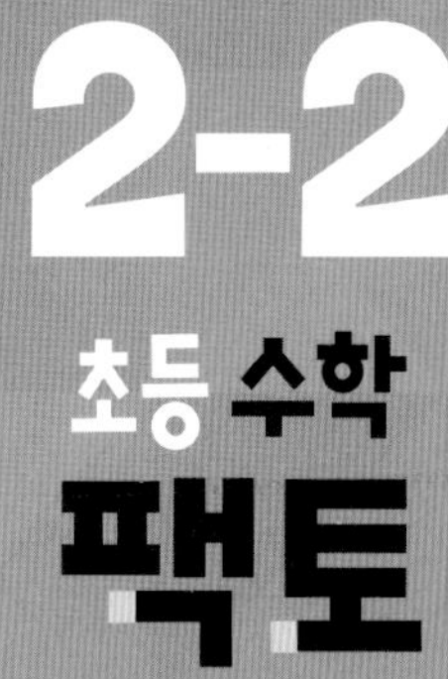

단원별 계산력 수학

시각과 시간

매스티안

4. 비교하기

· 길이, 무게, 넓이, 들이 비교하기

1-1

2-1

4. 길이 재기

· 길이 비교하기
· 1cm와 '자' 활용하기
· 길이 어림하기, 길이 재기

1-2

5. 시계 보기와 규칙 찾기

· '몇 시', '몇 시 30분'
· 물체, 무늬, 수 배열에서 규칙 찾기

4 시각과 시간

Teaching Guide

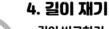

- 아이들이 시계에 짧은바늘을 그릴 때 정확하게 나타내는 것은 어렵습니다. 따라서 4시 30분을 지나기 전이면 짧은바늘을 4에 가깝게 나타내고, 4시 30분을 지나면 짧은바늘을 5에 가깝게 나타내도 맞은 것으로 지도합니다.
- 교과서에서는 '몇 시 몇 분 전'의 시각 읽기는 '5분 전', '10분 전', '15분 전' 등과 같이 실생활에서 자주 사용되는 경우를 다룹니다. 우리가 생활에서 '2시 48분'을 '3시 12분 전'으로 잘 표현하지 않는 것처럼 아이들도 이렇게 복잡한 경우까지는 다루지 않아도 됩니다.

3. 길이 재기

- 1m=100cm
- 길이의 합과 차
- 길이 어림하기

5. 들이와 무게

- 들이와 무게 비교하기
- 들이와 무게의 덧셈과 뺄셈

4. 시각과 시간

- 시각을 분 단위로 읽기
- 1일=24시간, 1주일=7일, 1년=12개월

5. 길이와 시간

- 1cm=10mm, 1km=1000m
- 길이 어림하고 재어 보기
- 시간의 덧셈과 뺄셈

공부한 날짜

일차	내용	날짜
1일차	5분 단위의 시각	월 일
2일차	1분 단위의 시각	월 일
3일차	몇 시 몇 분 전	월 일
4일차	시간	월 일
5일차	하루의 시간	월 일
6일차	달력	월 일
7일차	응용 문제	월 일
8일차	형성 평가	월 일
9일차	단원 평가	월 일

01 5분 단위의 시각

정답 27쪽

시각 읽기

10시	10시 15분	10시 45분	11시

짧은바늘 : 10	짧은바늘 : 10과 11 사이 긴바늘 : 3	짧은바늘 : 10과 11 사이 긴바늘 : 9	짧은바늘 : 11

1 시각을 읽어 보고 □ 안에 알맞은 수를 써넣으세요.

□시 20분

□시 40분

□시 15분

□시 50분

□시 35분

□시 30분

□시 25분

□시 55분

□시 10분

2 시계에서 각각의 수가 몇 분을 나타내는지 써넣으세요.

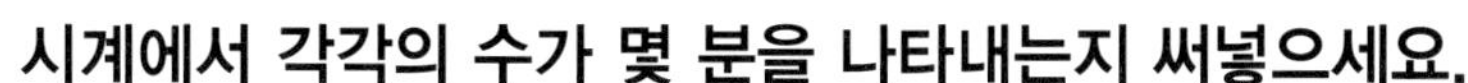

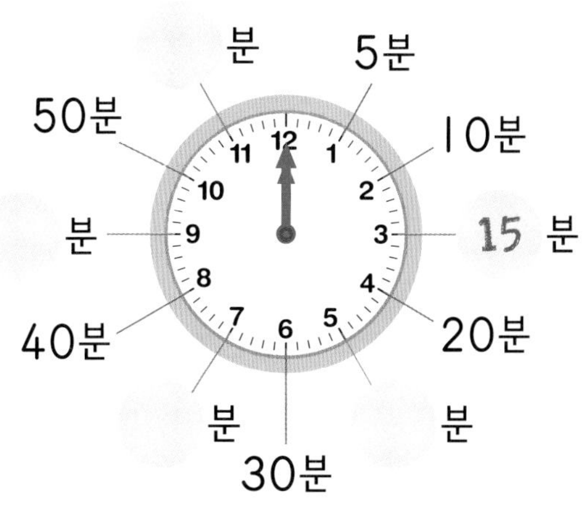

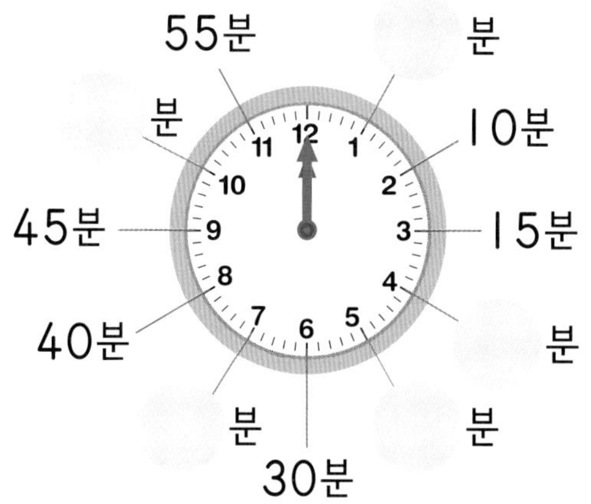

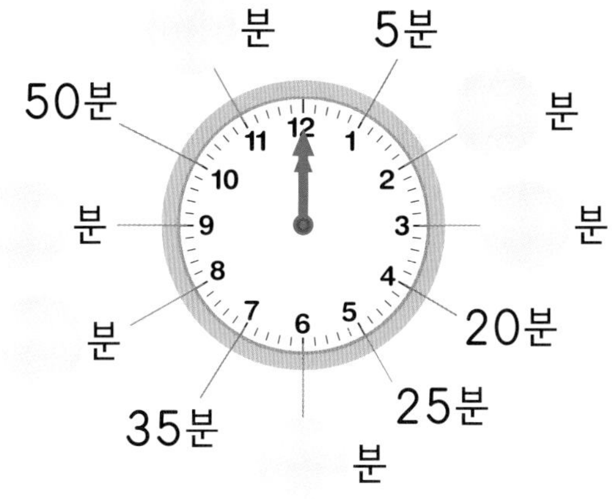

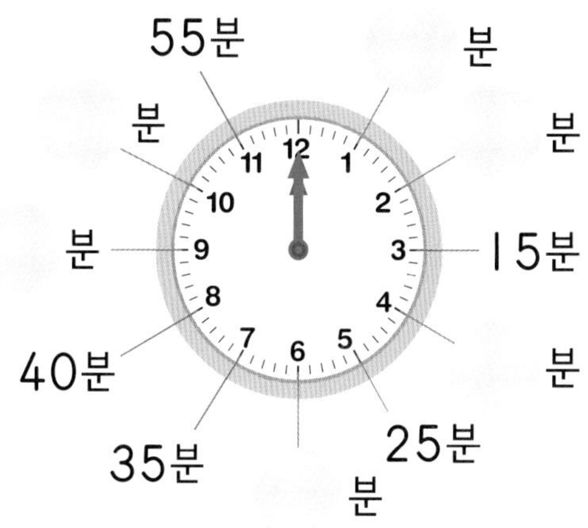

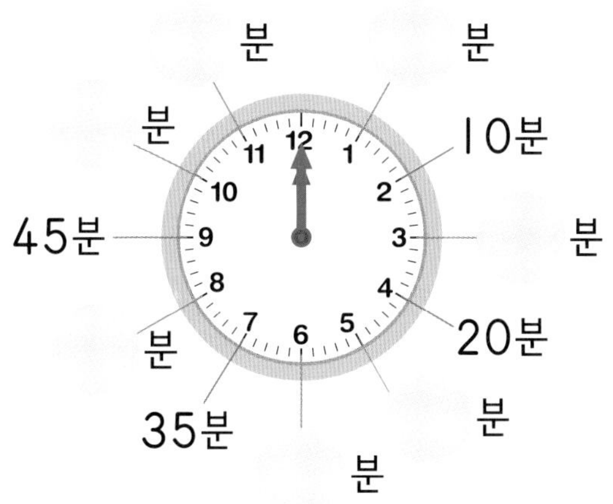

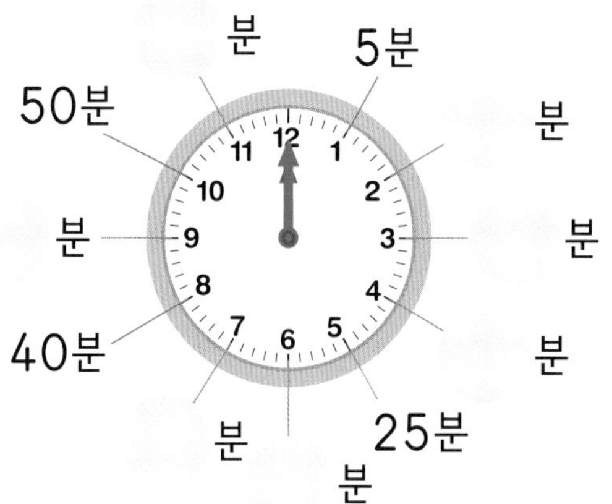

 시각을 읽어 보고 ☐ 안에 알맞은 수를 써넣으세요.

3시 ☐ 분

9시 ☐ 분

4시 ☐ 분

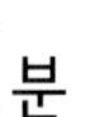

11시 ☐ 분

5시 ☐ 분

2시 ☐ 분

10시 ☐ 분

6시 ☐ 분

7시 ☐ 분

1시 ☐ 분

12시 ☐ 분

3시 ☐ 분

4 길을 따라가며 만나는 시계의 시각을 써 보세요.

시 분 시 분 시 분

시 분 시 분 시 분

시 분 시 분 시 분

시 분 시 분

1분 단위의 시각

정답 28쪽

시각 읽기

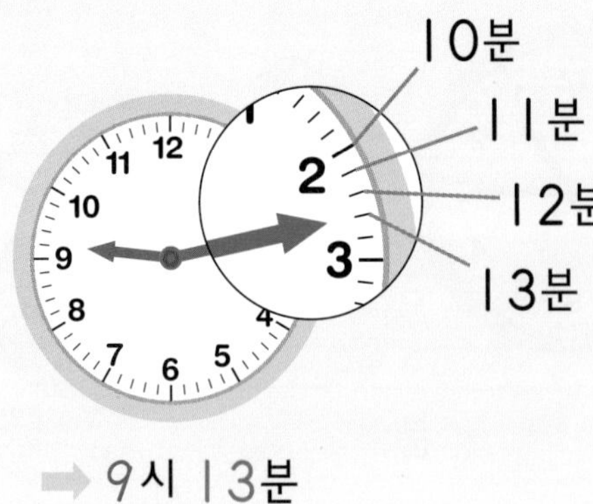

➡ 9시 13분

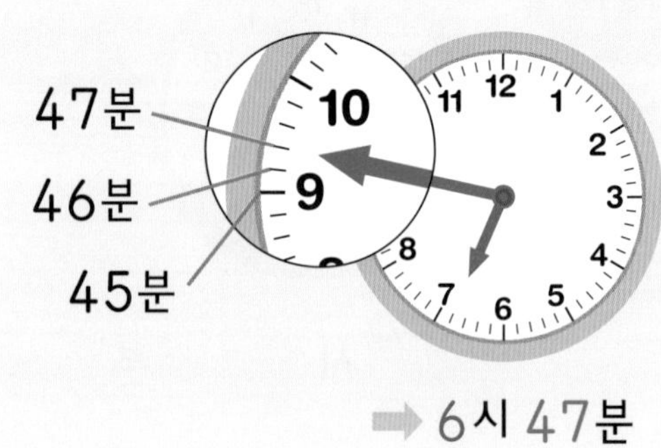

➡ 6시 47분

1 □ 안에 알맞은 수를 써넣어 시계가 나타내는 시각을 읽어 보세요.

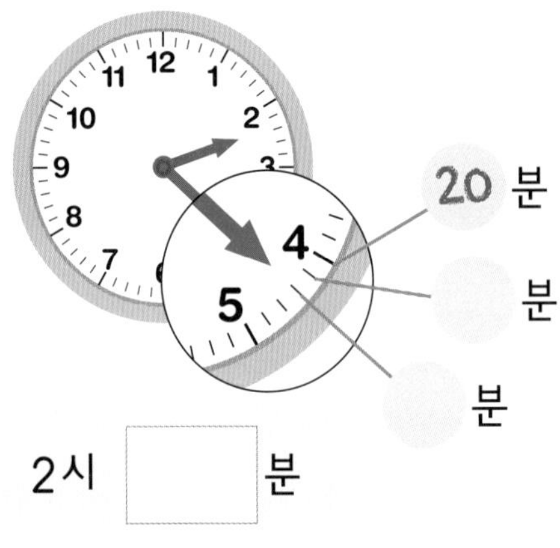

2시 □분

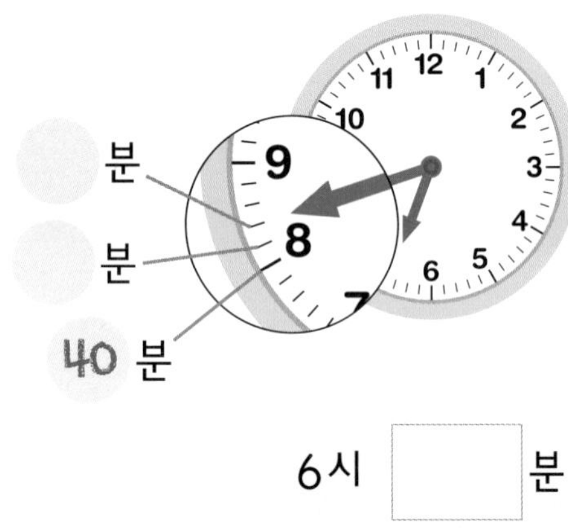

6시 □분

7시 □분

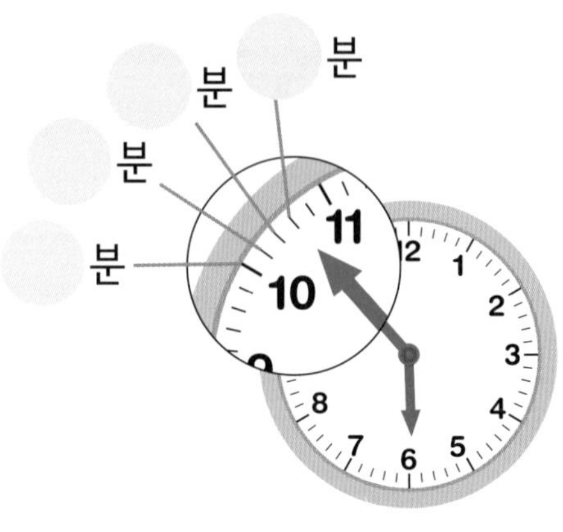

5시 □분

2 시계가 나타내는 시각을 읽어 보세요.

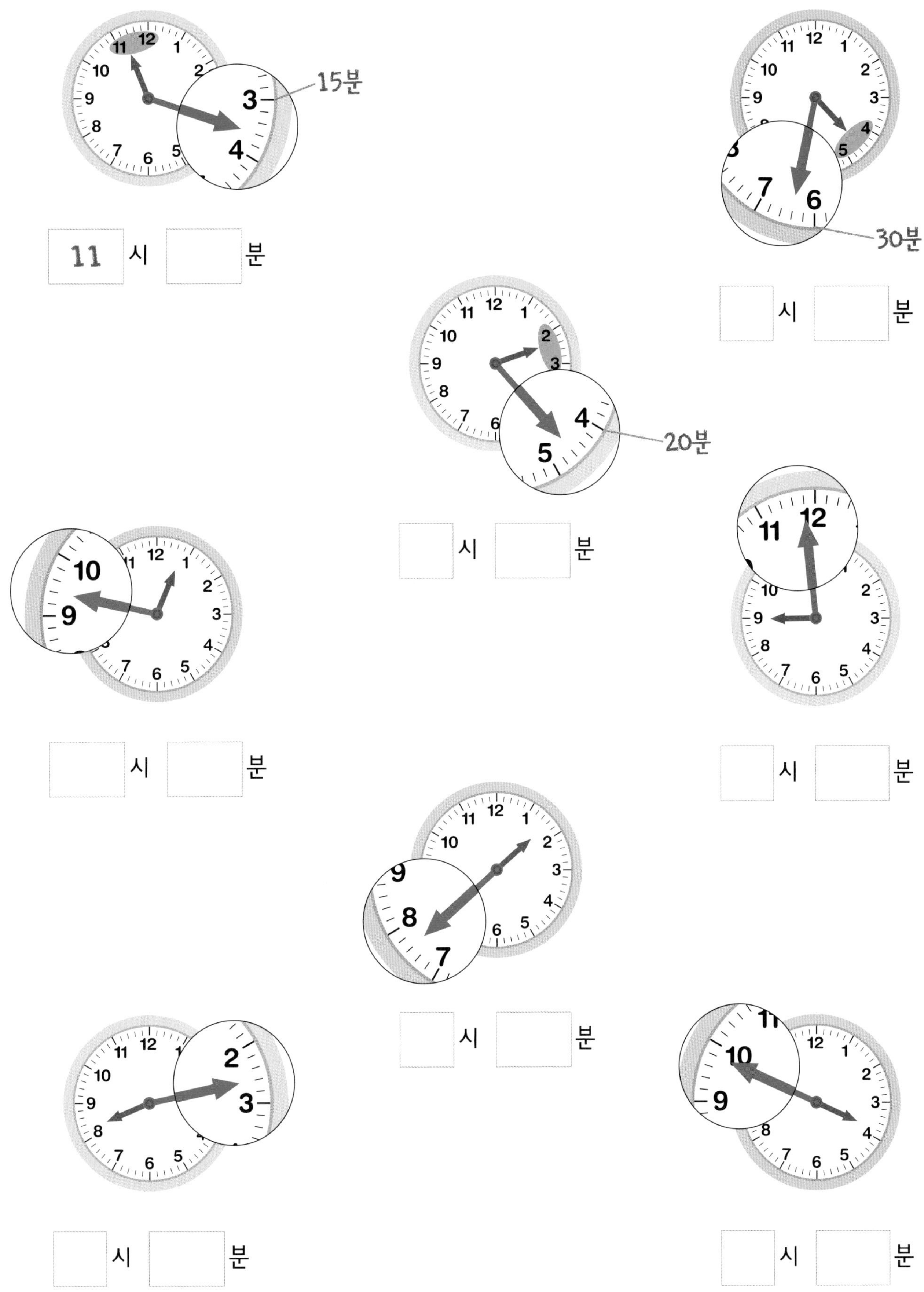

3 시각을 바르게 읽은 길을 따라가 보세요.

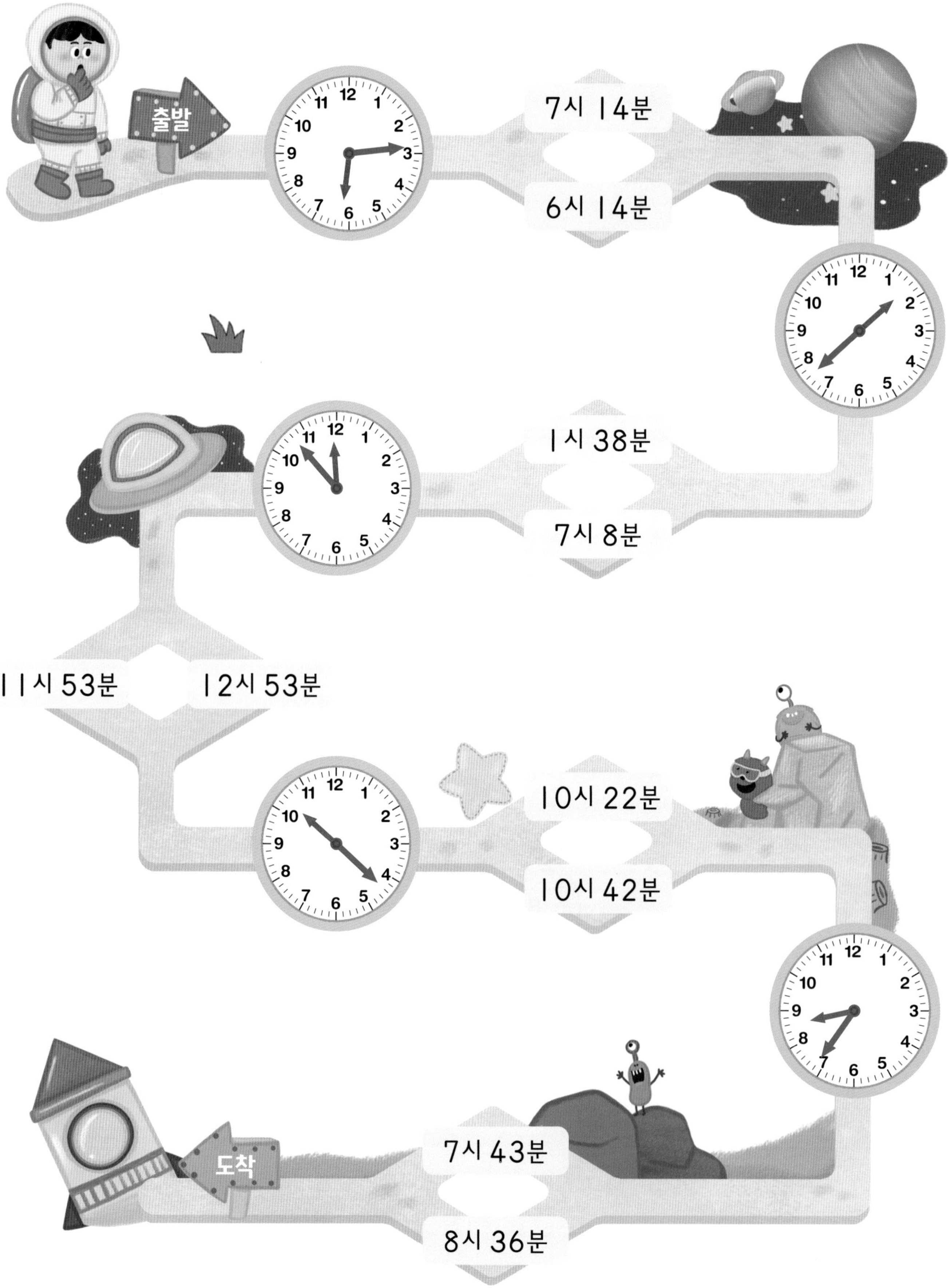

출발

7시 14분

6시 14분

1시 38분

7시 8분

11시 53분

12시 53분

10시 22분

10시 42분

7시 43분

8시 36분

도착

4 시각을 써 보세요.

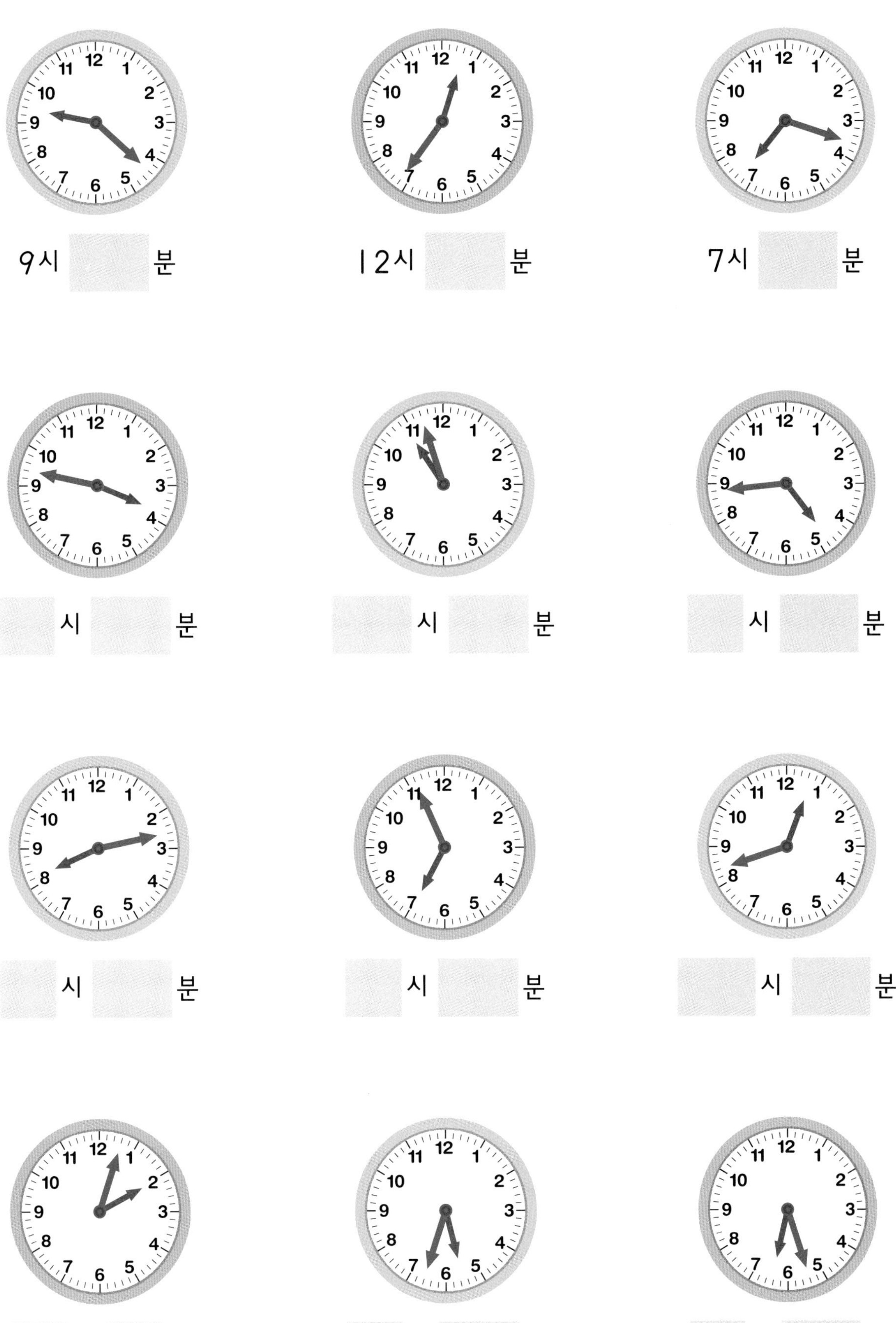
9시 분
12시 분
7시 분
시 분
시 분
시 분
시 분
시 분
시 분
시 분
시 분
시 분

03 몇 시 몇 분 전

정답 29쪽

몇 시 몇 분 전 알기

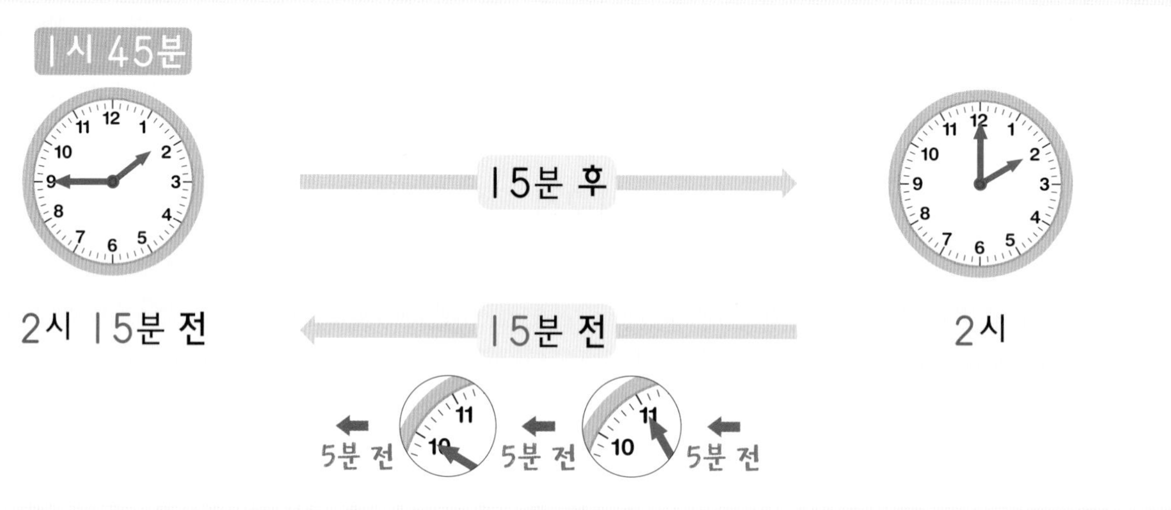

1 안에 알맞은 수를 써넣어 몇 분 후, 몇 분 전을 알아보세요.

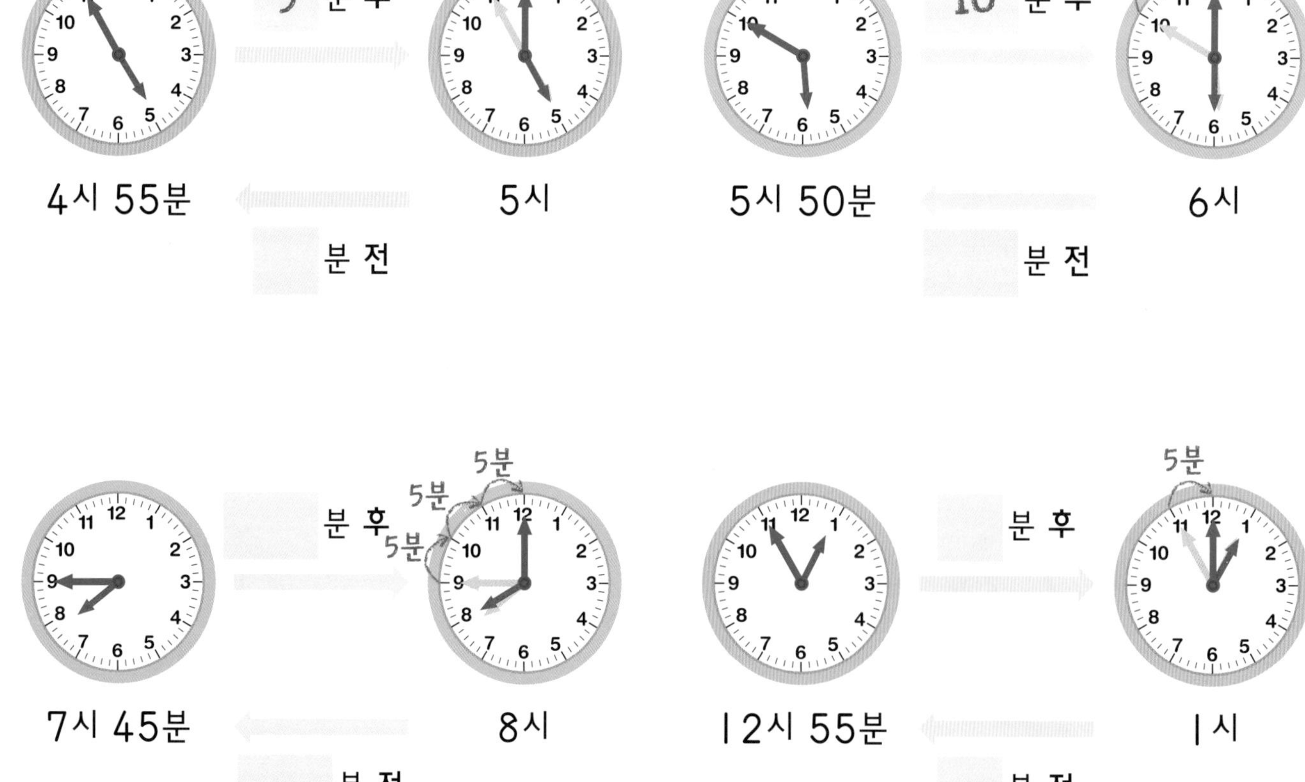

안에 알맞은 수를 써넣어 몇 시 몇 분 전을 알아보세요.

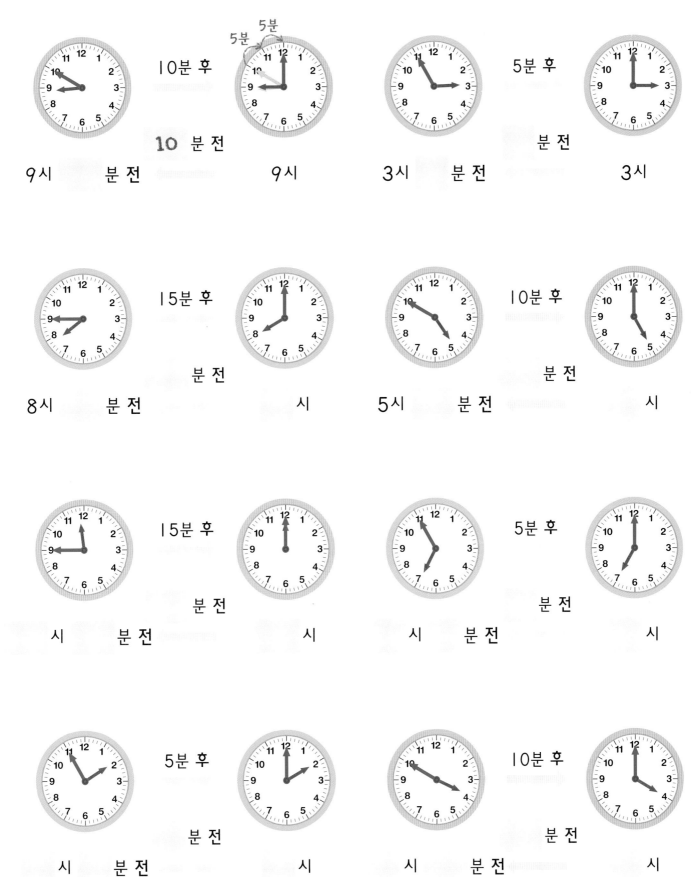

5분 5분

10분 후

10 분 전

9시 분 전 9시

5분 후

분 전

3시 분 전 3시

15분 후

분 전

8시 분 전 시

10분 후

분 전

5시 분 전 시

15분 후

분 전

시 분 전 시

5분 후

분 전

시 분 전 시

5분 후

분 전

시 분 전 시

10분 후

분 전

시 분 전 시

3 몇 시 몇 분 전인지 ☐ 안에 알맞은 수를 써넣으세요.

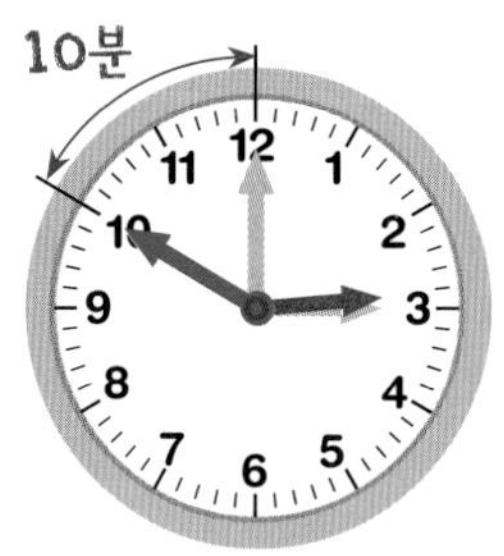

3 시 ☐ 분 전

☐ 시 ☐ 분 전

☐ 시 ☐ 분 전

☐ 시 ☐ 분 전

☐ 시 ☐ 분 전

☐ 시 ☐ 분 전

☐ 시 ☐ 분 전

☐ 시 ☐ 분 전

☐ 시 ☐ 분 전

☐ 시 ☐ 분 전

☐ 시 ☐ 분 전

☐ 시 ☐ 분 전

4 시계를 보고 시각을 두 가지 방법으로 읽어 보세요.

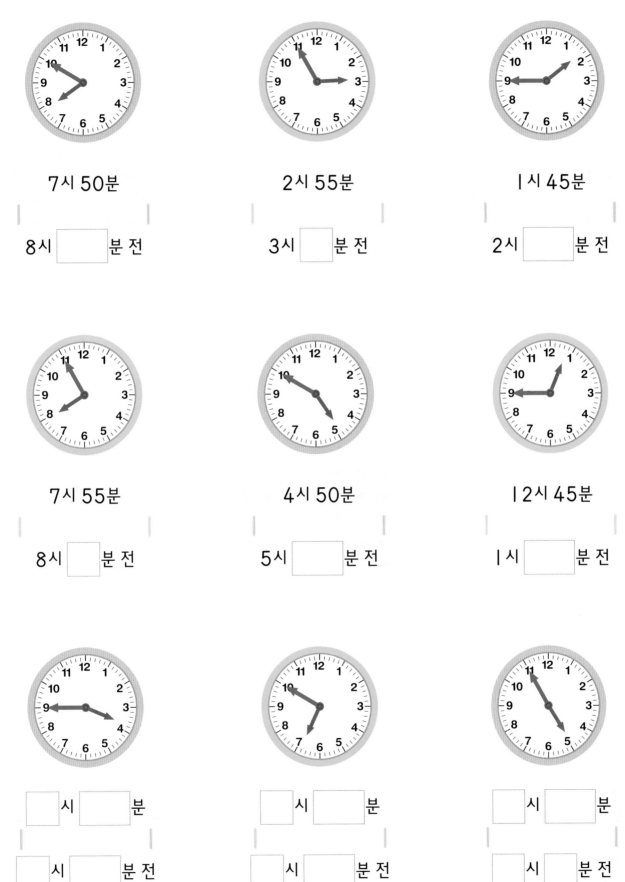

7시 50분

8시 [ ] 분 전

2시 55분

3시 [ ] 분 전

1시 45분

2시 [ ] 분 전

7시 55분

8시 [ ] 분 전

4시 50분

5시 [ ] 분 전

12시 45분

1시 [ ] 분 전

[ ] 시 [ ] 분

[ ] 시 [ ] 분 전

[ ] 시 [ ] 분

[ ] 시 [ ] 분 전

[ ] 시 [ ] 분

[ ] 시 [ ] 분 전

04 시간

정답 30쪽

1시간이 몇 분인지 알아보기

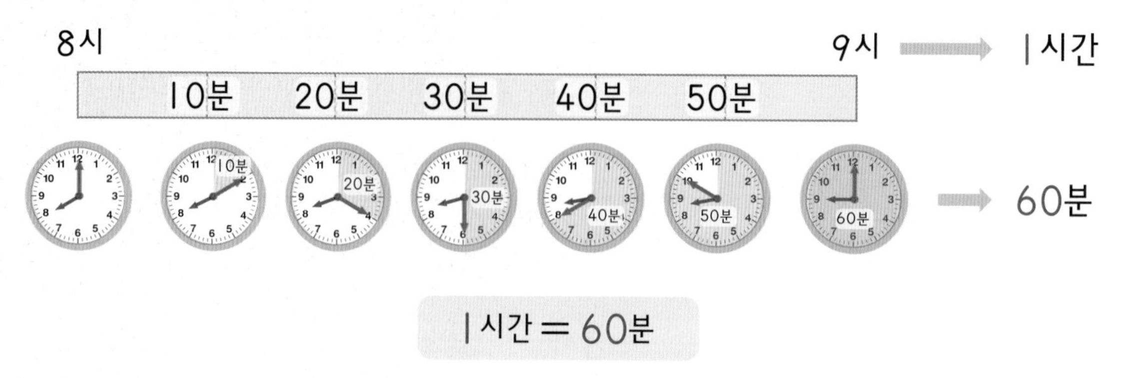

1 시작한 시각과 끝난 시각을 보고 걸린 시간을 구해 보세요.

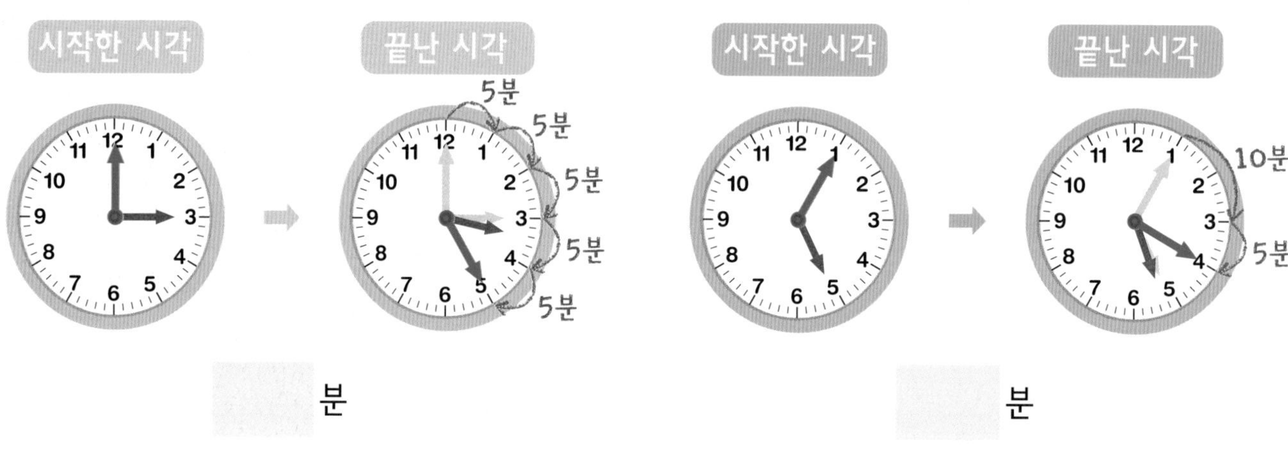

2 ☐ 안에 알맞은 수를 써넣으세요.

1시간 15분 = 1시간 + 15분
= 60 분 + 15분
= ☐ 분

1시간 30분 = 1시간 + 30분
= ☐ 분 + 30분
= ☐ 분

2시간 = 1시간 + ☐ 시간
= ☐ 분 + ☐ 분
= ☐ 분

2시간 20분 = 1시간 + ☐ 시간 + 20분
= 60분 + ☐ 분 + ☐ 분
= ☐ 분

1시간 45분 = ☐ 분

2시간 40분 = ☐ 분

85분 = 60분 + 25 분 (85−60)
= 1 시간 + ☐ 분
= ☐ 시간 ☐ 분

130분 = 60분 + 60분 + ☐ 분 (130−60−60)
= 1시간 + 1시간 + ☐ 분
= ☐ 시간 ☐ 분

100분 = 60분 + ☐ 분
= ☐ 시간 + ☐ 분
= ☐ 시간 ☐ 분

155분 = 60분 + 60분 + ☐ 분
= 1시간 + ☐ 시간 + ☐ 분
= ☐ 시간 ☐ 분

95분 = ☐ 시간 ☐ 분

150분 = ☐ 시간 ☐ 분

3 □ 안에 알맞은 수를 써넣으세요.

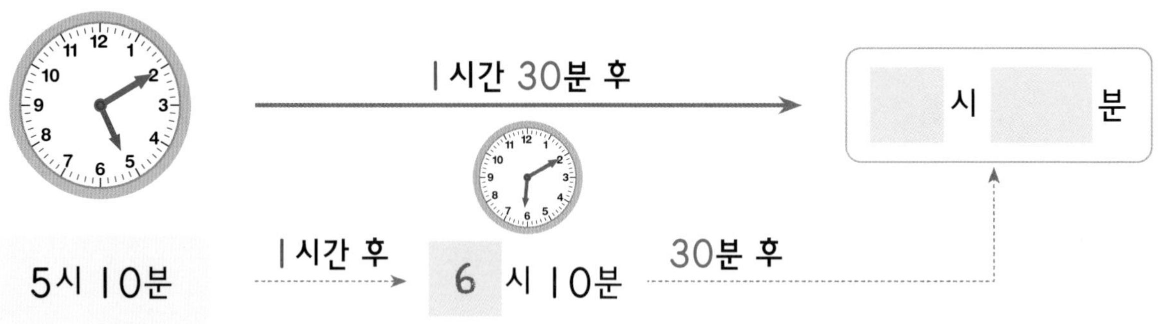

1시간 30분 후
□시 □분
5시 10분
1시간 후
6 시 10분
30분 후

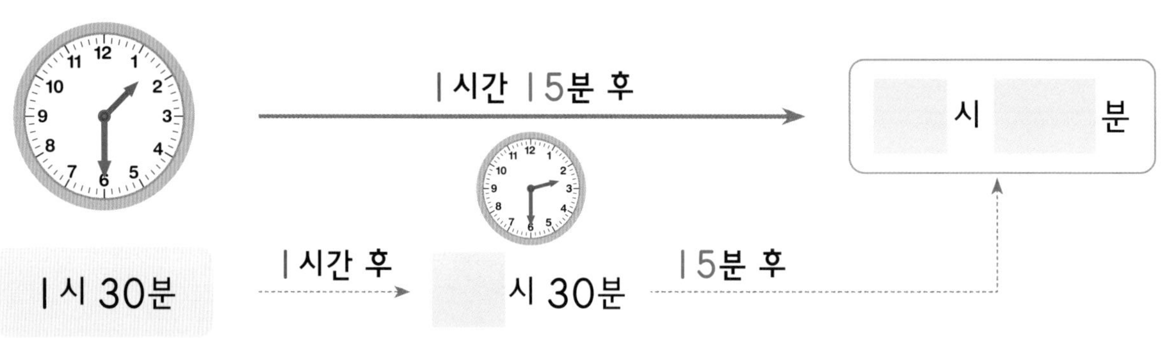

1시간 15분 후
□시 □분
1시 30분
1시간 후
□시 30분
15분 후

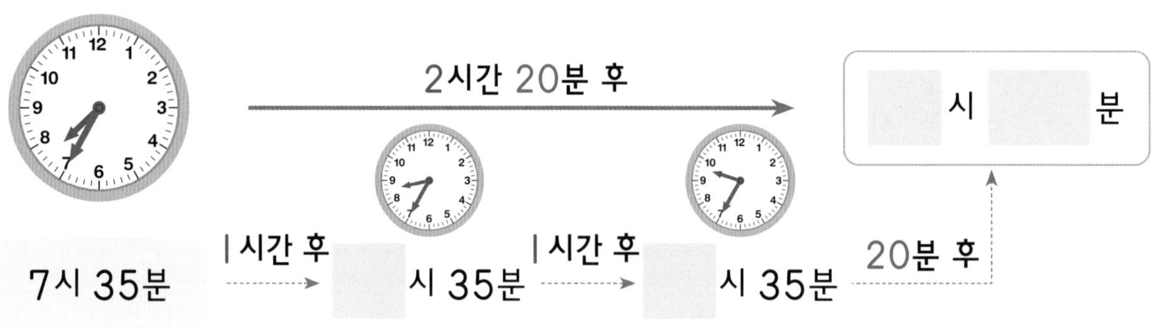

2시간 20분 후
□시 □분
7시 35분
1시간 후
□시 35분
1시간 후
□시 35분
20분 후

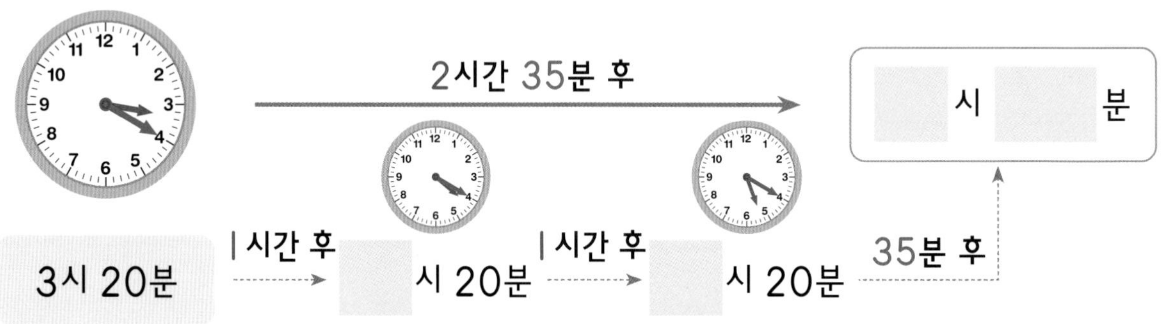

2시간 35분 후
□시 □분
3시 20분
1시간 후
□시 20분
1시간 후
□시 20분
35분 후

4 ☐ 안에 알맞은 수를 써넣으세요.

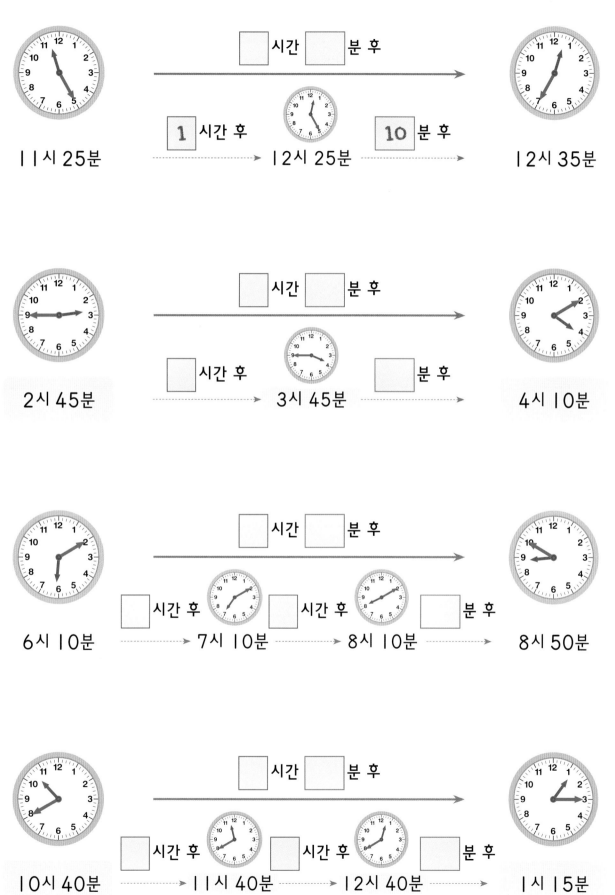

☐ 시간 ☐ 분 후

1 시간 후 / 10 분 후

11시 25분 → 12시 25분 → 12시 35분

☐ 시간 ☐ 분 후

☐ 시간 후 / ☐ 분 후

2시 45분 → 3시 45분 → 4시 10분

☐ 시간 ☐ 분 후

☐ 시간 후 / ☐ 시간 후 / ☐ 분 후

6시 10분 → 7시 10분 → 8시 10분 → 8시 50분

☐ 시간 ☐ 분 후

☐ 시간 후 / ☐ 시간 후 / ☐ 분 후

10시 40분 → 11시 40분 → 12시 40분 → 1시 15분

05 하루의 시간

정답 31쪽

하루의 시간 알기

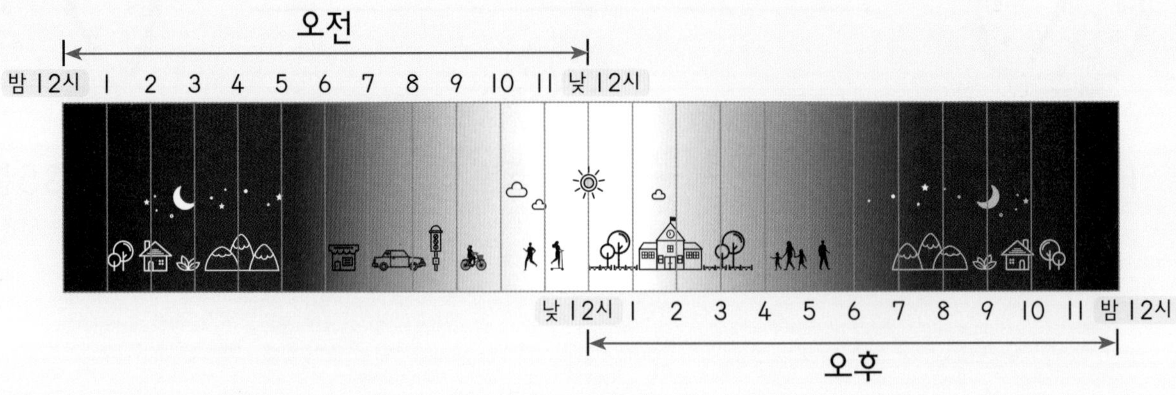

1 알맞은 것에 ○표 하세요.

아침 6시 (오전 , 오후)

저녁 7시 (오전 , 오후)

낮 2시 (오전 , 오후)

새벽 1시 (오전 , 오후)

저녁 8시 (오전 , 오후)

낮 4시 (오전 , 오후)

새벽 3시 (오전 , 오후)

아침 8시 (오전 , 오후)

저녁 9시 (오전 , 오후)

낮 3시 (오전 , 오후)

2 시간 띠에 나타낸 계획한 일을 보고 □ 안에 알맞은 수나 말을 써넣으세요.

밤12시 1시 2시 3시 4시 5시 6시 7시 8시 9시 10시 11시 낮12시

잠자기 (밤12시~8시)	아침 식사 (8시~9시)	영화 보기 (9시~11시)	점심 식사 (11시~1시)	공부 (1시~3시)	운동 (3시~5시)	저녁 식사 (5시~6시)	자유 시간 (6시~8시)	잠자기 (8시~밤12시)

1시 2시 3시 4시 5시 6시 7시 8시 9시 10시 11시 밤12시

유나의 하루

- 유나가 점심 식사를 하는 데 걸리는 시간은 □ 시간입니다.
- 유나가 운동을 하는 데 걸리는 시간은 □ 시간입니다.
- 하루는 □ 시간입니다.

밤12시 1시 2시 3시 4시 5시 6시 7시 8시 9시 10시 11시 낮12시

잠자기 (밤12시~7시)	운동 (7시~9시)	아침 식사 (9시~10시)	독서 (10시~낮12시)	점심 식사 (12시~2시)	놀이 공원 (2시~6시)	저녁 식사 (6시~7시)	TV 시청 (7시~9시)	잠자기 (9시~밤12시)

1시 2시 3시 4시 5시 6시 7시 8시 9시 10시 11시 밤12시

은주의 하루

- 은주가 독서를 하는 데 걸리는 시간은 □ 시간입니다.
- 저녁 식사를 끝내고 할 일은 □ 입니다.
- 은주가 잠을 자는 시간은 □ 시간입니다.

밤12시 1시 2시 3시 4시 5시 6시 7시 8시 9시 10시 11시 낮12시

잠자기 (밤12시~8시)	아침 식사 (8시~9시)	공부 (9시~11시)	점심 식사 (11시~1시)	박물관 견학 (1시~4시)	저녁 식사 (4시~5시)	휴식 (5시~6시)	축구 (6시~8시)	독서 (8시~11시)	잠자기 (11시~밤12시)

1시 2시 3시 4시 5시 6시 7시 8시 9시 10시 11시 밤12시

준호의 하루

- 준호가 축구를 하는 데 걸리는 시간은 □ 시간입니다.
- 잠을 자기 전에 할 일은 □ 입니다.
- 잠을 자고 일어나서 오전에 할 일은 □, □ 입니다.

☐ 안에 알맞은 수를 써넣으세요.

1일 12시간 = 1일 + 12시간
= [24] 시간 + 12시간
= [ ] 시간

1일 17시간 = 1일 + 17시간
= 24시간 + [ ] 시간
= [ ] 시간

2일 = 1일 + [ ] 일
= 24시간 + [ ] 시간
= [ ] 시간

2일 4시간 = 2일 + 4시간
= 1일 + 1일 + [ ] 시간
= 24시간 + [ ] 시간 + [ ] 시간
= [ ] 시간

1일 15시간 = [ ] 시간

2일 10시간 = [ ] 시간

36시간 = 24시간 + [12] 시간 (36−24)
= [1] 일 [ ] 시간

40시간 = 24시간 + [ ] 시간 (40−24)
= [ ] 일 [ ] 시간

43시간 = 24시간 + [ ] 시간
= [ ] 일 [ ] 시간

48시간 = [ ] 시간 + [ ] 시간
= [ ] 일 + [ ] 일
= [ ] 일

30시간 = [ ] 일 [ ] 시간

46시간 = [ ] 일 [ ] 시간

4 아쿠아리스트의 하루의 시간을 알아보고 안에 알맞게 써넣으세요.

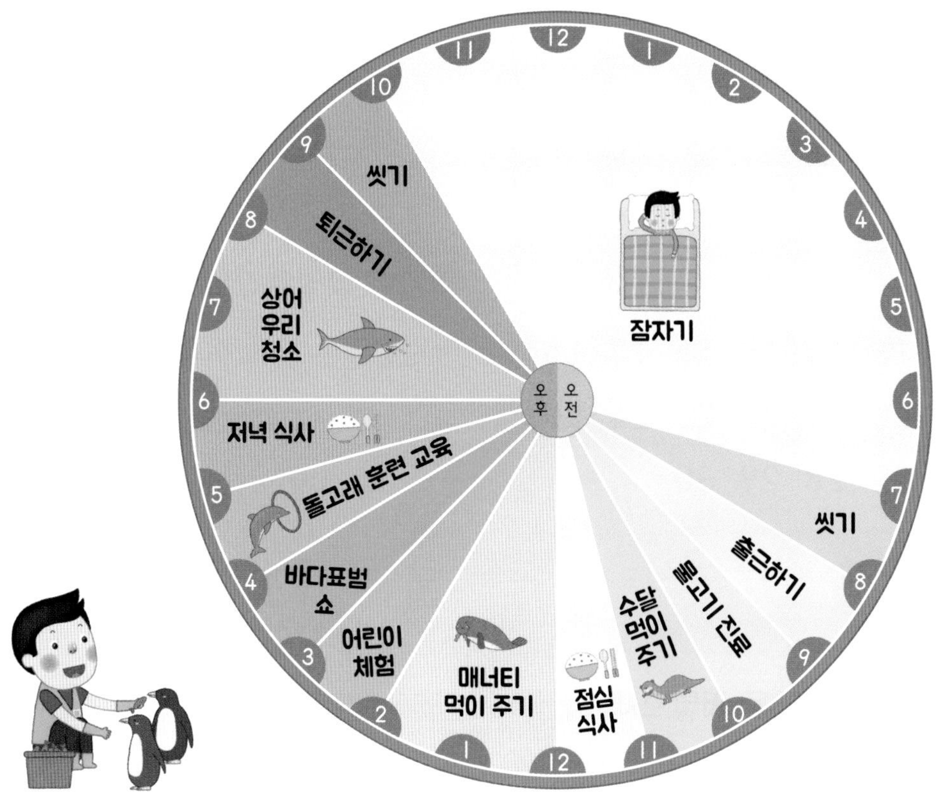

- 아쿠아리스트가 일어나는 시각은 (오전 , 오후) 시이고, 잠을 자는 시각은 (오전 , 오후) 시입니다.
- 아쿠아리스트가 출근을 해서 가장 먼저 하는 일은 입니다.
- 매너티 먹이를 주기 시작하는 시각은 (낮 , 밤) 시이고, 끝나는 시각은 (오전 , 오후) 시입니다.
- 상어 우리를 (오전 , 오후) 시부터 시까지 시간 동안 청소합니다.
- 아쿠아리스트는 하루에 잠을 시간 동안 잡니다.

※아쿠아리스트: 대형 수족관에서 고객이 관람할 수중생물을 사육 · 관리 · 연구하고, 전시회 등을 기획하는 사람

06 달력

정답 32쪽

달력 알아보기

	일	월	화	수	목	금	토
첫째 주				1	2	3	4
둘째 주	5	6	7	8	9	10	11
셋째 주	12	13	14	15	16	17	18
넷째 주	19	20	21	22	23	24	25
다섯째 주	26	27	28	29	30		

- 1주일은 7일입니다.
- 같은 요일은 7일마다 반복됩니다.
- 22일은 넷째 수요일입니다.
- 1년은 12개월입니다.

1 빈 곳에 알맞은 수 또는 말을 써넣으세요.

1주일은 며칠일까요?

□ 일

요일의 순서는 어떻게 될까요?

일 → □ → □ → □ → □ → □ → □ 요일

2주일은 며칠일까요?

□ 일

1년은 몇 개월일까요?

□ 개월

1년의 각 달은 며칠일까요?

1월	2월	3월	4월	5월	6월
31 일	일	일	일	일	일

7월	8월	9월	10월	11월	12월
일	일	일	일	일	일

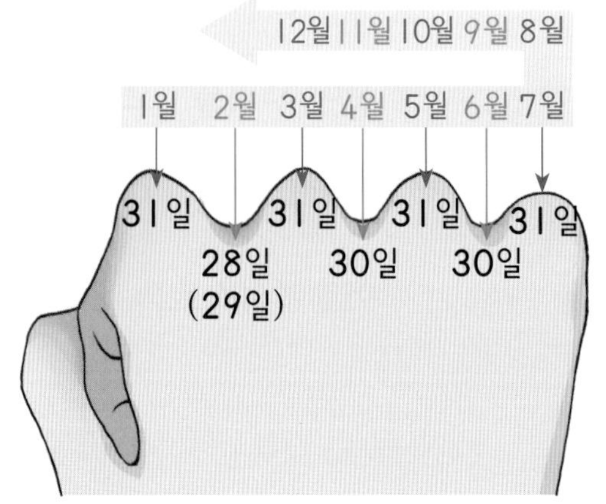

 안에 알맞은 수나 말을 써넣으세요.

7월

일	월	화	수	목	금	토
	1	2	3	4	5	6
7	8	9	10	11	12	13
14	15	16	17	18	19	20
21	22	23	24	25	26	27
28	29	30	31			

- 7월 9일은 화 요일입니다.
- 7월의 둘째 목요일은 일입니다.
- 7월의 마지막 날은 일입니다.

11월

일	월	화	수	목	금	토
			1	2	3	4
5	6	7	8	9	10	11
12	13	14	15	16	17	18
19	20	21	22	23	24	25
26	27	28	29	30		

- 11월 넷째 화요일은 28 일입니다.
- 11월 12일부터 5일 후는 11월 일입니다.
- 11월의 토요일은 일, 일, 일, 일입니다.

4월

일	월	화	수	목	금	토
1	2	3	4	5	6	7
8	9	10	11	12	13	14
15	16	17	18	19	20	21
22	23	24	25	26	27	28
29	30					

- 4월 6일은 요일입니다.
- 4월의 마지막 날은 일입니다.
- 4월의 셋째 수요일은 일입니다.
- 4월 12일부터 2주일 후는 일입니다.

 □ 안에 알맞은 수를 써넣으세요.

1년 3개월 = 1년 + 3개월
= 12 개월 + 3개월
= □ 개월

1년 6개월 = 1년 + 6개월
= □ 개월 + 6개월
= □ 개월

1년 7개월 = 1년 + 7개월
= 12개월 + □ 개월
= □ 개월

1년 10개월 = 1년 + 10개월
= □ 개월 + □ 개월
= □ 개월

1년 5개월 = □ 개월

1년 9개월 = □ 개월

14개월 = 12개월 + 2 개월 (14−12)
= 1 년 + □ 개월
= □ 년 □ 개월

16개월 = 12개월 + □ 개월 (16−12)
= □ 년 + □ 개월
= □ 년 □ 개월

20개월 = 12개월 + □ 개월
= □ 년 + □ 개월
= □ 년 □ 개월

24개월 = □ 개월 + □ 개월
= □ 년 + □ 년
= □ 년

13개월 = □ 년 □ 개월

23개월 = □ 년 □ 개월

안에 알맞은 수나 말을 써넣으세요.

일	월	화	수		금	토
					1	+1 2
3	4			7	8	
		+7			+7	
−1					+7	
	25	26				30

일	월	화	수			토
	1	2		4		
7	8	9				13
14						20
			24	25		
			31			

일		화		목		토
			1	2		
5		7				11
					17	
			22			

일		화			금	토
			4			
8		10				
	16					
				26	27	

	월			목	금	
				3		
			9			
	14					19

일			수			토
					2	
						10
	19					

정답 33쪽

유형 1

서울역에서 KTX를 타고 오전 7시 30분에 출발하여 강릉에 오전 9시 40분에 도착하였습니다. 서울에서 강릉까지 가는 데 걸린 시간은 몇 시간 몇 분일까요?

주어진 수에 ○표 하고, 구하는 것에 밑줄 치기

출발한 시각 : 7 시 30 분, 도착한 시각 : ☐ 시 ☐ 분

문제 해결하기

7시 30분 → (1 시간 후) 8시 30분 → (☐ 시간 후) 9시 30분 → (10 분 후) 9시 40분

문제 풀기

7시 30분 → (☐ 시간 ☐ 분 후) 9시 40분

답 쓰기 서울에서 강릉까지 가는 데 걸린 시간은 ☐ 시간 ☐ 분입니다.

유형 + 1

도연이는 가족들과 함께 오후 2시 40분부터 오후 5시 15분까지 영화를 보았습니다. 도연이가 영화를 본 시간은 몇 시간 몇 분일까요?

주어진 수에 ○표 하고, 구하는 것에 밑줄 치기

영화가 시작한 시각 : ☐ 시 ☐ 분, 영화가 끝난 시각 : ☐ 시 ☐ 분

문제 해결하기

2시 40분 → (☐ 시간 후) 3시 40분 → (☐ 시간 후) 4시 40분 → (☐ 분 후) 5시 15분

문제 풀기

2시 40분 → (☐ 시간 ☐ 분 후) 5시 15분

답 쓰기 영화를 본 시간은 ☐ 시간 ☐ 분입니다.

1 Drill

지수는 오전 11시 25분부터 오후 1시 50분까지 그림을 그렸습니다. 지수가 그림을 그린 시간은 몇 시간 몇 분일까요?

주어진 수에 ○표 하고, 구하는 것에 밑줄 쫙!

풀이

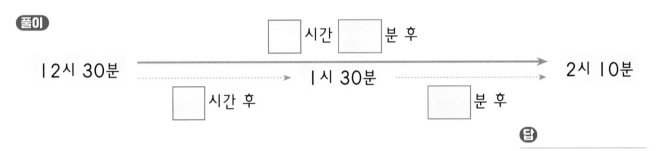

□시간 □분 후

11시 25분 → 12시 25분 → 1시 25분 → 1시 50분

□시간 후 □시간 후 □분 후

답

2 Drill

재훈이는 운동장에서 오후 12시 30분부터 오후 2시 10분까지 축구를 하였습니다. 재훈이가 축구를 한 시간은 몇 시간 몇 분일까요?

풀이

□시간 □분 후

12시 30분 → 1시 30분 → 2시 10분

□시간 후 □분 후

답

- **서술형 문제를 읽고 풀이 과정과 답을 쓰세요.**

도전 1

수연이는 오후 4시 40분부터 오후 6시 25분까지 책을 읽었습니다. 수연이가 책을 읽은 시간은 몇 시간 몇 분일까요?

풀이

답

도전 2

오늘 오전 10시 20분부터 오후 1시 10분까지 비가 내렸습니다. 비가 내린 시간은 몇 시간 몇 분일까요?

풀이

답

5월 마지막 날의 요일 찾기

5월

일	월	화	수	목	금	토
		1	2	3	4	5
						12
						19
						26

+7 +7 +7

➡ 5월의 날수는 31일입니다.

일	월	화	수	목	금	토
		1	2	3	4	5
						12
						19
						26
27	28	29	30	31		

5월의 마지막 날은 31일, 목요일입니다.

응용 1 각 달의 날수를 알맞게 써넣으세요.

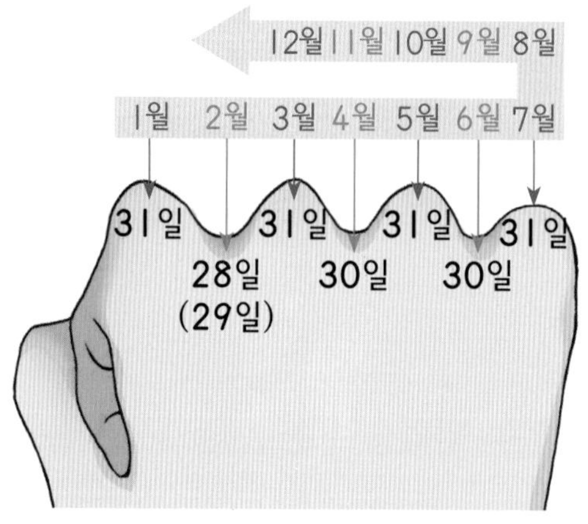

1월의 날수는 ☐ 일입니다.

6월의 날수는 ☐ 일입니다.

9월의 날수는 ☐ 일입니다.

12월의 날수는 ☐ 일입니다.

10월의 날수는 ☐ 일입니다.

8월의 날수는 ☐ 일입니다.

4월의 날수는 ☐ 일입니다.

7월의 날수는 ☐ 일입니다.

11월의 날수는 ☐ 일입니다.

3월의 날수는 ☐ 일입니다.

응용 2 각 달 마지막 날의 요일을 알맞게 써넣으세요.

6월

일	월	화	수	목	금	토
		1	2	3	4	5
						12
						19
						26
27	28	29	30			

➡ 6월의 날수는 ☐ 일입니다.

➡ 6월의 마지막 날은

☐ 일, ☐ 요일입니다.

9월

일	월	화	수	목	금	토
				1	2	3
						10
						17
						24

+7

➡ 9월의 날수는 ☐ 일입니다.

➡ 9월의 마지막 날은

☐ 일, ☐ 요일입니다.

12월

일	월	화	수	목	금	토
1	2	3	4	5	6	7

+7

➡ 12월의 마지막 날은

☐ 일, ☐ 요일입니다.

7월

일	월	화	수	목	금	토
	1	2	3	4	5	6

➡ 7월의 마지막 날은

☐ 일, ☐ 요일입니다.

3월

일	월	화	수	목	금	토
			1	2	3	4

➡ 7월의 마지막 날은

☐ 일, ☐ 요일입니다.

11월

일	월	화	수	목	금	토
					1	2

➡ 11월의 마지막 날은

☐ 일, ☐ 요일입니다.

형성 평가

정답 34쪽

점수 분 점

01 시각을 읽어 보고 ☐ 안에 알맞은 수를 써넣으세요.

(1) ☐시 25분　(2) ☐시 50분

02 시계에서 각각의 수가 몇 분을 나타내는지 써넣으세요.

03 시각을 읽어 보고 ☐ 안에 알맞은 수를 써넣으세요.

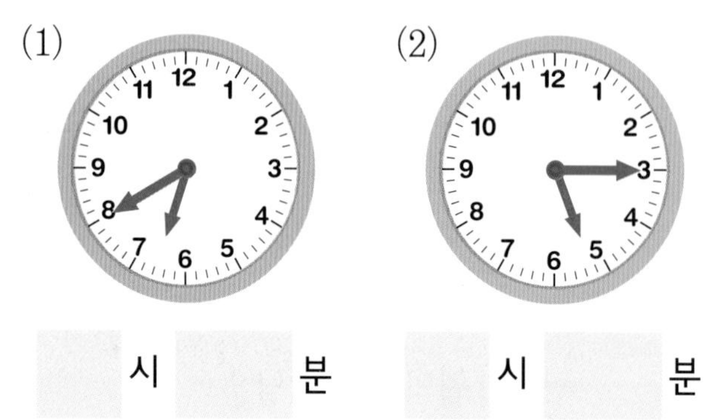

(1) ☐시 ☐분　(2) ☐시 ☐분

04 빈 곳에 알맞은 수를 써넣어 시계가 나타내는 시각을 읽어 보세요.

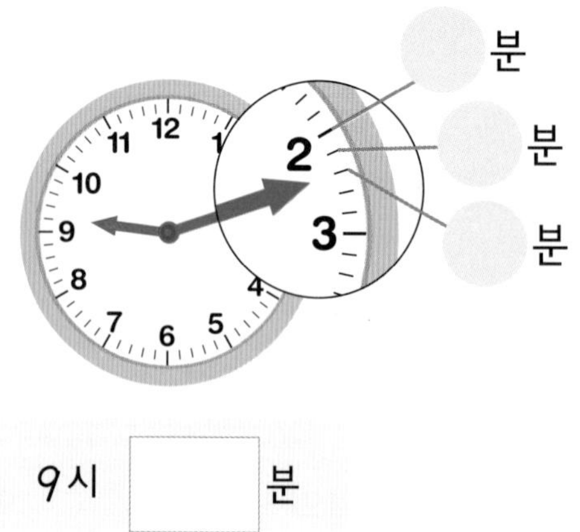

9시 ☐분

05 시각을 바르게 읽은 것에 ○표 하세요.

(1) 9시 39분　7시 48분

(2) 12시 36분　1시 36분

06 시각을 써 보세요.

(1) (2)

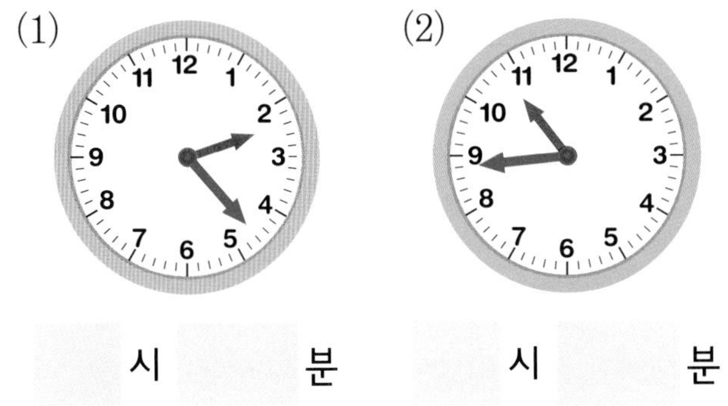

07 안에 알맞은 수를 써넣으세요.

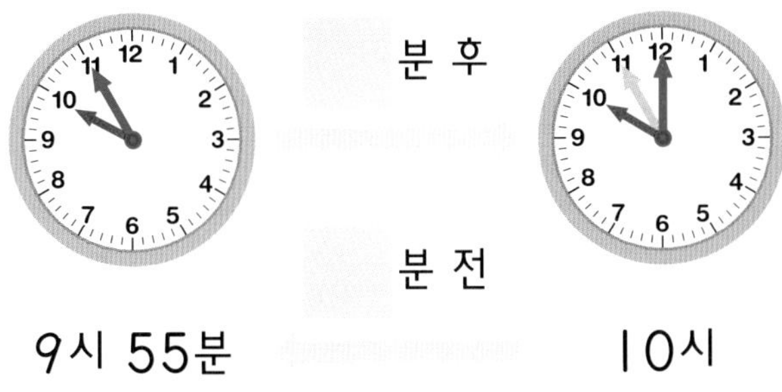

08 안에 알맞은 수를 써넣으세요.

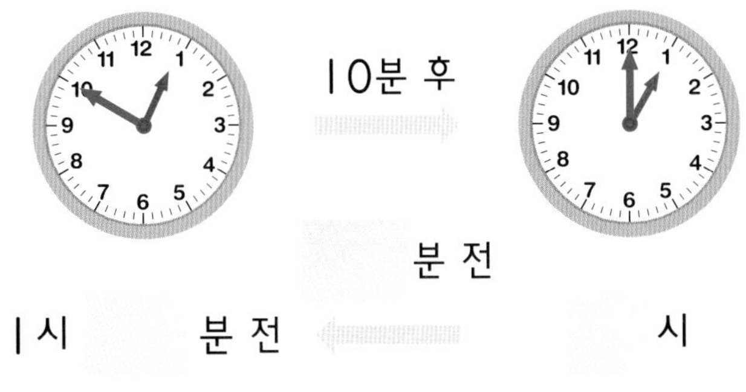

09 몇 시 몇 분 전인지 안에 알맞은 수를 써넣으세요.

(1)

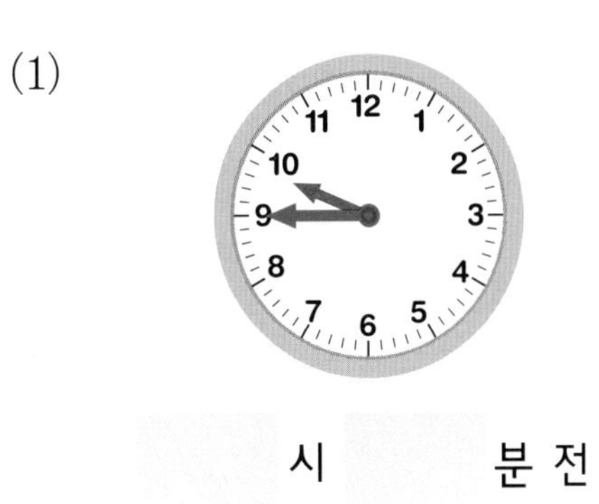

(2)

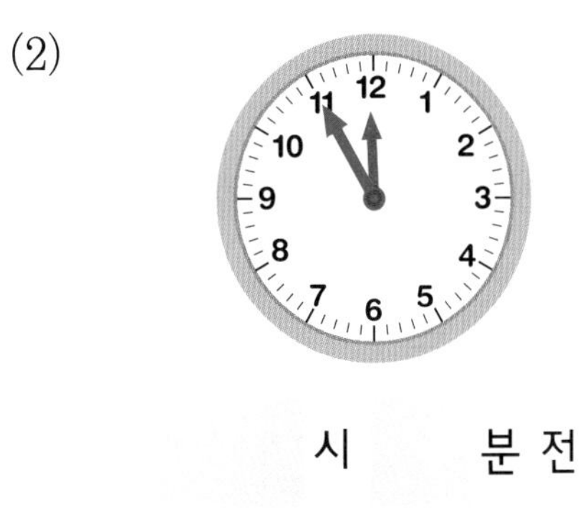

10 시계를 보고 시각을 두 가지 방법으로 읽어 보세요.

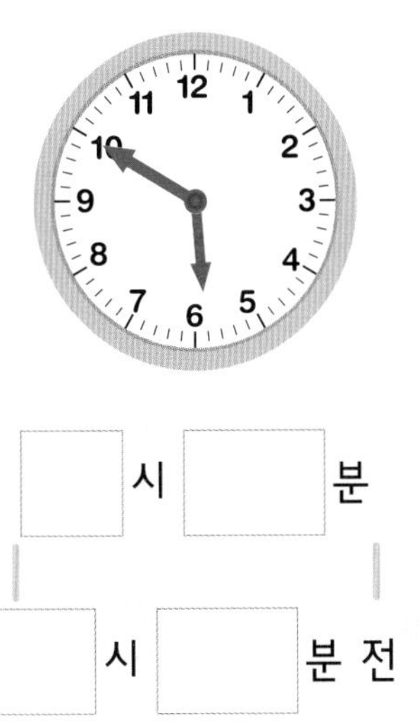

11 시작한 시각과 끝난 시각을 보고 걸린 시간을 구해 보세요.

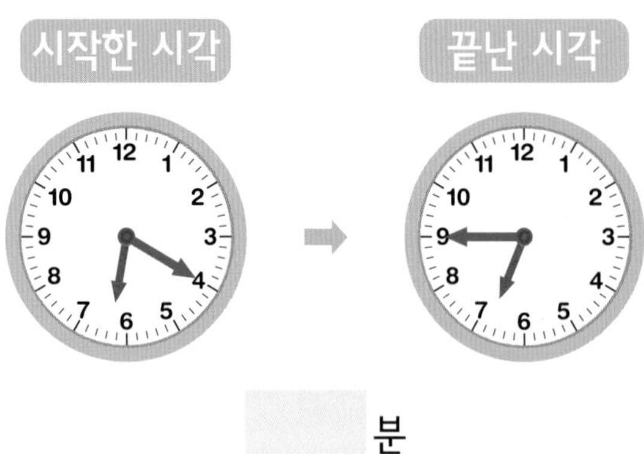

☐분

12 ☐ 안에 알맞은 수를 써넣으세요.

(1) 1시간=☐분

(2) 1시간 40분=☐분

(3) 2시간 15분=☐분

(4) 75분=☐시간 ☐분

(5) 160분=☐시간 ☐분

13 ☐ 안에 알맞은 수를 써넣으세요.

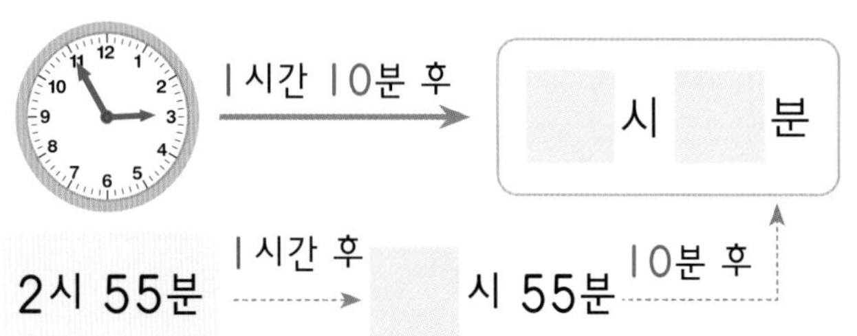

14 ☐ 안에 알맞은 수를 써넣으세요.

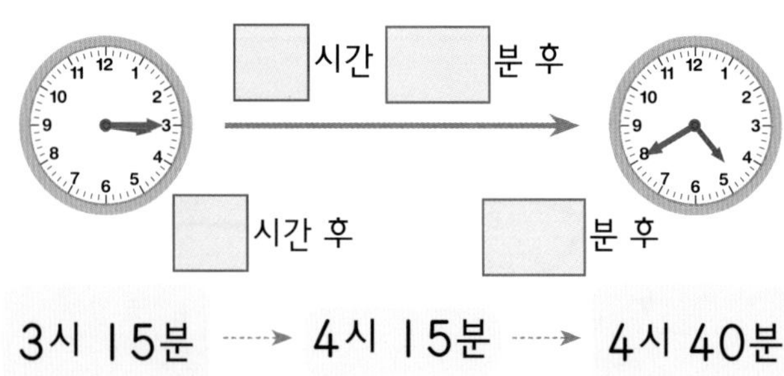

3시 15분 ····→ 4시 15분 ····→ 4시 40분

15 알맞은 것에 ○표 하세요.

(1) 아침 8시 — 오전 , 오후

(2) 낮 3시 — 오전 , 오후

16 ☐ 안에 알맞은 수를 써넣으세요.

(1) 1일 3시간=☐시간

(2) 2일=☐시간

(3) 2일 15시간=☐시간

(4) 34시간=☐일 ☐시간

(5) 50시간=☐일 ☐시간

17 ☐ 안에 알맞은 수를 써넣으세요.

(1) 2주일은 며칠일까요?

☐ 일

(2) 1년은 몇 개월일까요?

☐ 개월

18 ☐ 안에 알맞게 써넣으세요.

8월

일	월	화	수	목	금	토
			1	2	3	4
5	6	7	8	9	10	11
12	13	14	15	16	17	18
19	20	21	22	23	24	25
26	27	28	29	30	31	

(1) 8월 17일은 ☐ 요일입니다.

(2) 8월의 마지막 날은 ☐ 일입니다.

(3) 8월의 둘째 금요일은 ☐ 일입니다.

(4) 8월 8일부터 4일 후는 8월 ☐ 일 입니다.

(5) 8월 2일부터 3주일 후는 ☐ 일입니다.

19 ☐ 안에 알맞은 수를 써넣으세요.

(1) 1년 4개월= ☐ 개월

(2) 1년 11개월= ☐ 개월

(3) 2년 2개월= ☐ 개월

(4) 15개월= ☐ 년 ☐ 개월

(5) 22개월= ☐ 년 ☐ 개월

20 ☐ 안에 알맞게 써넣으세요.

일	☐	화	수	☐	☐	토
	☐		7			10
				☐		
			☐		23	
☐					☐	

1 시계를 보고 ☐ 안에 알맞은 수를 써 넣으세요.

(1) 짧은바늘은 ☐ 과 ☐ 사이에 있고,

긴바늘은 ☐ 를 가리키고 있습니다.

(2) 시계가 나타내는 시각은

☐ 시 ☐ 분입니다.

2 시각을 읽어 보세요.

(1)

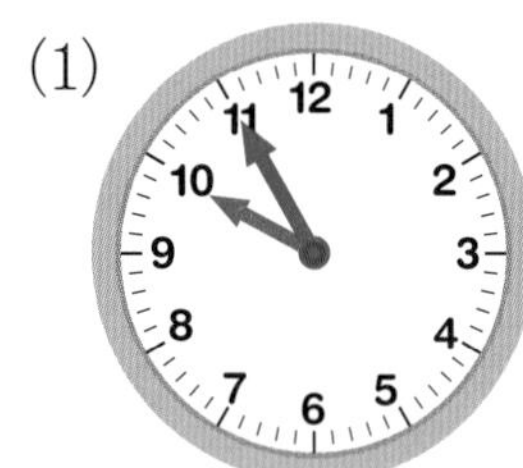

☐ 시 ☐ 분

(2)

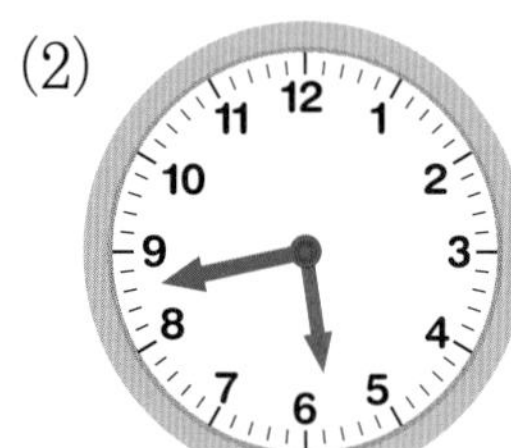

☐ 시 ☐ 분

3 시각에 맞게 긴바늘을 그려 넣으세요.

1시 27분

4 시계를 보고 시각을 바르게 읽은 것에 ○표 하세요.

3시 45분

3시 15분 전

5 ☐ 안에 알맞은 수를 써넣으세요.

(1) 1시간= ☐ 분

(2) 1시간 20분= ☐ 분

(3) 2시간 10분= ☐ 분

(4) 100분= ☐ 시간 ☐ 분

(5) 145분= ☐ 시간 ☐ 분

6 □ 안에 '오전' 또는 '오후'를 알맞게 써넣으세요.

(1) 지원이는 □ 7시 30분에 아침 식사를 했습니다.

(2) 지원이네 학교의 점심 시간은 □ 12시 40분부터입니다.

7 날수가 나머지와 다른 것을 찾아 기호를 쓰세요.

㉠ 1월　　㉡ 2월
㉢ 7월　　㉣ 8월

(　　　　)

8 □ 안에 알맞은 수를 써넣으세요.

(1) 27시간＝□일 □시간

(2) 1일 6시간＝□시간

9 시각을 두 가지 방법으로 읽어 보세요.

□시 □분
□시 □분 전

10 어느 해 4월의 달력입니다. 달력을 완성하세요.

일	월	화	수	목	금	토
			2	3		5
6	7	8			11	12
13			16	17		19
	21	22	23		25	26
27		29				

11 민수가 몇 시 몇 분에 어떤 일을 하였는지 써 보세요.

12 같은 시각을 나타내는 것끼리 이어 보세요.

• 6시 15분 전

• 2시 15분 전

• 6시 10분 전

13 경수가 축구를 하는 데 걸린 시간은 몇 분인지 구해 보세요.

( )분

14 ▢ 안에 알맞은 수를 써넣으세요.

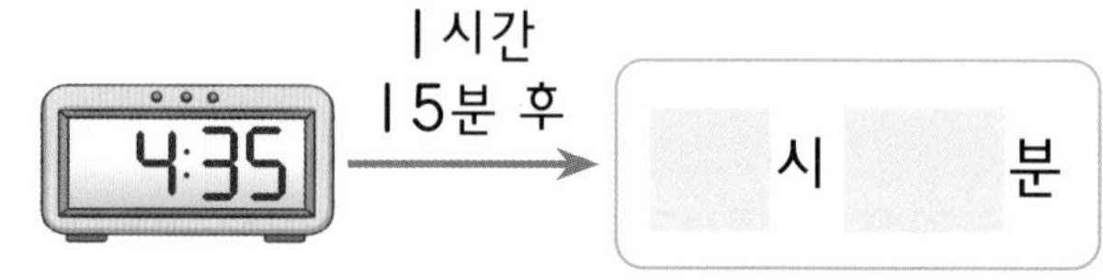

15 다음 중 틀린 것은 어느 것일까요?

( )

① 2시간 = 120분
② 40시간 = 1일 16시간
③ 27일 = 3주 6일
④ 1년 8개월 = 18개월
⑤ 26개월 = 2년 2개월

16 현수와 소연이가 오늘 아침에 학교에 도착한 시각입니다. 더 늦게 도착한 사람은 누구일까요?

현수	소연
8시 50분	9시 15분 전

( )

17 서진이는 9월에 하루도 빠짐없이 일기를 썼습니다. 서진이가 9월에 일기를 쓴 날수는 모두 며칠일까요?

( )일

18 다음을 읽고 진호와 보라의 생일은 몇 월 며칠인지 각각 구해 보세요.

- 진호의 생일은 11월 마지막 날입니다.
- 보라는 진호보다 8일 먼저 태어났습니다.

진호: 월 일

보라: 월 일

19 4월 5일은 식목일입니다. 식목일로부터 2주일 후는 며칠일까요?

4월

일	월	화	수	목	금	토
	1	2	3	4	5	6

( )일

20 민기는 1시간 40분 동안 연극을 봤습니다. 연극이 시작한 시각이 7시 50분이라면 연극이 끝난 시각은 몇 시 몇 분인지 풀이 과정을 쓰고 답을 구하세요.

시작한 시각

풀이

답

memo

논리적 사고력과 창의적 문제해결력을 키워 주는

매스티안 교재 활용법!

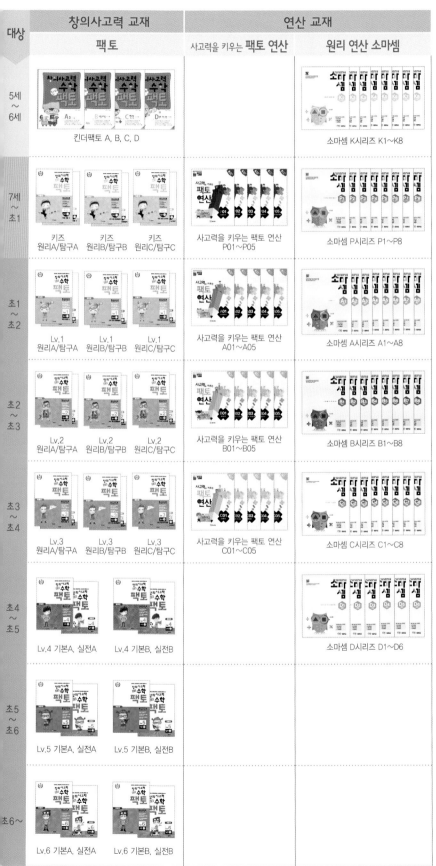

대상	창의사고력 교재	연산 교재	
	팩토	사고력을 키우는 팩토 연산	원리 연산 소마셈
5세~6세	 킨더팩토 A, B, C, D		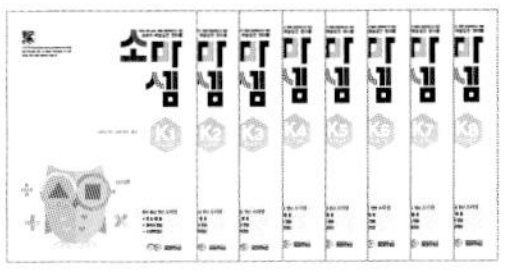 소마셈 K시리즈 K1~K8
7세~초1	 키즈 원리A/탐구A 키즈 원리B/탐구B 키즈 원리C/탐구C	 사고력을 키우는 팩토 연산 P01~P05	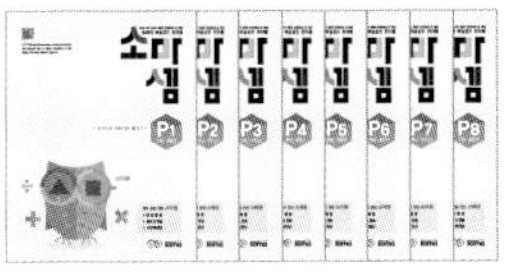 소마셈 P시리즈 P1~P8
초1~초2	 Lv.1 원리A/탐구A Lv.1 원리B/탐구B Lv.1 원리C/탐구C	 사고력을 키우는 팩토 연산 A01~A05	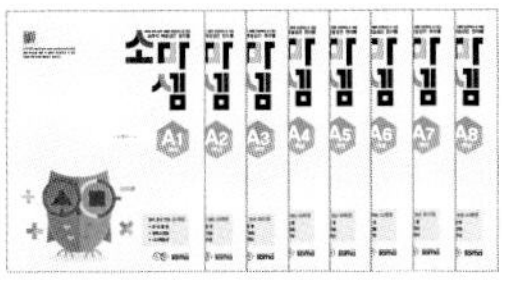 소마셈 A시리즈 A1~A8
초2~초3	 Lv.2 원리A/탐구A Lv.2 원리B/탐구B Lv.2 원리C/탐구C	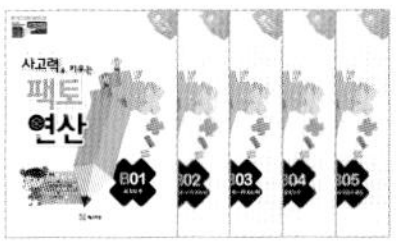 사고력을 키우는 팩토 연산 B01~B05	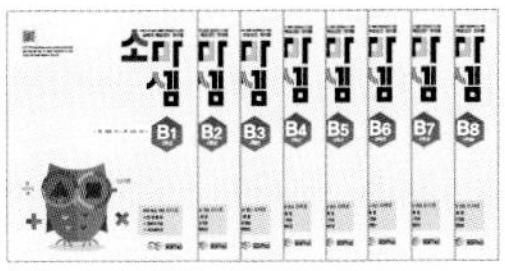 소마셈 B시리즈 B1~B8
초3~초4	 Lv.3 원리A/탐구A Lv.3 원리B/탐구B Lv.3 원리C/탐구C	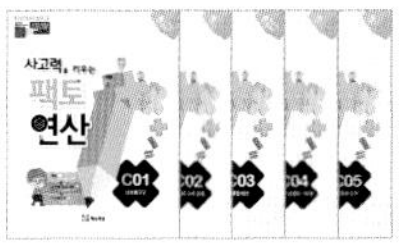 사고력을 키우는 팩토 연산 C01~C05	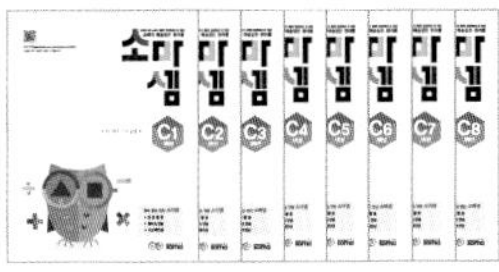 소마셈 C시리즈 C1~C8
초4~초5	 Lv.4 기본A, 실전A Lv.4 기본B, 실전B		 소마셈 D시리즈 D1~D6
초5~초6	 Lv.5 기본A, 실전A Lv.5 기본B, 실전B		
초6~	 Lv.6 기본A, 실전A Lv.6 기본B, 실전B		

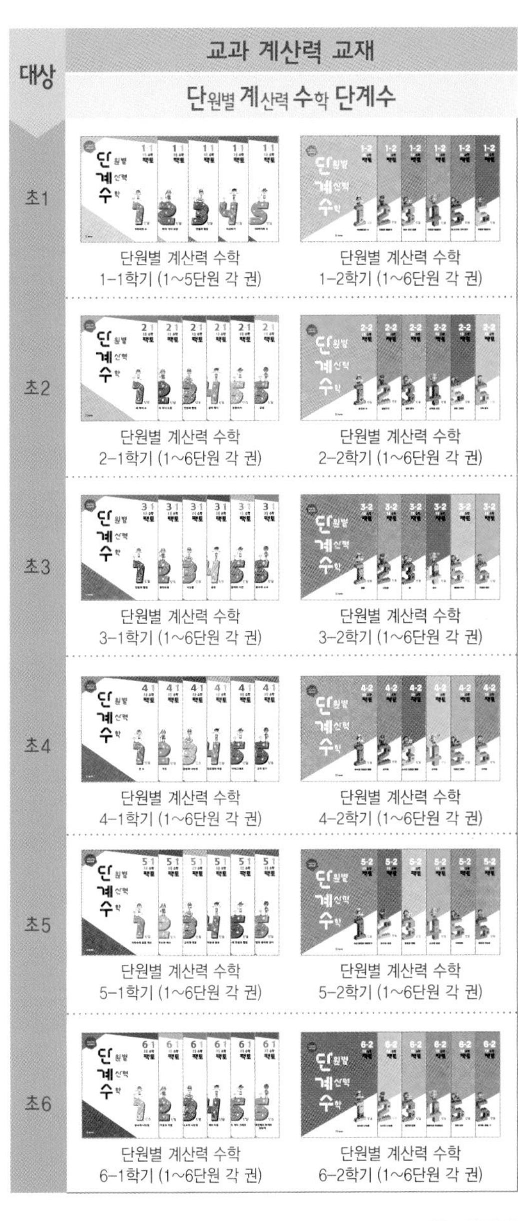

대상	교과 계산력 교재	
	단원별 계산력 수학 단계수	
초1	단원별 계산력 수학 1-1학기 (1~5단원 각 권)	단원별 계산력 수학 1-2학기 (1~6단원 각 권)
초2	단원별 계산력 수학 2-1학기 (1~6단원 각 권)	단원별 계산력 수학 2-2학기 (1~6단원 각 권)
초3	단원별 계산력 수학 3-1학기 (1~6단원 각 권)	단원별 계산력 수학 3-2학기 (1~6단원 각 권)
초4	단원별 계산력 수학 4-1학기 (1~6단원 각 권)	단원별 계산력 수학 4-2학기 (1~6단원 각 권)
초5	단원별 계산력 수학 5-1학기 (1~6단원 각 권)	단원별 계산력 수학 5-2학기 (1~6단원 각 권)
초6	단원별 계산력 수학 6-1학기 (1~6단원 각 권)	단원별 계산력 수학 6-2학기 (1~6단원 각 권)

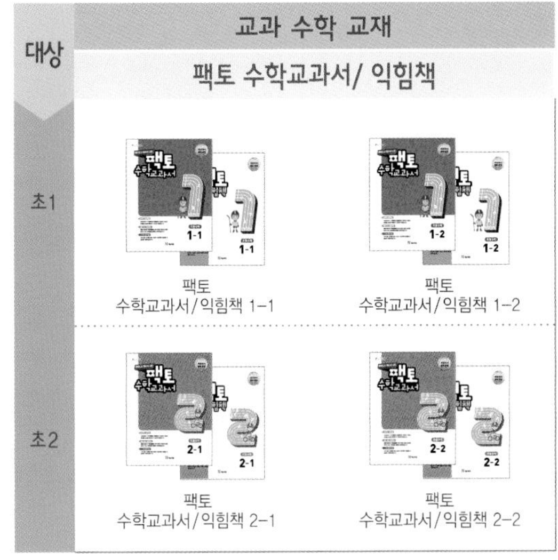

대상	교과 수학 교재	
	팩토 수학교과서/ 익힘책	
초1	팩토 수학교과서/익힘책 1-1	팩토 수학교과서/익힘책 1-2
초2	팩토 수학교과서/익힘책 2-1	팩토 수학교과서/익힘책 2-2

단계수 학습 순서

매일 학습

단원별로 꼭 알아야 할 개념만 쏙쏙 학습하고, 다양한 연산 문제를 통해 필수 개념을 숙달하여 계산력을 쑥쑥 키울 수 있습니다.

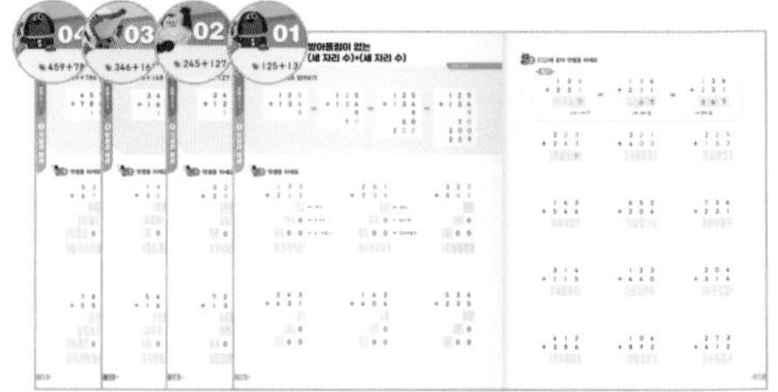

도전! 응용문제

필수 개념을 활용한 **응용** 문제 또는 **서술형** 문제를 통해 사고력과 문제해결력을 기를 수 있습니다.

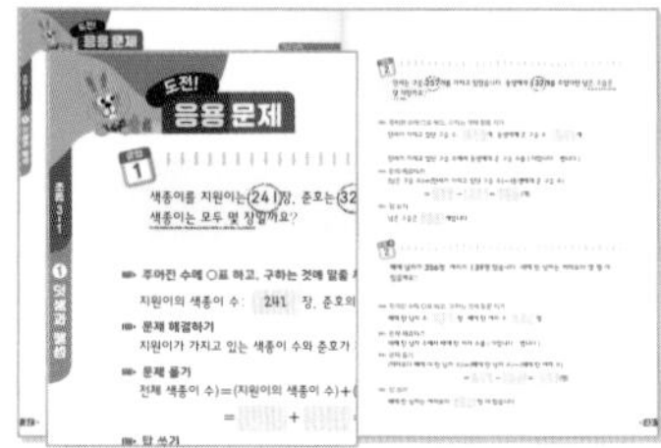

형성 평가

단원의 **복습 단계**로 문제를 풀면서 학습한 내용을 잘 알고 있는지 다시 한 번 확인할 수 있습니다.

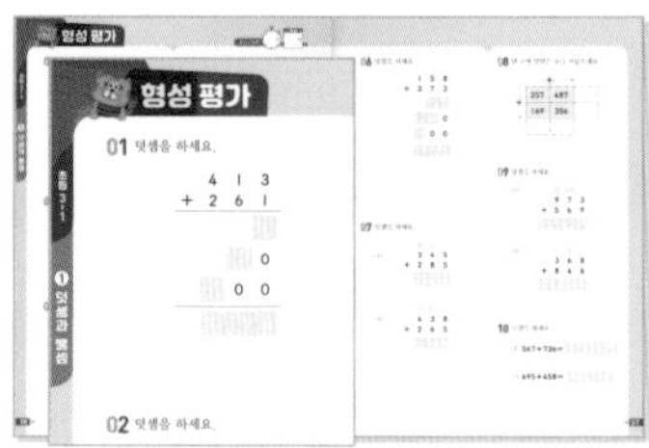

단원 평가

단원의 **마무리 학습**으로 학교 시험에 자주 나오는 문제 유형을 통해서 수시 평가 등 학교 시험에 대비할 수 있습니다.

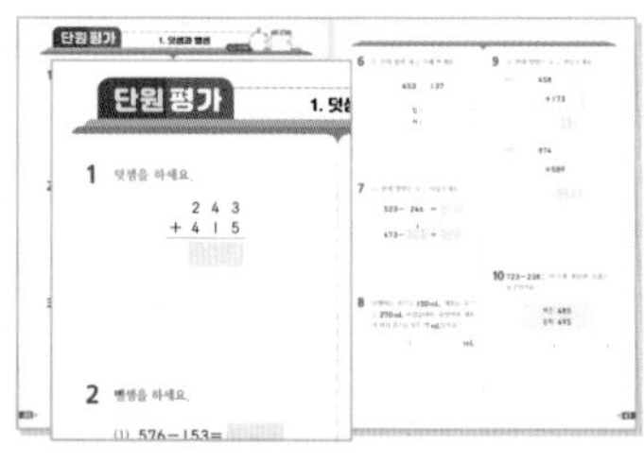

자율안전확인신고필증번호 : B361H200-4001
1.주소 : 06153 서울특별시 강남구 봉은사로 442 (삼성동)
2.문의전화 : 1588-6066
3.제조국 : 대한민국
4.사용연령 : 9세 이상
※ KC마크는 이 제품이 공통안전기준에 적합하였음을 의미합니다.

⚠주의

종이, 모서리에 다칠 수 있으니 주의하세요!

초등학교	반 번
이름	

FACTO school

2-2

초등 수학 팩토

단원별 계산력 수학

5 단원

표와 그래프

매스티안

팩토는 자유롭게 자신감있게 창의적으로 생각하는 주니어수학자입니다.

단계수 원별 산력 학

펴낸 곳 (주)타임교육C&P 펴낸이 이길호 지은이 매스티안R&D센터
주소 06153 서울특별시 강남구 봉은사로 442 (삼성동) 문의전화 1588.6066
팩토카페 http://cafe.naver.com/factos 홈페이지 http://www.mathtian.com

※ 정답과 풀이는 온라인 팩토카페(http://cafe.naver.com/factos)를 통해서도 확인할 수 있습니다.

MW2204

FACTO school

2-2

초등 수학 팩토

단원별 계산력 수학

5 단원

표와 그래프

매스티안

4-1

6. 자료의 정리
· 표와 그림그래프

5. 막대그래프
· 막대그래프 그리기
· 막대그래프 해석하기

5. 분류하기
· 기준에 따라 분류하고 수 세기

5. 표와 그래프
· 표와 그래프 나타내기와 해석하기

5. 꺾은선그래프
· 꺾은선그래프 그리기
· 꺾은선그래프 해석하기

5 표와 그래프

Teaching Guide

- 아이가 자료를 표로 나타낼 때 한 두 개씩 자료를 빼먹는 경우가 있습니다. 이때에는 이미 센 자료와 아직 세지 않은 자료를 구분하기 위해서 센 자료에는 /, × 등의 표시를 하며 순서대로 세는 습관을 들이도록 지도합니다.
- 그래프를 그릴 때 유의할 점은 ⅰ) 그래프에 ○, ×, / 등의 기호는 한 칸에 하나씩 표시해야 하고, ⅱ) 세로로 나타낸 그래프는 아래쪽에서 위쪽으로, 가로로 나타낸 그래프는 왼쪽에서 오른쪽으로 빈칸 없이 채워서 표시하도록 지도합니다.

〈그래프를 잘못 나타낸 예〉

3	○		○	○
2	○	○		
1	○		○	○
개수 / 학용품	연필	풀	공책	지우개

5. 여러 가지 그래프

· 그림그래프, 띠그래프, 원그래프 나타내기와 해석하기

6-1

자료의 정리와 해석

중학 1-2

대표값과 산포도

상관관계

6. 평균과 가능성

· 평균
· 일이 일어날 가능성

경우의 수

중학 2-2

확률

공부한 날짜

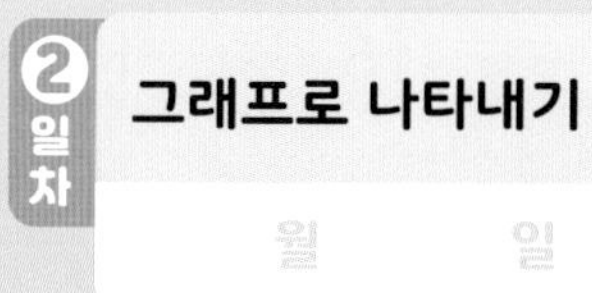

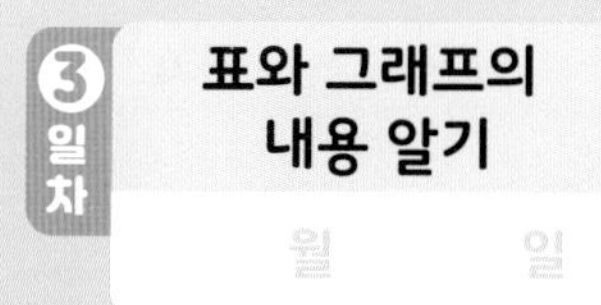

6 일차 단원 평가

월 일

01 표로 나타내기

정답 36쪽

자료를 표로 나타내기

꽃밭에 있는 종류별 꽃 수

종류	장미	튤립	수선화	팬지	합계
꽃 수(송이)	3	6	5	4	18

1 11월의 날씨를 조사한 자료를 보고 표로 나타내어 보세요.

일	월	화	수	목	금	토
		1	2	3	4	5
6	7	8	9	10	11	12
13	14	15	16	17	18	19
20	21	22	23	24	25	26
27	28	29	30			

11월 날씨별 날수

날씨	맑은 날	안개 낀 날	흐린 날	비 온 날	눈 온 날	합계
날수(일)						

 2 자료를 보고 표로 나타내어 보세요.

좋아하는 색깔별 학생 수

색깔	보라	파랑	노랑	빨강	초록	합계
학생 수(명)	3					

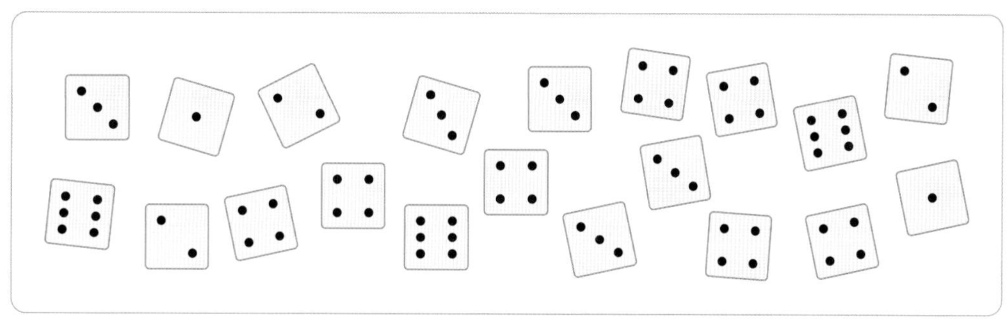

주사위를 던져서 나온 눈의 수별 횟수

눈의 수	1	2	3	4	5	6	합계
횟수(번)							

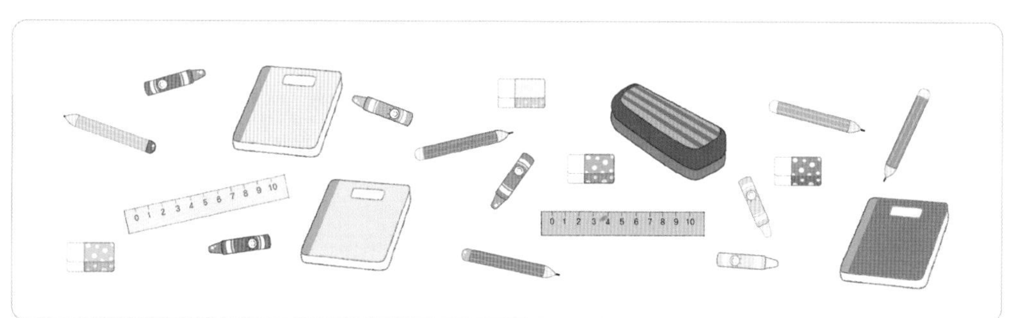

종류별 학용품 수

학용품	지우개	연필	공책	크레파스	자	필통	합계
학용품 수(개)							

3 앞에서부터 하나씩 / 표시를 하면서 자료의 수를 세어 표로 나타내어 보세요.

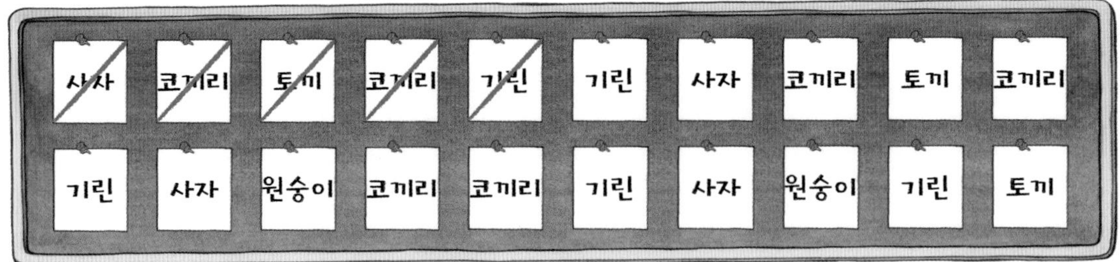

좋아하는 동물별 학생 수

동물	사자	토끼	원숭이	코끼리	기린	합계
학생 수(명)						

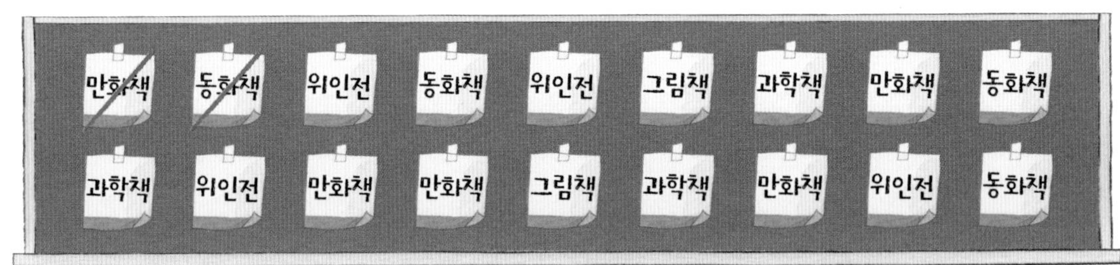

읽고 싶은 책별 학생 수

책	만화책	동화책	위인전	그림책	과학책	합계
학생 수(명)						

좋아하는 과일별 학생 수

과일	참외	복숭아	배	포도	사과	합계
학생 수(명)						

4 자료를 보고 표로 나타내어 보세요.

집에서 키우고 싶은 동물별 학생 수

동물	고슴도치	고양이	강아지	금붕어	햄스터	합계
학생 수(명)	4	3				20

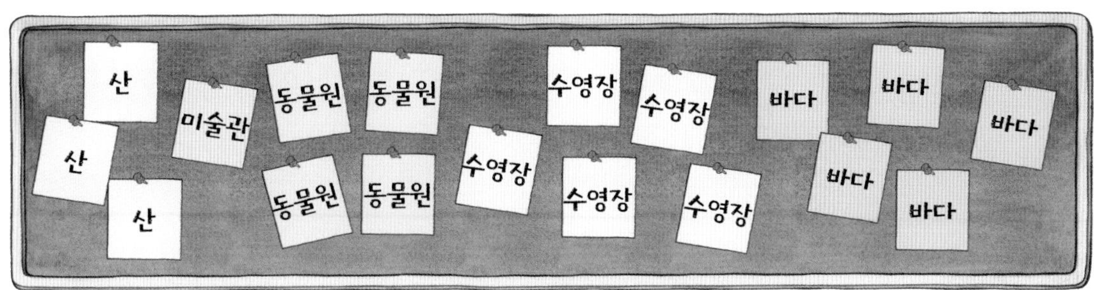

방학에 가고 싶은 장소별 학생 수

장소	산	미술관	동물원			합계
학생 수(명)						18

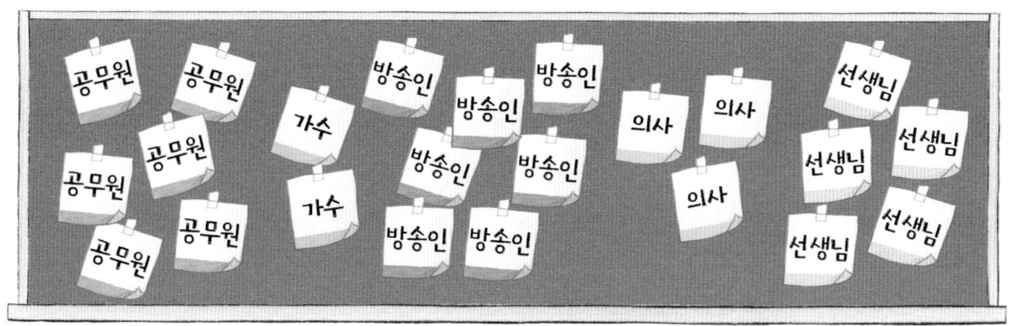

장래 희망별 학생 수

장래 희망	공무원	가수				합계
학생 수(명)						

02 그래프로 나타내기

정답 37쪽

표를 보고 그래프로 나타내기

2주 동안의 날씨별 날수

날씨	맑음	비	눈	흐림	합계
날수(일)	3	5	2	4	14

5				
4				
3	○			
2	○			
1	○			
날수(일) / 날씨	맑음	비	눈	흐림

➡

5		○		
4		○		○
3	○	○		○
2	○	○	○	○
1	○	○	○	○
날수(일) / 날씨	맑음	비	눈	흐림

날수만큼 ○를 아래에서부터 위로 한 칸에 하나씩 그립니다.

1 표를 보고 ○를 이용하여 그래프로 나타내어 보세요.

준서네 반 학생들이 좋아하는 음식별 학생 수

음식	돈가스	피자	김밥	빵	햄버거	합계
학생 수(명)	4	3	5	2	6	20

7					
6					
5					
4	○				
3	○				
2	○				
1	○				
학생 수(명) / 음식	돈가스	피자	김밥	빵	햄버거

2 표를 보고 ╳를 이용하여 그래프로 나타내어 보세요.

겨울 방학에 가고 싶어 하는 장소별 학생 수

장소	산	바다	놀이공원	스키장	합계
학생 수(명)	2	6	5	7	20

스키장							
놀이공원							
바다							
산	╳	╳					
장소 / 학생 수(명)	1	2	3	4	5	6	7

음악실에 있는 악기 수

악기	기타	피아노	북	탬버린	실로폰	합계
악기 수(개)	4	1	3	8	6	22

9					
8					
7					
6					
5					
4					
3					
2					
1					
악기 수(개) / 악기	기타	피아노	북	탬버린	실로폰

3 자료를 보고 표를 완성하고, △를 이용하여 그래프로 나타내어 보세요.

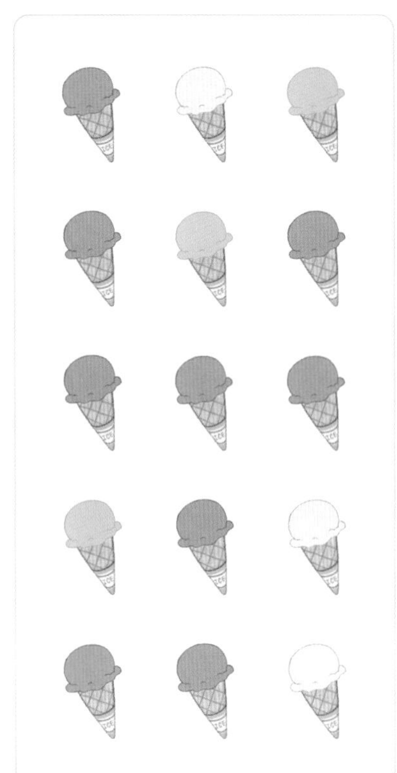

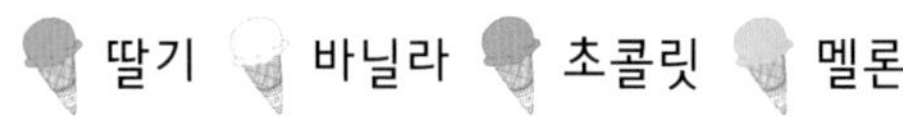

좋아하는 아이스크림 맛별 학생 수

맛	딸기	바닐라	초콜릿	멜론	합계
학생 수(명)					

좋아하는 아이스크림 맛별 학생 수

5				
4				
3				
2				
1				
학생 수(명) / 맛	딸기	바닐라	초콜릿	멜론

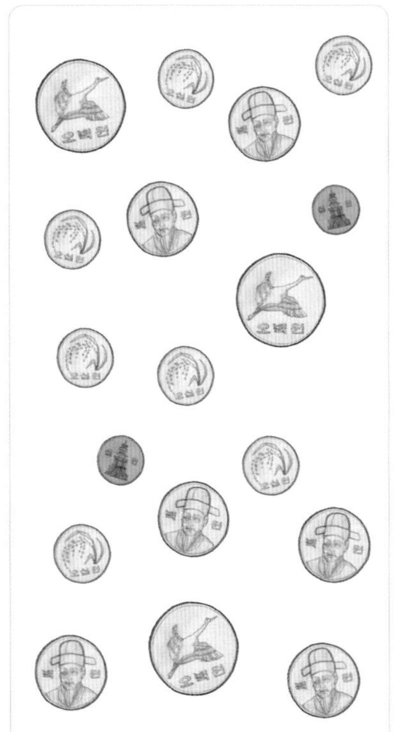

저금통에 들어 있는 종류별 동전 수

동전	10원	50원	100원	500원	합계
동전 수(개)					

저금통에 들어 있는 종류별 동전 수

500원							
100원							
50원							
10원							
동전 / 동전 수(개)	1	2	3	4	5	6	7

4 표를 보고 그래프의 빈 곳에 알맞은 수나 말을 쓰고, ╱를 이용하여 그래프를 완성해 보세요.

좋아하는 반려동물별 학생 수

반려동물	강아지	고양이	햄스터	토끼	거북	합계
학생 수(명)	7	5	3	3	2	20

3					
2					
1					
학생 수(명) / 반려동물	강아지	고양이			

서연이와 친구들이 하루 동안 읽은 책 수

이름	서연	시원	주혜	재윤	현아	합계
책 수(권)	3	7	2	6	4	22

책 수(권) / 이름					

지은이와 친구들이 모은 붙임딱지 수

이름	지은	윤아	주현	다연	서진	합계
붙임딱지 수(개)	5	2	3	4	3	17

서진					
다연					
지은					
이름 / 붙임딱지 수(개)	1	2	3		

가고 싶은 나라별 학생 수

나라	영국	프랑스	중국	미국	캐나다	합계
학생 수(명)	4	2	3	4	5	18

나라 / 학생 수(명)					

03 표와 그래프의 내용 알기

정답 38쪽

표에서 알 수 있는 것	그래프에서 알 수 있는 것
조사한 자료별 수를 쉽게 알 수 있습니다.	가장 많은 것과 가장 적은 것을 한눈에 알 수 있습니다.
조사한 자료의 전체 수를 쉽게 알 수 있습니다.	자료의 수를 한눈에 비교할 수 있습니다.

1 표를 보고 알 수 있는 사실을 완성해 보세요.

좋아하는 요일별 학생 수

요일	일요일	월요일	화요일	수요일	목요일	금요일	토요일	합계
학생 수(명)	7	1	2	4	3	5	8	30

- 조사에 참여한 학생은 모두 ☐ 명입니다.
- 목요일을 좋아하는 학생은 ☐ 명입니다.
- 토요일을 좋아하는 학생은 수요일을 좋아하는 학생보다 ☐ 명 더 많습니다.

지수네 반 학생들이 여행하고 싶은 나라별 학생 수

나라	일본	호주	프랑스	미국	캐나다	합계
학생 수(명)	3	5	7	6	5	26

- 캐나다를 여행하고 싶은 학생은 ☐ 명입니다.
- 조사에 참여한 학생은 모두 ☐ 명입니다.
- 미국과 캐나다를 여행하고 싶은 학생은 모두 ☐ 명입니다.

2 그래프를 보고 알 수 있는 사실을 완성해 보세요.

크리스마스에 받고 싶은 선물별 학생 수

게임기	△	△	△	△			
장난감	△	△	△	△	△	△	△
학용품	△	△	△				
책	△	△	△	△	△	△	
신발	△	△					
컴퓨터	△	△	△	△	△		
선물 / 학생 수(명)	1	2	3	4	5	6	7

- 가장 많은 학생들이 받고 싶은 선물은 입니다.
- 두 번째로 적은 학생들이 받고 싶은 선물은 입니다.
- 5명보다 많은 학생들이 받고 싶은 선물은 , 입니다.
- 책을 받고 싶은 학생은 게임기를 받고 싶은 학생보다 명 더 많습니다.

가 보고 싶은 나라별 학생 수

8					
7			○		
6			○	○	
5		○	○	○	○
4		○	○	○	○
3	○	○	○	○	○
2	○	○	○	○	○
1	○	○	○	○	○
학생 수(명) / 나라	일본	호주	프랑스	미국	캐나다

- 가장 적은 학생들이 가 보고 싶은 나라는 입니다.
- 두 번째로 많은 학생들이 가 보고 싶은 나라는 입니다.
- 5명보다 많은 학생들이 가 보고 싶은 나라는 , 입니다.
- 프랑스를 가 보고 싶은 학생은 호주를 가 보고 싶은 학생보다 명 더 많습니다.

3 표와 그래프를 보고 설명한 것입니다. ☐ 안에 알맞게 써넣고, 알맞은 말에 ○표 하세요.

좋아하는 운동별 학생 수

운동	줄넘기	축구	달리기	수영	요가	합계
학생 수(명)	3	7	4	6	4	24

좋아하는 운동별 학생 수

7		○			
6		○		○	
5		○		○	
4		○	○	○	○
3	○	○	○	○	○
2	○	○	○	○	○
1	○	○	○	○	○
학생 수(명) / 운동	줄넘기	축구	달리기	수영	요가

- 조사에 참여한 학생은 모두 ☐ 명입니다.
  - 조사한 자료의 전체 수를 쉽게 알 수 있는 것은 (표 , 그래프)입니다.

- 가장 많은 학생들이 좋아하는 운동은 ☐ 입니다.
  - 가장 많은 것을 한눈에 알 수 있는 것은 (표 , 그래프)입니다.

- 수영을 좋아하는 학생은 ☐ 명입니다.
  - 조사한 자료별 수를 쉽게 알 수 있는 것은 (표 , 그래프)입니다.

- 달리기를 좋아하는 학생과 요가를 좋아하는 학생 수는 (같습니다 , 다릅니다).
  - 자료의 수를 한눈에 비교할 수 있는 것은 (표 , 그래프)입니다.

4 승찬이네 반 학생들이 가고 싶은 산을 조사한 자료입니다. 표와 그래프를 완성하고, 빈칸에 알맞게 써넣으세요.

승찬이네 반 학생들이 가고 싶은 산별 학생 수

산	백두산				합계
학생 수(명)					21

승찬이네 반 학생들이 가고 싶은 산별 학생 수

7				
6				
5				
4				
3				
2				
1				
학생 수(명) / 산	백두산			

○ 한라산에 가고 싶은 학생은 지리산에 가고 싶은 학생보다 ( ) 명 더 많습니다.

○ 많은 학생들이 가고 싶은 산부터 차례로 쓰면 ( ), ( ), ( ), ( ) 입니다.

도전! 응용 문제

정답 39쪽

딸기와 수박을 좋아하는 학생 수 구하기

좋아하는 과일별 학생 수

과일	사과	딸기	수박	포도	합계
학생 수(명)	4			8	20

(1) 딸기와 수박을 좋아하는 학생은 몇 명일까요?

(합계)−(사과)−(포도)=(딸기+수박)

➡ 20 − 4 − 8 = 8(명)

(2) 딸기를 좋아하는 학생이 수박을 좋아하는 학생보다 2명 더 많을 때, 딸기와 수박을 좋아하는 학생은 각각 몇 명일까요?

딸기: ○○○○○ ➡ 5명

수박: ○○○ ➡ 3명

응용 1 ☐ 안에 알맞은 수를 써넣으세요.

좋아하는 운동별 학생 수

운동	농구	축구	야구	달리기	합계
학생 수(명)	5		4		21

➡ 축구와 달리기를 좋아하는 학생 수의 합: ☐ 명

21−5−4

냉장고에 있는 채소의 수

채소	감자	당근	오이	양파	합계
채소 수(개)	5	6			20

➡ 오이와 양파 수의 합: ☐ 개

태어난 계절별 학생 수

계절	봄	여름	가을	겨울	합계
학생 수(명)		6	7		22

➡ 봄과 겨울에 태어난 학생 수의 합: ☐ 명

좋아하는 색깔별 학생 수

색깔	노랑	빨강	초록	파랑	합계
학생 수(명)	8			4	23

➡ 빨강과 초록을 좋아하는 학생 수의 합: ☐ 명

응용 2 조건 을 보고 알맞게 ◯를 그리고, □ 안에 알맞은 수를 써넣으세요.

조건
- 학생은 모두 7명입니다.
- 박물관에 가고 싶은 학생은 미술관에 가고 싶은 학생보다 1명 더 많습니다.

박물관에 1명 더 많이 그리기

1명
박물관 : ◯
미술관 :

나머지 6명을 똑같이 나누어 그리기

1명 6명
박물관 : ◯ ◯◯◯ ➡ 박물관 : □ 명
미술관 : ◯◯◯ ➡ 미술관 : □ 명

조건
- 학생은 모두 8명입니다.
- 피자를 좋아하는 학생은 치킨을 좋아하는 학생보다 2명 더 많습니다.

피자에 2명 더 많이 그리기

2명
피자 : ◯◯
치킨 :

나머지 6명을 똑같이 나누어 그리기

2명 6명
피자 : ◯◯ ➡ 피자 : □ 명
치킨 : ➡ 치킨 : □ 명

조건
- 학생은 모두 11명입니다.
- 여름을 좋아하는 학생은 겨울을 좋아하는 학생보다 3명 더 많습니다.

여름에 3명 더 많이 그리기

여름 :
겨울 :

나머지 8명을 똑같이 나누어 그리기

여름 : ➡ 여름 : □ 명
겨울 : ➡ 겨울 : □ 명

응용 3 조사한 자료를 보고 물음에 답하세요.

좋아하는 운동별 학생 수

운동	줄넘기	축구	수영	농구	배드민턴	합계
학생 수(명)	8	7			5	27

(1) 수영과 농구를 좋아하는 학생은 몇 명일까요?

(합계) - (줄넘기) - (축구) - (배드민턴) = (수영+농구)

➡ ☐ − ☐ − ☐ − ☐ = ☐ (명)

(2) 수영을 좋아하는 학생이 농구를 좋아하는 학생보다 1명 더 많을 때, 각각의 학생 수를 구하세요.

1명　6명

➡ 수영 : ○ ┊ ○ ○ ○ ➡ ☐ 명

농구 : ┊ ○ ○ ○ ➡ ☐ 명

체육관에 있는 종류별 공 수

공	농구공	배구공	핸드볼공	축구공	야구공	합계
공 수(개)	5	7	9			30

(1) 축구공과 야구공은 몇 개일까요?

➡ ☐ − ☐ − ☐ − ☐ = ☐ (개)

(2) 야구공이 축구공보다 3개 더 많을 때, 알맞게 ○를 그리고 각각의 공 수를 구하세요.

➡ 축구공 : ┊ ➡ ☐ 개

야구공 : ┊ ➡ ☐ 개

응용 4 조사한 자료를 보고 물음에 답하세요.

한 달 동안 읽은 종류별 책 수

책	전래동화	위인전	만화책	동화책	역사책	합계
책 수(권)	4			7	6	30

(1) 한 달 동안 위인전과 만화책을 모두 몇 권 읽었을까요?

권

(2) 한 달 동안 읽은 만화책 수가 위인전 수보다 3권 더 많을 때, 표의 빈 곳에 알맞은 수를 써넣으세요.

(3) 한 달 동안 가장 많이 읽은 책의 종류는 무엇일까요?

반장 선거에서 학생별 얻은 표 수

이름	지윤	현준	은우	예빈	재희	합계
표 수(표)		8	4		6	28

(1) 지윤이와 예빈이가 얻은 표는 모두 몇 표일까요?

표

(2) 예빈이가 얻은 표가 지윤이가 얻은 표보다 2표 더 많을 때, 표의 빈 곳에 알맞은 수를 써넣으세요.

(3) 반장이 된 학생은 누구일까요?

형성 평가

정답 40쪽 분 점수 점

[01~03] 자료를 보고 표로 나타내어 보세요.

01

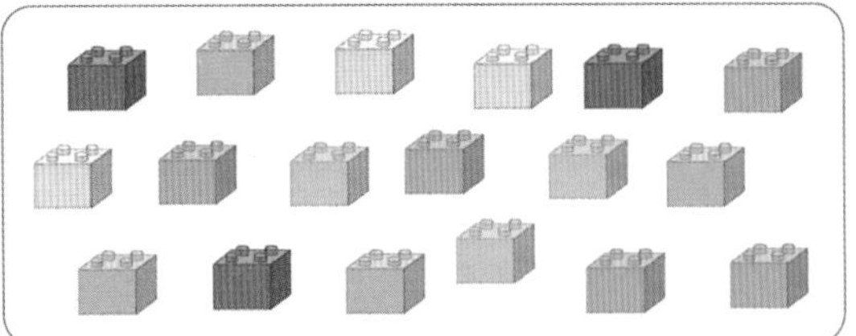

색깔별 블록 수

색깔	초록	빨강	노랑	분홍	파랑	합계
블록 수(개)						

02

종류별 식기 수

종류	컵	냄비	포크	접시	국자	합계
식기 수(개)						

03

좋아하는 간식별 학생 수

간식	피자	도넛	쿠키	김밥	치킨	합계
학생 수(명)						

[04~05] ╱표시를 하면서 자료의 수를 세어 표로 나타내어 보세요.

04

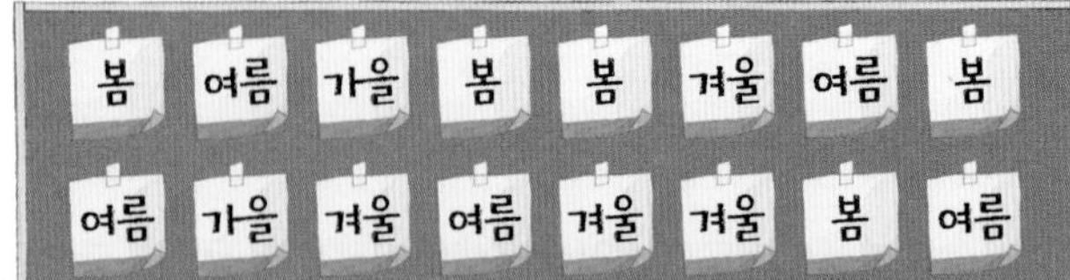

좋아하는 계절별 학생 수

계절	봄	여름	가을	겨울	합계
학생 수(명)					

05

좋아하는 과목별 학생 수

과목	국어	수학	체육	음악	합계
학생 수(명)					

06 자료를 보고 표로 나타내어 보세요.

배우고 싶은 악기별 학생 수

악기	피아노	바이올린			합계
학생 수(명)					

[07~09] 표를 보고 ◯를 이용하여 그래프로 나타내어 보세요.

07 좋아하는 동물별 학생 수

동물	강아지	고양이	토끼	원숭이	햄스터	합계
학생 수(명)	5	2	3	5	4	19

5					
4					
3					
2					
1					
학생 수(명) / 동물	강아지	고양이	토끼	원숭이	햄스터

08 좋아하는 꽃별 학생 수

꽃	튤립	장미	국화	백합	합계
학생 수(명)	7	4	3	6	20

백합							
국화							
장미							
튤립							
꽃 / 학생 수(명)	1	2	3	4	5	6	7

09 가고 싶은 나라별 학생 수

나라	영국	독일	호주	미국	캐나다	합계
학생 수(명)	5	3	4	5	4	21

5					
4					
3					
2					
1					
학생 수(명) / 나라	영국	독일	호주	미국	캐나다

[10~11] 자료를 보고 표와 그래프를 완성하세요.

10 표를 완성하세요.

좋아하는 과일별 학생 수

과일	사과	멜론	딸기	포도	합계
학생 수(명)					

11 10의 표를 보고 △를 이용하여 그래프로 나타내어 보세요.

좋아하는 과일별 학생 수

7				
6				
5				
4				
3				
2				
1				
학생 수(명) / 과일	사과	멜론	딸기	포도

[12~13] 표를 보고 그래프의 빈 곳에 알맞은 수나 말을 쓰고, ／를 이용하여 그래프를 완성하세요.

12

가고 싶은 장소별 학생 수

장소	바다	놀이동산	공원	영화관	합계
학생 수(명)	6	7	5	4	22

2				
1				
학생 수(명) / 장소	바다	놀이동산	공원	영화관

13

종류별 필기도구 수

종류	연필	볼펜	사인펜	형광펜	색연필	합계
필기도구 수(자루)	6	2	3	7	4	22

종류 / 필기도구 수(자루)							

[14~16] 주원이네 반 학생들이 좋아하는 TV 프로그램을 조사하여 나타낸 표입니다. 물음에 답하세요.

좋아하는 TV 프로그램별 학생 수

프로그램	코미디	드라마	만화	음악	퀴즈	합계
학생 수(명)	5	7	6	8	4	30

14 조사에 참여한 학생은 모두 몇 명일까요?

( )명

15 코미디와 드라마를 좋아하는 학생은 모두 몇 명일까요?

( )명

16 음악 프로그램을 좋아하는 학생은 퀴즈 프로그램을 좋아하는 학생보다 몇 명 더 많을까요?

( )명

[17~18] 하은이네 반 학생들이 일주일 동안 읽은 책의 수를 조사하여 나타낸 그래프입니다. 물음에 답하세요.

일주일 동안 읽은 학생별 책 수

7	○				
6	○		○		
5	○	○	○		
4	○	○	○		○
3	○	○	○		○
2	○	○	○	○	○
1	○	○	○	○	○
책 수(권) / 이름	하은	성윤	가윤	예준	시원

17 일주일 동안 가장 많은 책을 읽은 학생은 누구일까요?

(　　　　　)

18 5권보다 많은 책을 읽은 학생은 누구와 누구일까요?

(　　　,　　　)

[19~20] 서연이네 반 학생들이 좋아하는 음식을 조사하여 나타낸 표와 그래프입니다. 물음에 답하세요.

좋아하는 음식별 학생 수

음식	떡볶이	햄버거	자장면	피자	스파게티	합계
학생 수(명)	6	3	2	4	5	20

6	○				
5	○				○
4	○			○	○
3	○	○		○	○
2	○	○	○	○	○
1	○	○	○	○	○
학생 수(명) / 음식	떡볶이	햄버거	자장면	피자	스파게티

19 알맞은 말에 ○표 하세요.

(1) 어떤 음식을 몇 명이 좋아하는지 알아보기 편리한 것은 (표 , 그래프)입니다.

(2) 가장 많은 학생과 가장 적은 학생이 좋아하는 음식이 무엇인지 한눈에 알아보기 편리한 것은 (표 , 그래프)입니다.

20 가장 많은 학생들이 좋아하는 음식은 무엇일까요?

(　　　　　)

정답 41쪽

점수 분 점

[1~2] 자료를 보고 물음에 답하세요.

민희네 반 학생들이 좋아하는 과일

민희	성호	유진	소현	도겸
주원	진우	경호	도현	지수
영표	두호	하연	민주	주혜
새와	민식	석규	찬호	희열

딸기 오렌지 체리 포도

1 민희가 좋아하는 과일은 무엇일까요?

( )

2 자료를 보고 표로 나타내어 보세요.

민희네 반 학생들이 좋아하는 과일별 학생 수

과일	딸기	오렌지	체리	포도	합계
학생 수(명)					

[3~5] 자료를 보고 물음에 답하세요.

성규네 반 학생들이 태어난 계절

이름	계절	이름	계절	이름	계절
성규	봄	민영	겨울	주아	봄
민정	가을	석진	가을	신복	겨울
규진	가을	소연	여름	미지	가을
영호	여름	진수	여름	하늘	여름
윤주	봄	병찬	가을	주영	가을

3 성규네 반 학생은 모두 몇 명일까요?

( )명

4 자료를 보고 표로 나타내어 보세요.

성규네 반 학생들이 태어난 계절별 학생 수

계절	봄	여름	가을	겨울	합계
학생 수(명)					

5 조사한 자료와 표 중 태어난 계절별 학생 수를 알아보기 편리한 것은 어느 것일까요?

( )

[6~10] 표를 보고 물음에 답하세요.

배우고 싶은 악기별 학생 수

악기	리코더	오카리나	피아노	바이올린	합계
학생 수(명)	5	6	4	3	18

6 표를 보고 ○를 이용하여 그래프로 나타내어 보세요.

배우고 싶은 악기별 학생 수

6				
5				
4				
3				
2				
1				
학생 수(명) / 악기	리코더	오카리나	피아노	바이올린

7 그래프의 가로와 세로에 나타낸 것은 각각 무엇일까요?

가로 (　　　　　　　　)

세로 (　　　　　　　　)

8 가장 적은 학생들이 배우고 싶은 악기는 무엇일까요?

(　　　　　　　　)

9 표와 그래프 중 가장 많은 학생들이 배우고 싶은 악기를 한눈에 알아보기 편리한 것은 어느 것일까요?

(　　　　　　　　)

10 **6**의 그래프를 보고 알 수 없는 것을 찾아 기호를 쓰세요.

㉠ 바이올린을 배우고 싶은 학생의 수

㉡ 서현이가 배우고 싶은 악기

㉢ 학생들이 배우고 싶은 악기의 종류

(　　　　　　　　)

[11~15] 자료를 보고 물음에 답하세요.

혜영이네 반 학생들이 좋아하는 운동

이름	운동	이름	운동
혜영	야구	명호	달리기
정민	축구	준기	축구
동하	야구	호영	축구
슬기	달리기	태우	야구
윤수	수영	계상	축구
태연	축구	진태	달리기

11 달리기를 좋아하는 학생들의 이름을 모두 쓰세요.

( )

12 자료를 보고 표로 나타내어 보세요.

혜영이네 반 학생들이 좋아하는 운동별 학생 수

운동	야구	축구	달리기	수영	합계
학생 수 (명)					

13 12의 표를 보고 ╳를 이용하여 그래프를 완성하세요.

혜영이네 반 학생들이 좋아하는 운동별 학생 수

학생 수(명) / 운동				

14 가장 많은 학생들이 좋아하는 운동은 무엇이고, 몇 명의 학생이 좋아할까요?

( ), ( )명

15 좋아하는 학생 수가 같은 운동은 무엇과 무엇일까요?

( ), ( )

[16~18] 표를 보고 물음에 답하세요.

유지네 반 학생들이 좋아하는 동물별 학생 수

동물	강아지	고양이	햄스터	토끼	합계
학생 수(명)		5	3	4	19

16 표를 완성하세요.

17 강아지를 좋아하는 학생은 햄스터를 좋아하는 학생보다 몇 명 더 많을까요?

( )명

18 표를 보고 잘못 말한 것을 찾아 기호를 쓰세요.

㉠ 가장 적은 학생들이 좋아하는 동물은 햄스터입니다.

㉡ 가장 많은 학생들이 좋아하는 동물은 고양이입니다.

㉢ 토끼를 좋아하는 학생이 두 번째로 적습니다.

( )

19 수미네 반 학생 15명의 혈액형을 조사하여 나타낸 그래프입니다. O형인 학생은 몇 명인지 풀이 과정을 쓰고 답을 구하세요.

수미네 반 학생들의 혈액형별 학생 수

O형					
AB형	/	/			
B형	/	/	/		
A형	/	/	/	/	/
혈액형 / 학생 수(명)	1	2	3	4	5

풀이

답

20 용주네 반 학생들이 좋아하는 색깔을 조사하여 표로 나타내었습니다. 분홍색을 좋아하는 학생이 보라색을 좋아하는 학생보다 3명 더 많다고 할 때, 표를 완성하세요.

용주네 반 학생들이 좋아하는 색깔별 학생 수

색깔	노란색	분홍색	초록색	파란색	보라색	합계
학생 수(명)	3		4	8		22

memo

논리적 사고력과 창의적 문제해결력을 키워 주는

매스티안 교재 활용법!

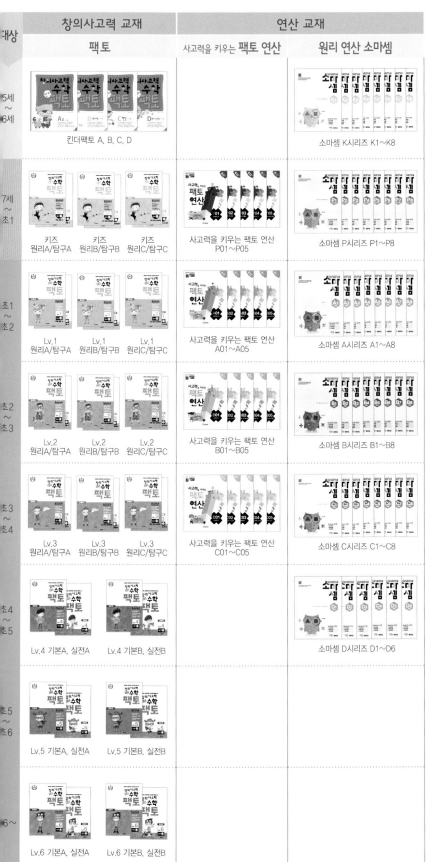

대상	창의사고력 교재: 팩토	연산 교재: 사고력을 키우는 팩토 연산	연산 교재: 원리 연산 소마셈
5세~6세	 킨더팩토 A, B, C, D		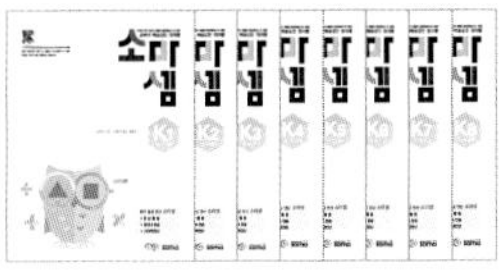 소마셈 K시리즈 K1~K8
7세~초1	 키즈 원리A/탐구A, 키즈 원리B/탐구B, 키즈 원리C/탐구C	 사고력을 키우는 팩토 연산 P01~P05	 소마셈 P시리즈 P1~P8
초1~초2	 Lv.1 원리A/탐구A, Lv.1 원리B/탐구B, Lv.1 원리C/탐구C	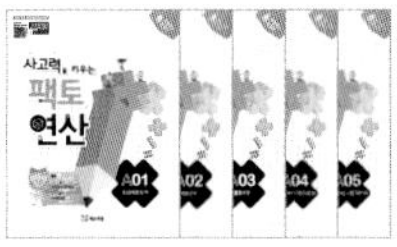 사고력을 키우는 팩토 연산 A01~A05	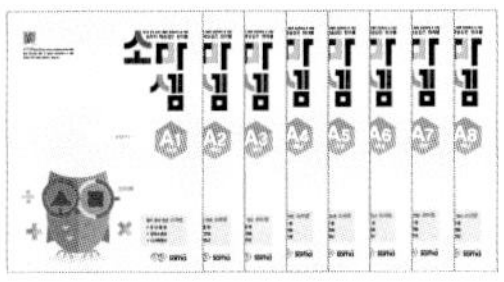 소마셈 A시리즈 A1~A8
초2~초3	 Lv.2 원리A/탐구A, Lv.2 원리B/탐구B, Lv.2 원리C/탐구C	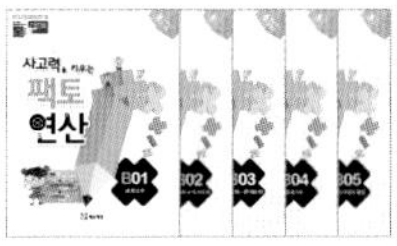 사고력을 키우는 팩토 연산 B01~B05	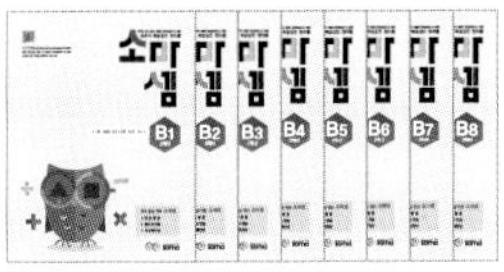 소마셈 B시리즈 B1~B8
초3~초4	 Lv.3 원리A/탐구A, Lv.3 원리B/탐구B, Lv.3 원리C/탐구C	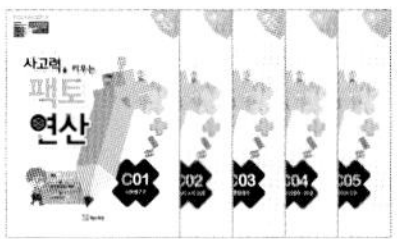 사고력을 키우는 팩토 연산 C01~C05	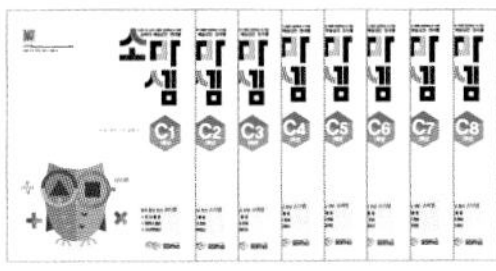 소마셈 C시리즈 C1~C8
초4~초5	 Lv.4 기본A, 실전A, Lv.4 기본B, 실전B		 소마셈 D시리즈 D1~D6
초5~초6	 Lv.5 기본A, 실전A, Lv.5 기본B, 실전B		
초6~	 Lv.6 기본A, 실전A, Lv.6 기본B, 실전B		

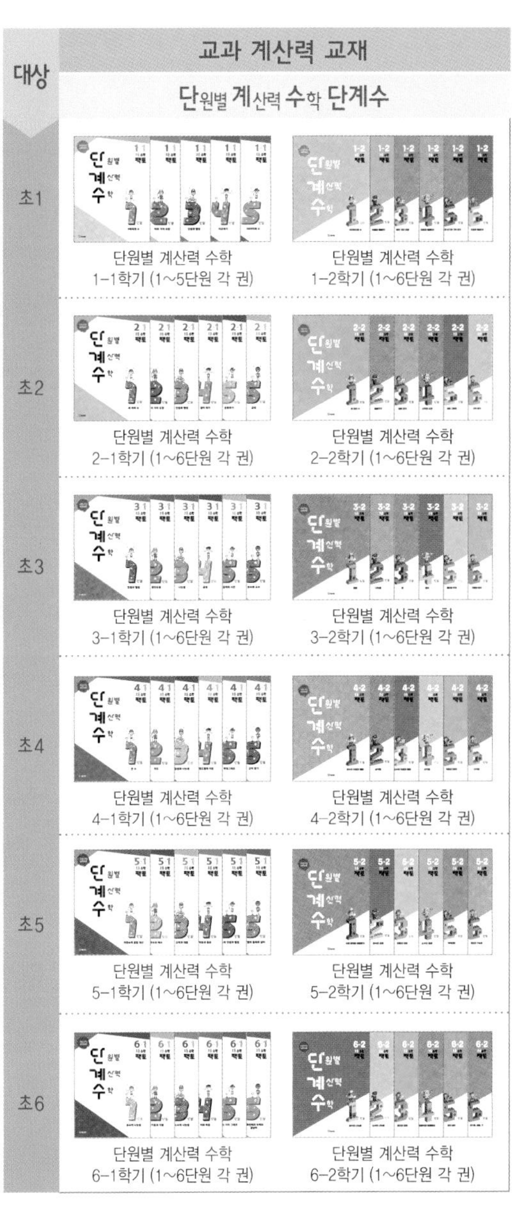

대상	교과 계산력 교재: 단원별 계산력 수학 단계수	
초1	단원별 계산력 수학 1-1학기 (1~5단원 각 권)	단원별 계산력 수학 1-2학기 (1~6단원 각 권)
초2	단원별 계산력 수학 2-1학기 (1~6단원 각 권)	단원별 계산력 수학 2-2학기 (1~6단원 각 권)
초3	단원별 계산력 수학 3-1학기 (1~6단원 각 권)	단원별 계산력 수학 3-2학기 (1~6단원 각 권)
초4	단원별 계산력 수학 4-1학기 (1~6단원 각 권)	단원별 계산력 수학 4-2학기 (1~6단원 각 권)
초5	단원별 계산력 수학 5-1학기 (1~6단원 각 권)	단원별 계산력 수학 5-2학기 (1~6단원 각 권)
초6	단원별 계산력 수학 6-1학기 (1~6단원 각 권)	단원별 계산력 수학 6-2학기 (1~6단원 각 권)

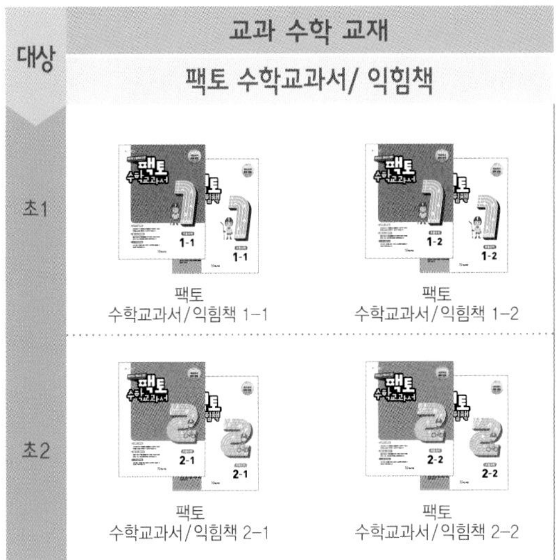

대상	교과 수학 교재: 팩토 수학교과서/ 익힘책	
초1	팩토 수학교과서/익힘책 1-1	팩토 수학교과서/익힘책 1-2
초2	팩토 수학교과서/익힘책 2-1	팩토 수학교과서/익힘책 2-2

단계수 학습 순서

매일 학습

단원별로 꼭 알아야 할 개념만 쏙쏙 학습하고, 다양한 연산 문제를 통해 필수 개념을 숙달하여 계산력을 쑥쑥 키울 수 있습니다.

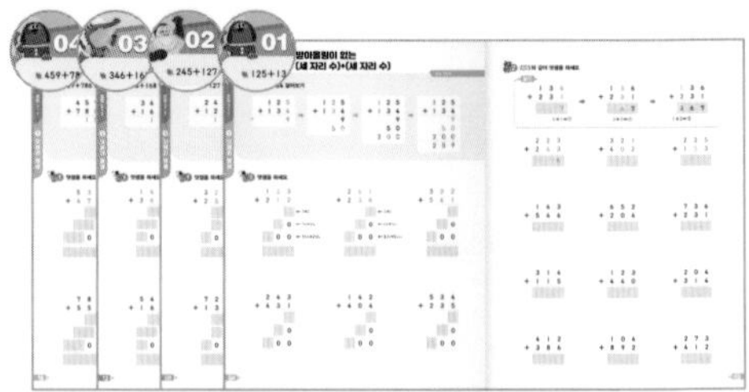

도전! 응용문제

필수 개념을 활용한 **응용** 문제 또는 **서술형** 문제를 통해 사고력과 문제해결력을 기를 수 있습니다.

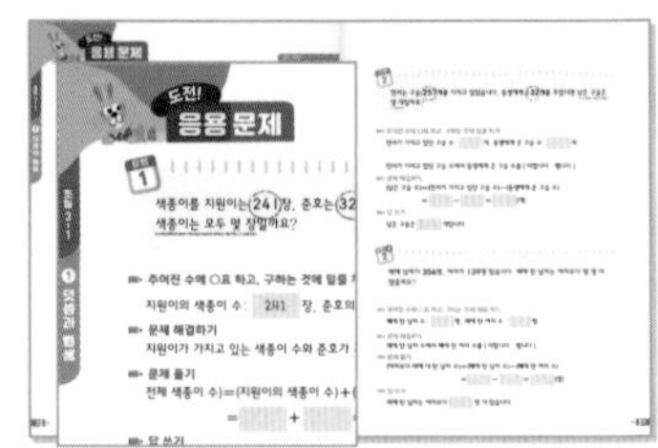

형성 평가

단원의 **복습 단계**로 문제를 풀면서 학습한 내용을 잘 알고 있는지 다시 한 번 확인할 수 있습니다.

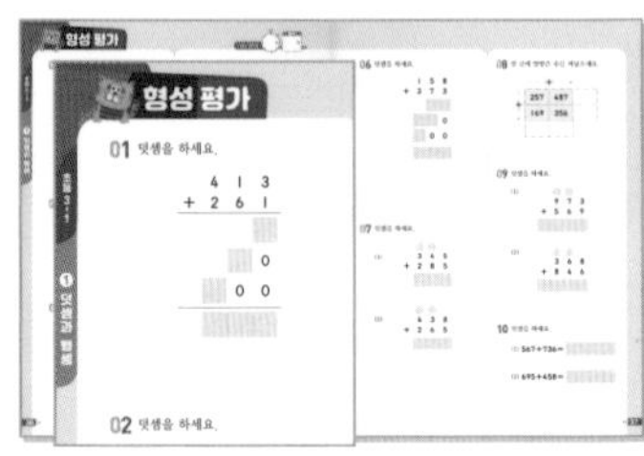

단원 평가

단원의 **마무리 학습**으로 학교 시험에 자주 나오는 문제 유형을 통해서 수시 평가 등 학교 시험에 대비할 수 있습니다.

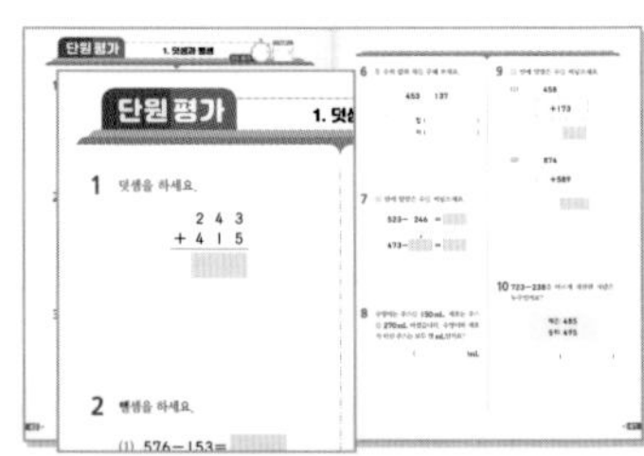

매스티안 http://www.mathtian.com

자율안전확인신고필증번호 : B361H200-4001
1. 주소 : 06153 서울특별시 강남구 봉은사로 442 (삼성동)
2. 문의전화 : 1588-6066
3. 제조국 : 대한민국
4. 사용연령 : 9세 이상
※ KC마크는 이 제품이 공통안전기준에 적합하였음을 의미합니다.

⚠ 주의

종이, 모서리에 다칠 수 있으니 주의하세요!

초등학교	반	번
이름		

FACTO school

2-2

초등 수학 팩토

단원별 계산력 수학

단원

규칙 찾기

매스티안

팩토는 자유롭게 자신감있게 창의적으로 생각하는 주니어수학자입니다.

단계수학 원별 산력

펴낸 곳 (주)타임교육C&P **펴낸이** 이길호 **지은이** 매스티안R&D센터
주소 06153 서울특별시 강남구 봉은사로 442(삼성동) **문의전화** 1588.6066
팩토카페 http://cafe.naver.com/factos **홈페이지** http://www.mathtian.com

※ 정답과 풀이는 온라인 팩토카페(http://cafe.naver.com/factos)를 통해서도 확인할 수 있습니다.

MW2204

FACTO school

2-2

초등 수학 팩토

단원별 계산력 수학

6 단원

규칙 찾기

매스티안

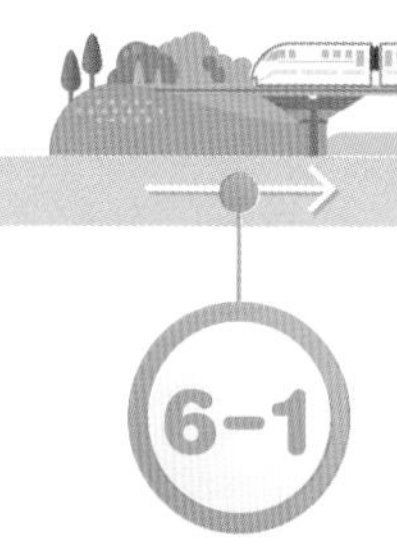

6-1

4. 비와 비율

· 비
· 비율을 분수, 소수, 백분율로 나타내기

5. 시계 보기와 규칙 찾기

· '몇 시', '몇 시 30분'
· 물체, 무늬, 수 배열에서 규칙 찾기

6. 규칙 찾기

· 덧셈표, 곱셈표에서 규칙 찾기
· 여러 가지 무늬, 쌓은 모양, 생활에서 규칙 찾기

6. 규칙 찾기

· 수 배열표에서 수의 규칙 찾기
· 변화하는 모양에서 규칙 찾기
· 계산식의 배열에서 규칙 찾기

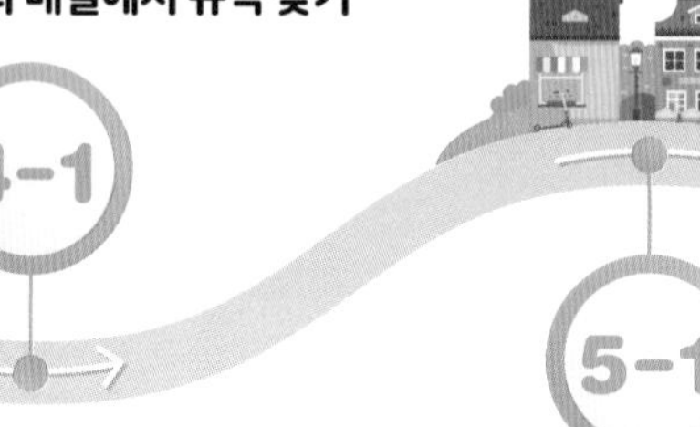

3. 규칙과 대응

· 대응 관계
· 대응 관계를 식으로 나타내기

6 규칙 찾기

Teaching Guide

- 규칙을 찾고 결과를 예측하는 활동은 문제 해결의 중요한 전략입니다. 따라서 아이가 규칙을 인식하고 탐구하는 것은 수학적 능력을 발달시키는데 도움을 줄 뿐만 아니라 수학의 아름다움을 느끼는 데 도움을 줍니다.
- 아이가 규칙을 알고는 있지만 설명하는 것을 어려워하는 경우에는 가로방향, 세로방향, ↘ 방향, ↙ 방향, 위로 갈수록, 아래로 갈수록, 오른쪽으로 갈수록, 왼쪽으로 갈수록 등의 용어를 제대로 알고 있는지 확인해 봅니다.
- 덧셈표, 곱셈표를 활용할 때에는 빈칸을 채우는 것보다는 그 속에서 규칙을 찾아보는 것이 주된 활동입니다. 따라서 덧셈표, 곱셈표를 활용한 활동은 규칙을 찾아서 이야기하기 위해 빈칸을 채우는 정도로 지도합니다.

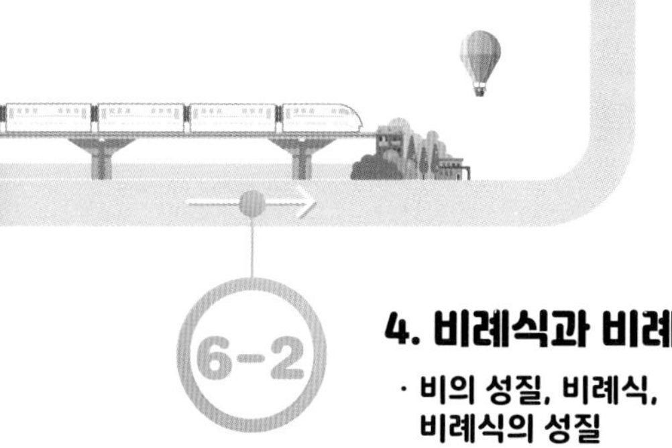

6-2

4. 비례식과 비례배분
- 비의 성질, 비례식, 비례식의 성질
- 비례배분

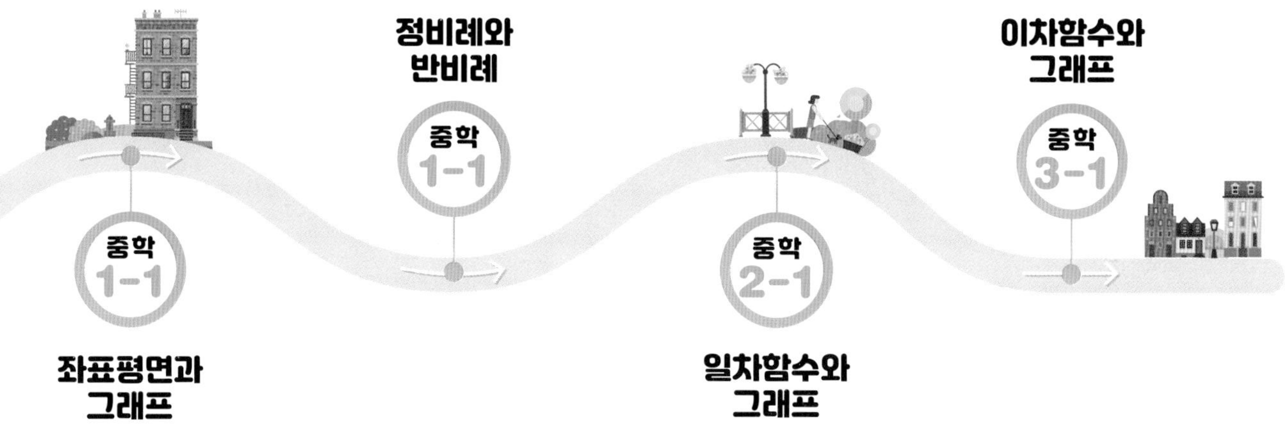

공부한 날짜

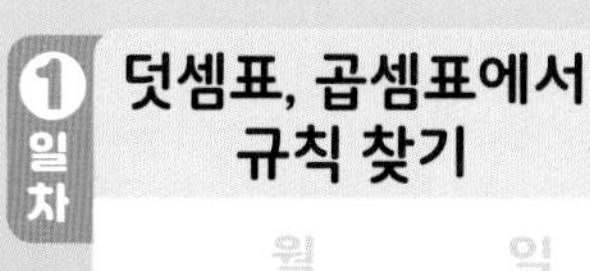

1 일차
덧셈표, 곱셈표에서 규칙 찾기
월 일

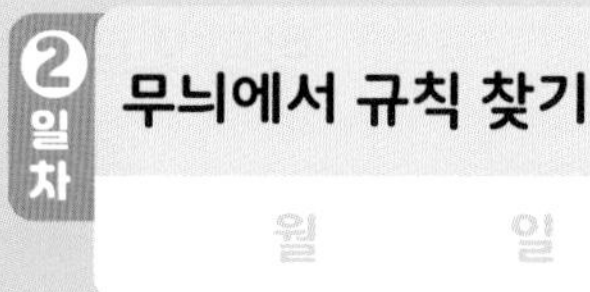

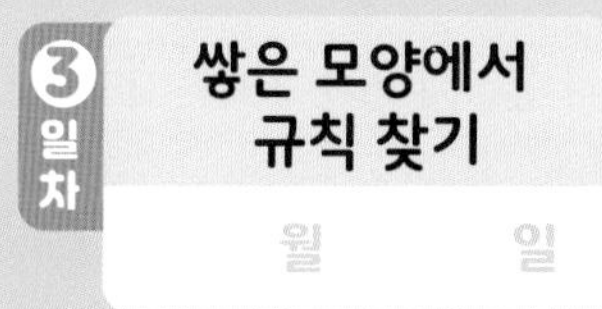

4 일차
응용 문제
월 일

6 일차
단원 평가
월 일

01 덧셈표, 곱셈표에서 규칙 찾기

정답 42쪽

덧셈표의 규칙

+	3	4	5	6	7
3	6	7	8	9	10
4	7	8	9	10	11
5	8	9	10	11	12
6	9	10	11	12	13
7	10	11	12	13	14

규칙

- → 방향으로 갈수록 1씩 커집니다.
- ↙ 방향으로는 같은 수들이 있습니다.
- ╲ 점선을 따라 접으면 만나는 수는 서로 같습니다.

1 덧셈표에서 규칙을 찾아 문장을 완성하세요.

+	5	6	7	8	9
1	6	7	8	9	10
3	8	9	10	11	12
5	10	11	12	13	14
7	12	13	14	15	16
9	14	15	16	17	18

규칙

- ↓ 방향으로 갈수록 [　] 씩 커집니다.
- ↘ 방향으로 갈수록 [　] 씩 커집니다.
- ↙ 방향으로 갈수록 [　] 씩 커집니다.

+	1	3	5	7	9
4	5	7	9	11	13
6	7	9	11	13	15
8	9	11	13	15	17
10	11	13	15	17	19
12	13	15	17	19	21

규칙

- → 방향으로 갈수록 [　] 씩 커집니다.
- ↘ 방향으로 갈수록 [　] 씩 커집니다.
- ↙ 방향으로는 (같은 수 , 다른 수)들이 있습니다.

2 덧셈표의 빈칸에 알맞은 수를 써넣고, 규칙을 찾아 알 수 있는 사실을 완성하세요.

+	1	3	5	7	9
1	2	4	6	8	10
3	4	3+3	8	10	12
5	6	8	10	12	
7	8		12	14	16
9	10	12	14		18

알 수 있는 사실

- 덧셈표에 있는 수들은 모두 (짝수 , 홀수)입니다.
- → 방향으로 갈수록 ☐ 씩 커집니다.
- ↓ 방향으로 갈수록 ☐ 씩 커집니다.
- 방향으로는 (같은 수 , 다른 수)들이 있습니다.

+	1	3	5	7	9
2	3	5	7	9	11
4	5	7	4+5	11	13
6		9	11	13	15
8	9	11	13		17
10	11		15	17	19

알 수 있는 사실

- 덧셈표에 있는 수들은 모두 (짝수 , 홀수)입니다.
- → 방향으로 갈수록 ☐ 씩 커집니다.
- ↓ 방향으로 갈수록 ☐ 씩 커집니다.
- ↘ 방향으로는 ☐ 씩 커집니다.

+	2	3	4	5	6
2	4	5	6	7	8
3	5	6	7	8	9
4			8	9	10
5	7	8			11
6	8		10	11	

알 수 있는 사실

- → 방향으로 갈수록 ☐ 씩 커집니다.
- ↓ 방향으로 갈수록 ☐ 씩 커집니다.
- ↙ 방향으로는 (같은 수 , 다른 수)들이 있습니다.

곱셈표의 규칙

×	2	3	4	5	6
2	4	6	8	10	12
3	6	9	12	15	18
4	8	12	16	20	24
5	10	15	20	25	30
6	12	18	24	30	36

규칙

- → 방향으로 갈수록 2씩 커집니다.
- ↓ 방향으로 갈수록 3씩 커집니다.
- ⋱ 점선을 따라 접으면 만나는 수는 서로 같습니다.

3 곱셈표에서 규칙을 찾아 문장을 완성하세요.

×	2	4	6	8	10
2	4	8	12	16	20
3	6	12	18	24	30
4	8	16	24	32	40
5	10	20	30	40	50
6	12	24	36	48	60

규칙

- → 방향으로 갈수록 ☐ 씩 커집니다.
- ↓ 방향으로 갈수록 ☐ 씩 커집니다.
- ⋱ 점선을 따라 접으면 만나는 수는 서로 (같습니다 , 다릅니다).

×	5	6	7	8	9
1	5	6	7	8	9
3	15	18	21	24	27
5	25	30	35	40	45
7	35	42	49	56	63
9	45	54	63	72	81

규칙

- → 방향으로 갈수록 ☐ 씩 커집니다.
- ↓ 방향으로 갈수록 ☐ 씩 커집니다.
- ⋱ 점선을 따라 접으면 만나는 수는 서로 (같습니다 , 다릅니다).

4 곱셈표의 빈칸에 알맞은 수를 써넣고, 규칙을 찾아 알 수 있는 사실을 완성하세요.

×	1	3	5	7	9
1	1	3	5	1×7	9
3	3	9	15	21	27
5	5		25	35	45
7	7	21	35	49	
9	9		45	63	81

알 수 있는 사실

- 곱셈표에 있는 수들은 모두 (짝수 , 홀수)입니다.
- → 방향으로 갈수록 ______ 씩 커집니다.
- ↓ 방향으로 갈수록 ______ 씩 커집니다.
- ⟍ 점선을 따라 접으면 만나는 수는 서로 (같습니다 , 다릅니다).

×	1	3	5	7	9
2	2		10	14	18
4	4	12		28	
6	6	18	30	42	54
8	8		40	56	72
10	10	30	50	70	90

알 수 있는 사실

- 곱셈표에 있는 수들은 모두 (짝수 , 홀수)입니다.
- → 방향으로 갈수록 ______ 씩 커집니다.
- ↓ 방향으로 갈수록 ______ 씩 커집니다.
- ⟍ 점선을 따라 접으면 만나는 수는 서로 (같습니다 , 다릅니다).

×	2	4	6	8	10
2	4			16	20
4	8	16	24	32	40
6	12		36	48	60
8		32		64	80
10	20	40	60	80	100

알 수 있는 사실

- 곱셈표에 있는 수들은 모두 (짝수 , 홀수)입니다.
- → 방향으로 갈수록 ______ 씩 커집니다.
- ↓ 방향으로 갈수록 ______ 씩 커집니다.
- ⟍ 점선을 따라 접으면 만나는 수는 서로 (같습니다 , 다릅니다).

02 무늬에서 규칙 찾기

정답 43쪽

규칙을 찾아 표 채우기

규칙								?
모양	○	△	○	△	○	△	○	△
크기	작다	작다	크다	작다	작다	크다	작다	작다

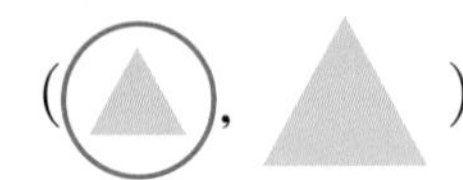

1 규칙을 찾아 표를 채우고 ? 안에 알맞은 그림에 ○표 하세요.

규칙								?
색깔	파란색	분홍색	파란색	분홍색	파란색	분홍색	파란색	
● 위치	위쪽	왼쪽	오른쪽	위쪽	왼쪽	오른쪽	위쪽	

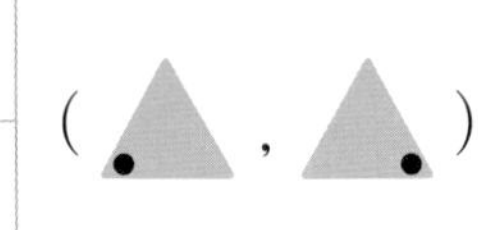

규칙								?
안쪽 모양	△	□	△	□	△	□		
바깥 모양	□	△	□	△	□	△		

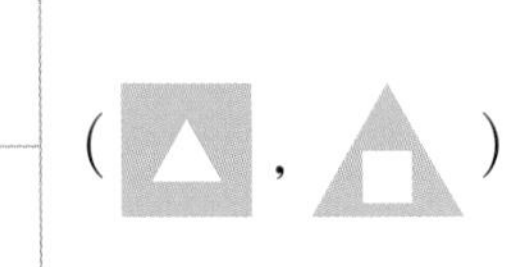

규칙								?
개수	1	2	1	2	1	2		
모양	◇	○	◇	◇	○	◇		

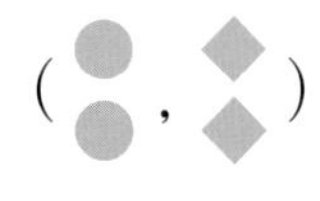

 2 규칙을 찾아 ? 안에 알맞은 그림에 ◯표 하세요.

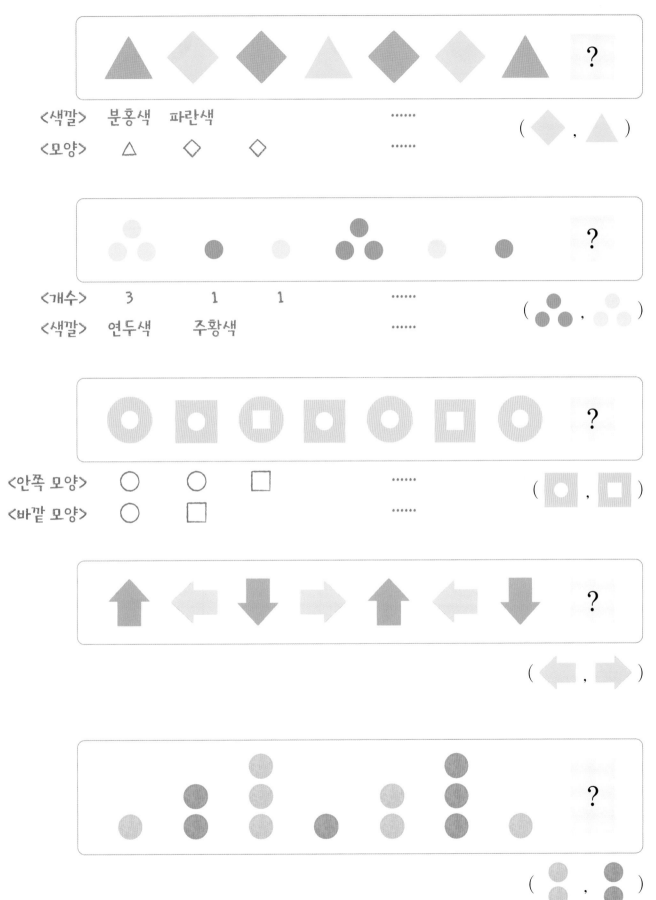

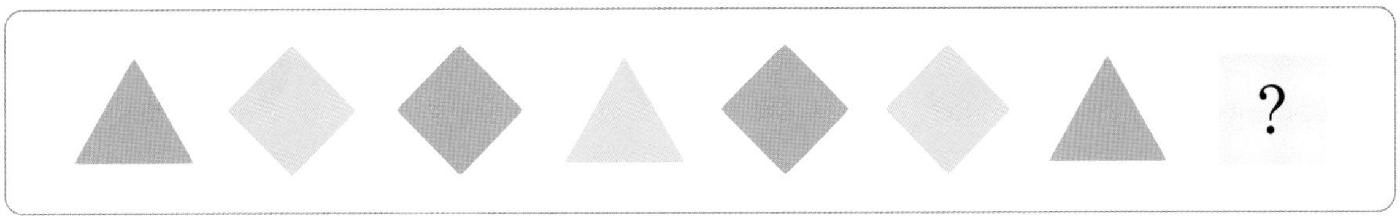

?

<색깔> 분홍색 파란색 ······

<모양> △ ◇ ◇ ······

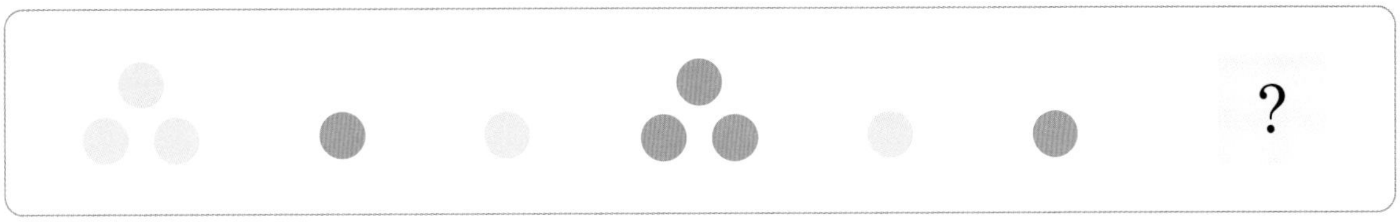

(,)

?

<개수> 3 1 1 ······

<색깔> 연두색 주황색 ······

(,)

?

<안쪽 모양> ○ ○ □ ······

<바깥 모양> ○ □ ······

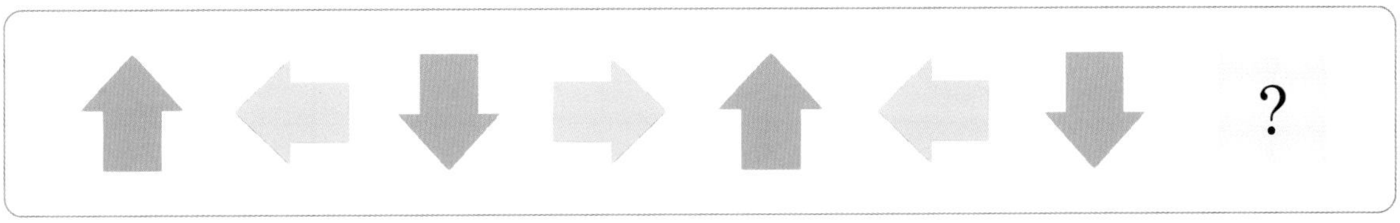

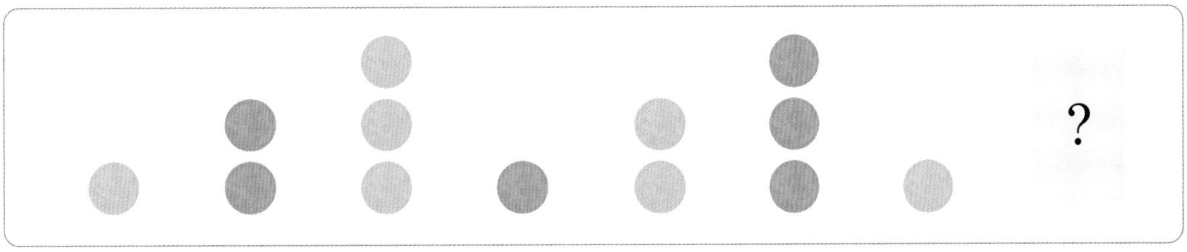

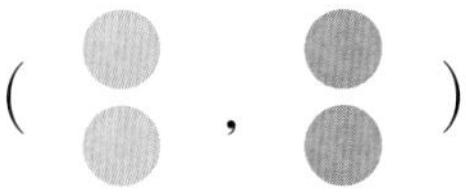

(,)

?

(,)

?

(,)

3 규칙을 찾아 알 수 있는 사실을 완성하세요.

알 수 있는 사실

- 크기는 '크다, ______, ______'가 반복됩니다.
- 색깔은 '______색, ______색'이 반복됩니다.
- ↓ 방향으로는 모두 (같은 , 다른) 색깔입니다.
- ↘ 방향으로는 모두 (같은 , 다른) 크기입니다.

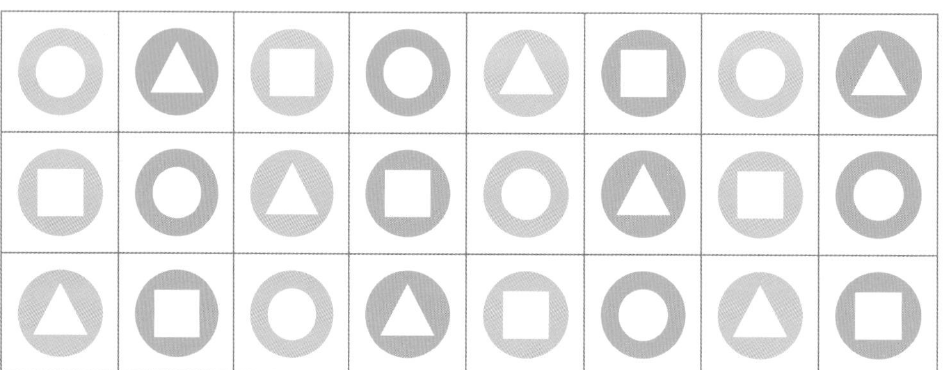

알 수 있는 사실

- 모양은 ◎, ______, ______가 반복됩니다.
- 색깔은 ______색, ______색이 반복됩니다.
- ↓ 방향으로는 모두 (같은 , 다른) 색깔입니다.
- ↘ 방향으로는 모두 (같은 , 다른) 모양입니다.

4 규칙을 찾아 ? 안에 알맞은 그림에 ◯표 하세요.

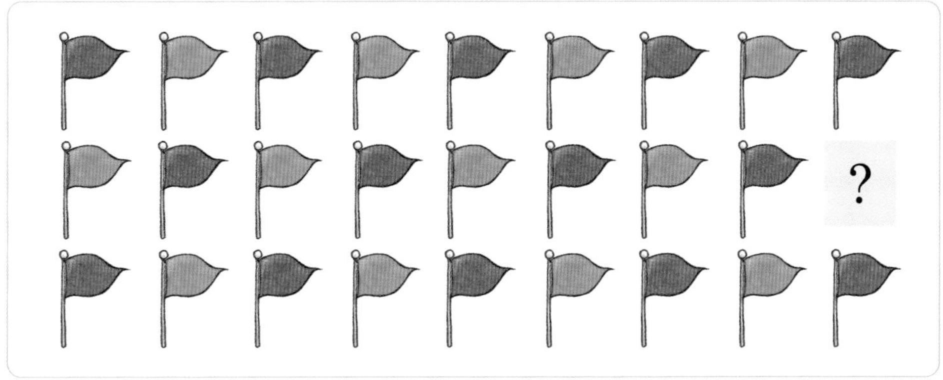

(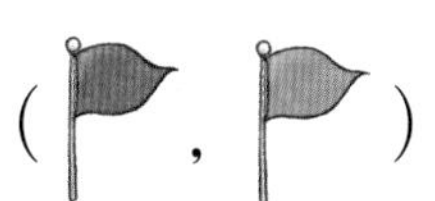)

()

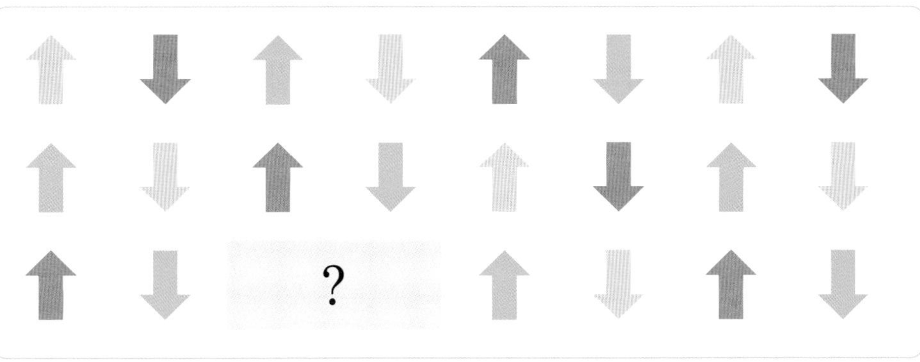

()

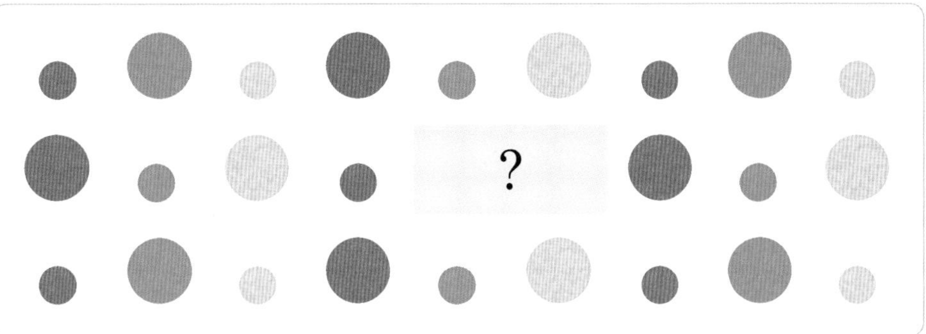

()

03 쌓은 모양에서 규칙 찾기

정답 44쪽

쌓은 모양의 규칙

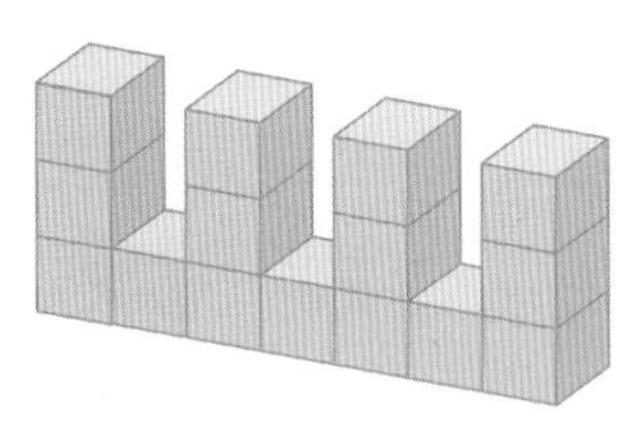

규칙1 쌓기나무를 3개, 1개, 3개, 1개가 반복되게 쌓았습니다.

규칙2 1층에는 쌓기나무 7개를 옆으로 이어서 쌓고, 2층과 3층에는 한 칸씩 건너뛰고 쌓기나무를 쌓았습니다.

1 규칙을 찾아 빈 곳에 알맞게 써넣으세요.

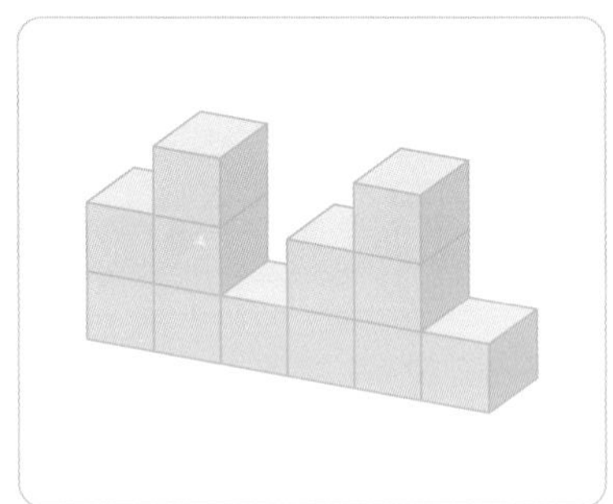

규칙 쌓기나무를 2 개, 개, 개가 반복되게 쌓은 규칙입니다.

규칙 오른쪽으로 갈수록 쌓기나무가 개씩 줄어드는 규칙입니다.

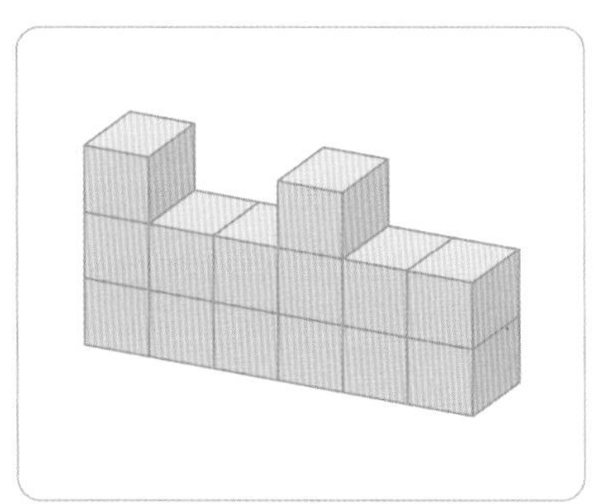

규칙

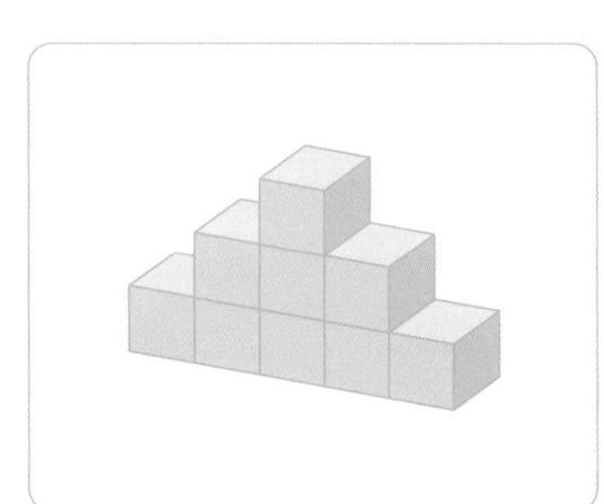

규칙

2 규칙을 찾아 ☐ 안에 알맞은 수를 써넣으세요.

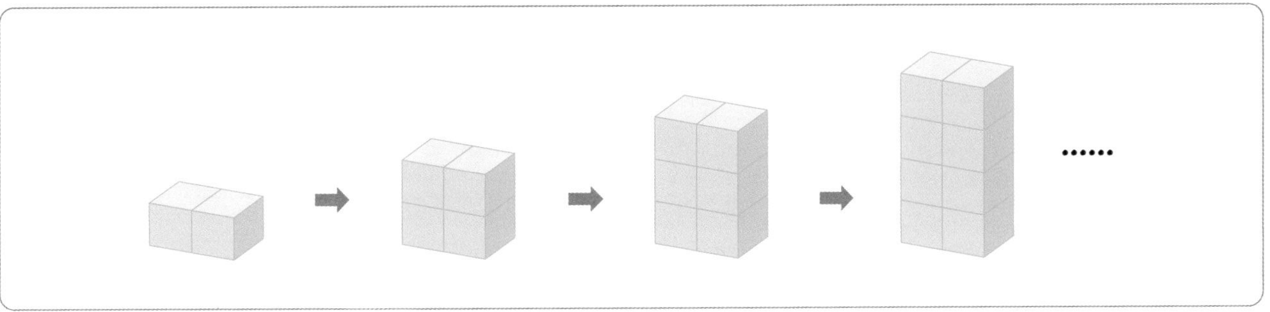

규칙 쌓기나무가 위쪽으로 ☐ 개씩 늘어나는 규칙이 있습니다.

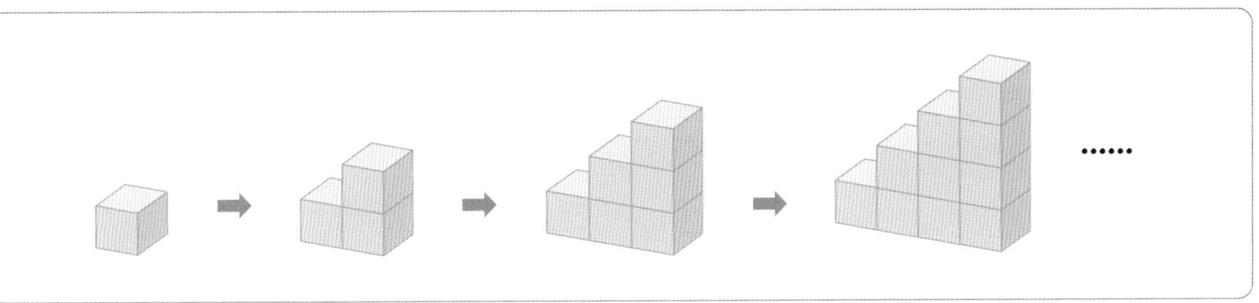

규칙 쌓기나무가 오른쪽으로 2개, 3개, ☐ 개……씩 늘어나는 규칙이 있습니다.

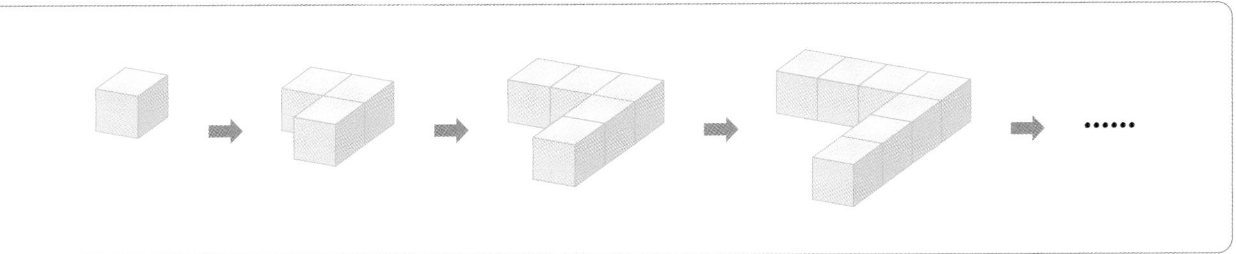

규칙 쌓기나무가 왼쪽으로 ☐ 개, 앞쪽으로 ☐ 개씩 늘어나는 규칙이 있습니다.

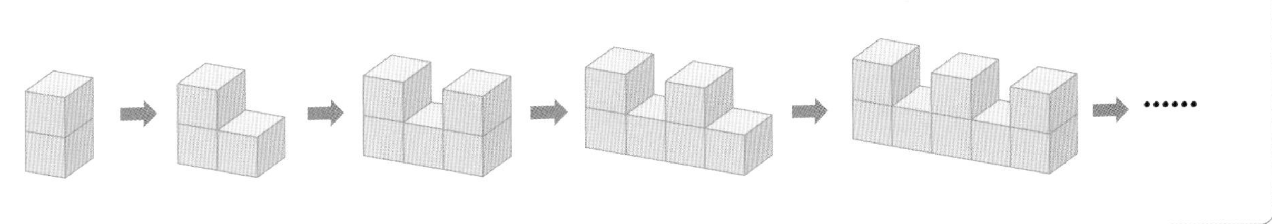

규칙 쌓기나무가 오른쪽으로 1 개, 2 개, ☐ 개, ☐ 개씩 늘어나는 규칙이 있습니다.

규칙을 찾아 ? 안에 알맞은 모양에 ○표 하세요.

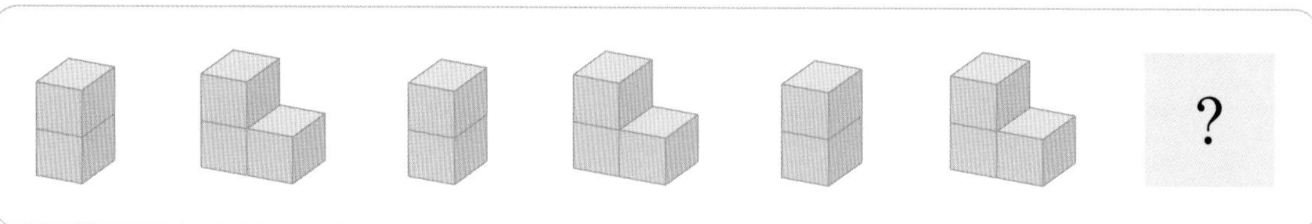

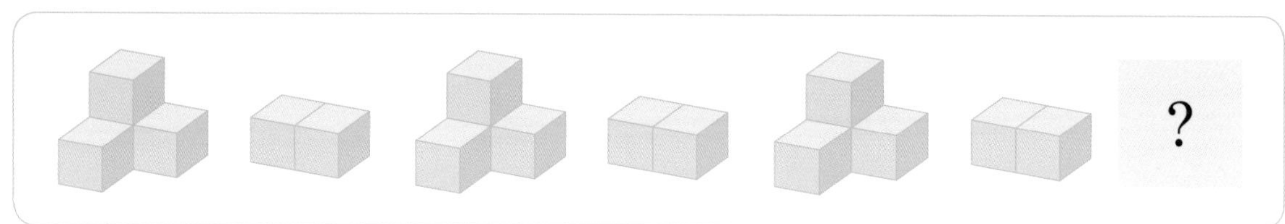

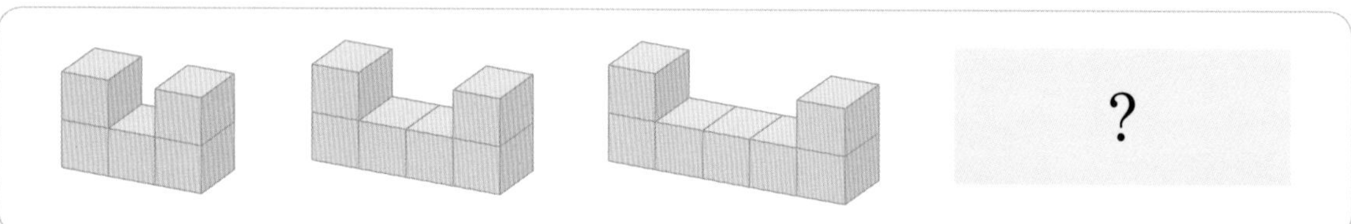

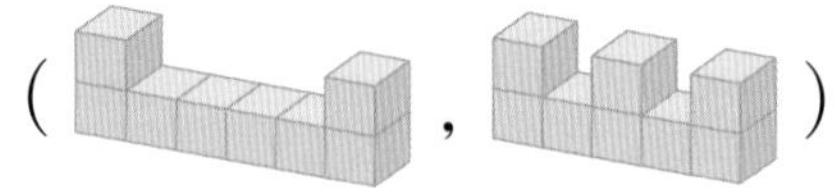

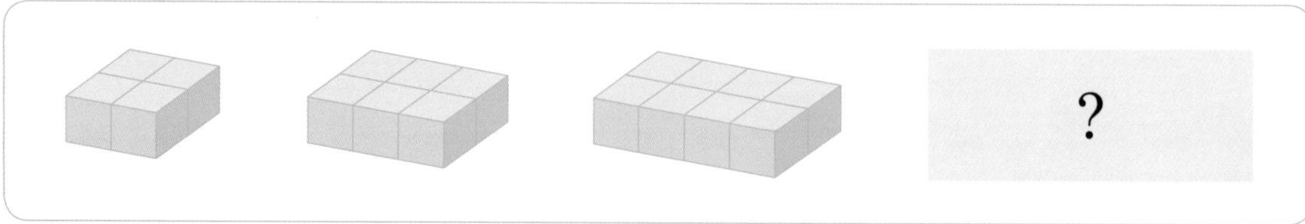

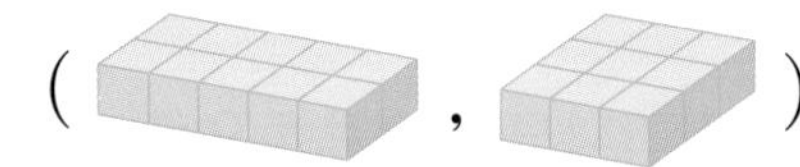

안에 알맞은 수를 써넣어 ?에 쌓을 쌓기나무의 수를 구해 보세요.

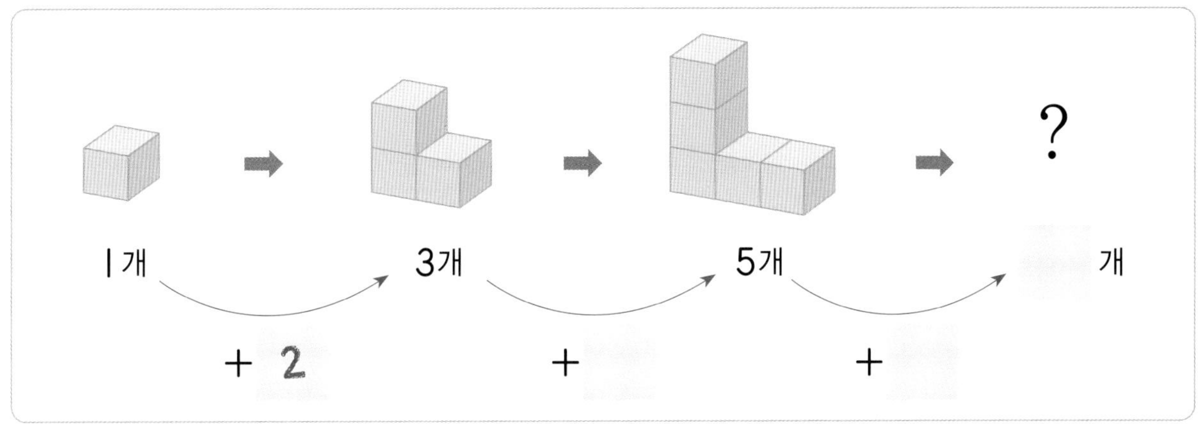

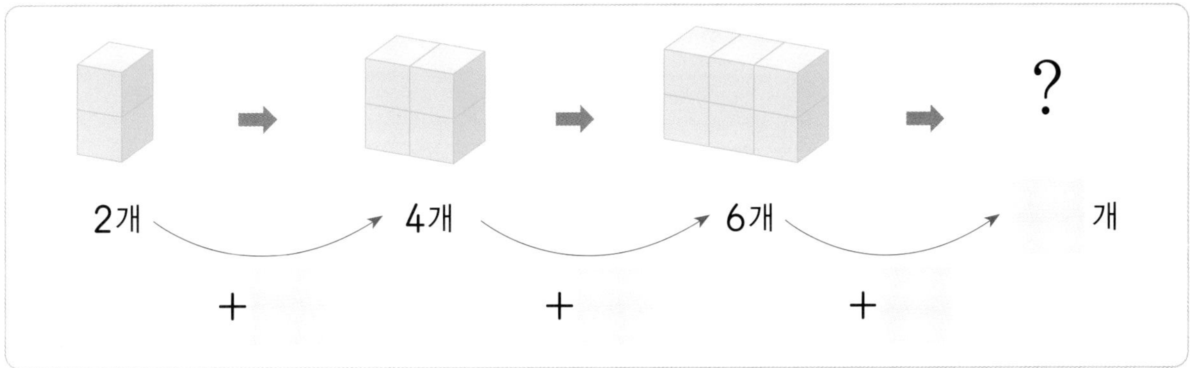

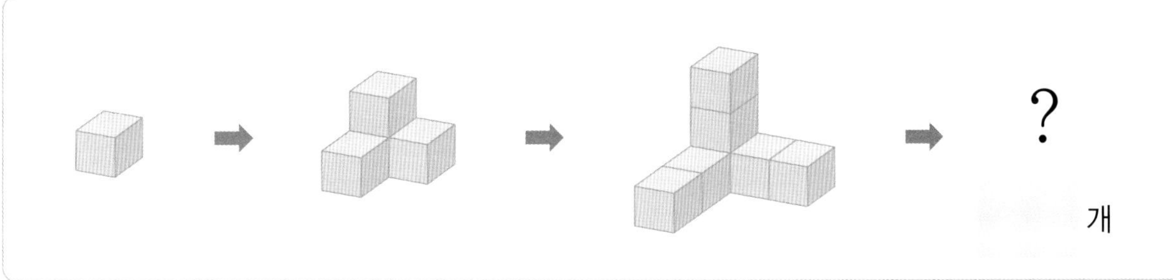

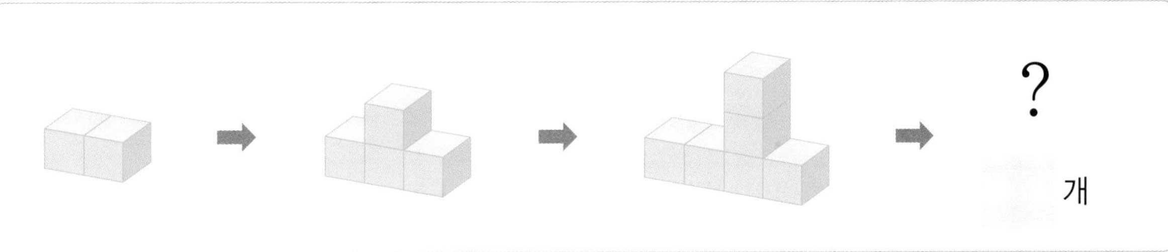

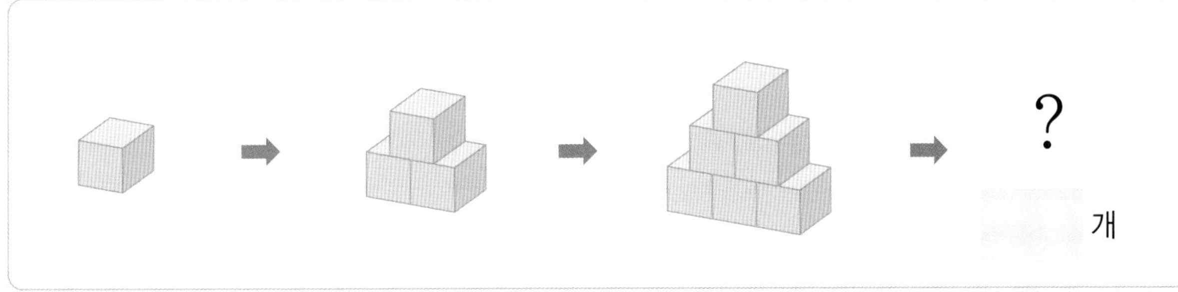

정답 45쪽

생활에서 찾을 수 있는 여러 가지 규칙

- 영화관에 있는 의자의 번호에는 가로줄의 규칙, 세로줄의 규칙이 있습니다.
- 달력에는 오른쪽으로 갈수록 1씩 커지고, 아래로 내려갈수록 7씩 커지는 규칙이 있습니다.
- 시계, 엘리베이터 층수, 전화기의 숫자 등에도 수들의 규칙이 있습니다.

7월

일	월	화	수	목	금	토
						1
2	3	4	5	6	7	8
9	10	11	12	13	14	15
16	17	18	19	20	21	22
23	24	25	26	27	28	29
30	31					

응용 1 영화관의 자리를 나타낸 그림입니다. 친구들이 앉을 자리를 찾아보세요.

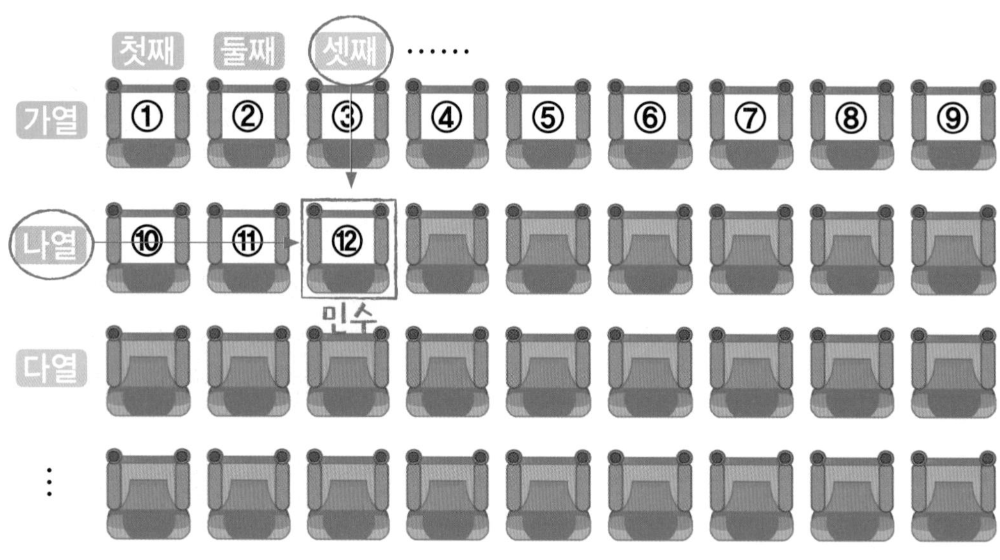

- 민수의 자리는 **나열 셋째 번**입니다. ( )번
- 지호의 자리는 **라열 첫째 번**입니다. ( )번
- 유경이의 자리는 **마열 다섯째 번**입니다. ( )번
- 현규의 자리는 27번입니다. ( )열 ( ) 자리
- 세호의 자리는 34번입니다. ( )열 ( ) 자리

응용 2 달력의 규칙을 찾아 □ 안에 알맞게 써넣으세요.

6월

일	월	화	수	목	금	토
				1	2	3
4	5	6	7	8	9	10
11	12	13	14	15	16	17
18	19	20	21	22	23	24
25	26	27	28	29	30	

○ 금요일의 날짜는 2일, 9일, □일, □일, □일입니다.

○ 금요일에 있는 수들은 □씩 커지는 규칙입니다.

3월

일	월	화	수	목	금	토
			1	2	3	4
5	6	7	8	9	10	11
12	13	14	15	16	17	18
19	20	21	22	23	24	25
26	27	28	29	30	31	

○ 월요일의 날짜는 □일, □일, □일, □일입니다.

○ 월요일에 있는 수들은 □씩 커지는 규칙입니다.

8월

일	월	화	수	목	금	토
		1	2	3	4	5
6	7	8	9	10	11	12
13	14	15	16	17	18	19
20	21	22	23	24	25	26
27	28	29	30	31		

○ ➡ 방향의 수들은 가로로 □씩 커지는 규칙입니다.

○ 달력에서 같은 요일의 수들은 □씩 커지는 규칙입니다.

1월

일	월	화	수	목	금	토
1	2	3	4	5	6	7
8	9	10	11	12	13	14
15	16	17	18	19	20	21
22	23	24	25	26	27	28
29	30	31				

○ ↙ 방향의 수들은 □씩 커지는 규칙입니다.

○ ↘ 방향의 수들은 □씩 커지는 규칙입니다.

응용 3 규칙을 찾아 마지막 시계의 시곗바늘을 알맞게 그려 보세요.

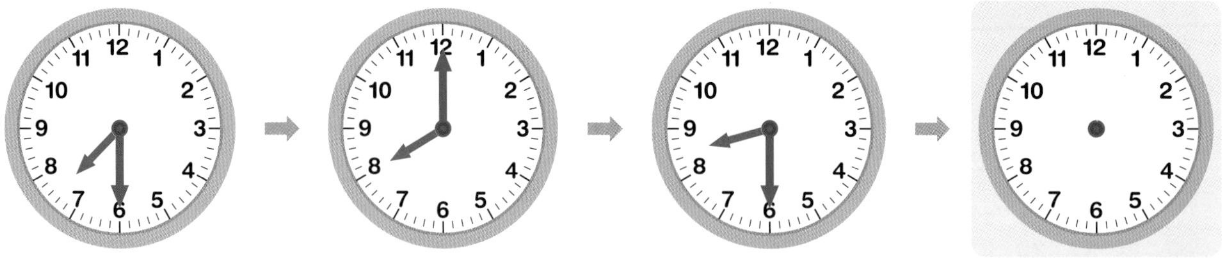

7시 30분 → 8시 → 8시 30분 →

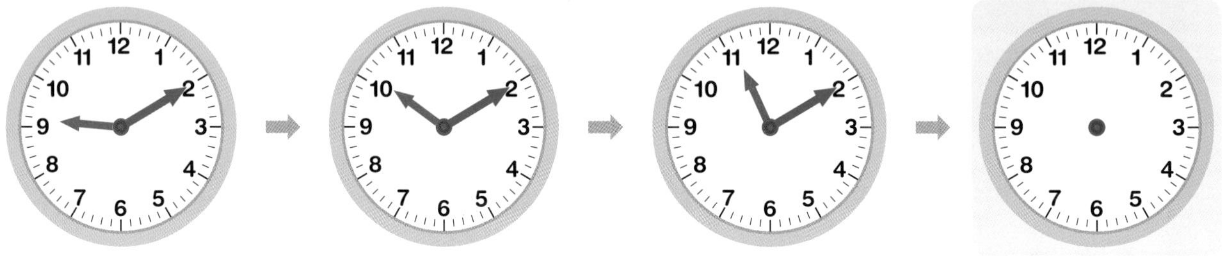

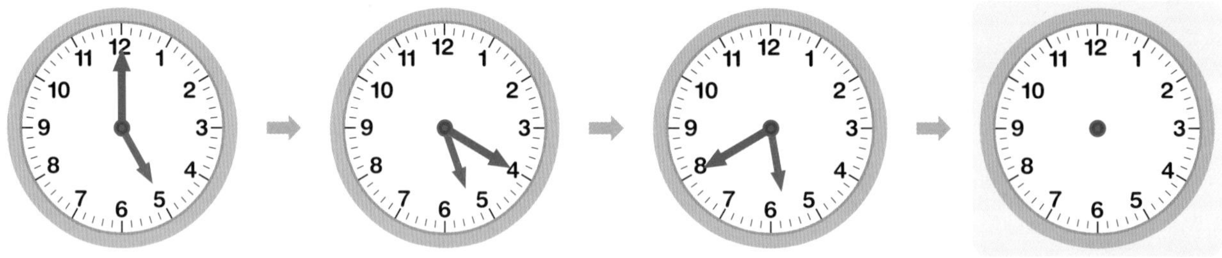

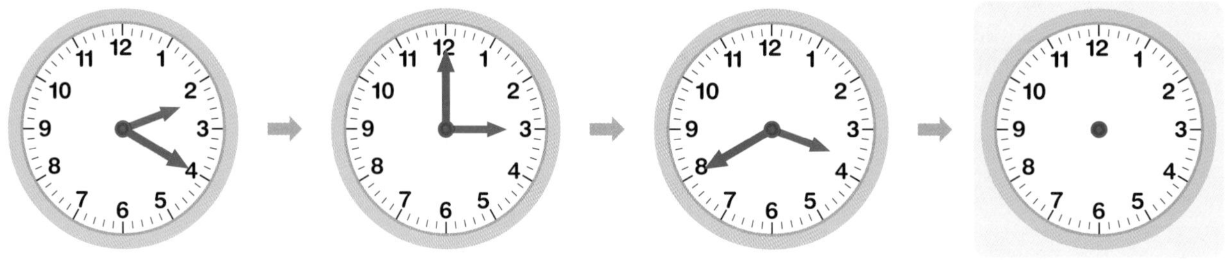

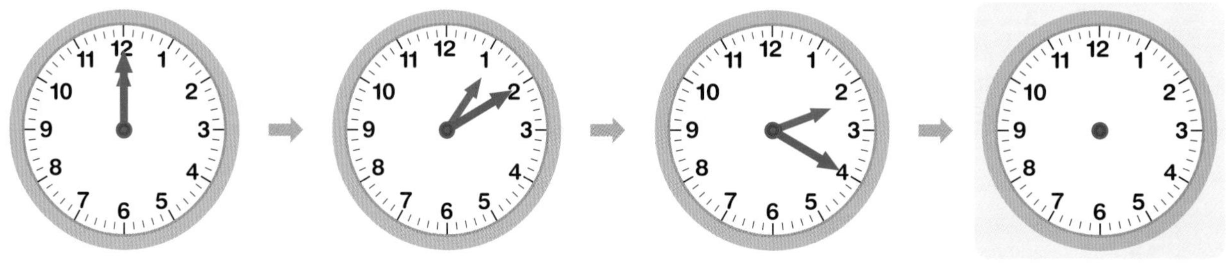

 응용 4 생활 속에서 규칙을 찾아보세요.

• 시계 •

시계에 있는 수는 1부터 12까지

　　　 씩 커집니다.

•신호등•

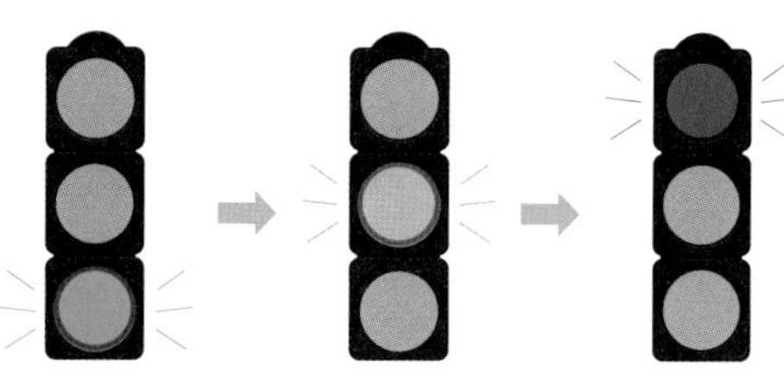

초록색, 주황색, 　　　　 색의

순서로 신호등의 색이 바뀌는

규칙입니다.

•사물함•

1	2	3	4	5	6	7	8	9	10
11	12	13	14	15	16	17	18	19	20
21	22	23	24	25	26	27	28	29	30

사물함에 있는 수는 오른쪽으로

1씩 커지고, 아래쪽으로

　　　 씩 커집니다.

• 계절 •

계절은 봄, 여름, 가을,

　　　 의 순서로 규칙적으로

반복됩니다.

• 꽃밭 •

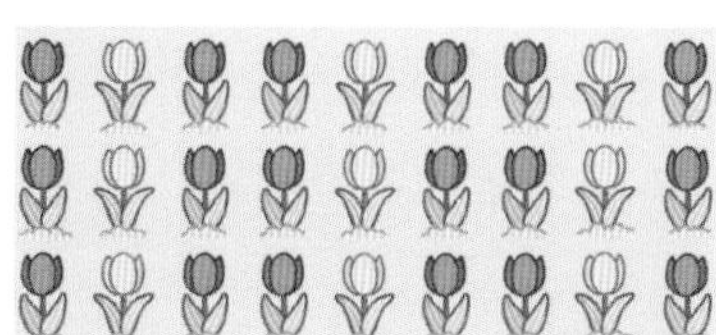

빨간색, 노란색, 　　　　 색의

규칙으로 꽃을 심었습니다.

•엘리베이터•

3	6	9	12	15	18	21	24
2	5	8	11	14	17	20	23
1	4	7	10	13	16	19	22
▶◀	◀▶						

오른쪽으로 　　　 씩 커지고,

아래쪽으로 　　　 씩 작아집니다.

정답 46쪽 분 점수 점

[01~03] 덧셈표에서 규칙을 찾아보려고 합니다. 물음에 답하세요.

+	2	4	6	8	10
2	4	6		10	12
4		8	10	12	14
6	8	10	12	14	16
8	10	12	14	16	
10	12		16		20

01 덧셈표의 빈칸에 알맞은 수를 써넣으세요.

02 알맞은 말에 ○표 하세요.

(1) ↙ 방향으로는 (같은 수 , 다른 수) 들이 있습니다.

(2) ╲ 점선을 따라 접으면 만나는 수는 서로 (같습니다 , 다릅니다).

03 덧셈표에서 알 수 있는 사실을 완성하세요.

(1) → 방향으로 갈수록 ☐ 씩 커집니다.

(2) ↘ 방향으로 갈수록 ☐ 씩 커집니다.

[04~06] 곱셈표에서 규칙을 찾아보려고 합니다. 물음에 답하세요.

×	2	3	4	5	6
2	4	6	8		12
4	8	12	16	20	24
6		18	24	30	
8	16	24		40	48
10	20	30		50	60

04 곱셈표의 빈칸에 알맞은 수를 써넣으세요.

05 알맞은 말에 ○표 하세요.

(1) 곱셈표에 있는 수들은 모두 (짝수 , 홀수)입니다.

(2) ╲ 점선을 따라 접으면 만나는 수는 서로 (같습니다 , 다릅니다).

06 곱셈표에서 알 수 있는 사실을 완성하세요.

(1) → 방향으로 갈수록 ☐ 씩 커집니다.

(2) ↓ 방향으로 갈수록 ☐ 씩 커집니다.

[07~08] 규칙을 찾아 표를 채우고, ? 안에 알맞은 그림에 ○표 하세요.

07

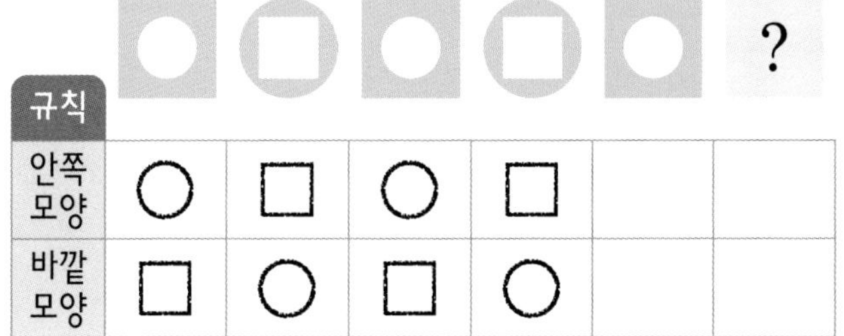

규칙						
안쪽 모양	○	□	○	□		
바깥 모양	□	○	□	○		

(,)

08

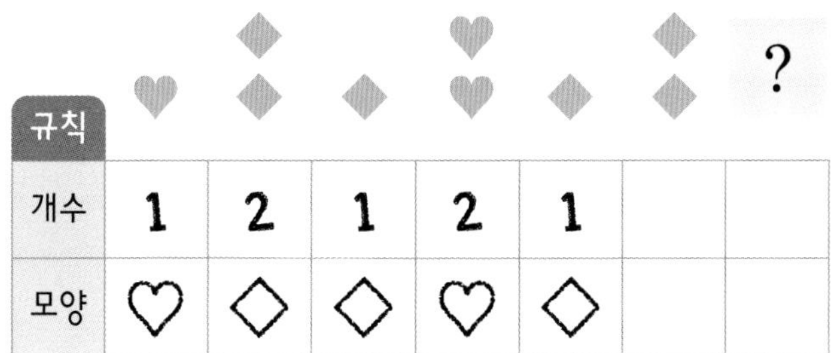

규칙						
개수	1	2	1	2	1		
모양	♡	◇	◇	♡	◇		

(,)

[09~10] 규칙을 찾아 ? 안에 알맞은 그림에 ○표 하세요.

09

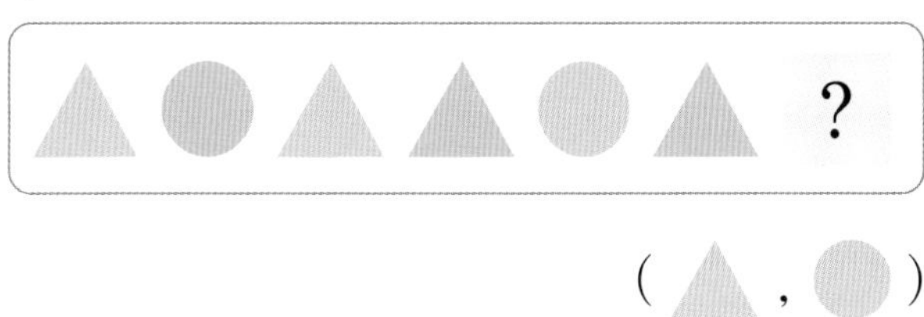

(,)

10

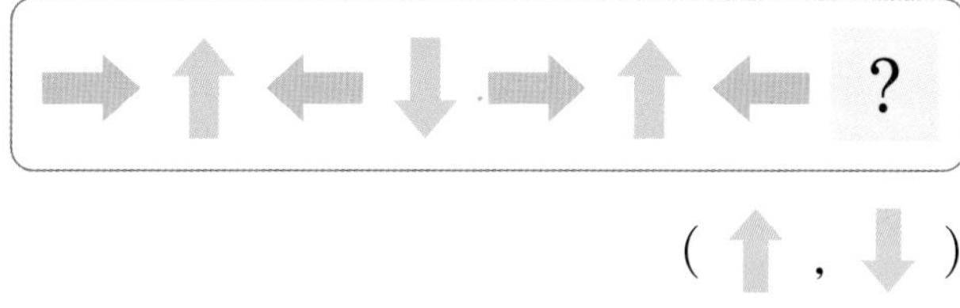

(,)

11

규칙을 찾아 알 수 있는 사실을 완성하세요.

(1) 모양은 ' , '이 반복됩니다.

(2) 색깔은 ' 색, 색, 색이 반복됩니다.

(3) ↘ 방향으로 모두 (같은 , 다른) 모양입니다.

(4) ↙ 방향으로 모두 (같은 , 다른) 색깔입니다.

(5) ? 안에 알맞은 그림은 (,)입니다.

[12~13] 규칙을 찾아 ? 안에 알맞은 그림에 ○표 하세요.

12

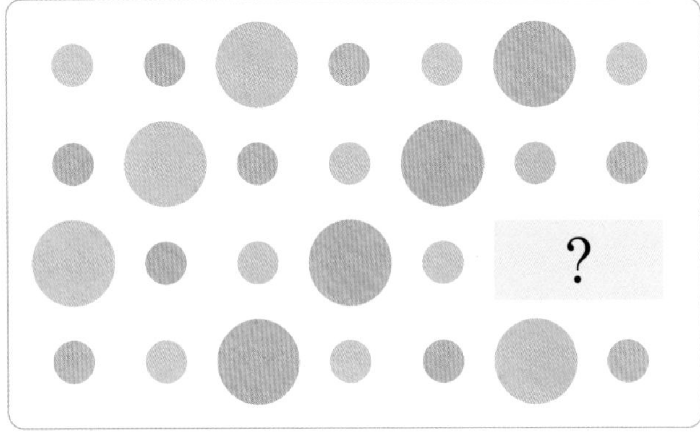

(,)

13

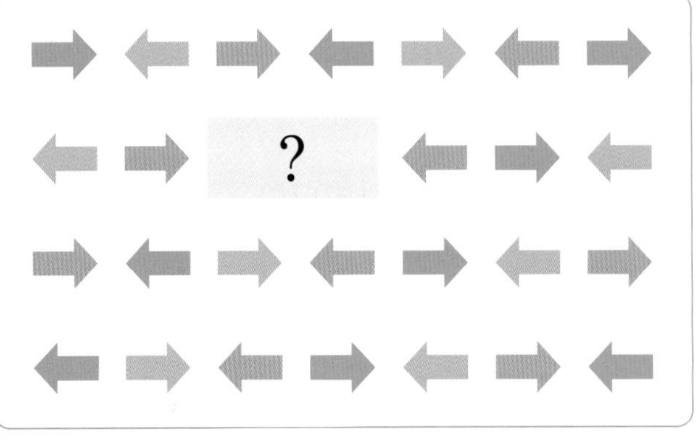

(,)

14 규칙을 찾아 안에 알맞은 수를 써넣으세요.

(1)

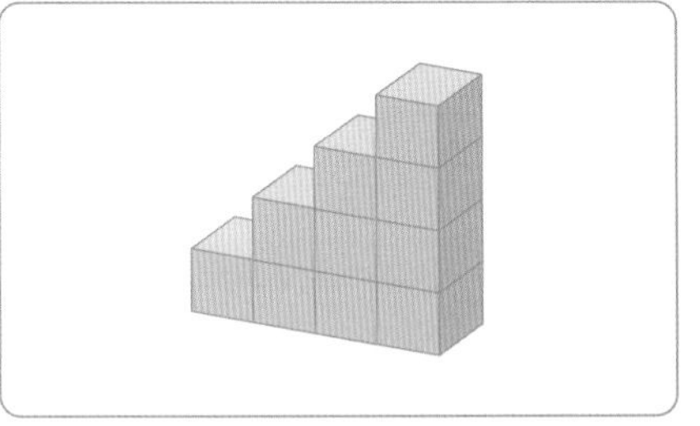

규칙 오른쪽으로 갈수록 쌓기나무가 개씩 늘어나는 규칙입니다.

(2)

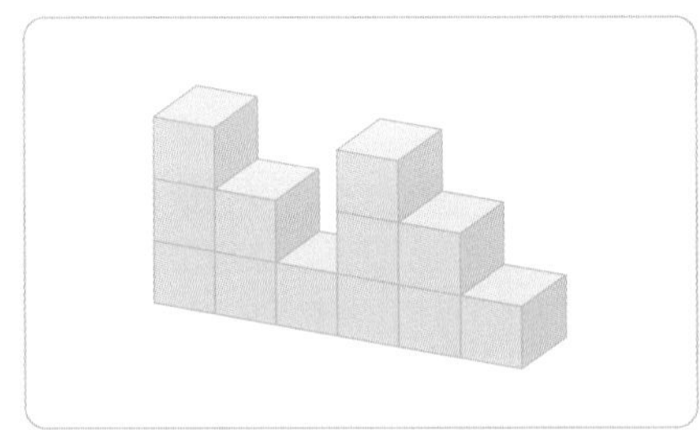

규칙 쌓기나무가 3개, 개, 개가 반복되는 규칙입니다.

15 쌓은 규칙을 찾아 써 보세요.

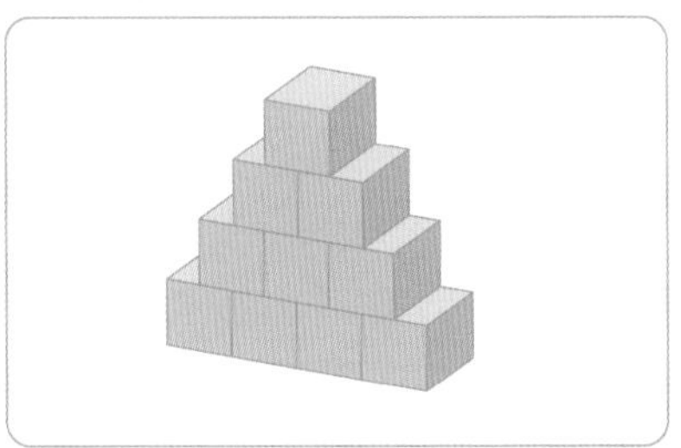

규칙

16 규칙을 찾아 ☐ 안에 알맞은 수를 써넣으세요.

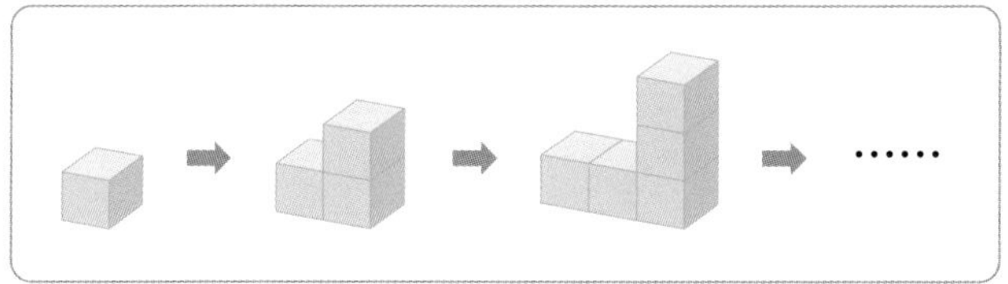

규칙 쌓기나무가 왼쪽으로 ☐ 개, 위쪽으로 ☐ 개씩 늘어나는 규칙입니다.

[17~18] 규칙을 찾아 ? 안에 알맞은 모양에 ○표 하세요.

17

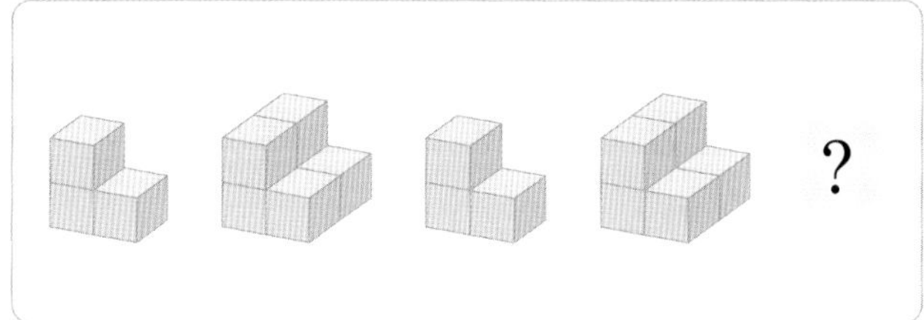

(,)

18

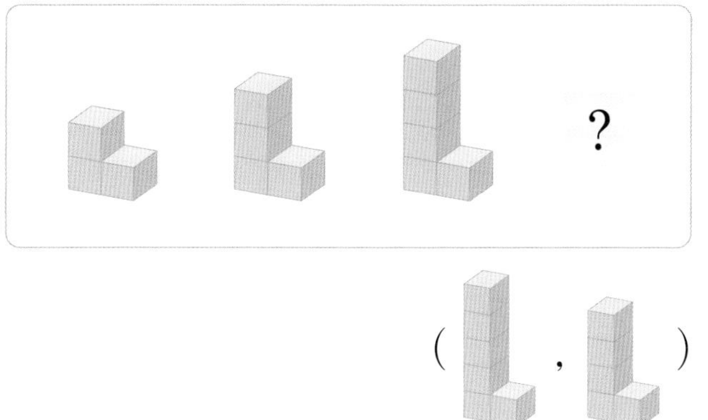

(,)

19 ☐ 안에 알맞은 수를 써넣어 ?에 쌓을 쌓기나무의 수를 구해 보세요.

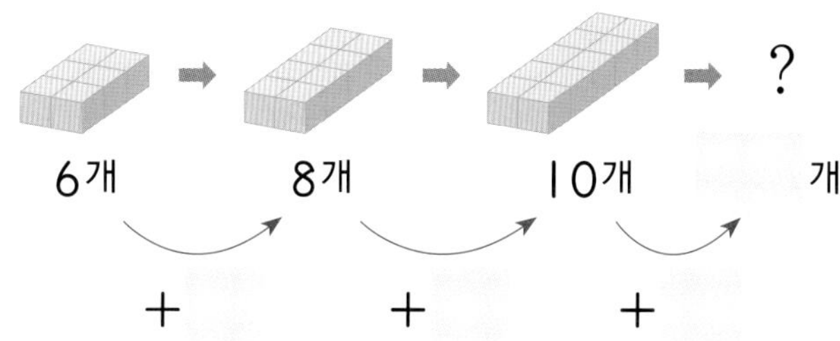

20 ?에 쌓을 쌓기나무의 수를 구해 보세요.

(1)

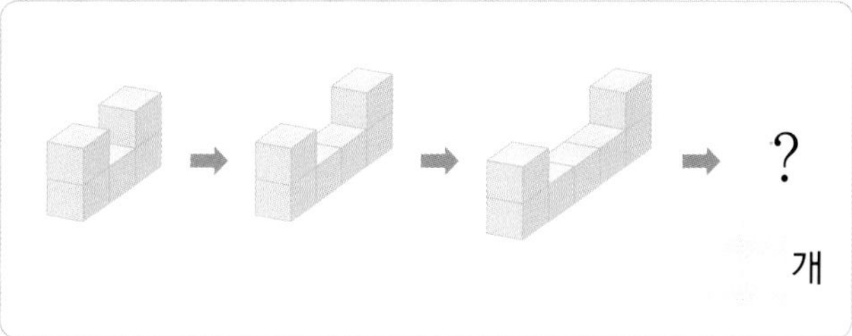

(2)

?

개

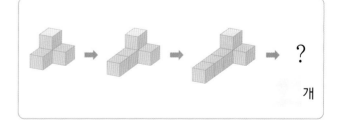

정답 47쪽

분 점수 점

[1~2] 덧셈표를 보고 물음에 답하세요.

+	1	3	5	7	9
2	3	5	7		11
4	5	7	9	11	
6	7		11	13	15
8	9		13		17
10		13	15	17	

1 규칙을 찾아 빈칸에 알맞은 수를 써넣으세요.

2 덧셈표에서 규칙을 찾아 문장을 완성해 보세요.

(1) ↓ 방향으로 갈수록 ☐ 씩 커집니다.

(2) ↙ 방향으로는 (같은 수 , 다른 수) 들이 있습니다.

[3~4] 곱셈표를 보고 물음에 답하세요.

×	3	5	7	9
3	9	15	21	27
5	15	25		45
7		35	49	
9	27		63	81

3 규칙을 찾아 빈칸에 알맞은 수를 써넣으세요.

4 알맞은 말에 ○표 하세요.

곱셈표에 있는 수들은 모두 (짝수 , 홀수)입니다.

5 보도블록의 모양에는 규칙이 있습니다. 규칙에 맞게 ☐ 안에 알맞은 모양을 그려 보세요.

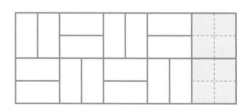

6 규칙에 맞게 계속해서 실에 구슬을 꿴다면 다음에는 어떤 색의 구슬을 꿰어야 하는지 빈 곳에 색칠해 보세요.

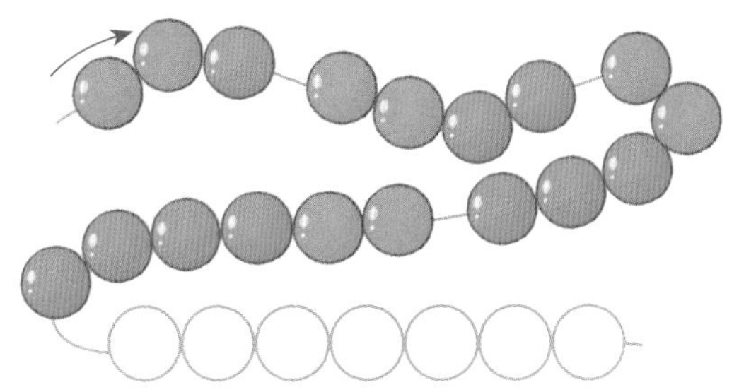

7 쌓기나무로 다음과 같은 모양을 쌓았습니다. 규칙을 찾아 □ 안에 알맞은 수를 써넣으세요.

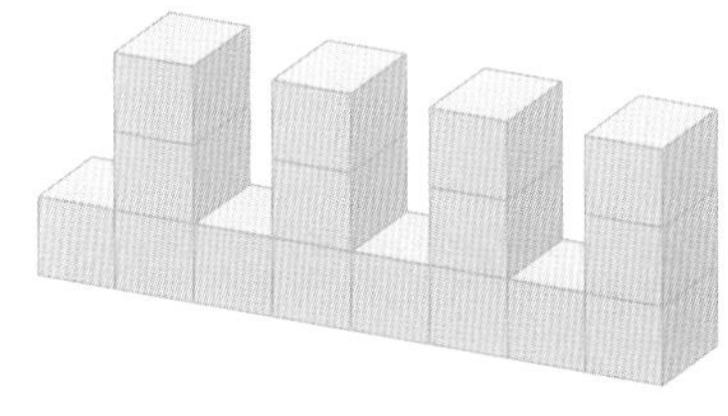

쌓기나무를 □ 층, □ 층이 반복되게 쌓았습니다.

8 휴대전화의 숫자판에서 규칙을 찾아 □ 안에 알맞은 수를 써넣으세요.

규칙 ↑방향으로 갈수록 □ 씩 작아집니다.

[9~10] 어느 해 12월의 달력입니다. 물음에 답하세요.

9 달력에서 ↘ 방향의 수들은 몇씩 커지는지 써 보세요.

( )씩

10 목요일에 있는 수들의 규칙을 써 보세요.

규칙 목요일에 있는 수들은 □ 부터 시작하여 □ 씩 커집니다.

11 규칙을 찾아 빈 곳에 알맞게 색칠해 보세요.

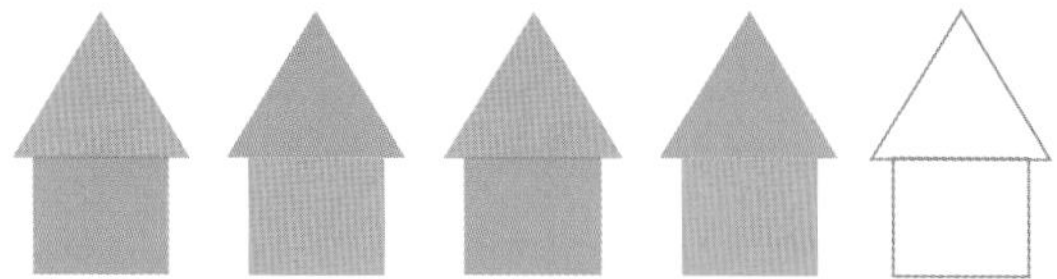

12 덧셈표에 있는 규칙에 맞게 빈칸에 알맞은 수를 써넣으세요.

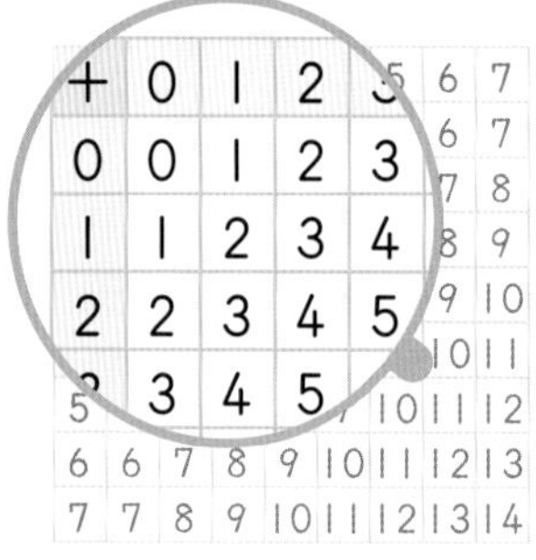

	4	
	5	6
	6	7

13 규칙에 따라 ? 안에 알맞은 모양은 어느 것일까요? (　　　)

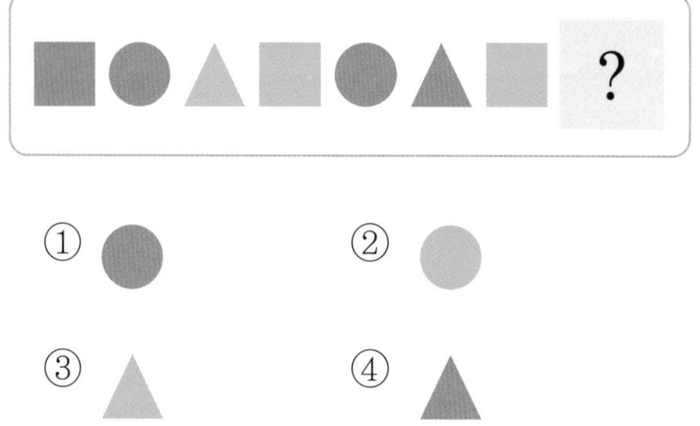

14 규칙에 맞게 　 안에 ●를 그려 보세요.

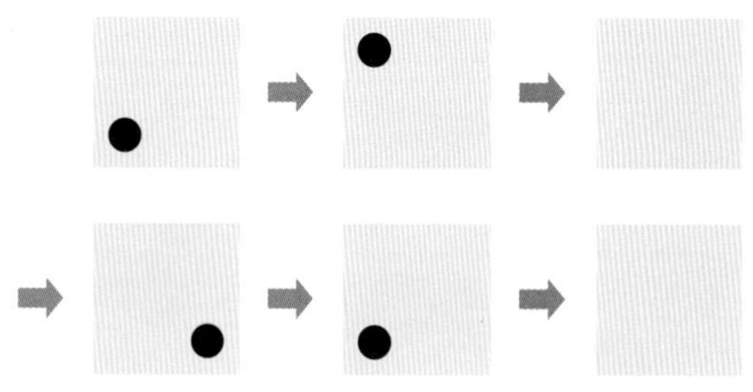

15 규칙을 찾아 네 번째에 쌓을 쌓기나무의 수를 구해 보세요.

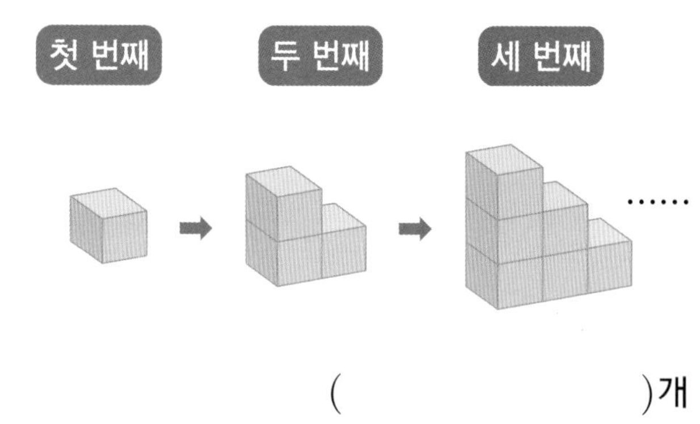

(　　　　　　　　)개

16 곱셈표에서 규칙을 찾아 빈칸에 알맞은 수를 써넣으세요.

6	9	
8	12	16
10	15	20
12		24

17 규칙을 찾아 무늬를 그려 보려고 합니다. 물음에 답하세요.

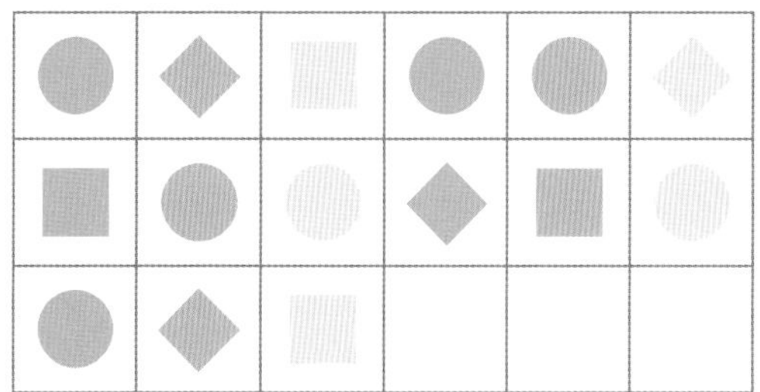

(1) 규칙에 따라 빈칸에 알맞은 모양을 그리고 색칠해 보세요.

(2) 모양과 색깔은 어떤 규칙이 있는지 안에 알맞게 써넣으세요.

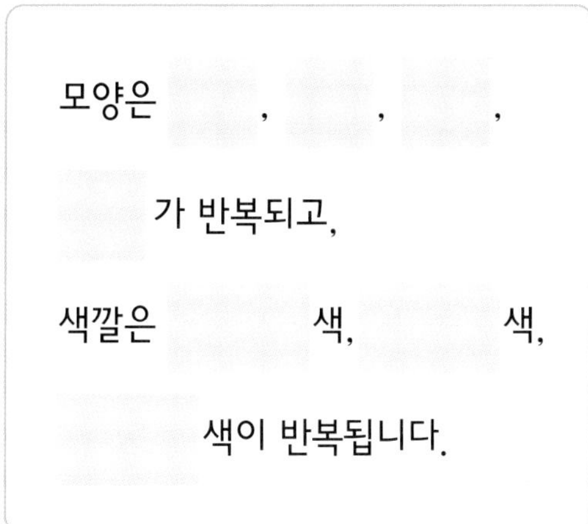

모양은 , , ,
가 반복되고,
색깔은 색, 색,
색이 반복됩니다.

18 규칙에 따라 바둑돌을 12개 늘어놓으면 흰색 바둑돌은 모두 몇 개일까요?

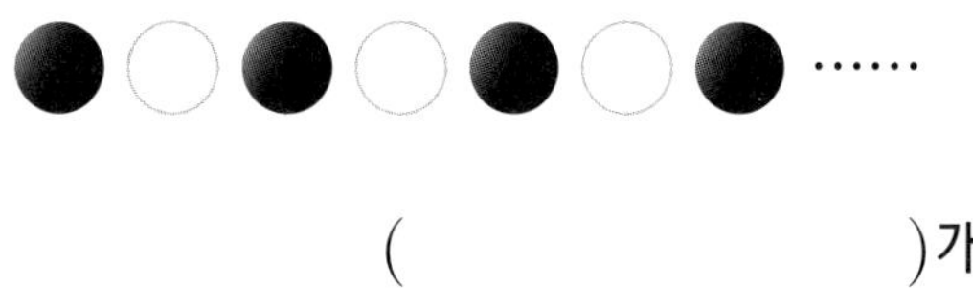

(　　　　　　)개

19 어떤 규칙에 따라 상자를 쌓은 것입니다. 5층으로 쌓으려면 상자는 몇 개가 더 필요한지 풀이 과정을 쓰고 답을 구하세요.

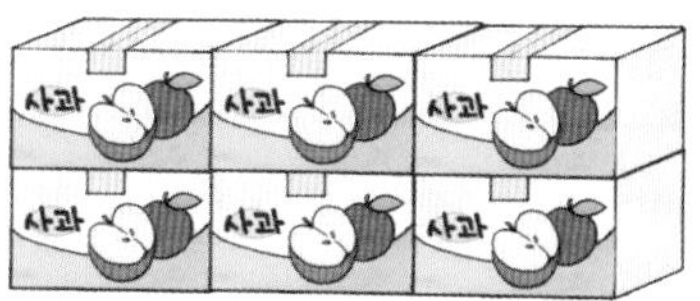

풀이

답

20 규칙에 따라 쌓기나무를 쌓은 것입니다. 4층으로 쌓기 위해서는 쌓기나무가 모두 몇 개 필요할까요?

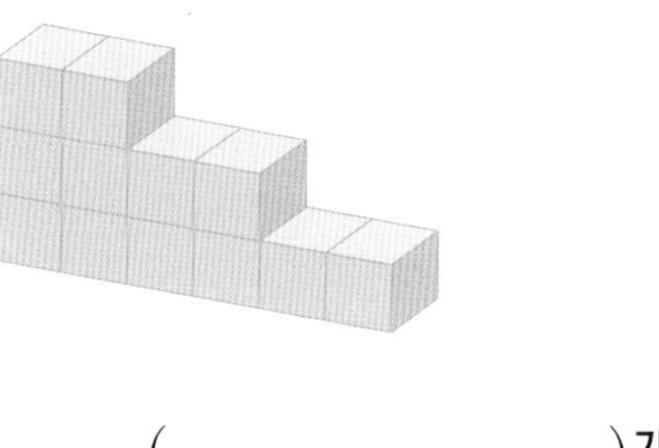

(　　　　　　)개

memo

논리적 사고력과 창의적 문제해결력을 키워 주는

매스티안 교재 활용법!

대상	창의사고력 교재 팩토	연산 교재 사고력을 키우는 팩토 연산	연산 교재 원리 연산 소마셈
5세~6세	 킨더팩토 A, B, C, D		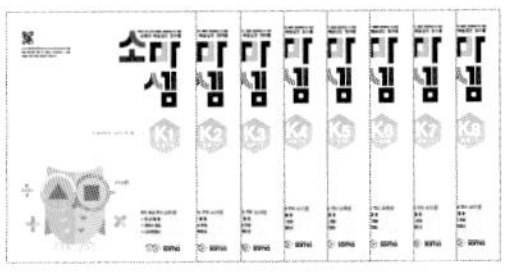 소마셈 K시리즈 K1~K8
7세~초1	 키즈 원리A/탐구A 키즈 원리B/탐구B 키즈 원리C/탐구C	 사고력을 키우는 팩토 연산 P01~P05	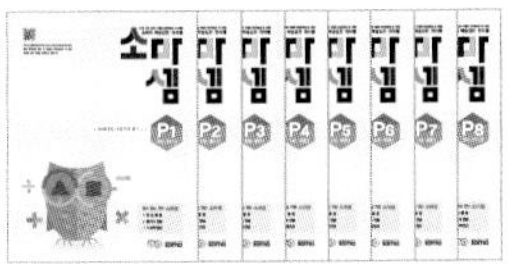 소마셈 P시리즈 P1~P8
초1~초2	 Lv.1 원리A/탐구A Lv.1 원리B/탐구B Lv.1 원리C/탐구C	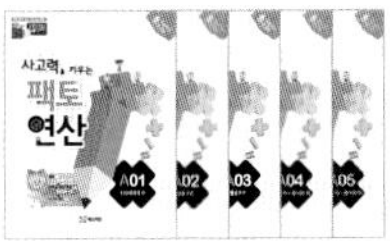 사고력을 키우는 팩토 연산 A01~A05	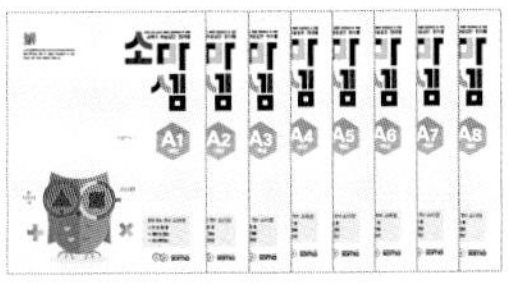 소마셈 A시리즈 A1~A8
초2~초3	 Lv.2 원리A/탐구A Lv.2 원리B/탐구B Lv.2 원리C/탐구C	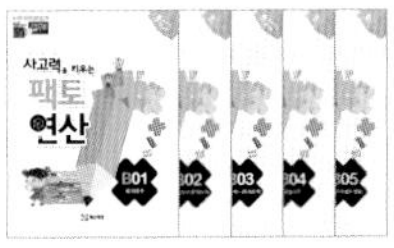 사고력을 키우는 팩토 연산 B01~B05	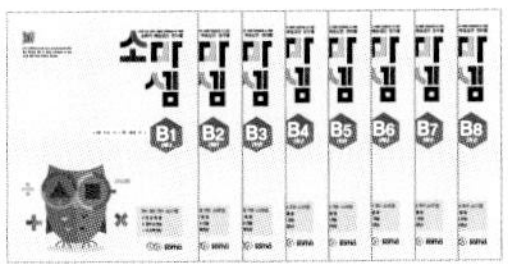 소마셈 B시리즈 B1~B8
초3~초4	 Lv.3 원리A/탐구A Lv.3 원리B/탐구B Lv.3 원리C/탐구C	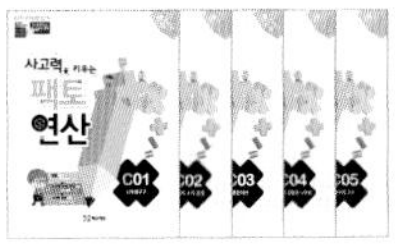 사고력을 키우는 팩토 연산 C01~C05	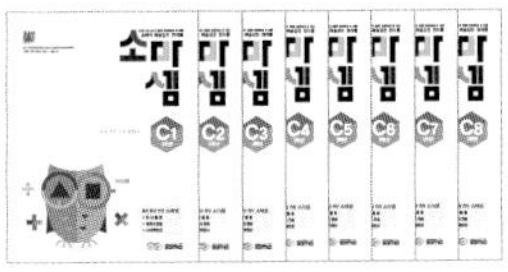 소마셈 C시리즈 C1~C8
초4~초5	 Lv.4 기본A, 실전A Lv.4 기본B, 실전B		 소마셈 D시리즈 D1~D6
초5~초6	 Lv.5 기본A, 실전A Lv.5 기본B, 실전B		
6~	 Lv.6 기본A, 실전A Lv.6 기본B, 실전B		

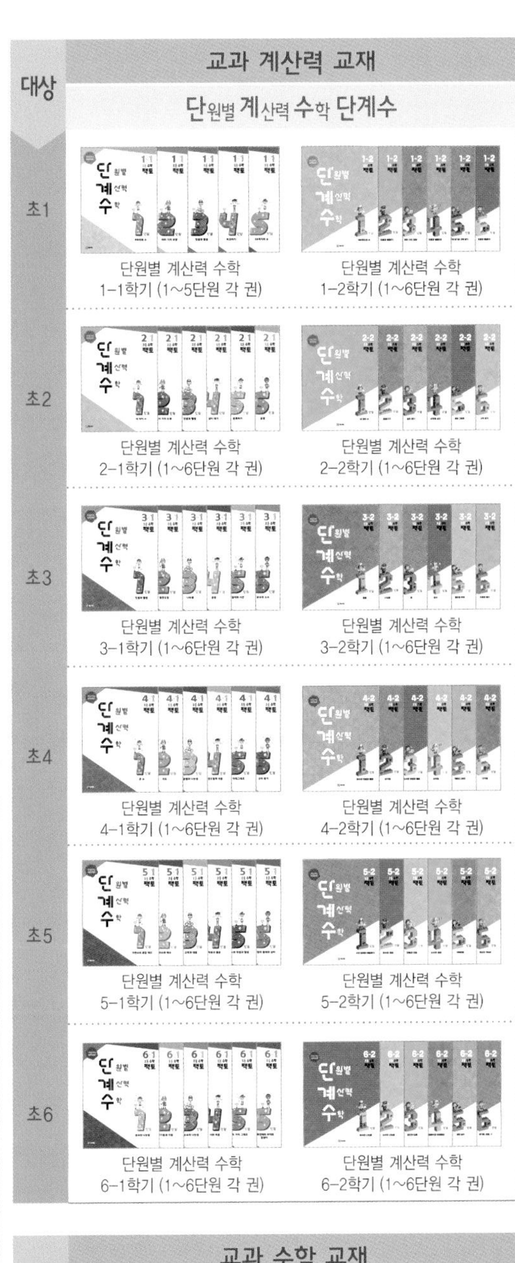

대상	교과 계산력 교재 단원별 계산력 수학 단계수	
초1	단원별 계산력 수학 1-1학기 (1~5단원 각 권)	단원별 계산력 수학 1-2학기 (1~6단원 각 권)
초2	단원별 계산력 수학 2-1학기 (1~6단원 각 권)	단원별 계산력 수학 2-2학기 (1~6단원 각 권)
초3	단원별 계산력 수학 3-1학기 (1~6단원 각 권)	단원별 계산력 수학 3-2학기 (1~6단원 각 권)
초4	단원별 계산력 수학 4-1학기 (1~6단원 각 권)	단원별 계산력 수학 4-2학기 (1~6단원 각 권)
초5	단원별 계산력 수학 5-1학기 (1~6단원 각 권)	단원별 계산력 수학 5-2학기 (1~6단원 각 권)
초6	단원별 계산력 수학 6-1학기 (1~6단원 각 권)	단원별 계산력 수학 6-2학기 (1~6단원 각 권)

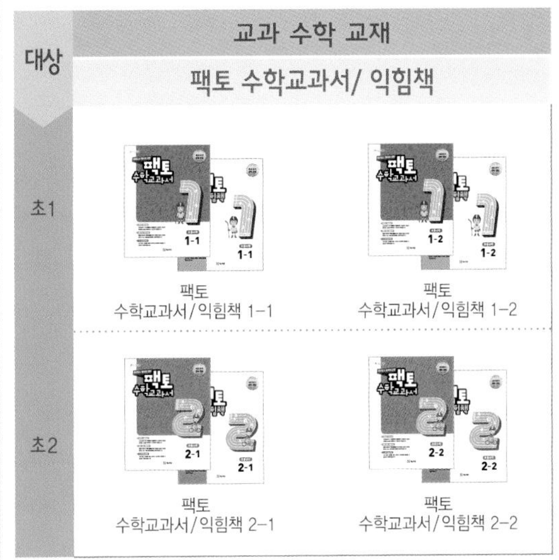

대상	교과 수학 교재 팩토 수학교과서/ 익힘책	
초1	팩토 수학교과서/익힘책 1-1	팩토 수학교과서/익힘책 1-2
초2	팩토 수학교과서/익힘책 2-1	팩토 수학교과서/익힘책 2-2

단계수 학습 순서

매일 학습

단원별로 꼭 알아야 할 개념만 쏙쏙 학습하고, 다양한 연산 문제를 통해 필수 개념을 숙달하여 계산력을 쑥쑥 키울 수 있습니다.

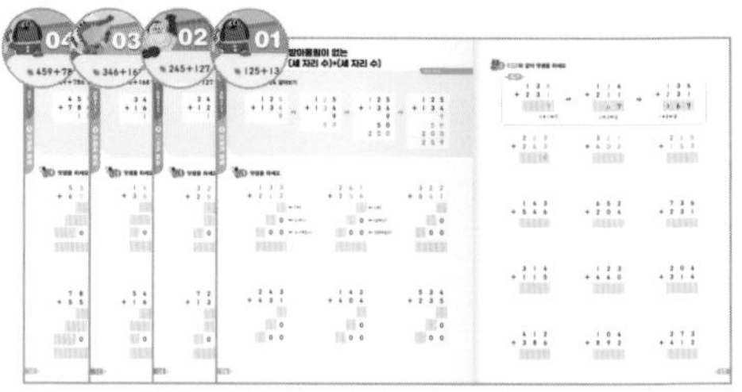

도전! 응용문제

필수 개념을 활용한 **응용** 문제 또는 **서술형** 문제를 통해 사고력과 문제해결력을 기를 수 있습니다.

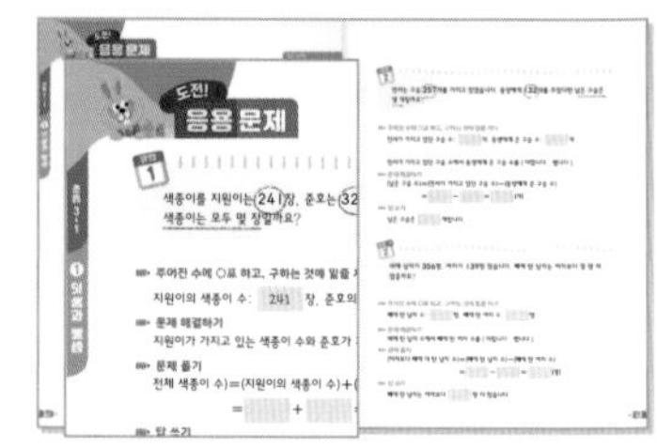

형성 평가

단원의 **복습 단계**로 문제를 풀면서 학습한 내용을 잘 알고 있는지 다시 한 번 확인할 수 있습니다.

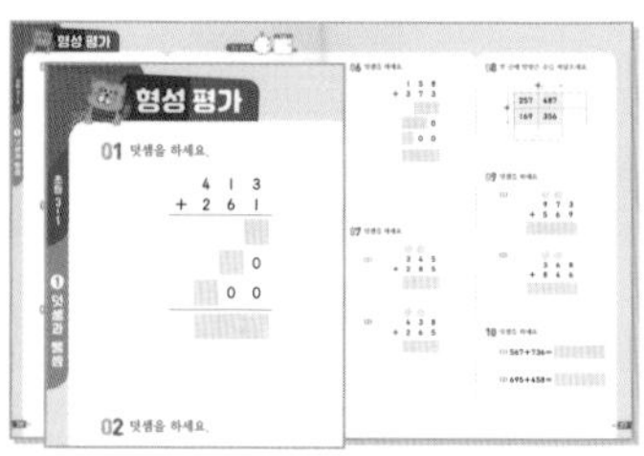

단원 평가

단원의 **마무리 학습**으로 학교 시험에 자주 나오는 문제 유형을 통해서 수시 평가 등 학교 시험에 대비할 수 있습니다.

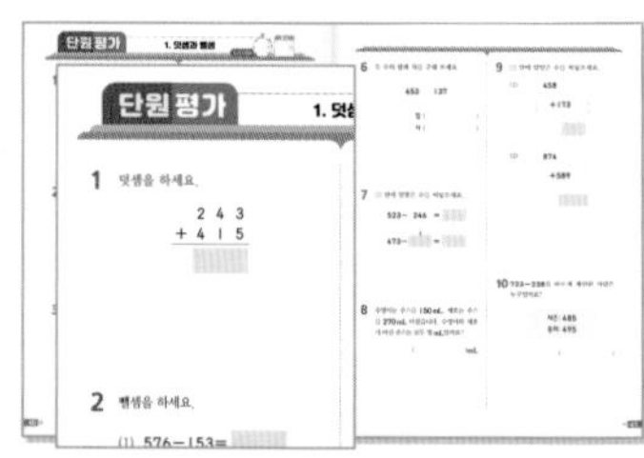

http://www.mathtian.com

초등학교	반 번
이름	

FACTO school

2-2

초등 수학 팩토

단원별 계산력 수학

매스티안

팩토는 자유롭게 자신감있게 창의적으로 생각하는 주니어수학자입니다.

단원별 계산력 수학

펴낸 곳 (주)타임교육C&P 펴낸이 이길호 지은이 매스티안R&D센터
주소 06153 서울특별시 강남구 봉은사로 442 (삼성동) 문의전화 1588.6066
팩토카페 http://cafe.naver.com/factos 홈페이지 http://www.mathtian.com

※ 정답과 풀이는 온라인 팩토카페(http://cafe.naver.com/factos)를 통해서도 확인할 수 있습니다.

MW220

생각이 자유로운 사람들! 매스티안R&D센터

매스티안R&D센터의 논리적 사고력과 창의적 문제해결력을 키우는 수학 콘텐츠는 국내외 수많은 교육 현장에서 그 우수성을 높이 평가받고 있습니다.
매스티안R&D센터는 여기에 안주하지 않고 앞으로도 학생, 교사, 학부모 모두가 행복한 수학 시간을 만들 수 있도록 노력하겠습니다.

매스티안 공식 홈페이지 ··· (http://www.mathtian.com)

· 매스티안의 다양한 출간 교재 소개
· 출간 교재와 관련된 학습 자료(보충 학습지, 활동지 등) 제공
· 출간 교재와 관련된 평가 시험 및 분석 제공

매스티안 공식 카페 ··· 팩토 (http://cafe.naver.com/factos)

· 창의사고력 수학 팩토 무료 동영상 강의 제공
· 출간 교재에 관한 질문 및 답변
· 영재교육원 대비 자료(기출 문제, 예상 문제) 제공
· 초등 수학 비법 및 Q&A

FACTO school

단원별 계산력 수학

2-2

초등 수학 팩토

매스티안

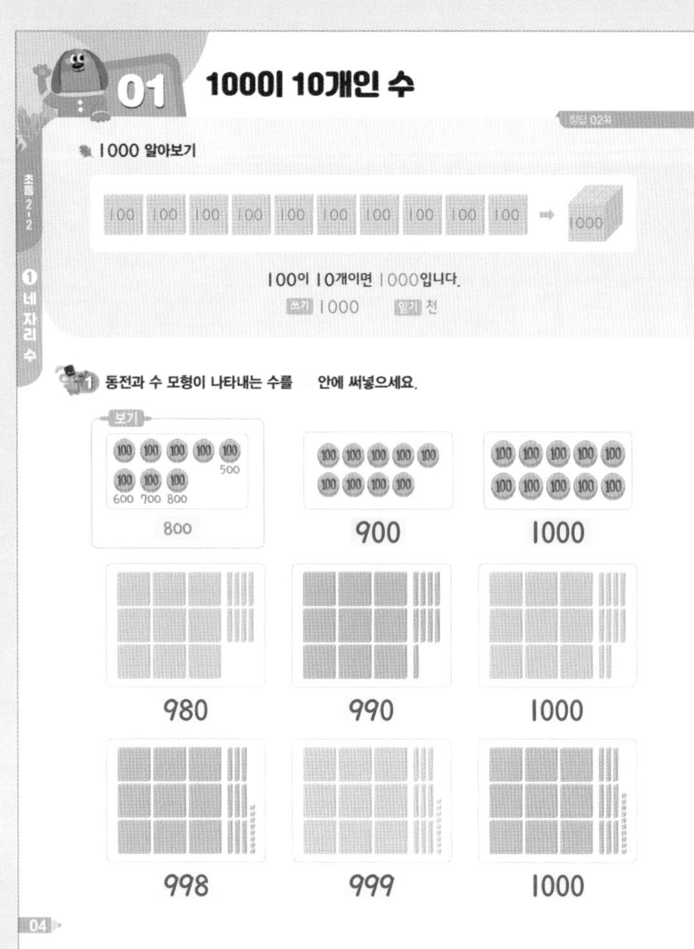
01
1000이 10개인 수
정답 02쪽
1000 알아보기
100이 10개이면 1000입니다.
쓰기 1000 읽기 천
1 동전과 수 모형이 나타내는 수를 안에 써넣으세요.
보기
800
900
1000
980
990
1000
998
999
1000
04

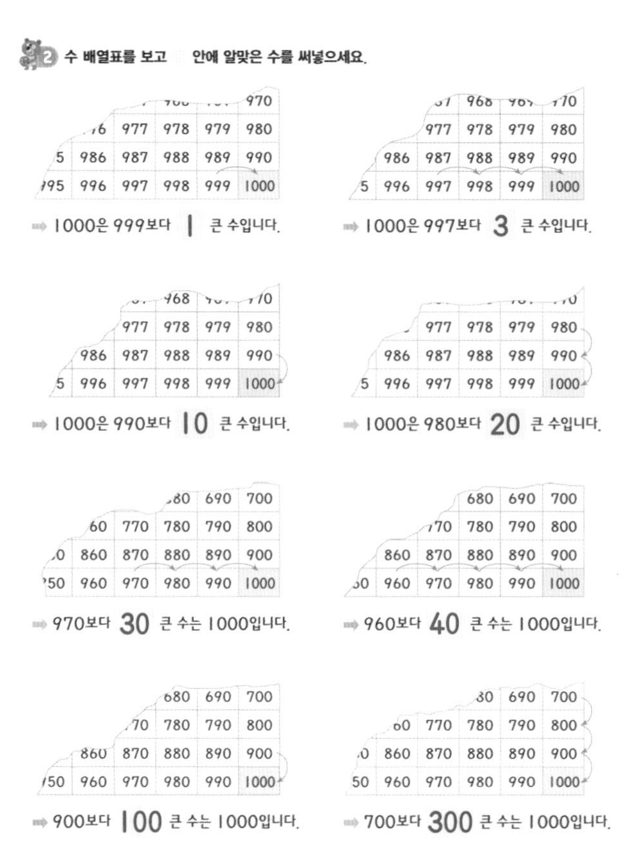
2 수 배열표를 보고 안에 알맞은 수를 써넣으세요.
1000은 999보다 1 큰 수입니다.
1000은 997보다 3 큰 수입니다.
1000은 990보다 10 큰 수입니다.
1000은 980보다 20 큰 수입니다.
970보다 30 큰 수는 1000입니다.
960보다 40 큰 수는 1000입니다.
900보다 100 큰 수는 1000입니다.
700보다 300 큰 수는 1000입니다.
05

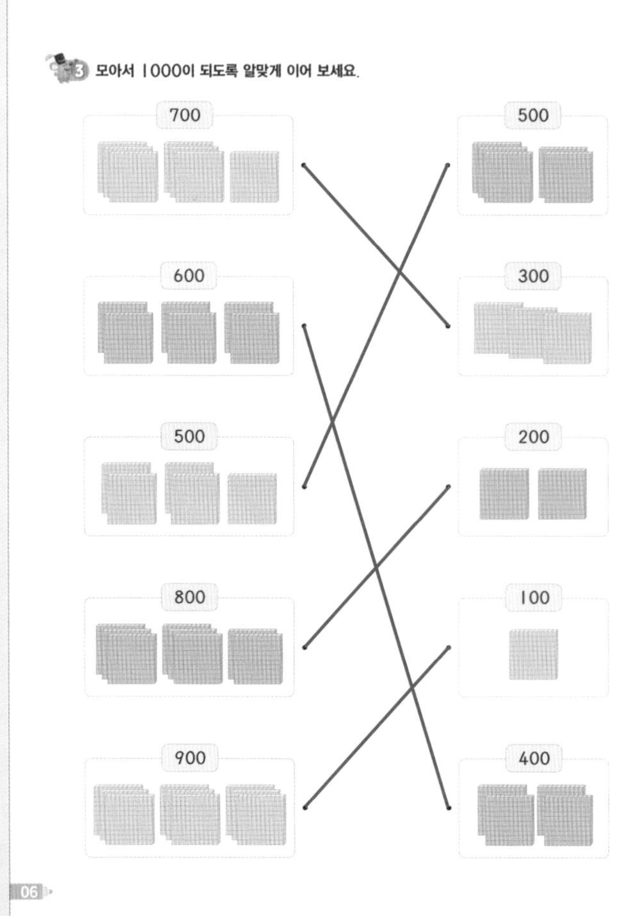
3 모아서 1000이 되도록 알맞게 이어 보세요.
700
600
500
800
900
500
300
200
100
400
06

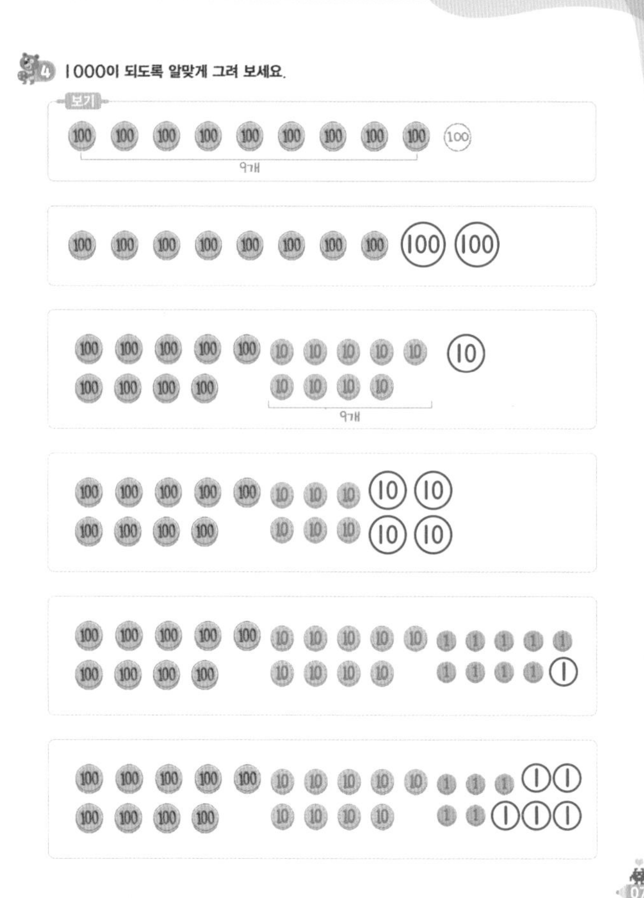
4 1000이 되도록 알맞게 그려 보세요.
보기
9개
9개
07

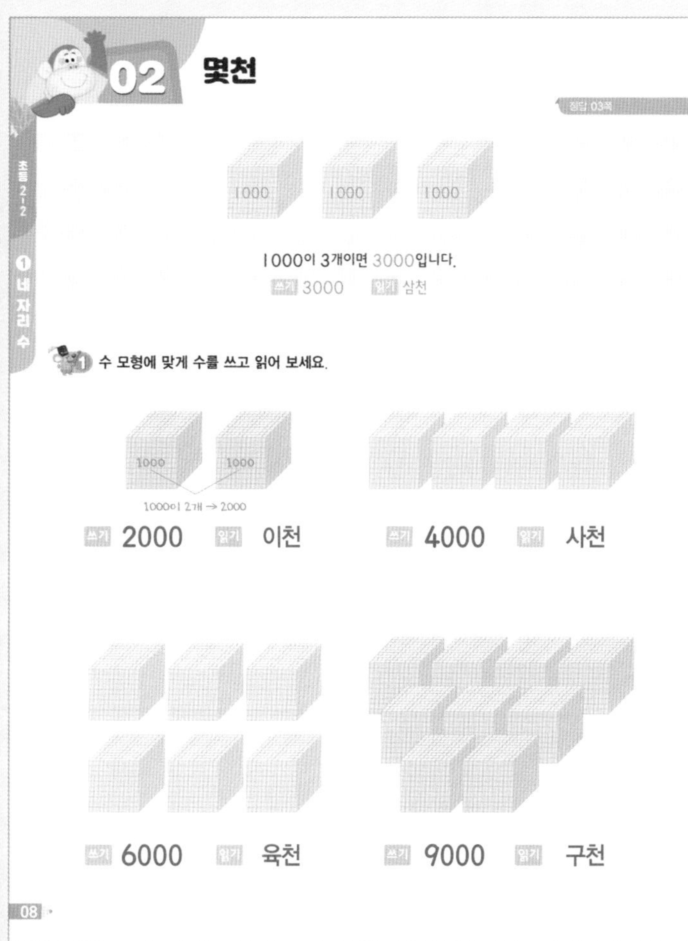
02 몇천
정답 03쪽
1000이 3개이면 3000입니다.
쓰기 3000 읽기 삼천
1 수 모형에 맞게 수를 쓰고 읽어 보세요.
1000이 2개 → 2000
쓰기 2000 읽기 이천
쓰기 4000 읽기 사천
쓰기 6000 읽기 육천
쓰기 9000 읽기 구천

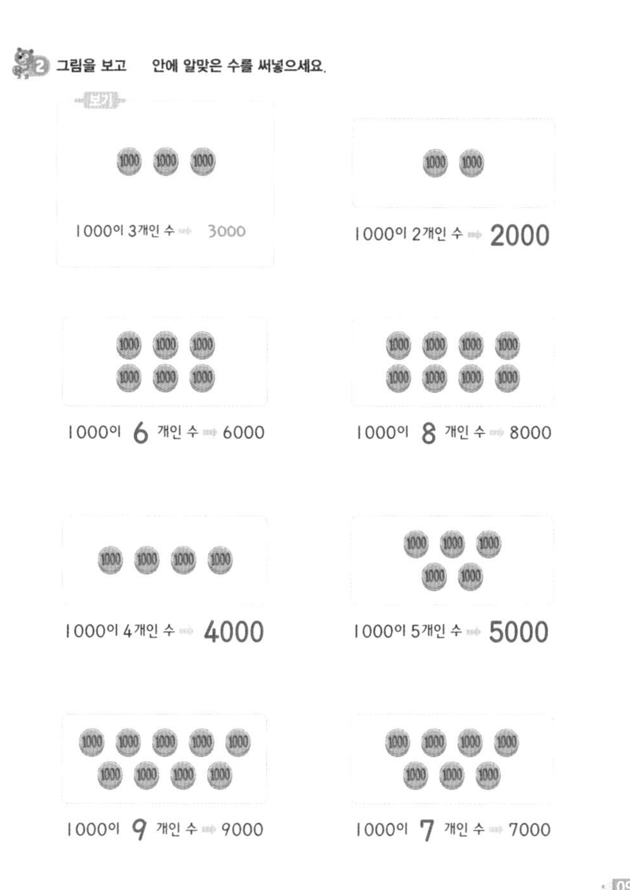
2 그림을 보고 안에 알맞은 수를 써넣으세요.
보기
1000이 3개인 수 → 3000
1000이 2개인 수 → 2000
1000이 6 개인 수 → 6000
1000이 8 개인 수 → 8000
1000이 4개인 수 → 4000
1000이 5개인 수 → 5000
1000이 9 개인 수 → 9000
1000이 7 개인 수 → 7000

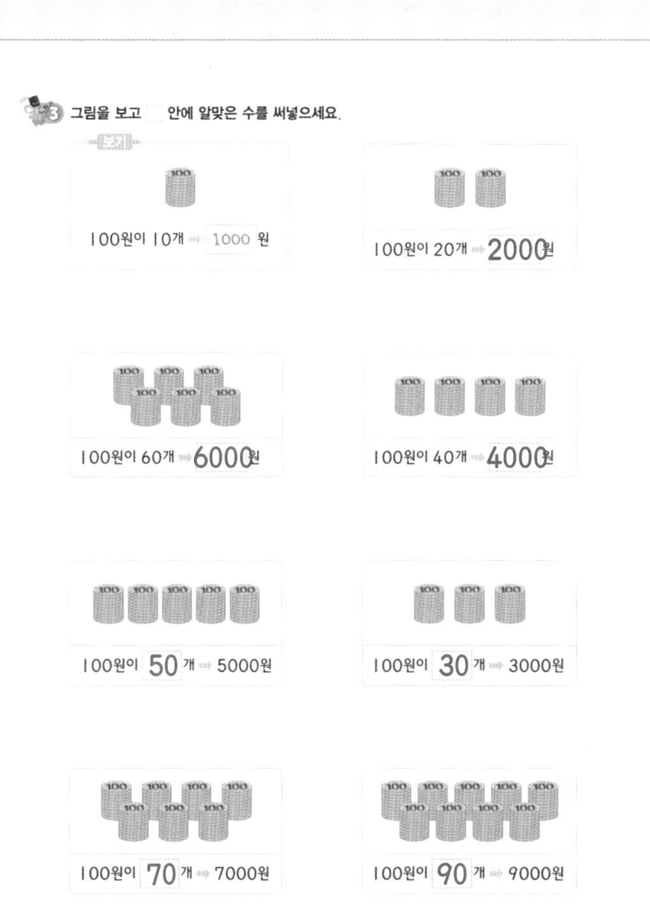
3 그림을 보고 안에 알맞은 수를 써넣으세요.
보기
100원이 10개 → 1000 원
100원이 20개 → 2000원
100원이 60개 → 6000원
100원이 40개 → 4000원
100원이 50 개 → 5000원
100원이 30 개 → 3000원
100원이 70 개 → 7000원
100원이 90 개 → 9000원

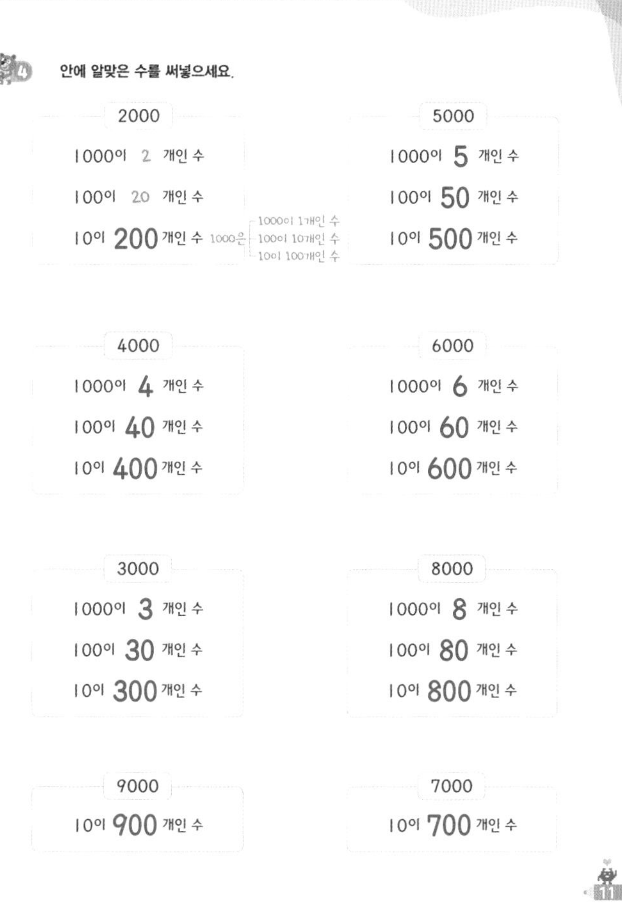
4 안에 알맞은 수를 써넣으세요.
2000
1000이 2 개인 수
100이 20 개인 수
10이 200 개인 수
1000은 1000이 1개인 수, 100이 10개인 수, 10이 100개인 수
5000
1000이 5 개인 수
100이 50 개인 수
10이 500 개인 수
4000
1000이 4 개인 수
100이 40 개인 수
10이 400 개인 수
6000
1000이 6 개인 수
100이 60 개인 수
10이 600 개인 수
3000
1000이 3 개인 수
100이 30 개인 수
10이 300 개인 수
8000
1000이 8 개인 수
100이 80 개인 수
10이 800 개인 수
9000
10이 900 개인 수
7000
10이 700 개인 수

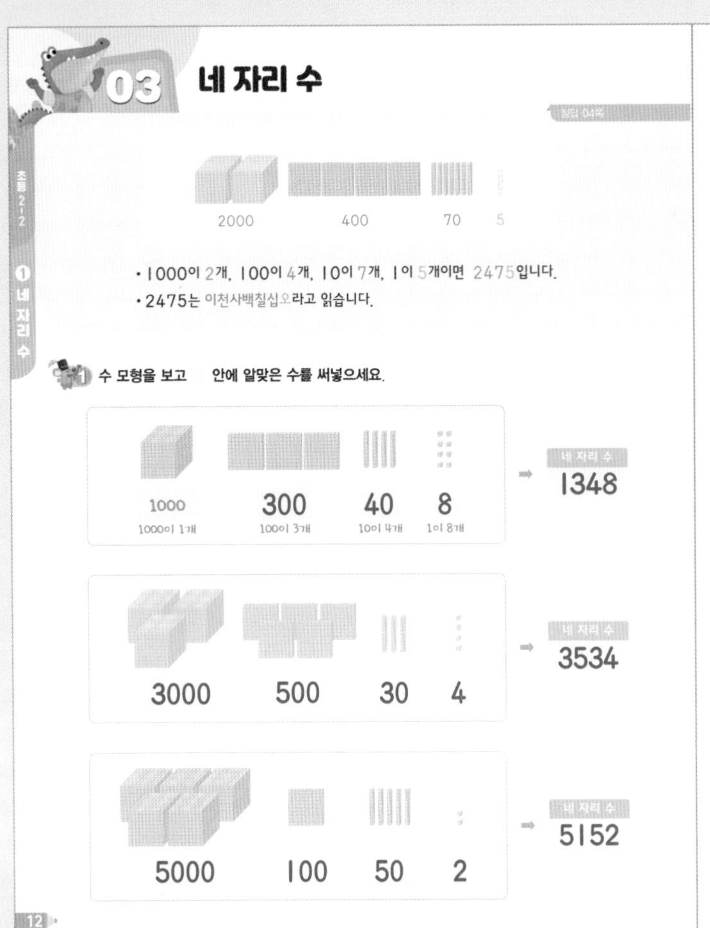
03 네 자리 수

정답 04쪽

2000 400 70 5

- 1000이 2개, 100이 4개, 10이 7개, 1이 5개이면 2475입니다.
- 2475는 이천사백칠십오라고 읽습니다.

1 수 모형을 보고 안에 알맞은 수를 써넣으세요.

1000 (1000이 1개) 300 (100이 3개) 40 (10이 4개) 8 (1이 8개) → 네 자리 수 1348

3000 500 30 4 → 네 자리 수 3534

5000 100 50 2 → 네 자리 수 5152

12

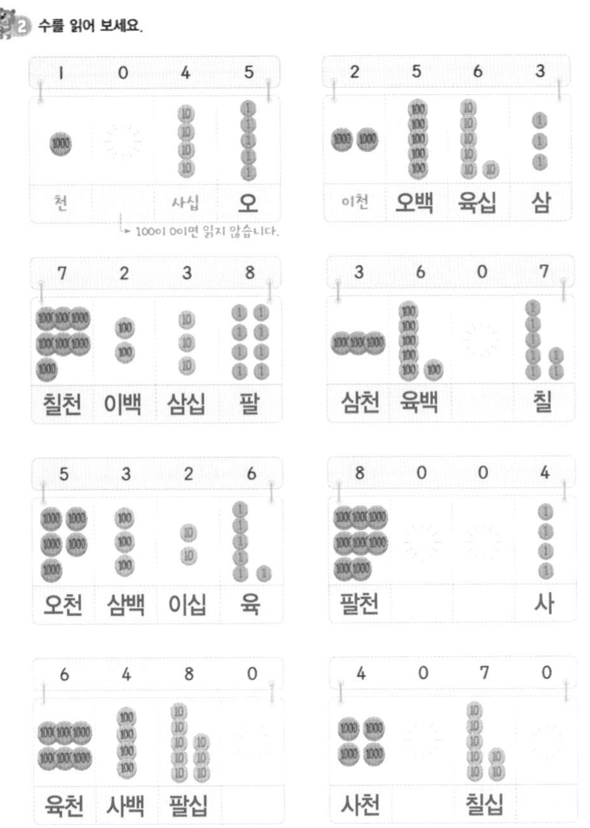
2 수를 읽어 보세요.

1	0	4	5
천		사십	오

↳ 100이 0이면 읽지 않습니다.

2	5	6	3
이천	오백	육십	삼

7	2	3	8
칠천	이백	삼십	팔

3	6	0	7
삼천	육백		칠

5	3	2	6
오천	삼백	이십	육

8	0	0	4
팔천			사

6	4	8	0
육천	사백	팔십	

4	0	7	0
사천		칠십	

13

3 빈 곳에 알맞은 수를 써넣으세요.

보기

이천	팔백		이
1000 개수	100 개수	10 개수	1 개수
2	8	0	2

↳ 숫자를 읽지 않은 곳에는 0을 씁니다.

삼천	칠백	칠십	구
1000 개수	100 개수	10 개수	1 개수
3	7	7	9

육천	이백	오십	육
1000 개수	100 개수	10 개수	1 개수
6	2	5	6

오천	백	삼십	삼
1000 개수	100 개수	10 개수	1 개수
5	1	3	3

칠천	사백	육십	
1000 개수	100 개수	10 개수	1 개수
7	4	6	0

사천	사백		육
1000 개수	100 개수	10 개수	1 개수
4	4	0	6

구천		십	일
1000 개수	100 개수	10 개수	1 개수
9	0	1	1

팔천		육십	
1000 개수	100 개수	10 개수	1 개수
8	0	6	0

14

4 수를 읽거나 수를 써넣으세요.

보기

6052 (천백십) — 육천오십이
↳ 자리의 숫자가 0이면 읽지 않습니다.

칠천삼백사십 (7000+300+40) — 7340

2589 (천백십) — 이천오백팔십구

천육백삼십일 (1000+600+30+1) — 1631

1794 — 천칠백구십사

사천구백삼십칠 — 4937

3650 — 삼천육백오십

구천칠 — 9007

6401 — 육천사백일

오천육백이십 — 5620

5039 — 오천삼십구

오천오십이 — 5052

7080 — 칠천팔십

팔천이백육십삼 — 8263

8147 — 팔천백사십칠

삼천칠십 — 3070

15

04 각 자리의 숫자가 나타내는 값

정답 05쪽

5 6 2 7

	나타내는 수
5 0 0 0 천의 자리 숫자: 5	5000
6 0 0 백의 자리 숫자: 6	600
2 0 십의 자리 숫자: 2	20
7 일의 자리 숫자: 7	7

5 6 2 7 ⇒ 5627=5000+600+20+7

1 빈 곳에 알맞은 수를 써넣으세요.

2793	1000이 2	100이 7	10이 9	1이 3
	2000	700	90	3

⇒ 2793= 2000 + 700 + 90 + 3

6418	1000이 6	100이 4	10이 1	1이 8
	6000	400	10	8

⇒ 6418= 6000 + 400 + 10 + 8

4207	1000이 4	100이 2	10이 0	1이 7
	4000	200	0	7

⇒ 4207= 4000 + 200 + 0 + 7

2 안에 알맞은 수를 써넣으세요.

보기
2945 = 2000 + 900 + 40 + 5
2 9 4 5 ⇒ 2 0 0 0 + 9 0 0 + 4 0 + 5

1924=1000+900+20+4 2350=2000+300+50+0

6408=6000+400+0+8 3056=3000+0+50+6

4597=4000+500+90+7 5010=5000+0+10+0

8935=8000+900+30+5 9653=9000+600+50+3

3706=3000+700+0+6 8030=8000+0+30+0

5094=5000+0+90+4 4621=4000+600+20+1

5336=5000+300+30+6 7595=7000+500+90+5

3 빨간색 숫자가 나타내는 수를 찾아 ○표 하세요.

6291 = 6000+200+90+1
(6000) 600 60 6

7536
5000 (500) 50 5

4872
7000 700 (70) 7

8969
9000 900 90 (9)

5048
1000 100 10 (0)

1345
(1000) 100 10 1

9030
3000 300 (30) 3

3007
7000 700 70 (7)

1860
8000 (800) 80 8

1622
2000 200 (20) 2

4 안에 알맞은 수를 써넣으세요.

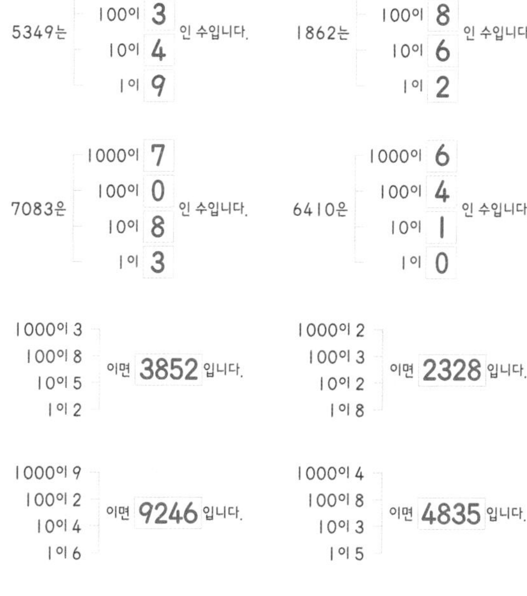

5349는 1000이 5, 100이 3, 10이 4, 1이 9 인 수입니다.

1862는 1000이 1, 100이 8, 10이 6, 1이 2 인 수입니다.

7083은 1000이 7, 100이 0, 10이 8, 1이 3 인 수입니다.

6410은 1000이 6, 100이 4, 10이 1, 1이 0 인 수입니다.

1000이 3, 100이 8, 10이 5, 1이 2 이면 3852 입니다.

1000이 2, 100이 3, 10이 2, 1이 8 이면 2328 입니다.

1000이 9, 100이 2, 10이 4, 1이 6 이면 9246 입니다.

1000이 4, 100이 8, 10이 3, 1이 5 이면 4835 입니다.

1000이 7, 100이 9, 1이 4 이면 7904 입니다.

1000이 6, 10이 5, 1이 3 이면 6053 입니다.

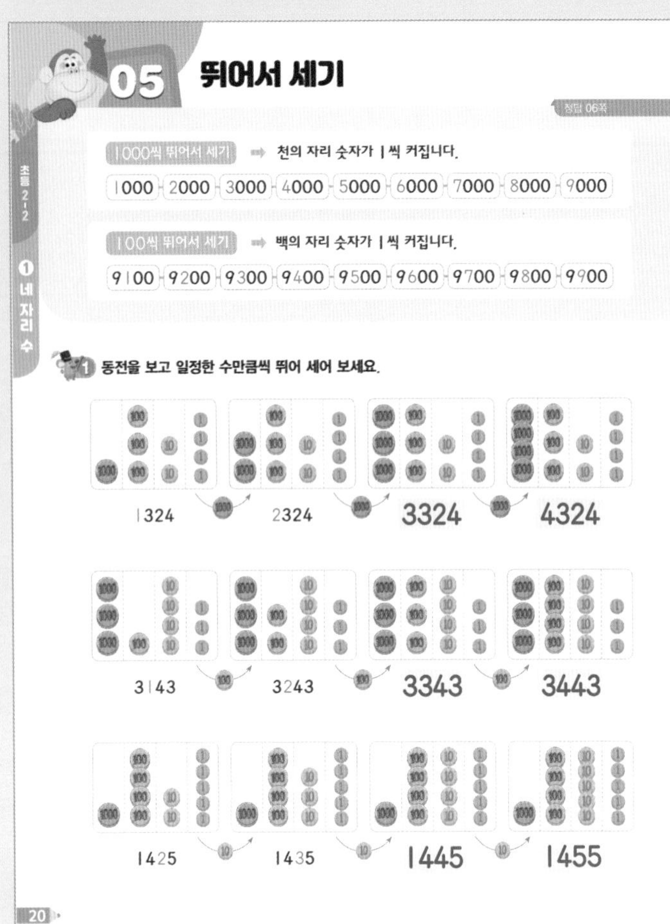

05 뛰어서 세기

정답 06쪽

1000씩 뛰어서 세기 ➡ 천의 자리 숫자가 1씩 커집니다.

1000 - 2000 - 3000 - 4000 - 5000 - 6000 - 7000 - 8000 - 9000

100씩 뛰어서 세기 ➡ 백의 자리 숫자가 1씩 커집니다.

9100 - 9200 - 9300 - 9400 - 9500 - 9600 - 9700 - 9800 - 9900

1 동전을 보고 일정한 수만큼씩 뛰어 세어 보세요.

1324 → 2324 → 3324 → 4324

3143 → 3243 → 3343 → 3443

1425 → 1435 → 1445 → 1455

2 주어진 수만큼씩 뛰어 세어 빈 곳에 알맞은 수를 써넣으세요.

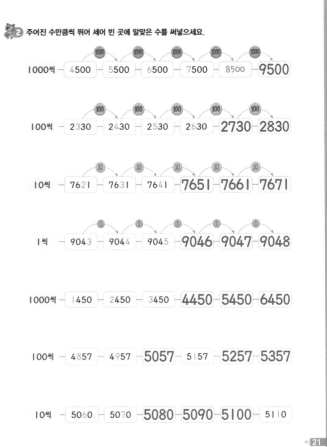

1000씩	4500	5500	6500	7500	8500	9500
100씩	2330	2430	2530	2630	2730	2830
10씩	7621	7631	7641	7651	7661	7671
1씩	9043	9044	9045	9046	9047	9048
1000씩	1450	2450	3450	4450	5450	6450
100씩	4857	4957	5057	5157	5257	5357
10씩	5060	5070	5080	5090	5100	5110

3 뛰어 센 규칙을 찾아 빈 곳에 알맞은 수를 써넣으세요.

3890 - 4890 - 5890 - 6890 - 7890 - 8890

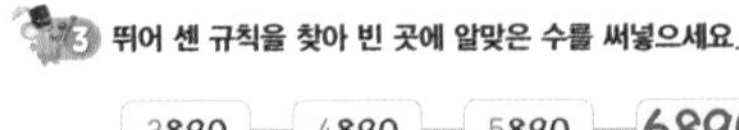

6310 - 6311 - 6312 - 6313 - 6314 - 6315

4060 - 4070 - 4080 - 4090 - 4100 - 4110

7025 - 7125 - 7225 - 7325 - 7425 - 7525

1170 - 1370 - 1570 - 1770 - 1970 - 2170

9711 - 9713 - 9715 - 9717 - 9719 - 9721

8400 - 8420 - 8440 - 8460 - 8480 - 8500

3500 - 4000 - 4500 - 5000 - 5500 - 6000

4 규칙에 알맞게 따라가며 선을 그어 보세요.

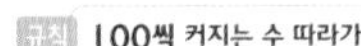

규칙 100씩 커지는 수 따라가기

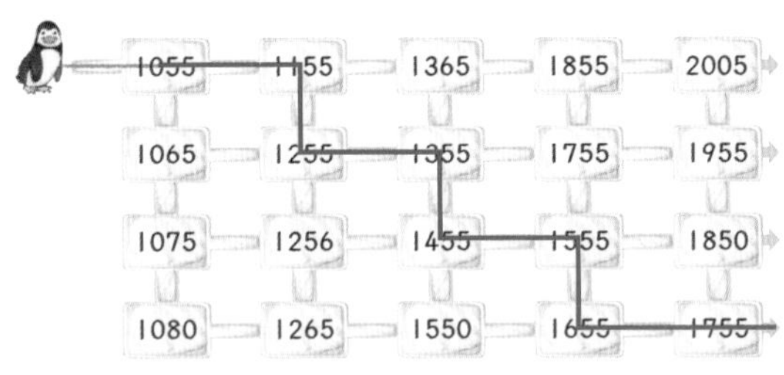

1055	1155	1365	1855	2005
1065	1255	1355	1755	1955
1075	1256	1455	1555	1850
1080	1265	1550	1655	1755

규칙 10씩 커지는 수 따라가기

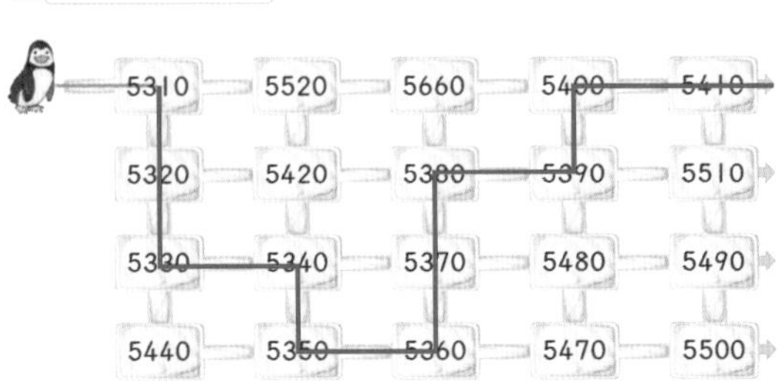

5310	5520	5660	5400	5410
5320	5420	5380	5390	5510
5330	5340	5370	5480	5490
5440	5350	5360	5470	5500

06 수의 크기 비교

3243과 3245 비교하기

	천의 자리	백의 자리	십의 자리	일의 자리
3243=	3000	200	40	3
	‖	‖	‖	∧
3245=	3000	200	40	5

→ 3243 < 3245

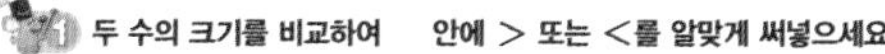

1 두 수의 크기를 비교하여 안에 > 또는 <를 알맞게 써넣으세요.

3535, 5236 → 3535 < 5236

2549, 2486 → 2549 > 2486

4366, 4393 → 4366 < 4393

2 네 자리 수의 크기를 비교하여 빈 곳에 알맞게 써넣으세요.

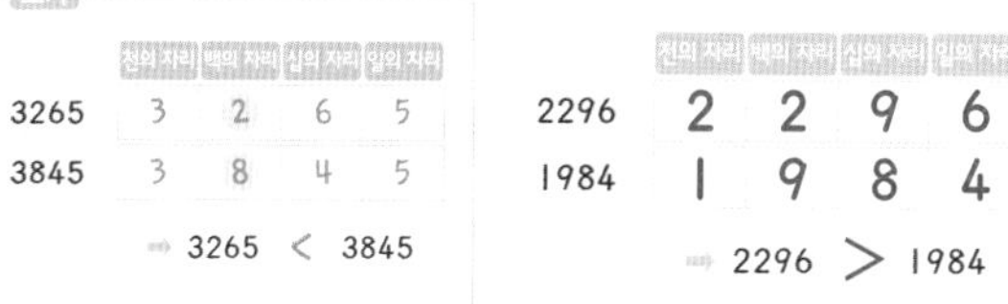

보기

	천의 자리	백의 자리	십의 자리	일의 자리
3265	3	2	6	5
3845	3	8	4	5

→ 3265 < 3845

	천의 자리	백의 자리	십의 자리	일의 자리
2296	2	2	9	6
1984	1	9	8	4

→ 2296 > 1984

	천의 자리	백의 자리	십의 자리	일의 자리
2613	2	6	1	3
2358	2	3	5	8

→ 2613 > 2358

	천의 자리	백의 자리	십의 자리	일의 자리
4908	4	9	0	8
4985	4	9	8	5

→ 4908 < 4985

	천의 자리	백의 자리	십의 자리	일의 자리
8807	8	8	0	7
9123	9	1	2	3

→ 8807 < 9123

	천의 자리	백의 자리	십의 자리	일의 자리
7415	7	4	1	5
7410	7	4	1	0

→ 7415 > 7410

	천의 자리	백의 자리	십의 자리	일의 자리
5255	5	2	5	5
5257	5	2	5	7

→ 5255 < 5257

	천의 자리	백의 자리	십의 자리	일의 자리
3653	3	6	5	3
3649	3	6	4	9

→ 3653 > 3649

3 두 수의 크기를 비교하여 안에 > 또는 <를 알맞게 써넣으세요.

보기
천의 자리: 3540 3560 (3=3) → 백의 자리: 3540 3560 (5=5) → 십의 자리: 3540 < 3560 (4<6)

5032 > 3952 (5>3)

3204 > 3186

4503 < 4506

1982 < 1993

8285 > 8258

7382 < 8001

6389 < 6507

9373 > 9370

2465 > 2456

5673 > 5587

6096 < 6099

4537 > 4535

5689 > 5489

1938 < 1957

4 주어진 수보다 큰 수를 모두 찾아 ○표 하세요.

1234: 1235, 2043, 1509, 1199, 1028 → ○: 1235, 2043, 1509

4057: 4045, 3825, 4075, 6002, 5531 → ○: 4075, 6002, 5531

3536: 3635, 3499, 2874, 3365, 3950 → ○: 3635, 3950

7017: 7001, 9010, 8306, 7500, 6998 → ○: 9010, 8306, 7500

6632: 4999, 7032, 6950, 5950, 7150 → ○: 7032, 6950, 7150

2698: 2745, 2699, 2689, 2100, 1905 → ○: 2745, 2699

9345: 6030, 9400, 8970, 9513, 9253 → ○: 9400, 9513

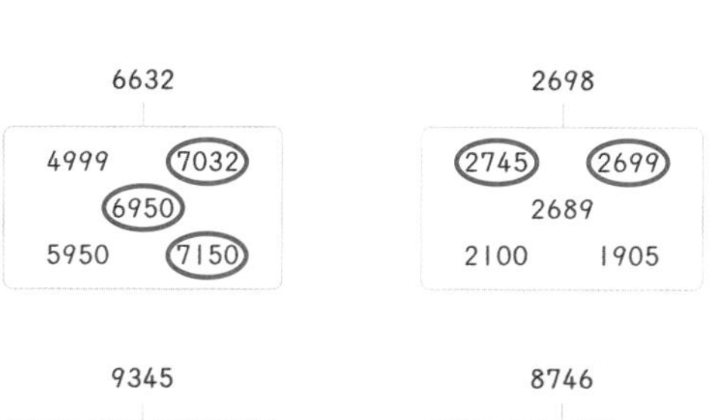

8746: 8798, 8552, 9010, 5432, 8902 → ○: 8798, 9010, 8902

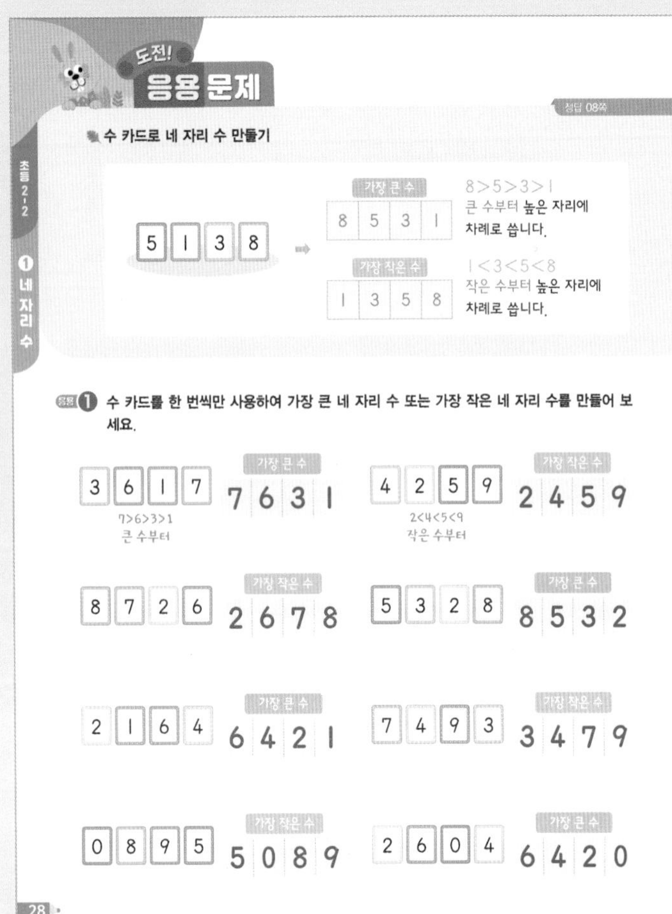

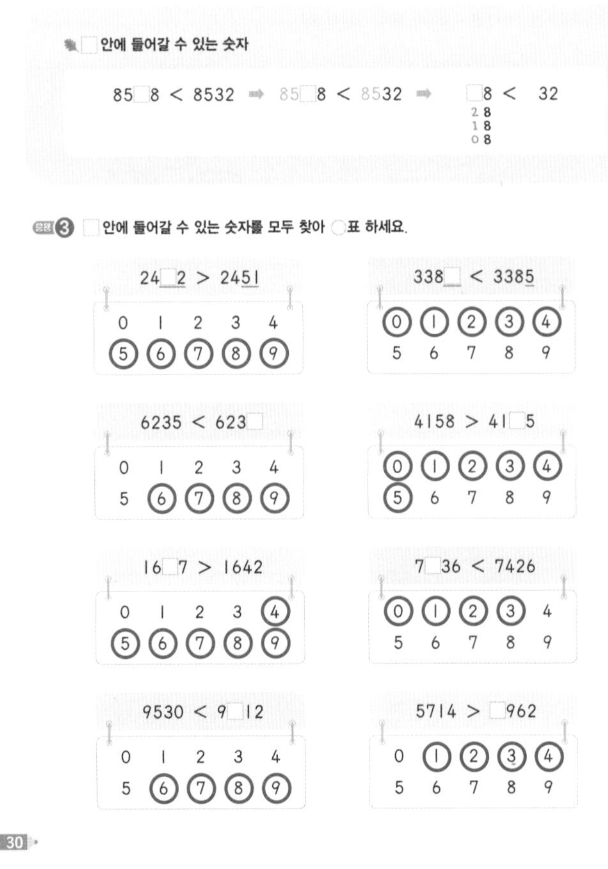

형성평가

01 동전이 나타내는 수를 안에 써넣으세요.

(1)

700

(2)

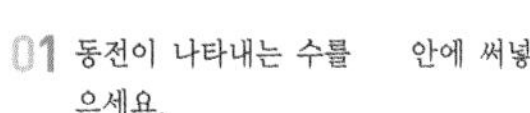

1000

02 안에 알맞은 수를 써넣으세요.

(1)

	977	978	979	980
986	987	988	989	990
996	997	998	999	1000

➡ 1000은 996보다 4 큰 수입니다.

(2)

	977	978	979	980
986	987	988	989	990
996	997	998	999	1000

➡ 1000은 980보다 20 큰 수입니다.

03 모아서 1000이 되도록 알맞게 이어 보세요.

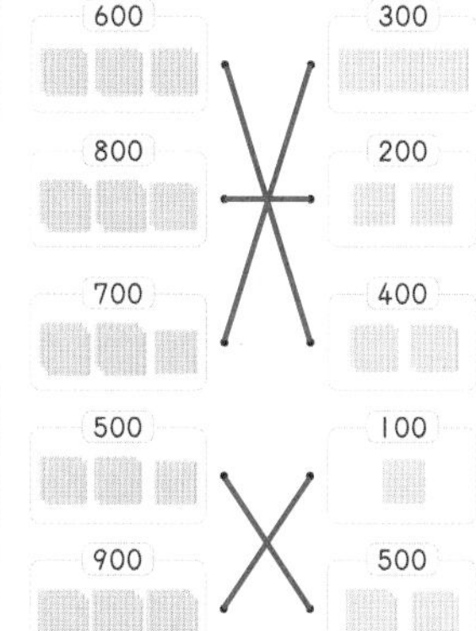

04 1000이 되도록 알맞게 그려 보세요.

05 수 모형에 맞게 수를 쓰고 읽어 보세요.

쓰기 5000 읽기 오천

06 그림을 보고 안에 알맞은 수를 써넣으세요.

1000이 7 개인 수 ➡ 7000

07 안에 알맞은 수를 써넣으세요.

(1)

100원이 30개 ➡ 3000원

(2)

100원이 40개 ➡ 4000원

08 안에 알맞은 수를 써넣으세요.

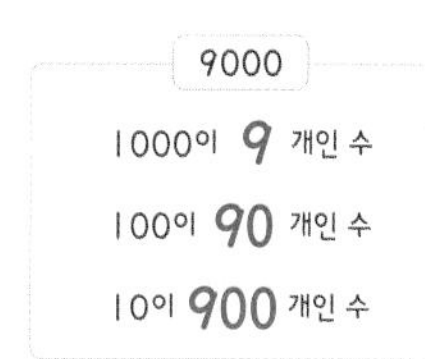

9000

1000이 9 개인 수

100이 90 개인 수

10이 900 개인 수

09 수를 읽어 보세요.

4	6	1	3
사천	육백	십	삼

10 빈 곳에 알맞은 수를 써넣으세요.

육천	이백		칠
1000 개수	100 개수	10 개수	1 개수
6	2	0	7

11 수를 읽거나 수를 써넣으세요.

(1) 1927 — 천구백이십칠

(2) 5069 — 오천육십구

(3) 이천오백육십팔 — 2568

(4) 오천사백 — 5400

(5) 삼천팔백삼 — 3803

12 보기와 같이 안에 알맞은 수를 써넣으세요.

보기

7503=7000+500+0+3

(1) 2817= 2000 + 800 + 10 + 7

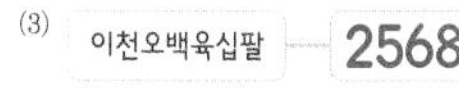

(2) 6040= 6000 + 0 + 40 + 0

13 빨간색 숫자가 나타내는 수를 찾아 ○표 하세요.

(1)

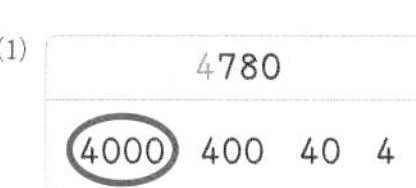

4780

(4000) 400 40 4

(2)

5322

2000 200 (20) 2

14 안에 알맞은 수를 써넣으세요.

6054는 1000이 6, 100이 0, 10이 5, 1이 4 인 수입니다.

15 주어진 수만큼씩 뛰어 세어 빈 곳에 알맞은 수를 써넣으세요.

100씩

2245 – 2345 – 2445 – 2545 – 2645 – 2745

16 뛰어 센 규칙을 찾아 빈 곳에 알맞은 수를 써넣으세요.

(1) 3518 – 4518 – 5518 – 6518 – 7518 – 8518

(2) 2681 – 2691 – 2701 – 2711 – 2721 – 2731

17 네 자리 수의 크기를 비교하여 빈 곳에 알맞게 써넣으세요.

	천의 자리	백의 자리	십의 자리	일의 자리
2786	2	7	8	6
2758	2	7	5	8

➡ 2786 > 2758

18 두 수의 크기를 비교하여 안에 > 또는 <를 알맞게 써넣으세요.

(1) 2706 < 3706

(2) 3580 > 3579

19 주어진 수보다 큰 수를 모두 찾아 ○표 하세요.

5609

(6509) 5599 4990 (5907) (5610)

20 주어진 수보다 작은 수를 모두 찾아 ○표 하세요.

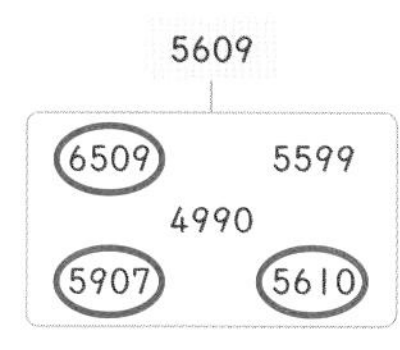

3922

3932 (3912) (3822) (3919) 4926

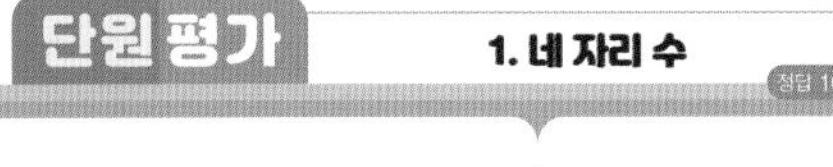

단원평가 1. 네 자리 수

정답 10쪽

1 동전이 나타내는 수를 쓰고, 읽어 보세요.

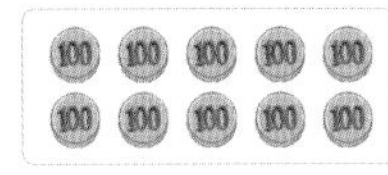

쓰기 (1000)
읽기 (천)

2 1000을 나타내는 수가 아닌 것을 찾아 기호를 쓰세요.

㉠ 997보다 3 큰 수
㉡ 990보다 100 큰 수
㉢ 100이 10개인 수

(㉡)

3 1000원이 되려면 얼마가 더 있어야 할까요?

(40)원

4 ㉠과 ㉡에 알맞은 수들의 합을 구해 보세요.

(1)
• 3000은 1000이 ㉠개입니다.
• 5000은 1000이 ㉡개입니다.

(8)

(2)
• 1000이 ㉠개이면 4000입니다.
• 1000이 ㉡개이면 7000입니다.

(11)

5 안에 알맞은 수를 써넣으세요.

(1) 6000 — 1000이 6 개인 수 / 100이 60 개인 수 / 10이 600 개인 수

(2) 3000 — 1000이 3 개인 수 / 100이 30 개인 수 / 10이 300 개인 수

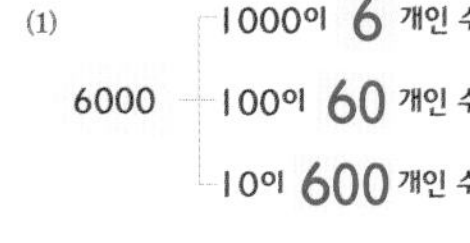

6 색종이 3000장을 상자에 담으려고 합니다. 한 상자에 1000장씩 담는다면 상자는 모두 몇 개 필요할까요?

(3)개

7 수 모형을 보고 알맞은 수를 쓰세요.

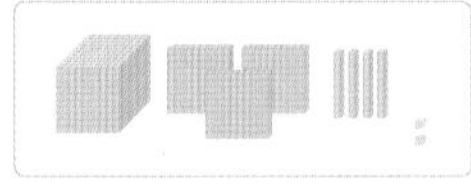

(1342)

8 알맞게 이어 보세요.

7105 — 칠천백오
7015 — 칠천십오
7150 — 칠천백오십
7115 — 칠천백십오
7511 — 칠천오백십일

9 숫자 6이 6000을 나타내는 수는 모두 몇 개일까요?

6504 5670 1569
9586 6002 3672

(2)개

10 밑줄 친 숫자가 나타내는 값이 가장 큰 수에 ○표, 가장 작은 수에 △표 하세요.

(1) 3408 9642 1954(△) 4891(○)

(2) 7605(○) 8742 3517(△) 9875

11 다음 수를 구하세요.

(1) 1000이 5, 100이 8, 1이 9인 수

(5809)

(2) 1000이 7, 100이 2, 10이 3인 수

(7230)

12 주원이는 문구점에서 1000원짜리 연필 5자루, 100원짜리 지우개 2개를 샀습니다. 주원이는 얼마를 내야 하는지 풀이 과정을 쓰고 답을 구하세요.

풀이 예 1000원짜리 연필 5자루: 5000원
100원짜리 지우개 2개: 200원
따라서 5000＋200＝5200(원)
답 5200원

13 뛰어 센 수를 보고 몇 씩 뛰어서 세었는지 쓰세요.

5803 — 5813 — 5823 — 5833 — 5843 — 5853

(10)씩

14 뛰어 세는 규칙을 찾아 ㉠에 알맞은 수를 구하세요.

3251, 3351, 3451, ㉠

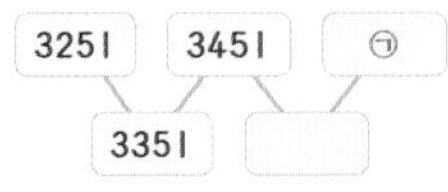

(3651)

15 2529에서 큰 쪽으로 1000씩 5번 뛰어서 센 수를 구하세요.

(7529)

16 더 큰 수를 말한 사람은 누구일까요?

준서: 1000이 8, 100이 3, 10이 5인 수
하윤: 8309

(준서)

17 큰 수부터 차례대로 기호를 쓰세요.

㉠ 3691 ㉡ 3951 ㉢ 3799

(㉡, ㉢, ㉠)

18 산의 높이를 조사한 것입니다. 가장 낮은 산을 쓰세요.

산	높이(m)
지리산	1915
한라산	1947
백두산	2744

(지리산)

19 수 카드를 한 번씩만 사용하여 가장 큰 네 자리 수와 가장 작은 네 자리 수를 각각 만들어 보세요.

5 2 0 8

가장 큰 수 (8520)
가장 작은 수 (2058)

20 조건에 맞는 네 자리 수를 구하세요.

조건
• 천의 자리 숫자와 백의 자리 숫자는 8입니다.
• 십의 자리 숫자는 백의 자리 숫자보다 2 작습니다.
• 일의 자리 숫자와 십의 자리 숫자의 합은 10입니다.

(8864)

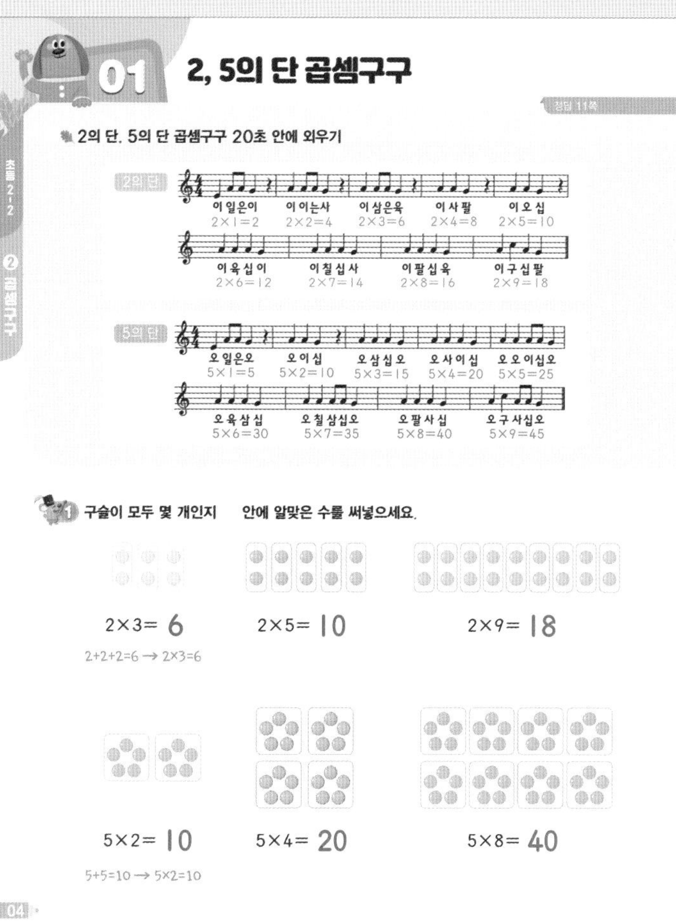

01 2, 5의 단 곱셈구구

정답 11쪽

2의 단, 5의 단 곱셈구구 20초 안에 외우기

2의 단

이일은이 2×1=2 / 이이는사 2×2=4 / 이삼은육 2×3=6 / 이사팔 2×4=8 / 이오십 2×5=10

이육십이 2×6=12 / 이칠십사 2×7=14 / 이팔십육 2×8=16 / 이구십팔 2×9=18

5의 단

오일은오 5×1=5 / 오이십 5×2=10 / 오삼십오 5×3=15 / 오사이십 5×4=20 / 오오이십오 5×5=25

오육삼십 5×6=30 / 오칠삼십오 5×7=35 / 오팔사십 5×8=40 / 오구사십오 5×9=45

1 구슬이 모두 몇 개인지 안에 알맞은 수를 써넣으세요.

2×3= 6 (2+2+2=6 → 2×3=6)　2×5= 10　2×9= 18

5×2= 10 (5+5=10 → 5×2=10)　5×4= 20　5×8= 40

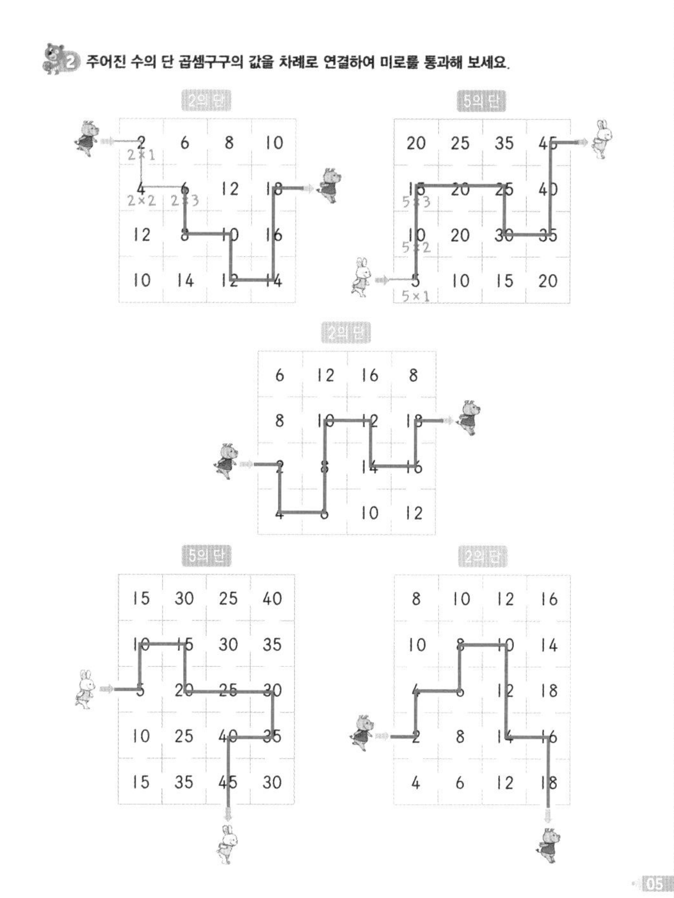

2 주어진 수의 단 곱셈구구의 값을 차례로 연결하여 미로를 통과해 보세요.

2의 단

2	6	8	10
4	6	12	18
12	8	10	16
10	14	12	14

5의 단

20	25	35	45
15	20	25	40
10	20	30	35
5	10	15	20

2의 단

6	12	16	8
8	10	12	18
2	8	14	16
4	6	10	12

5의 단

15	30	25	40
10	15	30	35
5	20	25	30
10	25	40	35
15	35	45	30

2의 단

8	10	12	16
10	8	10	14
4	6	12	18
2	8	14	16
4	6	12	18

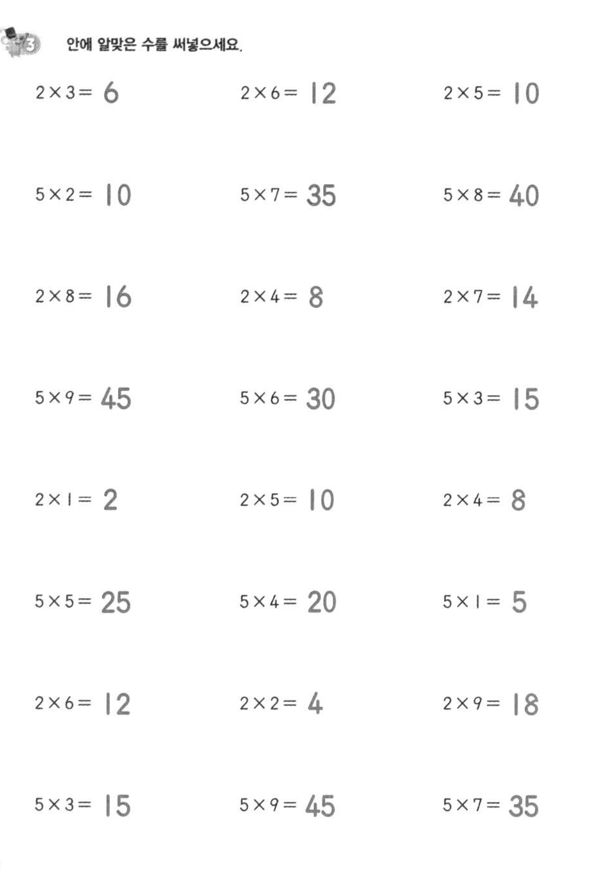

3 안에 알맞은 수를 써넣으세요.

2×3= 6	2×6= 12	2×5= 10
5×2= 10	5×7= 35	5×8= 40
2×8= 16	2×4= 8	2×7= 14
5×9= 45	5×6= 30	5×3= 15
2×1= 2	2×5= 10	2×4= 8
5×5= 25	5×4= 20	5×1= 5
2×6= 12	2×2= 4	2×9= 18
5×3= 15	5×9= 45	5×7= 35

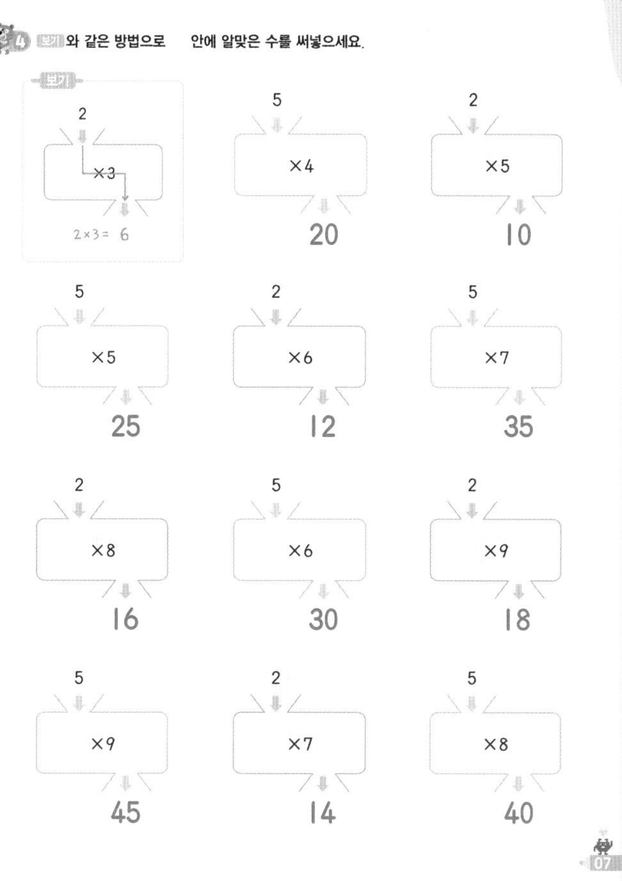

4 보기와 같은 방법으로 안에 알맞은 수를 써넣으세요.

보기: 2, ×3, 2×3= 6

5 ×4 → 20	2 ×5 → 10	
5 ×5 → 25	2 ×6 → 12	5 ×7 → 35
2 ×8 → 16	5 ×6 → 30	2 ×9 → 18
5 ×9 → 45	2 ×7 → 14	5 ×8 → 40

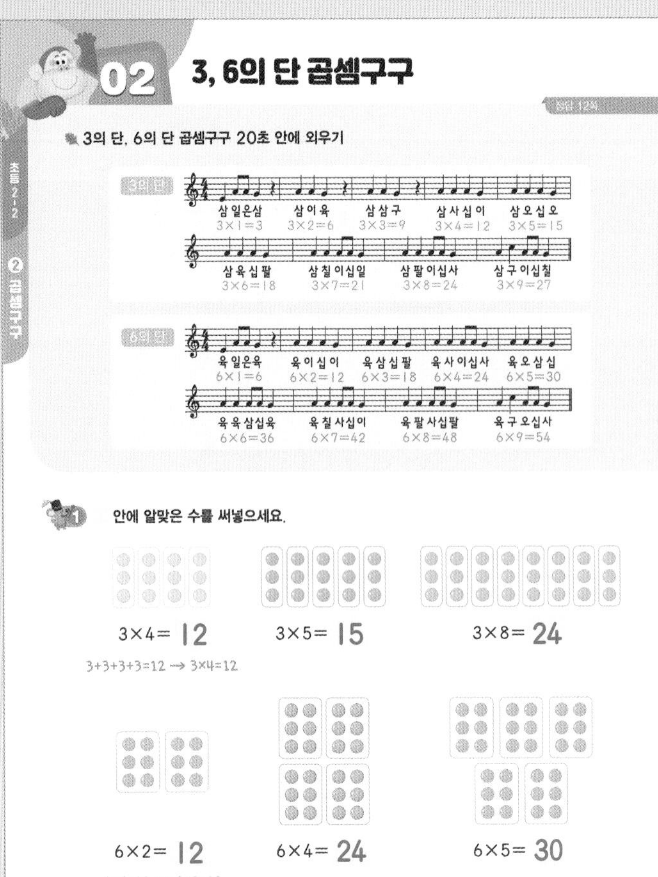
02 3, 6의 단 곱셈구구
3의 단, 6의 단 곱셈구구 20초 안에 외우기
1 안에 알맞은 수를 써넣으세요.
3×4= 12
3+3+3+3=12 → 3×4=12
3×5= 15
3×8= 24
6×2= 12
6+6=12 → 6×2=12
6×4= 24
6×5= 30

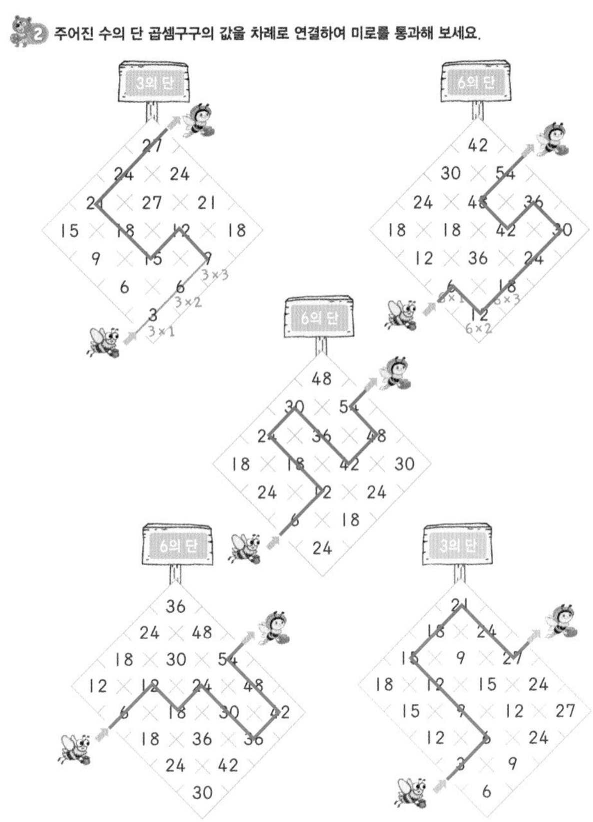
2 주어진 수의 단 곱셈구구의 값을 차례로 연결하여 미로를 통과해 보세요.
3의 단
6의 단

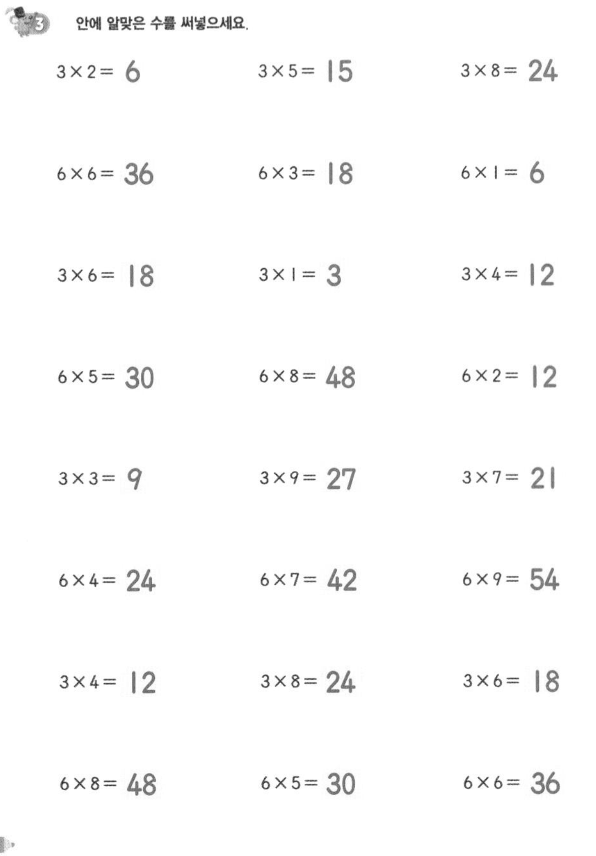
3 안에 알맞은 수를 써넣으세요.
3×2= 6
3×5= 15
3×8= 24
6×6= 36
6×3= 18
6×1= 6
3×6= 18
3×1= 3
3×4= 12
6×5= 30
6×8= 48
6×2= 12
3×3= 9
3×9= 27
3×7= 21
6×4= 24
6×7= 42
6×9= 54
3×4= 12
3×8= 24
3×6= 18
6×8= 48
6×5= 30
6×6= 36

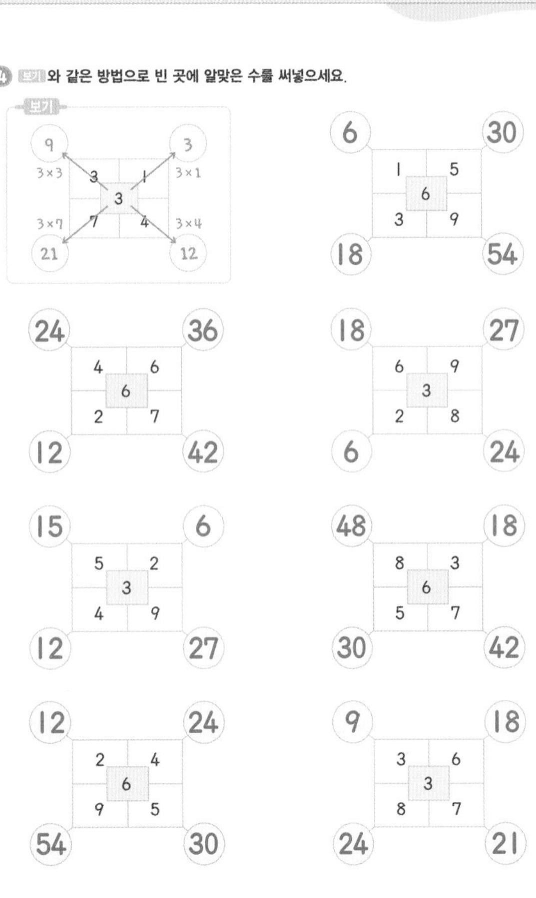
4 보기 와 같은 방법으로 빈 곳에 알맞은 수를 써넣으세요.
보기

03 2, 5, 3, 6의 단을 이용하여 문제 해결하기

교과서 13쪽

물건의 개수 세기

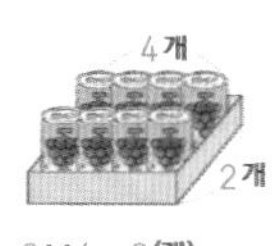

2×4=8(개)

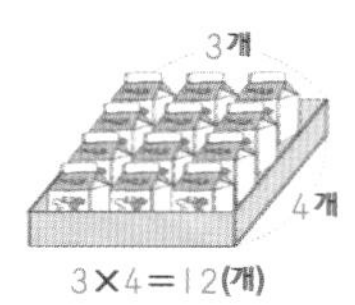

3×4=12(개)

1 물건의 개수를 세어 ☐ 안에 알맞은 수를 써넣으세요.

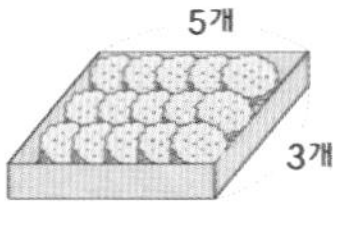

5×3= 15 개

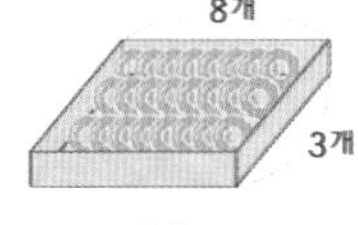

3×8= 24 개

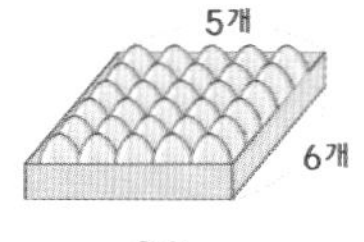

30 개

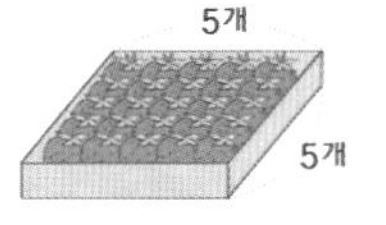

25 개

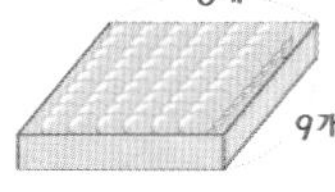

54 개

2 크기를 비교하여 ◯ 안에 >, =, <를 알맞게 써넣으세요.

3×4 < 15 (=12)	2×5 > 8	25 < 5×6
2×6 < 14	5×4 = 20	50 > 6×8
6×5 > 28	3×9 < 32	35 = 5×7
2×8 < 21	6×3 > 15	18 > 3×5
5×2 < 2×7	2×2 < 3×2	3×3 < 6×2
6×4 = 3×8	2×4 > 6×1	6×6 > 5×7
3×5 < 2×9	5×3 < 2×8	6×7 > 5×8
3×7 < 5×5	6×9 > 5×9	2×9 = 3×6

3 올바른 곱셈식이 되도록 선을 그어 보세요.

보기

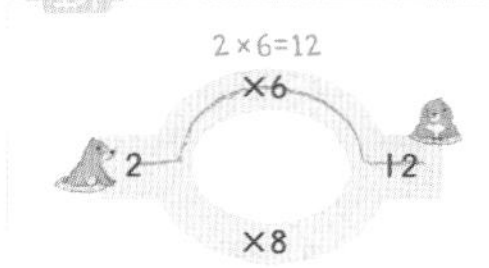

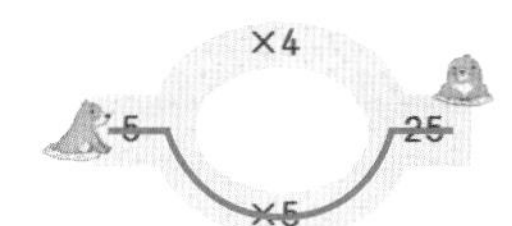

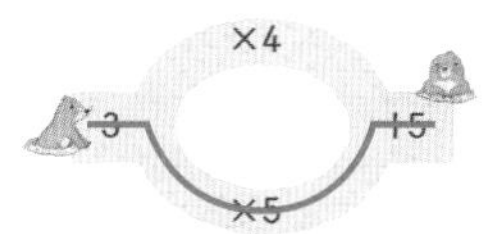

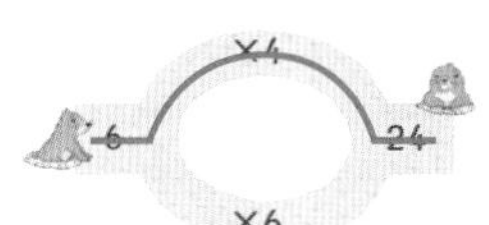

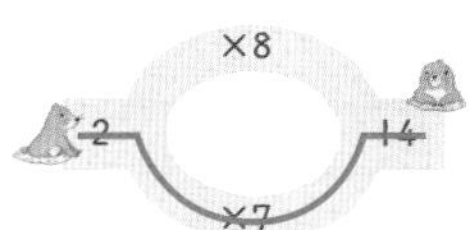

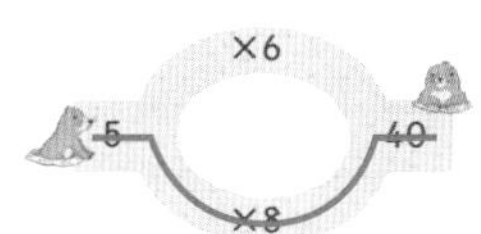

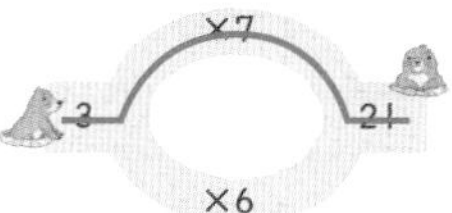

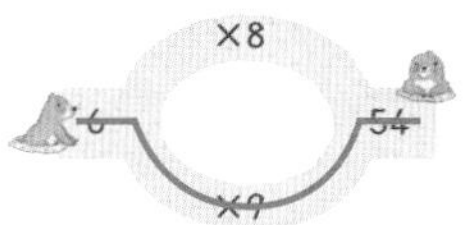

4 빈칸에 알맞은 수를 써넣으세요.

×	1	2	3	4	5	6	7
2	2	4 (2×2)	6	8	10	12	14
3	3	6	9 (3×3)	12	15	18	21

×	3	5	8
2	6	10	16
5	15	25	40
6	18	30	48

×	2	7	9
3	6	21	27
5	10	35	45
6	12	42	54

×	1	3	4	6	7	8	9
5	5	15	20	30	35	40	45
6	6	18	24	36	42	48	54

×	4	5	6
2	8	10	12
3	12	15	18
5	20	25	30

×	3	7	8
2	6	14	16
3	9	21	24
6	18	42	48

04 4, 8의 단 곱셈구구

정답 14쪽

4의 단, 8의 단 곱셈구구 20초 안에 외우기

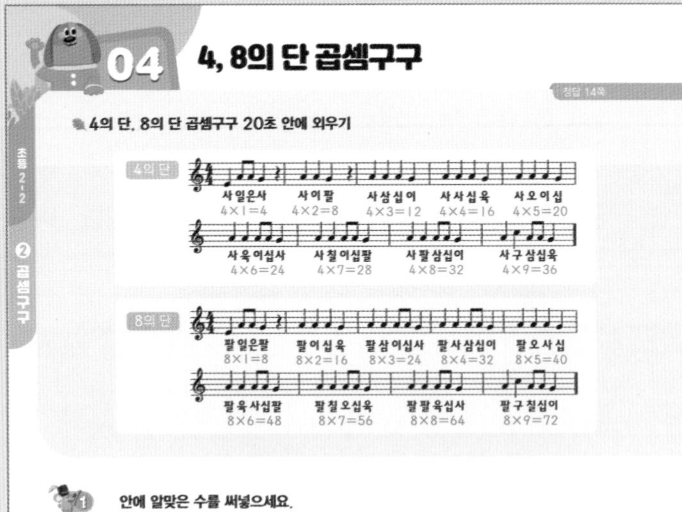

1 □ 안에 알맞은 수를 써넣으세요.

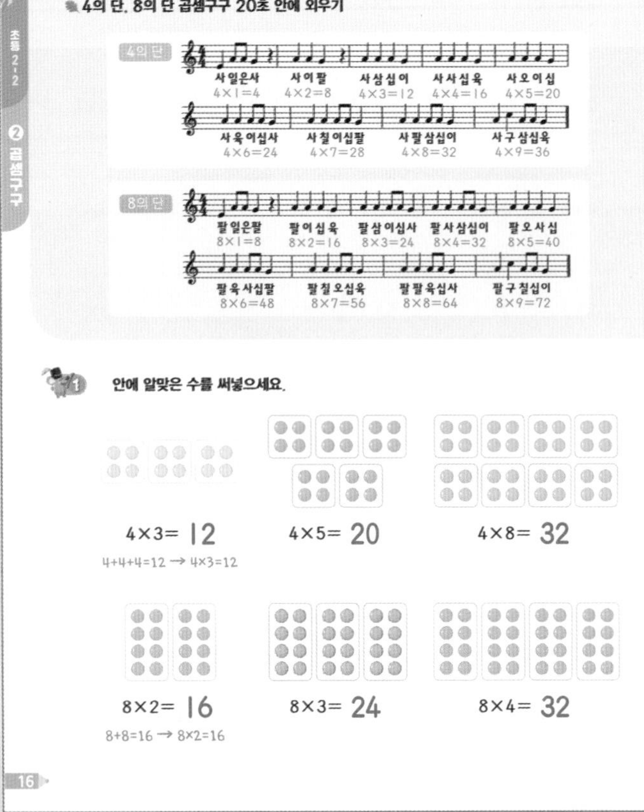

4×3= 12 (4+4+4=12 → 4×3=12)

4×5= 20

4×8= 32

8×2= 16 (8+8=16 → 8×2=16)

8×3= 24

8×4= 32

2 주어진 수의 단 곱셈구구의 값을 차례로 연결하여 미로를 통과해 보세요.

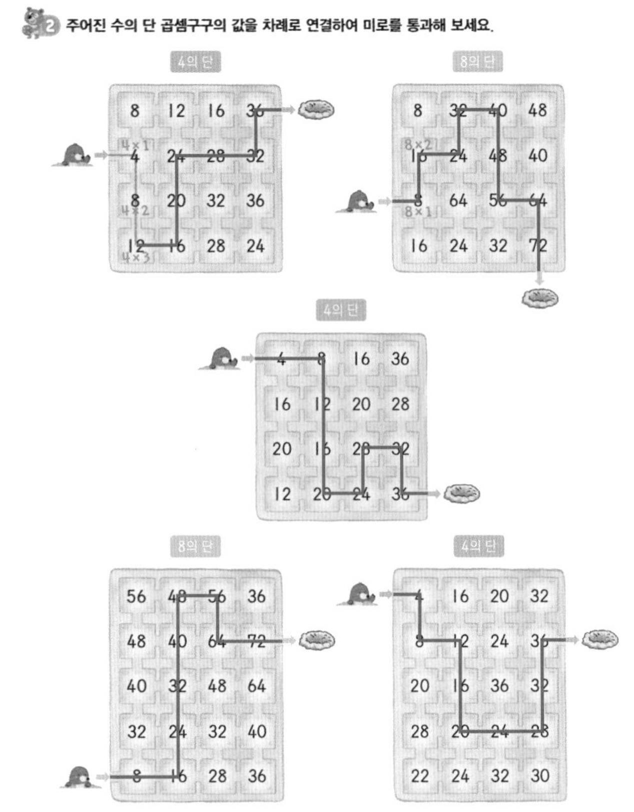

3 □ 안에 알맞은 수를 써넣으세요.

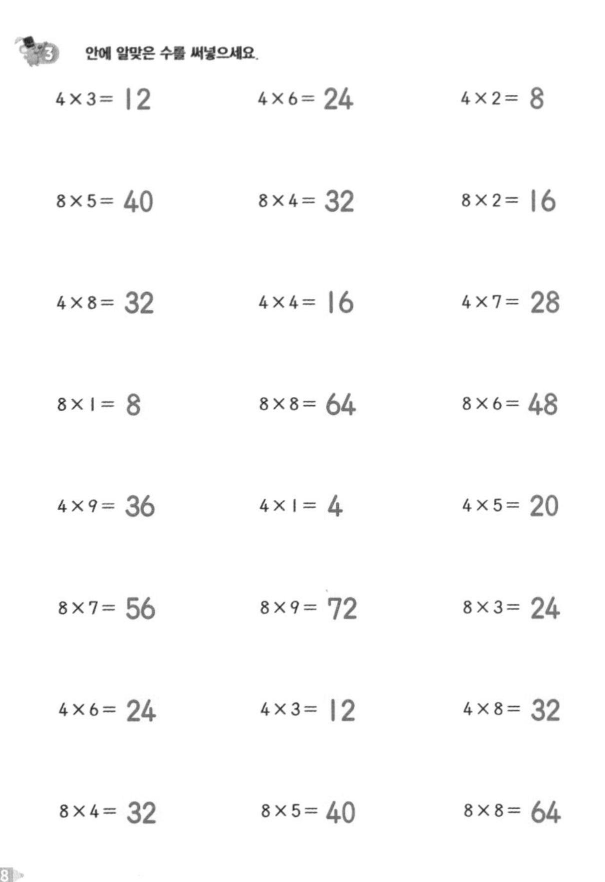

4×3= 12	4×6= 24	4×2= 8
8×5= 40	8×4= 32	8×2= 16
4×8= 32	4×4= 16	4×7= 28
8×1= 8	8×8= 64	8×6= 48
4×9= 36	4×1= 4	4×5= 20
8×7= 56	8×9= 72	8×3= 24
4×6= 24	4×3= 12	4×8= 32
8×4= 32	8×5= 40	8×8= 64

4 보기 와 같은 방법으로 빈 곳에 알맞은 수를 써넣으세요.

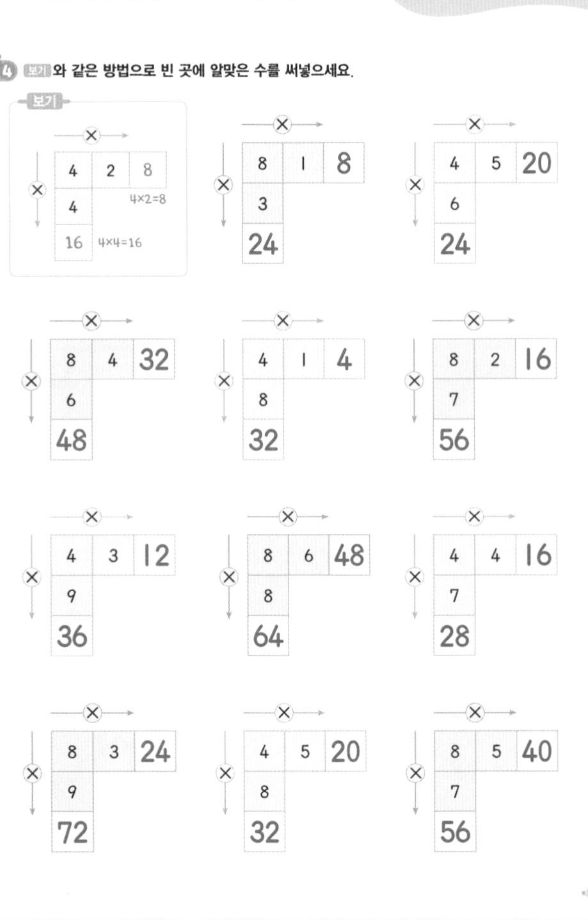

05 7, 9의 단 곱셈구구

정답 15쪽

7의 단, 9의 단 곱셈구구 20초 안에 외우기

1 □ 안에 알맞은 수를 써넣으세요.

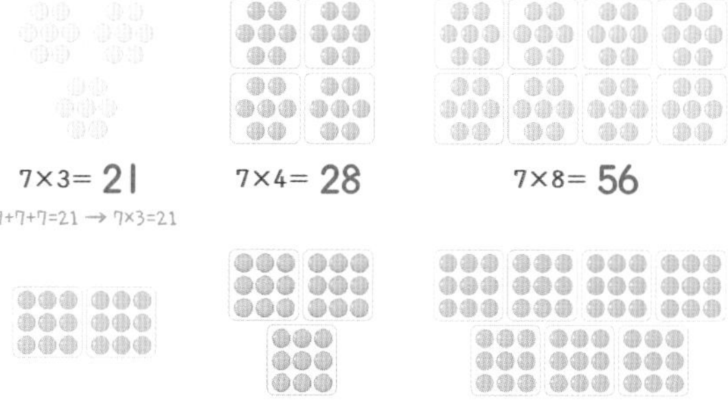

7×3= 21 (7+7+7=21 → 7×3=21)
7×4= 28
7×8= 56

9×2= 18 (9+9=18 → 9×2=18)
9×3= 27
9×7= 63

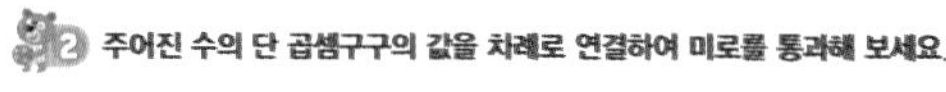

2 주어진 수의 단 곱셈구구의 값을 차례로 연결하여 미로를 통과해 보세요.

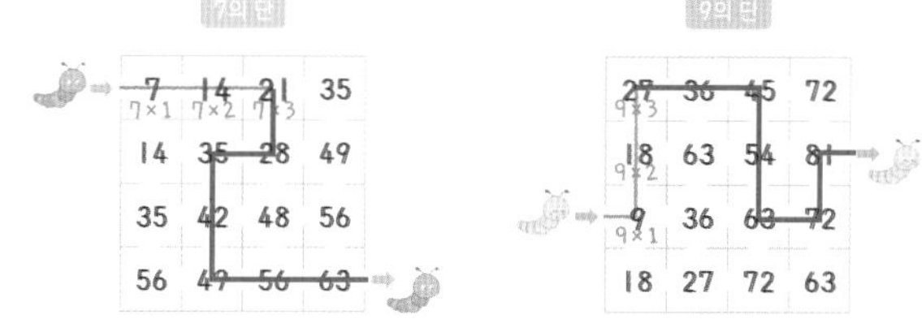

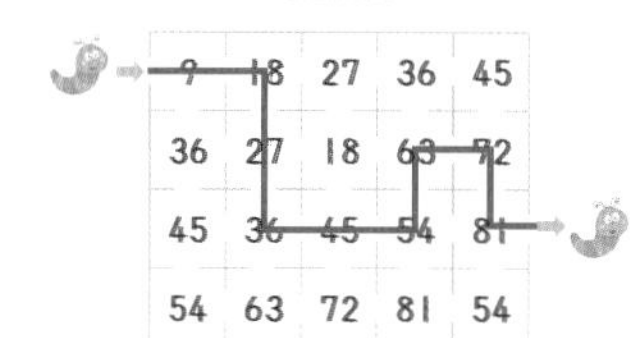

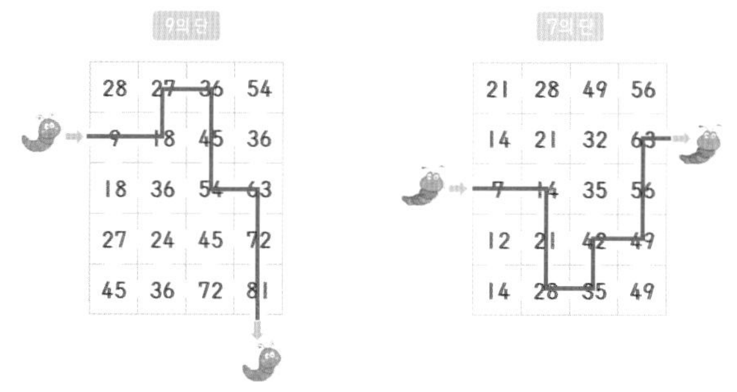

3 □ 안에 알맞은 수를 써넣으세요.

7×2= 14	7×7= 49	7×4= 28
9×5= 45	9×3= 27	9×6= 54
7×8= 56	7×1= 7	7×6= 42
9×4= 36	9×9= 81	9×2= 18
7×5= 35	7×3= 21	7×9= 63
9×7= 63	9×8= 72	9×1= 9
7×4= 28	7×2= 14	7×7= 49
9×3= 27	9×6= 54	9×9= 81

4 빈 곳에 알맞은 수를 써넣으세요.

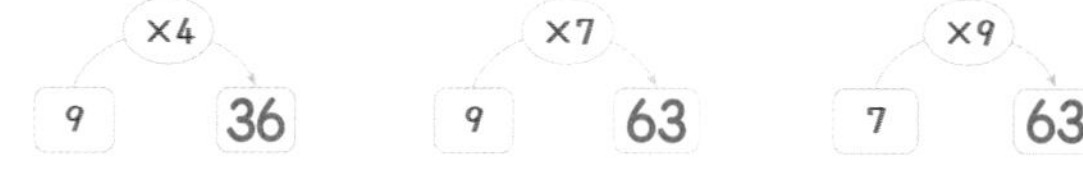

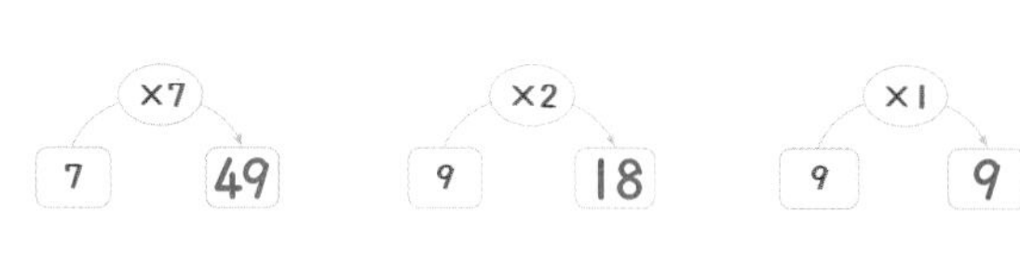

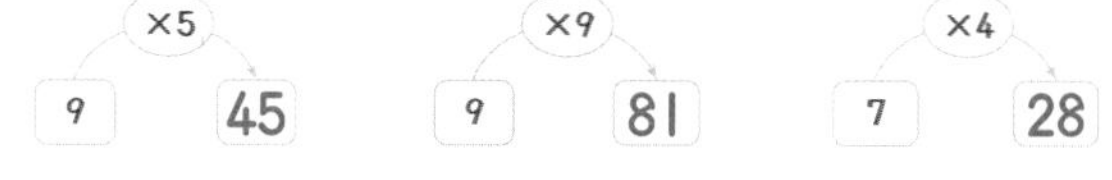

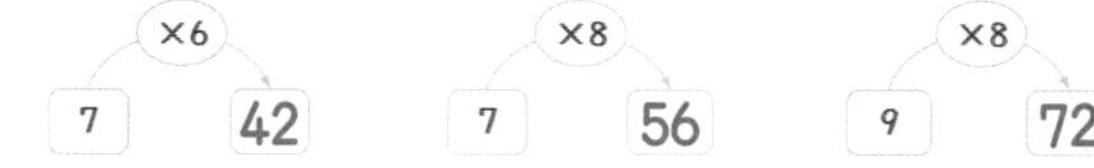

06 4, 8, 7, 9의 단을 이용하여 문제 해결하기

정답 16쪽

두 가지 곱셈식으로 나타내어 보기

7씩 3묶음
➡ 7×3=21

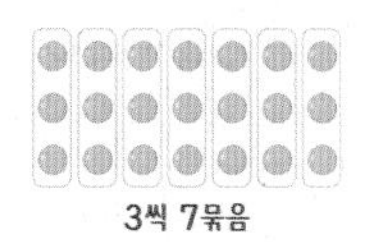
3씩 7묶음
➡ 3×7=21

1 두 가지 곱셈식으로 나타내어 보세요.

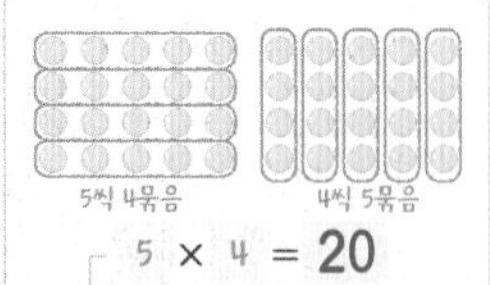

5 × 4 = 20
4 × 5 = 20

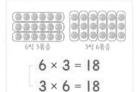

6씩 3묶음 3씩 6묶음

6 × 3 = 18
3 × 6 = 18

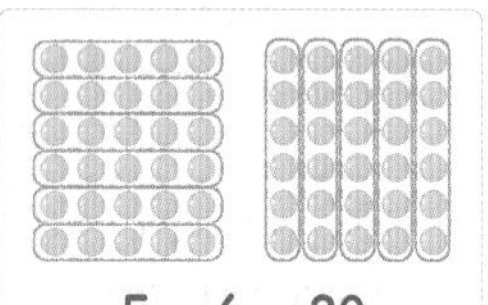

5 × 6 = 30
6 × 5 = 30

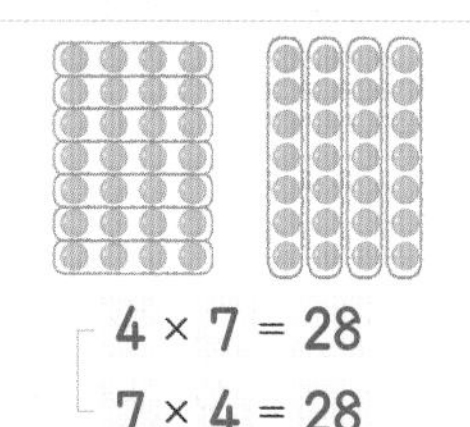

4 × 7 = 28
7 × 4 = 28

2 크기를 비교하여 ◯ 안에 >, =, <를 알맞게 써넣으세요.

4×5 < 22 (=20)	8×8 < 67	15 > 7×2
8×3 > 20	7×5 > 32	43 < 9×5
7×6 = 42	4×3 < 18	36 > 8×4
9×7 > 62	8×9 < 82	28 = 4×7
8×2 < 4×5	9×4 = 4×9	7×4 < 8×5
9×3 > 4×6	7×8 < 9×8	8×7 > 9×6
7×7 > 8×6	9×9 > 4×9	9×3 < 4×8
4×6 = 8×3	7×9 > 9×6	8×5 < 7×6

3 올바른 곱셈식이 되도록 선을 그어 보세요.

보기

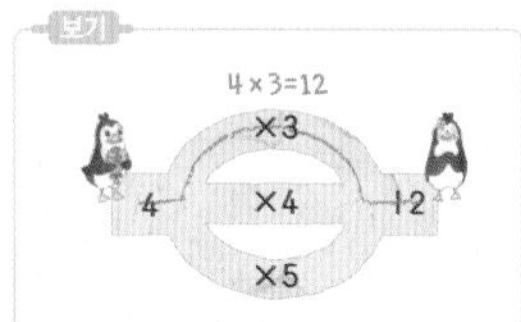

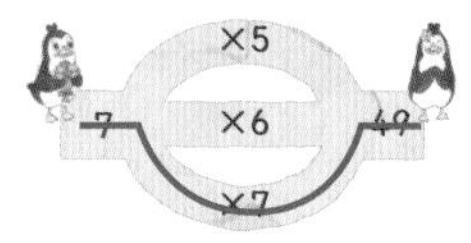

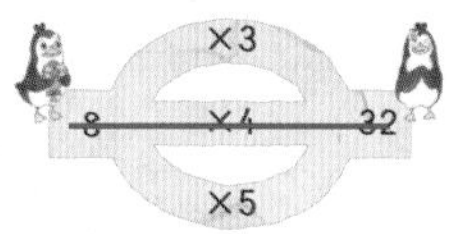

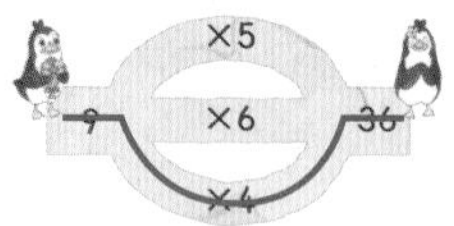

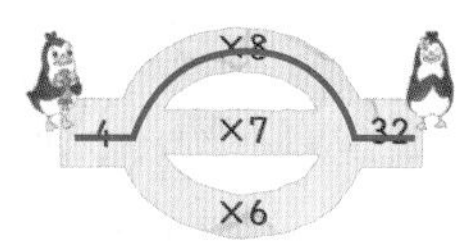

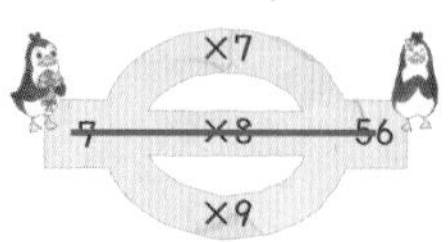

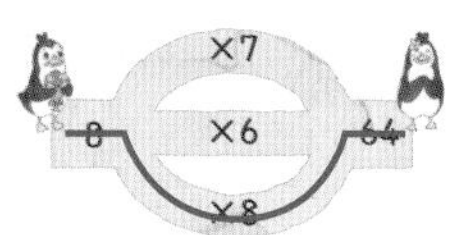

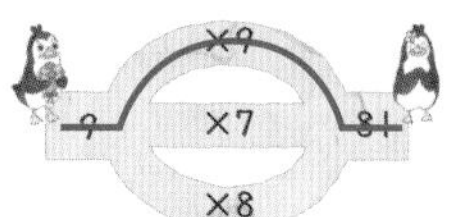

4 빈 곳에 알맞은 수를 써넣어 퍼즐을 완성하세요.

① 2	㉠ 4		③ 2	㉢ 4
	② 2	㉡ 7		5
㉣ 1		2		
④ 6	4			

가로 열쇠
① 4×6=24 ② 9×3
③ 8×3 ④ 8×8

세로 열쇠
㉠ 7×6=42 ㉡ 8×9
㉢ 9×5 ㉣ 4×4

㉢ 7		① 3	㉠ 2	
③ 2	1		② 8	㉡ 1
		㉣ 1		2
		④ 6	3	

가로 열쇠
① 8×4 ② 9×9
③ 7×3 ④ 7×9

세로 열쇠
㉠ 4×7 ㉡ 4×3
㉢ 9×8 ㉣ 8×2

㉠ 7		③ 6	㉣ 3	
① 2	㉡ 8		④ 5	4
	② 1	㉢ 4		
		9		

가로 열쇠
① 4×7 ② 7×2
③ 7×9 ④ 9×6

세로 열쇠
㉠ 8×9 ㉡ 9×9
㉢ 7×7 ㉣ 7×5

도전! 응용 문제

정답 17쪽

유형 1

문어 한 마리의 다리는 8개입니다. 문어 6마리의 다리는 모두 몇 개일까요?

- 주어진 수에 ○표 하고, 구하는 것에 밑줄 치기

문어 한 마리의 다리 수: 8 개, 문어의 수: 6 마리

- 문제 해결하기

문어 한 마리의 다리 수와 문어의 수를 (더합니다 , 곱합니다).

- 문제 풀기

(전체 문어 다리의 수)=(문어 한 마리의 다리 수)×(문어의 수)

= 8 × 6 = 48 (개)

- 답 쓰기 문어 6마리의 다리는 모두 48 개입니다.

유형+ 1

강당에 4명씩 앉을 수 있는 긴 의자가 7개 있습니다. 모두 몇 명이 앉을 수 있을까요?

- 주어진 수에 ○표 하고, 구하는 것에 밑줄 치기

의자 한 개에 앉을 수 있는 학생 수: 4 명, 의자의 수: 7 개

- 문제 해결하기

의자 한 개에 앉을 수 있는 학생 수와 의자의 수를 (더합니다 , 곱합니다).

- 문제 풀기

(전체 앉을 수 있는 학생 수)=(의자 한 개에 앉을 수 있는 학생 수)×(의자의 수)

= 4 × 7 = 28 (명)

- 답 쓰기 앉을 수 있는 학생은 모두 28 명입니다.

유형 2

사과가 한 상자에 9개씩 3상자 있습니다. 배는 한 상자에 6개씩 4상자 있습니다. 과일은 모두 몇 개일까요?

- 주어진 수에 ○표 하고, 구하는 것에 밑줄 치기

한 상자에 있는 과일 수: 사과 9 개, 배 6 개, 상자 수: 사과 3 상자, 배 4 상자

- 문제 해결하기

한 상자에 있는 과일 수와 상자 수를 각각 (더한 , 곱한) 다음 두 과일의 수를 (더합니다 , 곱합니다).

- 문제 풀기

(사과의 수)=(한 상자에 들어 있는 사과 수)×(상자 수)= 9 × 3 = 27 (개)

(배의 수)=(한 상자에 들어 있는 배 수)×(상자 수)= 6 × 4 = 24 (개)

(전체 과일의 수)= 27 + 24 = 51 (개)

- 답 쓰기 과일은 모두 51 개입니다.

유형+ 2

공 꺼내기 놀이에서 0점짜리 공 2개, 1점짜리 공 4개, 2점짜리 공 3개를 꺼냈습니다. 꺼낸 공의 점수는 모두 몇 점일까요?

- 주어진 수에 ○표 하고, 구하는 것에 밑줄 치기

꺼낸 공의 수: 0점짜리 2 개, 1점짜리 4 개, 2점짜리 3 개

- 문제 해결하기

공의 점수와 꺼낸 공의 수를 각각(더한 , 곱한) 다음 세 점수를 (더합니다 , 곱합니다).

- 문제 풀기

(0점짜리 공의 점수)=0×(꺼낸 공의 수)=0× 2 = 0 (점)

(1점짜리 공의 점수)=1×(꺼낸 공의 수)=1× 4 = 4 (점)

(2점짜리 공의 점수)=2×(꺼낸 공의 수)=2× 3 = 6 (점)

(전체 점수)= 0 + 4 + 6 = 10 (점)

- 답 쓰기 꺼낸 공의 점수는 모두 10 점입니다.

- 안에 알맞은 수를 써넣고 답을 구하세요.

1 Drill

세발자전거가 6대 있습니다. 세발자전거의 바퀴는 모두 몇 개일까요?

주어진 수에 ○표 하고, 구하는 것에 밑줄 쫙!

풀이 (전체 바퀴의 수)=(자전거 한 대의 바퀴 수)×(자전거의 수)

= 3 × 6 = 18 (개)

답 18 개

2 Drill

도넛이 한 봉지에 5개씩 들어 있습니다. 6봉지에 들어 있는 도넛은 모두 몇 개일까요?

풀이 (전체 도넛의 수)=(한 봉지에 들어 있는 도넛의 수)×(봉지 수)

= 5 × 6 = 30 (개)

답 30 개

3 Drill

지수네 농장에서 오리 5마리와 염소 4마리를 기르고 있습니다. 지수네 농장에서 기르는 오리와 염소의 다리는 모두 몇 개일까요?

풀이 (오리의 다리 수)=(오리 한 마리의 다리 수)×(오리의 수)= 2 × 5 = 10 (개)

(염소의 다리 수)=(염소 한 마리의 다리 수)×(염소의 수)= 4 × 4 = 16 (개)

(전체 다리 수)= 10 + 16 = 26 (개)

답 26 개

4 Drill

화살 쏘기 경기에서 0점에 4번, 1점에 5번, 2점에 3번 맞혔습니다. 맞힌 화살의 점수는 모두 몇 점일까요?

풀이 (0점에 맞힌 화살의 점수)=0×(맞힌 횟수)= 0 × 4 = 0 (점)

(1점에 맞힌 화살의 점수)=1×(맞힌 횟수)= 1 × 5 = 5 (점)

(2점에 맞힌 화살의 점수)=2×(맞힌 횟수)= 2 × 3 = 6 (점)

(전체 점수)= 0 + 5 + 6 = 11 (점)

답 11 점

- 서술형 문제를 읽고 풀이 과정과 답을 쓰세요.

도전 1

책꽂이 한 칸에 책이 6권씩 있습니다. 책꽂이 7칸에 있는 책은 모두 몇 권일까요?

풀이 (전체 책 수)=(책꽂이 한 칸에 꽂힌 책 수)×(책꽂이 칸 수)

=6×7=42(권)

답 42권

도전 2

꽃게가 한 상자에 8마리씩 들어 있습니다. 3상자에 들어 있는 꽃게는 모두 몇 마리일까요?

풀이 (전체 꽃게 수)

=(한 상자에 들어 있는 꽃게 수)×(상자 수)

=8×3=24(마리)

답 24마리

도전 3

주차장에 오토바이 4대, 자동차 7대가 있습니다. 주차장에 있는 오토바이와 자동차의 바퀴는 모두 몇 개일까요?

풀이 (전체 바퀴 수)=(오토바이 바퀴 수)+(자동차 바퀴 수)

=(2×4)+(4×7)

=8+28=36(개)

답 36개

도전 4

주사위를 굴려 나온 눈의 수만큼 점수를 얻는 게임에서 3의 눈이 3번, 5의 눈이 4번 나왔습니다. 얻은 점수는 모두 몇 점일까요?

풀이 (전체 얻은 점수)

=3×(3의 눈이 나온 횟수)+5×(5의 눈이 나온 횟수)

=3×3+5×4=9+20=29(점)

답 29점

형성 평가

정답 18쪽

01 구슬이 모두 몇 개인지 안에 알맞은 수를 써넣으세요.

(1) 2×6= 12

(2) 5×3= 15

02 5의 단 곱셈구구의 값을 차례로 연결하여 미로를 통과해 보세요.

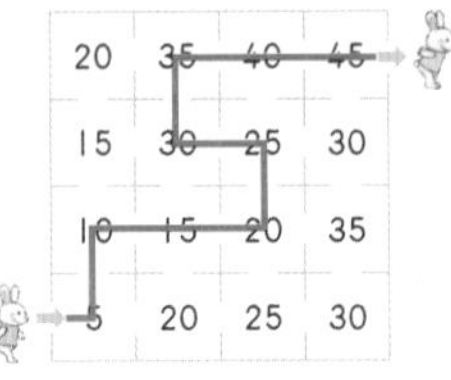

03 안에 알맞은 수를 써넣으세요.

(1) 2×7= 14

(2) 5×9= 45

04 안에 알맞은 수를 써넣으세요.

(1)
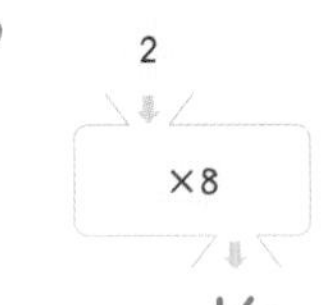

(2)
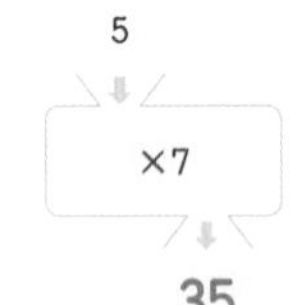

05 안에 알맞은 수를 써넣으세요.

(1)
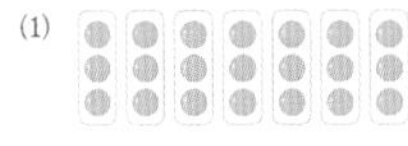
3×7= 21

(2)

6×3= 18

06 6의 단 곱셈구구의 값을 차례로 연결하여 미로를 통과해 보세요.

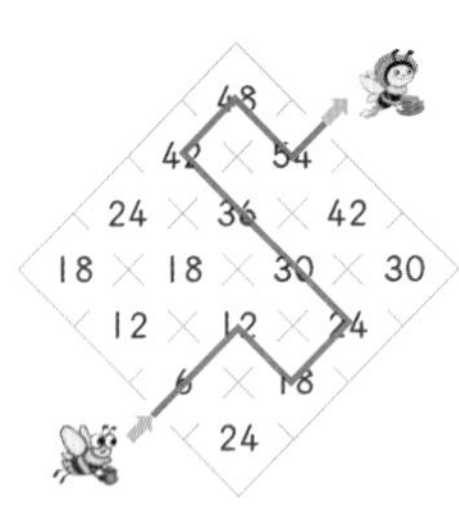

07 안에 알맞은 수를 써넣으세요.

(1) 3×8= 24

(2) 6×7= 42

08 빈 곳에 알맞은 수를 써넣으세요.

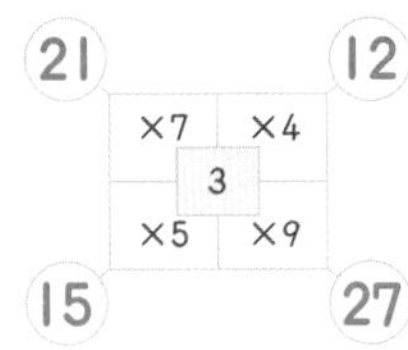

09 올바른 곱셈식이 되도록 선을 그어 보세요.

(1)
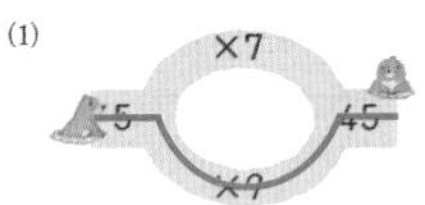

(2)
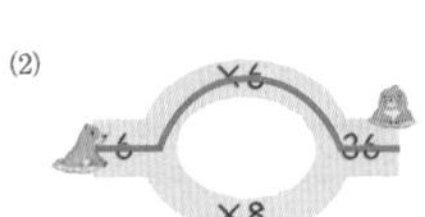

10 빈칸에 알맞은 수를 써넣으세요.

×	3	6	7	9
2	6	12	14	18
5	15	30	35	45
6	18	36	42	54

11 안에 알맞은 수를 써넣으세요.

(1)

4×4= 16

(2)
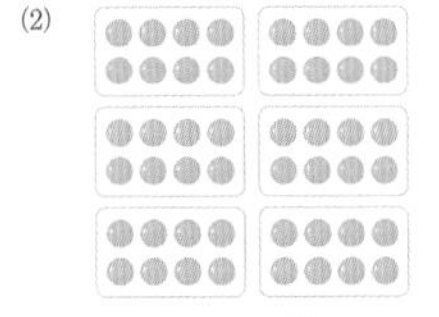
8×6= 48

12 8의 단 곱셈구구의 값을 차례로 연결하여 미로를 통과해 보세요.

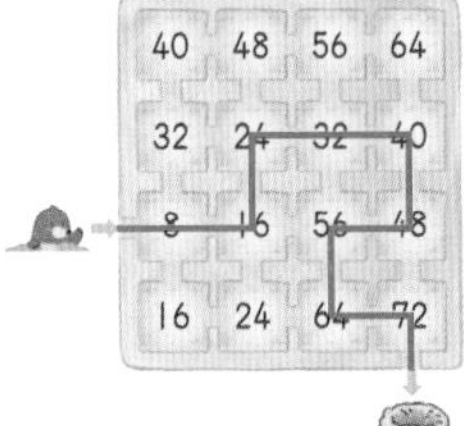

13 안에 알맞은 수를 써넣으세요.

(1) 4×9= 36

(2) 8×7= 56

14 빈 곳에 알맞은 수를 써넣으세요.

(1)
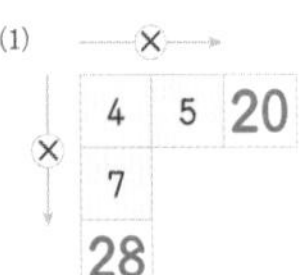

(2)
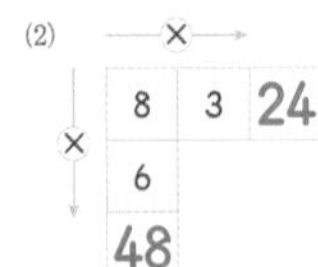

15 안에 알맞은 수를 써넣으세요.

(1)

7×2= 14

(2)
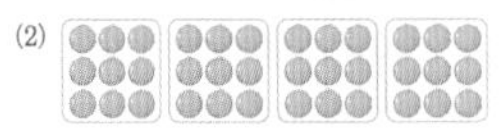
9×4= 36

16 7의 단 곱셈구구의 값을 차례로 연결하여 미로를 통과해 보세요.

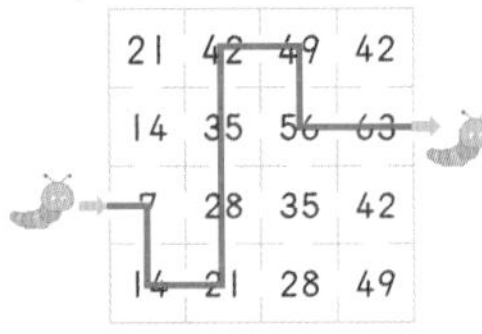

17 안에 알맞은 수를 써넣으세요.

(1) 7×7= 49

(2) 9×3= 27

18 빈 곳에 알맞은 수를 써넣으세요.

(1)
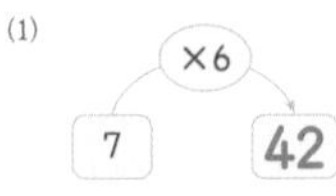

(2) ×7, 9, 63

19 크기를 비교하여 안에 >, =, <를 알맞게 써넣으세요.

(1) 7×3 > 20

(2) 8×6 < 52

(3) 54 < 9×7

(4) 27 > 4×6

(5) 4×9 = 6×6

20 올바른 곱셈식이 되도록 선을 그어 보세요.

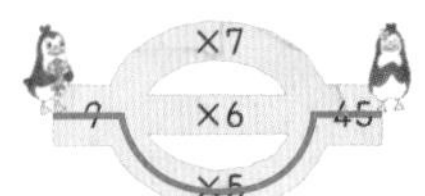
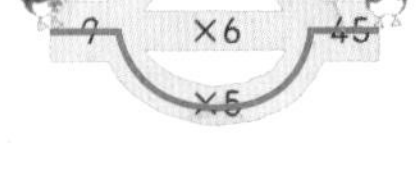

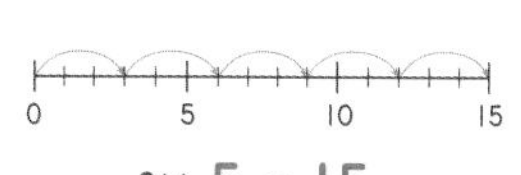
단원평가 2. 곱셈구구

정답 19쪽

1 수직선을 보고 곱셈식으로 나타내어 보세요.

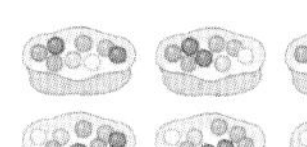

3× 5 = 15

2 그림을 보고 안에 알맞은 수를 써넣으세요.

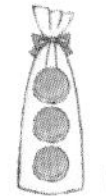
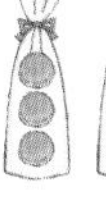

8× 6 = 48

3 빵이 한 봉지에 3개씩 들어 있습니다. 4봉지에 들어 있는 빵은 모두 몇 개인지 곱셈식으로 나타내어 보세요.

3× 4 = 12

4 안에 알맞은 수를 써넣으세요.

(1) 2×3= 6

(2) 5×8= 40

(3) 4×6= 24

(4) 7×4= 28

(5) 9×5= 45

5 야구공은 모두 몇 개인지 두 가지 곱셈식으로 나타내어 보세요.

3× 7 = 21

7× 3 = 21

6 올바른 곱셈식이 되도록 선을 그어 보세요.

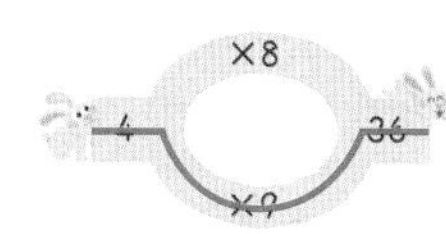

7 안에 알맞은 수를 써넣으세요.

(1) 6×4=4× 6

(2) 8×3=3× 8

(3) 7×5=5× 7

(4) 9×3=3× 9

(5) 2×6=6× 2

8 빈 곳에 알맞은 수를 써넣으세요.

×3 ×9

2 → 6 → 54

9 곱의 크기를 비교하여 안에 >, =, <를 알맞게 써넣으세요.

7×7 > 8×6

10 곱이 같은 것끼리 선으로 이어 보세요.

11 ●에 알맞은 수를 구하세요.

●×1=8

(8)

12 6의 단 곱셈구구의 값에 모두 ○표 하세요.

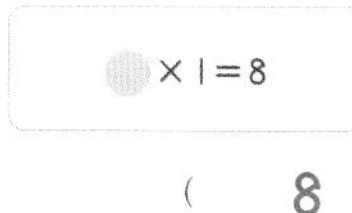

(6) 14 (18) 26
35 (36) 44 (54)

13 곱셈표를 완성하세요.

×	2	3	4
5	10	15	20
6	12	18	24
7	14	21	28

14 안에 알맞은 수가 가장 작은 것을 찾아 기호를 써 보세요.

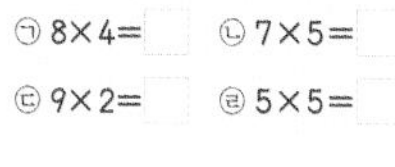

㉠ 8×4= ㉡ 7×5=
㉢ 9×2= ㉣ 5×5=

(㉢)

15 한 상자에 사탕이 7개씩 들어 있습니다. 4상자에 들어 있는 사탕은 모두 몇 개인지 풀이 과정을 쓰고 답을 구하세요.

풀이 예 (전체 사탕 수)
=(한 상자의 사탕 수)×(상자 수)
=7×4=28(개)

답 28개

16 군밤이 한 봉지에 9개씩 들어 있습니다. 7봉지에 들어 있는 군밤은 모두 몇 개일까요?

(63)개

17 다음 두 식의 값이 같아지도록 안에 알맞은 수를 구하세요.

4×6 8×

(3)

18 공 꺼내기 놀이에서 0점짜리 공 2개, 1점짜리 공 3개, 2점짜리 공 4개를 꺼냈습니다. 꺼낸 공의 점수는 모두 몇 점일까요?

(11)점

19 수 카드를 한 번씩만 사용하여 곱셈식을 만들려고 합니다. 안에 알맞은 수를 써넣으세요.

9 6 3

4× 9 = 3 6

20 소희는 공원에서 세잎클로버 5개와 네잎클로버 2개를 찾았습니다. 소희가 찾은 클로버의 잎은 모두 몇 장인지 풀이 과정을 쓰고 답을 구하세요.

풀이 예 (잎의 전체 수)
=(세잎클로버 잎 수)+(네잎클로버 잎 수)
=(3×5)+(4×2)=15+8=23(장)

답 23장

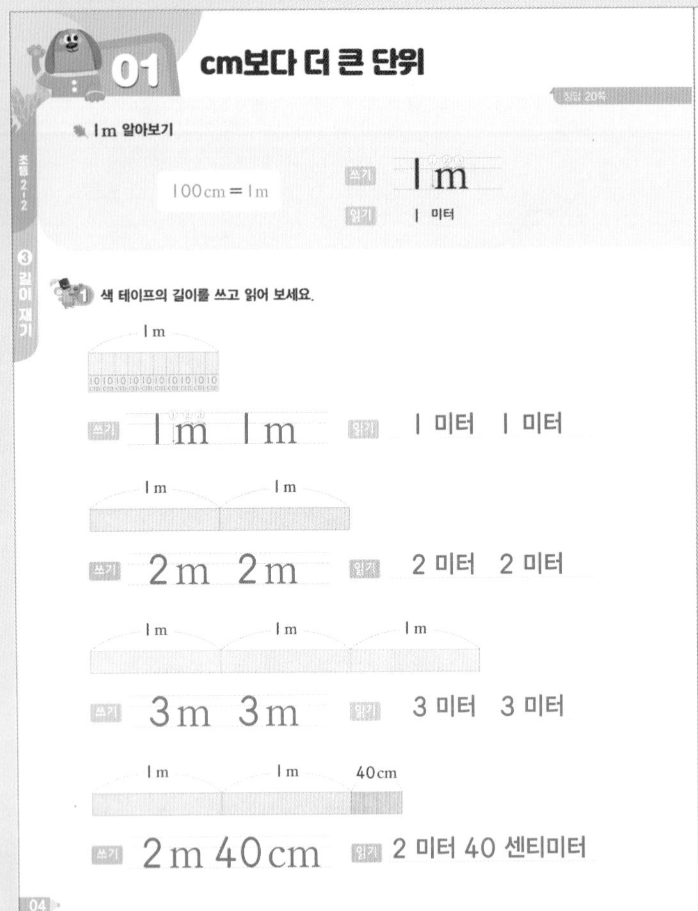

01 cm보다 더 큰 단위

정답 20쪽

Ⅰm 알아보기

100cm = 1m

쓰기 1m

읽기 1 미터

1 색 테이프의 길이를 쓰고 읽어 보세요.

1m

쓰기 1m 1m 읽기 1 미터 1 미터

1m 1m

쓰기 2m 2m 읽기 2 미터 2 미터

1m 1m 1m

쓰기 3m 3m 읽기 3 미터 3 미터

1m 1m 40cm

쓰기 2m 40cm 읽기 2 미터 40 센티미터

04

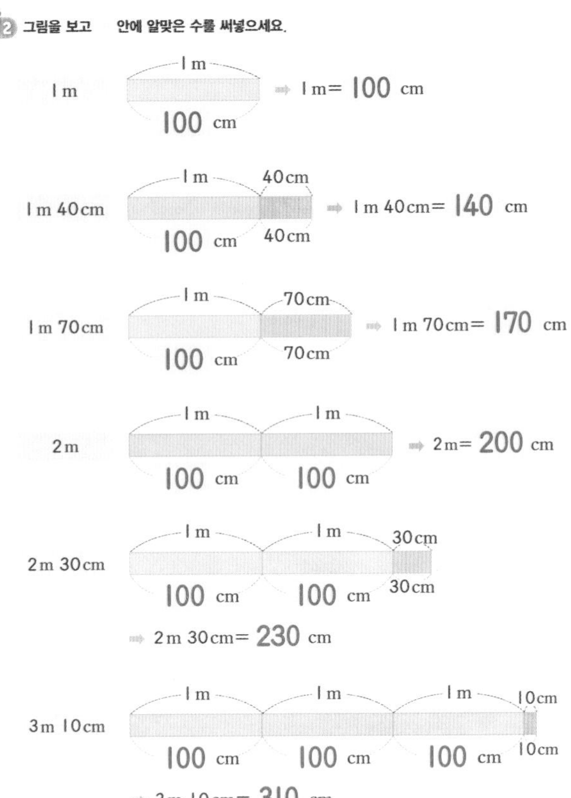

2 그림을 보고 안에 알맞은 수를 써넣으세요.

1m — 1m, 100 cm ➡ 1m= 100 cm

1m 40cm — 1m 40cm, 100 cm 40cm ➡ 1m 40cm= 140 cm

1m 70cm — 1m 70cm, 100 cm 70cm ➡ 1m 70cm= 170 cm

2m — 1m 1m, 100 cm 100 cm ➡ 2m= 200 cm

2m 30cm — 1m 1m 30cm, 100 cm 100 cm 30cm ➡ 2m 30cm= 230 cm

3m 10cm — 1m 1m 1m 10cm, 100 cm 100 cm 100 cm 10cm ➡ 3m 10cm= 310 cm

05

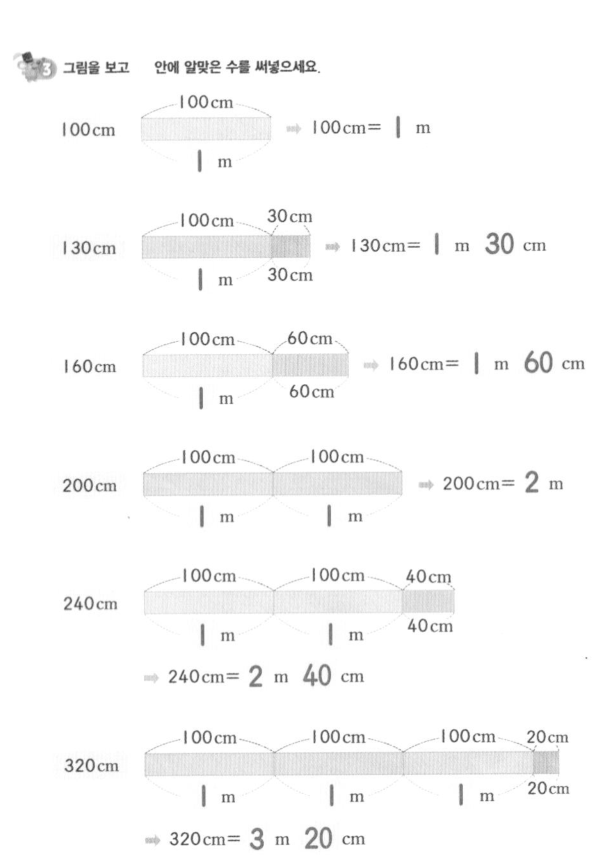

3 그림을 보고 안에 알맞은 수를 써넣으세요.

100cm — 100cm, 1 m ➡ 100cm= 1 m

130cm — 100cm 30cm, 1 m 30cm ➡ 130cm= 1 m 30 cm

160cm — 100cm 60cm, 1 m 60cm ➡ 160cm= 1 m 60 cm

200cm — 100cm 100cm, 1 m 1 m ➡ 200cm= 2 m

240cm — 100cm 100cm 40cm, 1 m 1 m 40cm ➡ 240cm= 2 m 40 cm

320cm — 100cm 100cm 100cm 20cm, 1 m 1 m 1 m 20cm ➡ 320cm= 3 m 20 cm

06

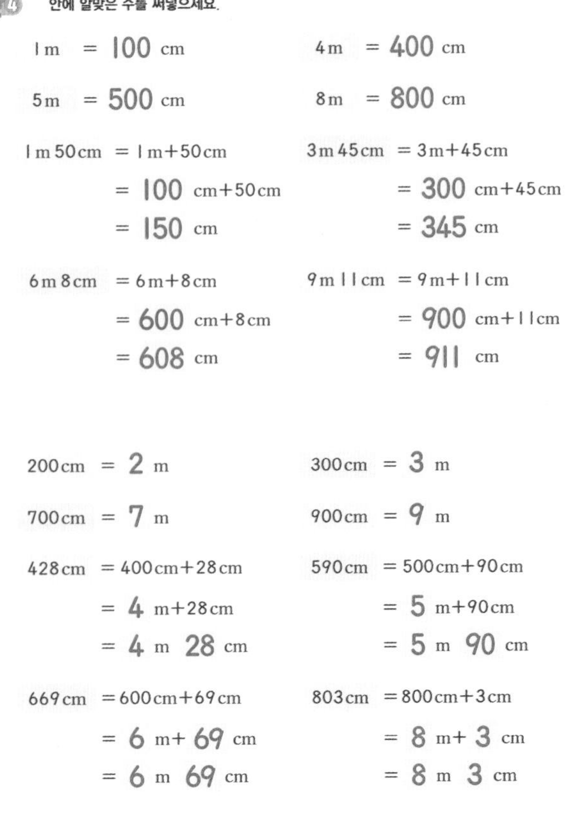

4 안에 알맞은 수를 써넣으세요.

1m = 100 cm　　4m = 400 cm

5m = 500 cm　　8m = 800 cm

1m 50cm = 1m+50cm = 100 cm+50cm = 150 cm

3m 45cm = 3m+45cm = 300 cm+45cm = 345 cm

6m 8cm = 6m+8cm = 600 cm+8cm = 608 cm

9m 11cm = 9m+11cm = 900 cm+11cm = 911 cm

200cm = 2 m　　300cm = 3 m

700cm = 7 m　　900cm = 9 m

428cm = 400cm+28cm = 4 m+28cm = 4 m 28 cm

590cm = 500cm+90cm = 5 m+90cm = 5 m 90 cm

669cm = 600cm+69cm = 6 m+ 69 cm = 6 m 69 cm

803cm = 800cm+3cm = 8 m+ 3 cm = 8 m 3 cm

07

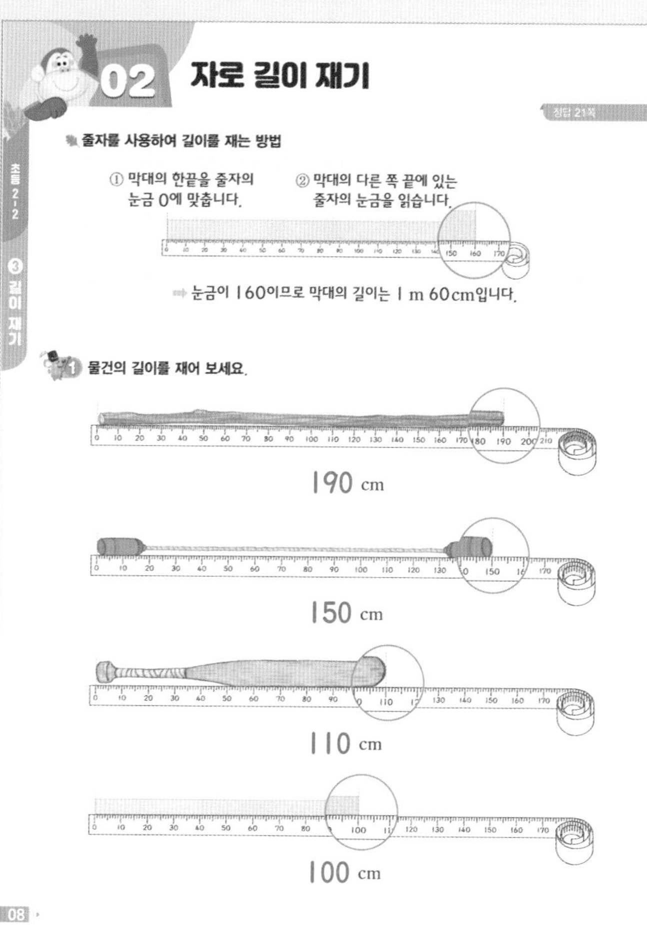
02 자로 길이 재기
정답 21쪽
줄자를 사용하여 길이를 재는 방법
① 막대의 한끝을 줄자의 눈금 0에 맞춥니다.
② 막대의 다른 쪽 끝에 있는 줄자의 눈금을 읽습니다.
눈금이 160이므로 막대의 길이는 1 m 60 cm입니다.
1 물건의 길이를 재어 보세요.
190 cm
150 cm
110 cm
100 cm
08

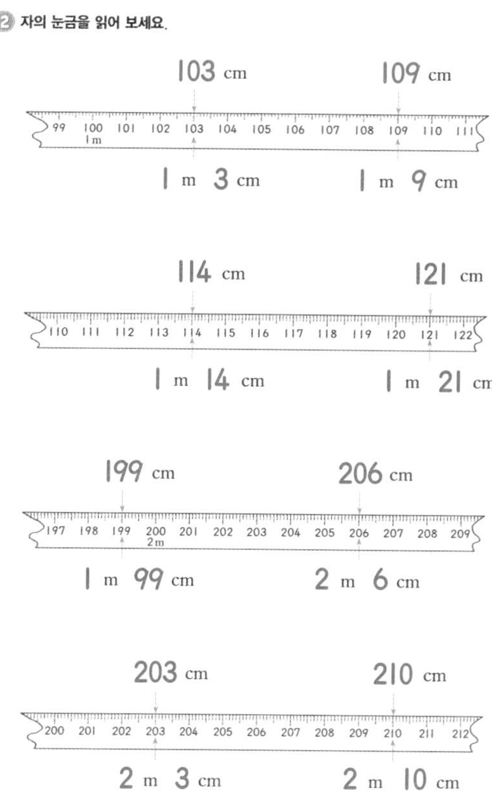
2 자의 눈금을 읽어 보세요.
103 cm
109 cm
1 m 3 cm
1 m 9 cm
114 cm
121 cm
1 m 14 cm
1 m 21 cm
199 cm
206 cm
1 m 99 cm
2 m 6 cm
203 cm
210 cm
2 m 3 cm
2 m 10 cm
09

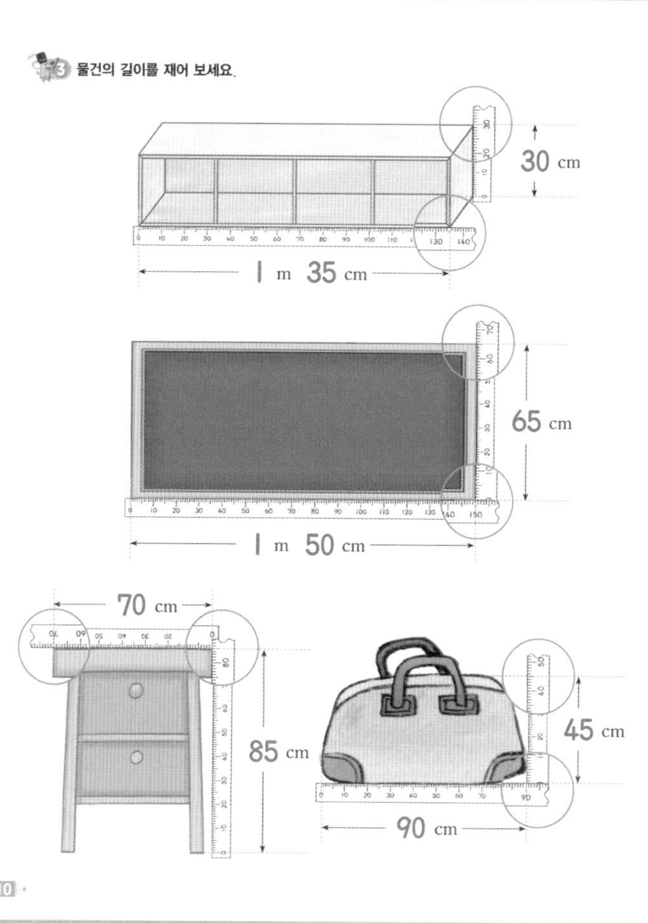
3 물건의 길이를 재어 보세요.
30 cm
1 m 35 cm
65 cm
1 m 50 cm
70 cm
85 cm
45 cm
90 cm
10

4 친구들이 키를 잰 것입니다. 안에 알맞은 수를 써넣고, 키가 가장 큰 친구부터 차례로 이름을 써 보세요.
민지
승기
민지: 1 m 26 cm
승기: 1 m 8 cm
수아
현서
수아: 1 m 12 cm
현서: 1 m 30 cm
현서, 민지, 수아, 승기
11

03 길이의 합과 차

정답 22쪽

길이의 합과 차 구하기

I m 30 cm + I m 20 cm	➡	I m 30 cm + I m 20 cm 50 cm	➡	I m 30 cm + I m 20 cm 2 m 50 cm
3 m 45 cm − I m 20 cm	➡	3 m 45 cm − I m 20 cm 25 cm	➡	3 m 45 cm − I m 20 cm 2 m 25 cm

1 두 색 테이프의 길이의 합과 차를 각각 구해 보세요.

I m 40 cm + I m 20 cm

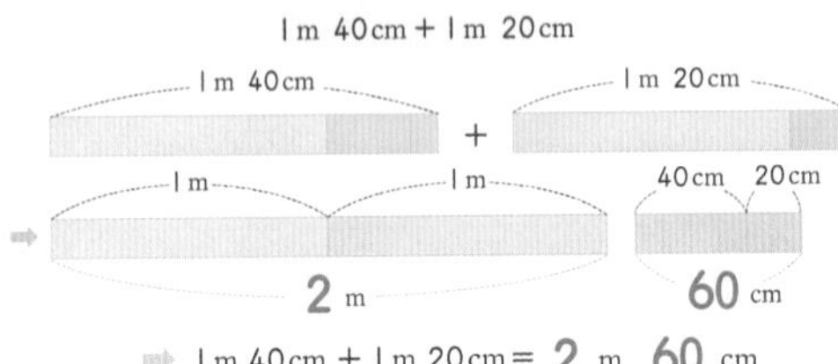

➡ I m 40 cm + I m 20 cm = 2 m 60 cm

2 m 50 cm − I m 20 cm

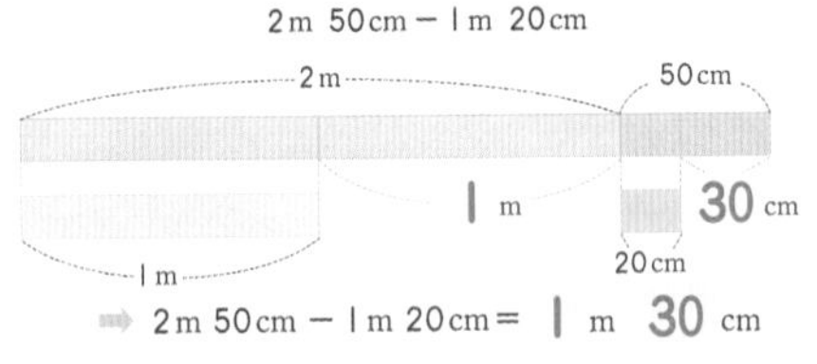

➡ 2 m 50 cm − I m 20 cm = I m 30 cm

2 길이의 합을 구해 보세요.

보기
I m 30 cm + I m 20 cm = 2 m 50 cm

I m 13 cm + I m 40 cm = 2 m 53 cm

2 m 15 cm + 3 m 43 cm = 5 m 58 cm

6 m 32 cm + 2 m 9 cm = 8 m 41 cm

3 m 7 cm + 3 m 18 cm 6 m 25 cm	5 m 50 cm + 4 m 23 cm 9 m 73 cm
2 m 5 cm + 6 m 33 cm 8 m 38 cm	I m 24 cm + 2 m 50 cm 3 m 74 cm
7 m 8 cm + I m 90 cm 8 m 98 cm	9 m 28 cm + 8 m 9 cm 17 m 37 cm

3 길이의 차를 구해 보세요.

보기
2 m 50 cm − I m 30 cm = I m 20 cm

2 m 45 cm − I m 22 cm = I m 23 cm

5 m 37 cm − 3 m 16 cm = 2 m 21 cm

4 m 60 cm − 2 m 8 cm = 2 m 52 cm

5 m 47 cm − I m 15 cm 4 m 32 cm	6 m 48 cm − 4 m 32 cm 2 m 16 cm
7 m 25 cm − 3 m 13 cm 4 m 12 cm	13 m 78 cm − 7 m 54 cm 6 m 24 cm
9 m 49 cm − 6 m 27 cm 3 m 22 cm	8 m 65 cm − 5 m 46 cm 3 m 19 cm

4 두 색 테이프의 길이의 합과 차는 각각 몇 m 몇 cm인지 구해 보세요.

5 m 56 cm / 3 m 23 cm

길이의 합 8 m 79 cm

길이의 차 2 m 33 cm

길이의 합 10 m 43 cm

길이의 차 2 m 11 cm

길이의 합 8 m 90 cm

4 m 5 cm

길이의 차 80 cm

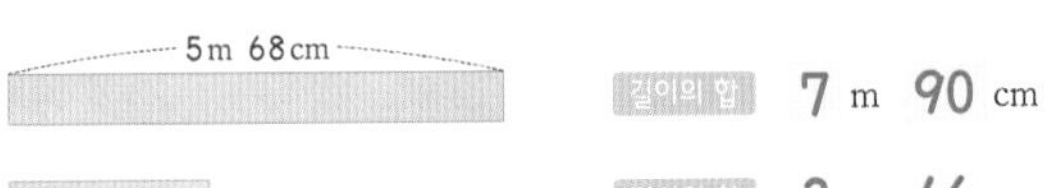

길이의 합 7 m 90 cm

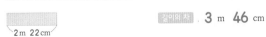

길이의 차 3 m 46 cm

04 길이 어림하기

정답 23쪽

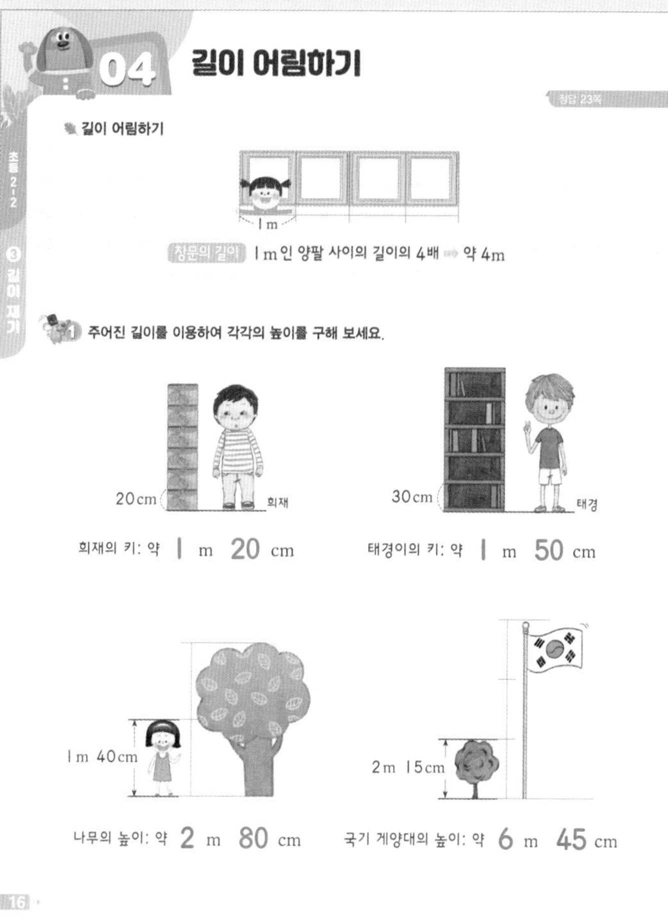

길이 어림하기
1m
창문의 길이 1m인 양팔 사이의 길이의 4배 → 약 4m
1 주어진 길이를 이용하여 각각의 높이를 구해 보세요.
20cm
희재
30cm
태경
희재의 키: 약 1 m 20 cm
태경이의 키: 약 1 m 50 cm
1m 40cm
2m 15cm
나무의 높이: 약 2 m 80 cm
국기 게양대의 높이: 약 6 m 45 cm

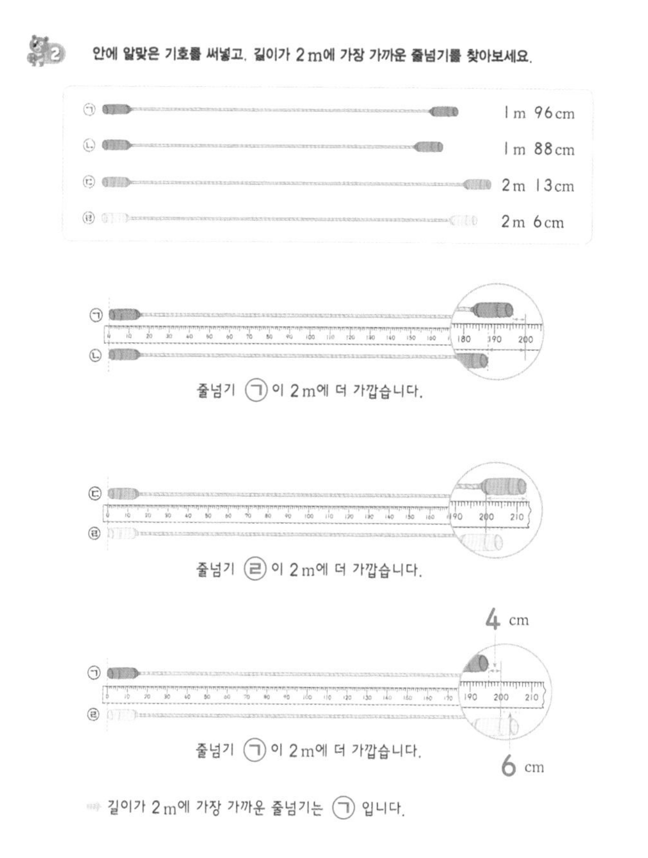

2 안에 알맞은 기호를 써넣고, 길이가 2m에 가장 가까운 줄넘기를 찾아보세요.
㉠ 1m 96cm
㉡ 1m 88cm
㉢ 2m 13cm
㉣ 2m 6cm
줄넘기 ㉠이 2m에 더 가깝습니다.
줄넘기 ㉣이 2m에 더 가깝습니다.
4 cm
줄넘기 ㉠이 2m에 더 가깝습니다.
6 cm
길이가 2m에 가장 가까운 줄넘기는 ㉠입니다.

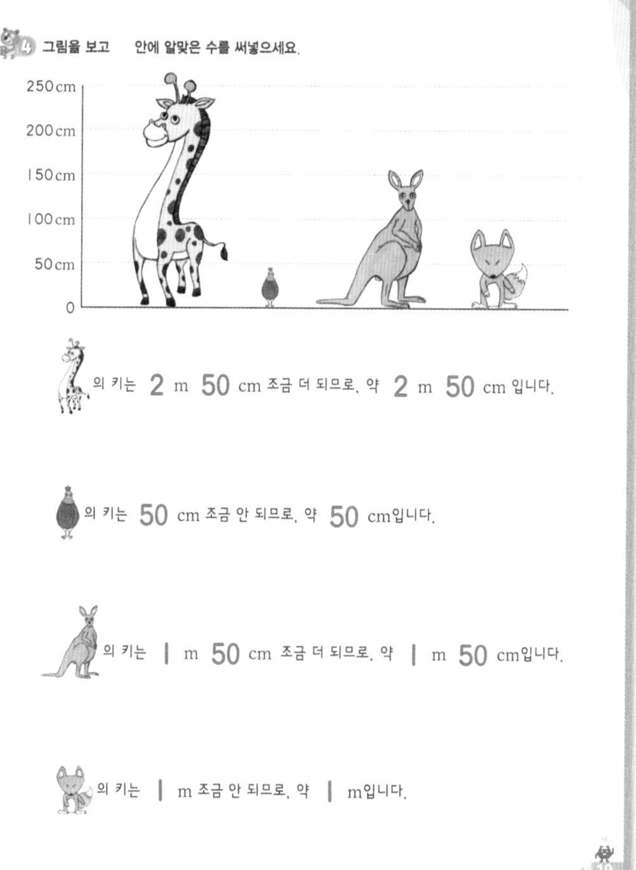

4 그림을 보고 안에 알맞은 수를 써넣으세요.
250cm
200cm
150cm
100cm
50cm
0
의 키는 2 m 50 cm 조금 더 되므로, 약 2 m 50 cm입니다.
의 키는 50 cm 조금 안 되므로, 약 50 cm입니다.
의 키는 1 m 50 cm 조금 더 되므로, 약 1 m 50 cm입니다.
의 키는 1 m 조금 안 되므로, 약 1 m입니다.

정답 24쪽

유형 1

지원이가 가진 리본 끈은 3m 40cm이고, 민준이가 가진 리본 끈은 5m 27cm입니다. 두 사람이 가지고 있는 리본 끈의 길이는 모두 몇 m 몇 cm일까요?

주어진 수에 ○표 하고, 구하는 것에 밑줄 치기

지원이가 가진 리본 끈: 3 m 40 cm, 민준이가 가진 리본 끈: 5 m 27 cm

문제 해결하기

지원이가 가진 리본 끈의 길이와 민준이가 가진 리본 끈의 길이를 (더합니다 , 뺍니다).

문제 풀기

(두 사람이 가진 리본 끈의 길이)=(지원이가 가진 리본 끈의 길이)+(민준이가 가진 리본 끈의 길이)

= 3 m 40 cm+ 5 m 27 cm= 8 m 67 cm

답 쓰기 두 사람이 가지고 있는 리본 끈의 길이는 모두 8 m 67 cm입니다.

유형+ 1

집에서 학교를 거쳐 도서관까지 가는 거리는 몇 m 몇 cm일까요?

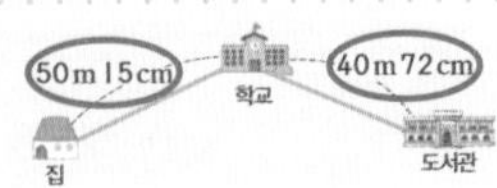

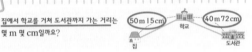

주어진 수에 ○표 하고, 구하는 것에 밑줄 치기

집에서 학교까지의 거리: 50 m 15 cm, 학교에서 도서관까지의 거리: 40 m 72 cm

문제 해결하기

집에서 학교까지의 거리와 학교에서 도서관까지의 거리를 (더합니다 , 뺍니다).

문제 풀기

(집에서 도서관까지 가는 거리)=(집에서 학교까지의 거리)+(학교에서 도서관까지의 거리)

= 50 m 15 cm+ 40 m 72 cm= 90 m 87 cm

답 쓰기 집에서 학교를 거쳐 도서관까지 가는 거리는 90 m 87 cm입니다.

유형 2

세윤이는 길이가 755cm인 철사 중 4m 35cm를 사용하였습니다. 남은 철사의 길이는 몇 m 몇 cm일까요?

주어진 수에 ○표 하고, 구하는 것에 밑줄 치기

처음 철사의 길이: 7 m 55 cm, 사용한 철사의 길이: 4 m 35 cm

문제 해결하기

처음 철사의 길이에서 사용한 철사의 길이를 (더합니다 , 뺍니다).

문제 풀기

(남은 철사의 길이)=(처음 철사의 길이)−(사용한 철사의 길이)

= 7 m 55 cm− 4 m 35 cm= 3 m 20 cm

답 쓰기 남은 철사의 길이는 3 m 20 cm입니다.

유형+ 2

집에서 병원까지의 거리는 집에서 놀이터까지의 거리보다 몇 m 몇 cm 더 멀까요?

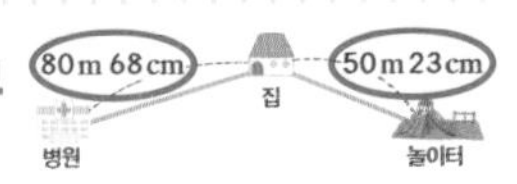

주어진 수에 ○표 하고, 구하는 것에 밑줄 치기

집에서 병원까지의 거리: 80 m 68 cm, 집에서 놀이터까지의 거리: 50 m 23 cm

문제 해결하기

집에서 병원까지의 거리에서 집에서 놀이터까지의 거리를 (더합니다 , 뺍니다).

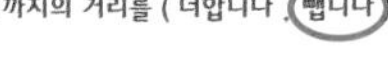

문제 풀기

(두 거리의 차)=(집에서 병원까지의 거리) − (집에서 놀이터까지의 거리)

= 80 m 68 cm− 50 m 23 cm= 30 m 45 cm

답 쓰기 두 거리의 차는 30 m 45 cm입니다.

● 안에 알맞은 수를 써넣고 답을 구하세요.

1 Drill

현수가 가진 줄넘기는 215cm이고, 선미가 가진 줄넘기는 3m 20cm입니다. 두 사람이 가지고 있는 줄넘기의 길이는 모두 몇 m 몇 cm일까요?

주어진 수에 ○표 하고, 구하는 것에 밑줄 쫙!

풀이 (두 사람이 가진 줄넘기의 길이)

=(현수가 가진 줄넘기의 길이)+(선미가 가진 줄넘기의 길이)

= 2 m 15 cm+ 3 m 20 cm= 5 m 35 cm

답 5m 35cm

2 Drill

집에서 놀이터를 거쳐 피자 가게까지 가는 거리는 몇 m 몇 cm일까요?

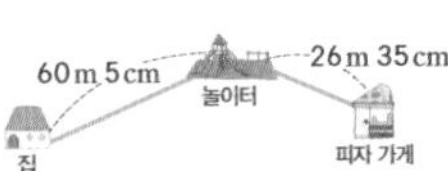

풀이 (집에서 놀이터를 거쳐 피자 가게까지 가는 거리)

=(집에서 놀이터까지의 거리)+(놀이터에서 피자 가게까지의 거리)

= 60 m 5 cm+ 26 m 35 cm= 86 m 40 cm

답 86m 40cm

3 Drill

재희가 가진 리본은 7m 68cm이고, 주원이가 가진 리본은 3m 17cm입니다. 재희가 가진 리본은 주원이가 가진 리본보다 몇 m 몇 cm 더 길까요?

풀이 (두 사람이 가진 리본 길이의 차)

=(재희가 가진 리본의 길이)−(주원이가 가진 리본의 길이)

= 7 m 68 cm− 3 m 17 cm= 4 m 51 cm

답 4m 51cm

4 Drill

집에서 피아노 학원까지의 거리는 집에서 학교까지의 거리보다 몇 m 몇 cm 더 멀까요?

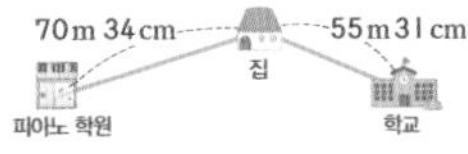

풀이 (두 거리의 차)=(집에서 피아노 학원까지의 거리)−(집에서 학교까지의 거리)

= 70 m 34 cm− 55 m 31 cm= 15 m 3 cm

답 15m 3cm

● 서술형 문제를 읽고 풀이 과정과 답을 쓰세요.

도전 1

현서가 가진 고무줄은 4m 43cm이고, 재원이가 가진 고무줄은 352cm입니다. 두 사람이 가지고 있는 고무줄의 길이는 모두 몇 m 몇 cm일까요?

풀이 (두 사람이 가진 고무줄의 길이)

=(현서가 가진 고무줄)+(재원이가 가진 고무줄)

=4m 43cm+3m 52cm=7m 95cm

답 7m 95cm

도전 2

학교에서 문구점을 거쳐 소방서까지 가는 거리는 몇 m 몇 cm일까요?

풀이 (학교에서 소방서까지 가는 거리)

=(학교에서 문구점까지 거리)+(문구점에서 소방서까지 거리)

=61m 32cm+30m 46cm

=91m 78cm

답 91m 78cm

도전 3

길이가 846cm인 색 테이프 중 4m 35cm를 사용하였습니다. 남은 색 테이프의 길이는 몇 m 몇 cm일까요?

풀이 (남은 색 테이프의 길이)

=(처음 색 테이프)−(사용한 색 테이프)

=8m 46cm−4m 35cm=4m 11cm

답 4m 11cm

도전 4

집에서 공원까지의 거리는 집에서 서점까지의 거리보다 몇 m 몇 cm 더 멀까요?

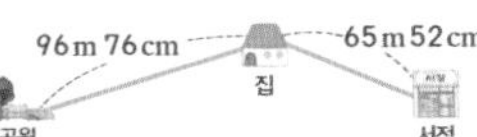

풀이 (두 거리의 차)=(집에서 공원까지의 거리)−(집에서 서점까지의 거리)

=96m 76cm−65m 52cm

=31m 24cm

답 31m 24cm

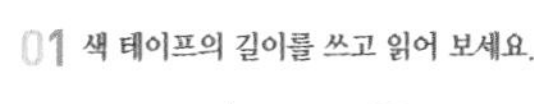

형성 평가

01 색 테이프의 길이를 쓰고 읽어 보세요.

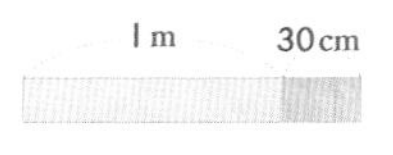

쓰기 1 m 30 cm

읽기 1 미터 30 센티미터

02 그림을 보고 □ 안에 알맞은 수를 써넣으세요.

(1) 1 m 30 cm

1 m 30 cm

100 cm 30 cm

➡ 1 m 30 cm= 130 cm

(2) 1 m 60 cm

1 m 60 cm

100 cm 60 cm

➡ 1 m 60 cm= 160 cm

03 그림을 보고 □ 안에 알맞은 수를 써넣으세요.

120 cm

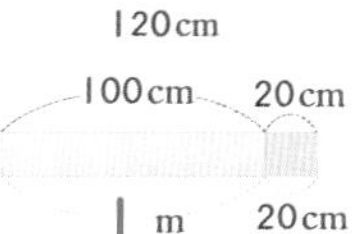

1 m 20 cm

➡ 120 cm= 1 m 20 cm

04 □ 안에 알맞은 수를 써넣으세요.

(1) 3 m = 300 cm

(2) 4 m 63 cm
= 4 m+63 cm
= 400 cm+63 cm
= 463 cm

05 □ 안에 알맞은 수를 써넣으세요.

(1) 500 cm = 5 m

(2) 705 cm
= 700 cm+5 cm
= 7 m+ 5 cm
= 7 m 5 cm

06 물건의 길이를 재어 보세요.

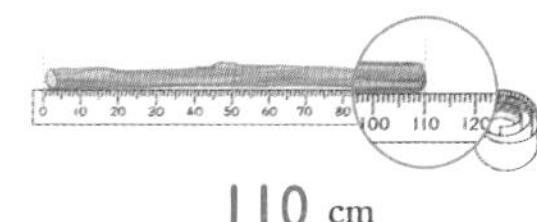

110 cm

07 자의 눈금을 읽어 보세요.

230 cm

2 m 33 cm

08 물건의 길이를 재어 보세요.

1 m 15 cm

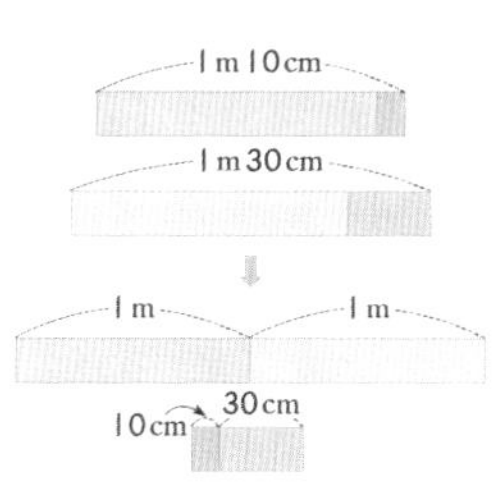

40 cm

09 한솔이가 키를 잰 것입니다. □ 안에 알맞은 수를 써넣으세요.

1 m 22 cm

10 두 색 테이프의 길이의 합을 구해 보세요.

1 m 10 cm

1 m 30 cm

1 m 1 m

10 cm 30 cm

➡ 1 m 10 cm+1 m 30 cm
= 2 m 40 cm

11 두 색 테이프의 길이의 차를 구해 보세요.

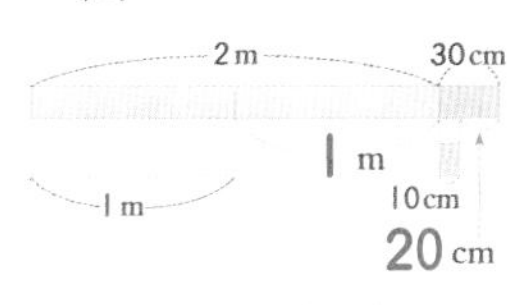

1 m

20 cm

➡ 2 m 30 cm−1 m 10 cm
= 1 m 20 cm

12 길이의 합을 구해 보세요.

(1) 3 m 15 cm+4 m 62 cm
= 7 m 77 cm

(2) 7 m 3 cm+2 m 57 cm
= 9 m 60 cm

13 길이의 차를 구해 보세요.

(1) 2 m 86 cm−1 m 40 cm
= 1 m 46 cm

(2) 6 m 78 cm−3 m 37 cm
= 3 m 41 cm

14 길이의 합과 차를 구해 보세요.

(1)

		m		cm
	5	m	32	cm
+	3	m	51	cm
	8	m	83	cm

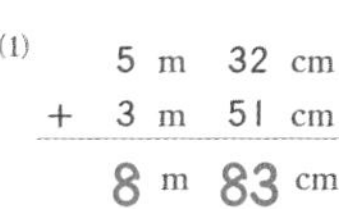

(2)

		m		cm
	12	m	48	cm
−	7	m	23	cm
	5	m	25	cm

15 두 색 테이프의 길이의 합은 몇 m 몇 cm인지 구해 보세요.

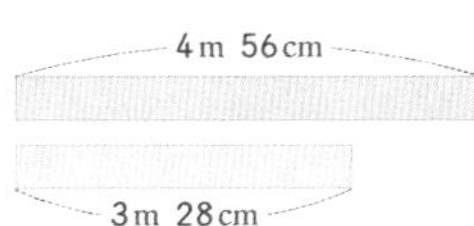

길이의 합 7 m 84 cm

16 두 색 테이프의 길이의 차는 몇 m 몇 cm인지 구해 보세요.

6 m 57 cm

4 m 49 cm

길이의 차 2 m 8 cm

17 주어진 길이를 이용하여 가로등의 높이를 구해 보세요.

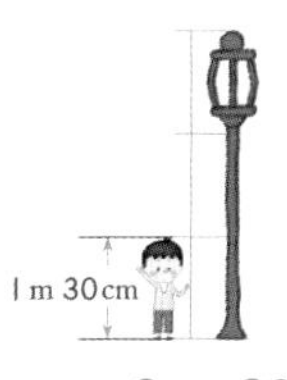

약 3 m 90 cm

18 □ 안에 알맞은 기호를 써넣으세요.

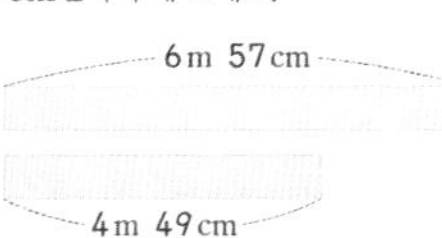

밧줄 ㉡이 1 m에 더 가깝습니다.

19 건물의 가로 길이를 어림한 길이를 구해 보세요.

50 cm

약 5 m

20 그림을 보고 □ 안에 알맞은 수를 써넣으세요.

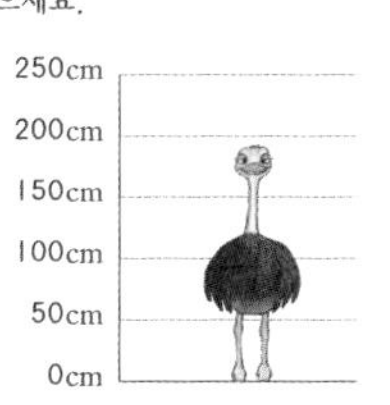

타조의 키는 2 m 조금 안 되므로, 약 2 m입니다.

단원평가 3. 길이 재기

1 □ 안에 알맞은 수를 써넣으세요.

(1) 6m= 600 cm

(2) 2m 36cm= 236 cm

(3) 800cm= 8 m

(4) 747cm= 7 m 47 cm

(5) 509cm= 5 m 9 cm

2 다음을 읽어 보세요.

2m 67cm

읽기 2 미터 67 센티미터

3 알맞은 단위를 골라 ○표 하세요.

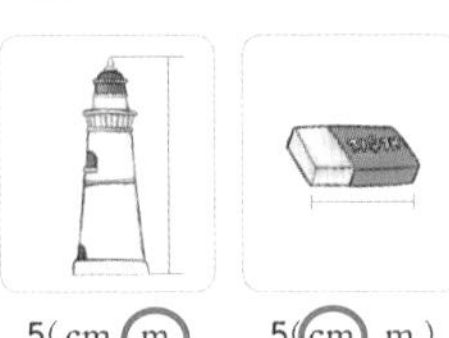

5(cm , m) 5(cm , m)

4 둘 중 더 긴 것의 이름을 써 보세요.

(1)

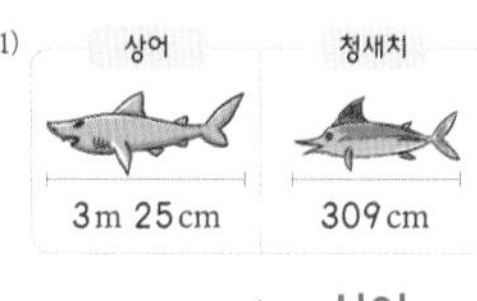

(상어)

(2)

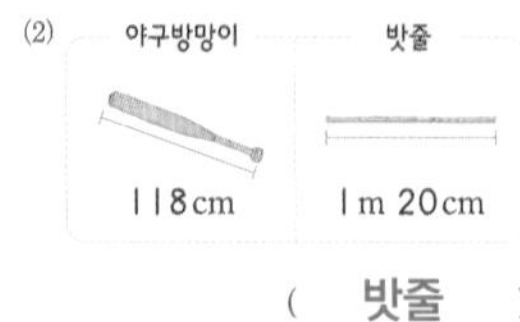

(밧줄)

5 자의 눈금을 읽어 보세요.

102 cm 109 cm

1 m 2 cm 1 m 9 cm

6 1m보다 긴 것을 모두 찾아 기호를 써 보세요.

㉠ 운동화의 길이
㉡ 아버지의 키
㉢ 필통의 긴 쪽의 길이
㉣ 칠판의 긴 쪽의 길이

(㉡, ㉣)

7 길이를 비교하여 □ 안에 >, <를 알맞게 써넣으세요.

(1) 612cm > 5m 98cm

(2) 409cm < 4m 60cm

8 색 테이프의 길이를 재어 보세요.

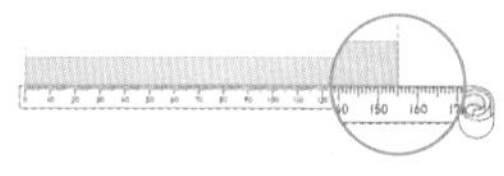

1 m 55 cm

9 친구의 키를 재어 보세요.

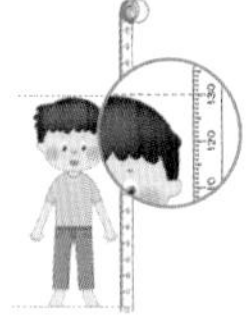

1 m 30 cm

10 길이의 합을 구해 보세요.

(1) 5m 63cm+5m 16cm
= 10 m 79 cm

(2) 2m 6cm+4m 17cm
= 6 m 23 cm

(3) 310cm+1m 42cm
= 4 m 52 cm

(4)

	2 m	17 cm
+	3 m	3 cm
	5 m	20 cm

(5)

	7 m	43 cm
+	2 m	36 cm
	9 m	79 cm

11 두 색 테이프의 길이의 합은 몇 m 몇 cm인지 구해 보세요.

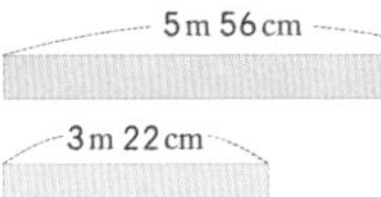

(8m 78cm)

12 길이의 차를 구해 보세요.

(1) 6m 65cm−4m 32cm
= 2 m 33 cm

(2)

	8 m	50 cm
−	3 m	25 cm
	5 m	25 cm

13 사용한 색 테이프의 길이는 몇 m 몇 cm인지 구해 보세요.

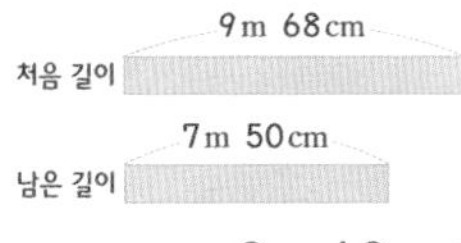

(2m 18cm)

14 신발장의 길이를 다음과 같은 방법으로 재려고 합니다. 여러 번 재어야 하는 것부터 차례로 기호를 써 보세요.

(㉢, ㉠, ㉡, ㉣)

15 여러 가지 길이를 몸의 어느 부분을 이용하여 어림하여 재는 것이 좋을지 알맞은 기호를 써 보세요.

㉠ 한 뼘의 길이
㉡ 엄지손가락의 너비
㉢ 한 걸음의 길이

• 운동장 긴 쪽의 길이 (㉢)
• 책상의 짧은 쪽의 길이 (㉠)
• 지우개의 길이 (㉡)

16 원숭이의 키가 1m일 때 기린의 키는 약 몇 m일까요?

약 (3)m

17 영철이와 은이가 다음과 같이 줄넘기의 길이를 어림했습니다. 줄넘기의 실제 길이가 1m 50cm일 때 더 가깝게 어림한 친구의 이름을 써 보세요.

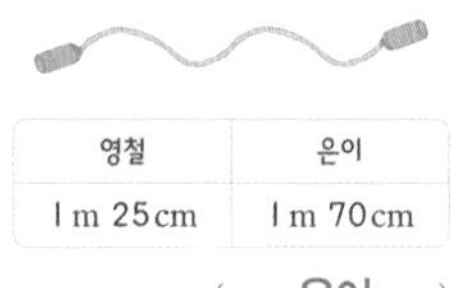

영철	은이
1m 25cm	1m 70cm

(은이)

18 알맞은 길이를 골라 문장을 완성해 보세요.

30cm 180cm 5m

• 내 침대의 길이는 약 180cm입니다.
• 가로등의 높이는 약 5m 입니다.

19 재호가 가진 끈의 길이는 2m 64cm이고, 아영이가 가진 끈의 길이는 재호의 끈보다 1m 12cm 더 깁니다. 아영이가 가진 끈의 길이는 몇 m 몇 cm일까요?

(3m 76cm)

20 선우는 길이가 678cm인 색 테이프 중 3m 24cm를 사용하였습니다. 남은 색 테이프의 길이는 몇 m 몇 cm인지 풀이 과정을 쓰고 답을 구하세요.

풀이 예 (남은 색 테이프의 길이)
=(처음 색 테이프)−(사용한 색 테이프)
=6m 78cm−3m 24cm=3m 54cm

답 3m 54cm

01 5분 단위의 시각

정답 27쪽

시각 읽기

10시 / 10시 15분 / 10시 45분 / 11시

짧은바늘 : 10 / 짧은바늘 : 10과 11 사이, 긴바늘 : 3 / 짧은바늘 : 10과 11 사이, 긴바늘 : 9 / 짧은바늘 : 11

1 시각을 읽어 보고 안에 알맞은 수를 써넣으세요.

6 시 20분

3 시 40분

8 시 15분

1 시 50분

4 시 35분

9 시 30분

5 시 25분

1 시 55분

12 시 10분

2 시계에서 각각의 수가 몇 분을 나타내는지 써넣으세요.

3 시각을 읽어 보고 안에 알맞은 수를 써넣으세요.

3시 5 분

9시 30 분

4시 45 분

11시 20 분

5시 10 분

2시 55 분

10시 40 분

6시 15 분

7시 50 분

1시 35 분

12시 25 분

3시 20 분

4 길을 따라가며 만나는 시계의 시각을 써 보세요.

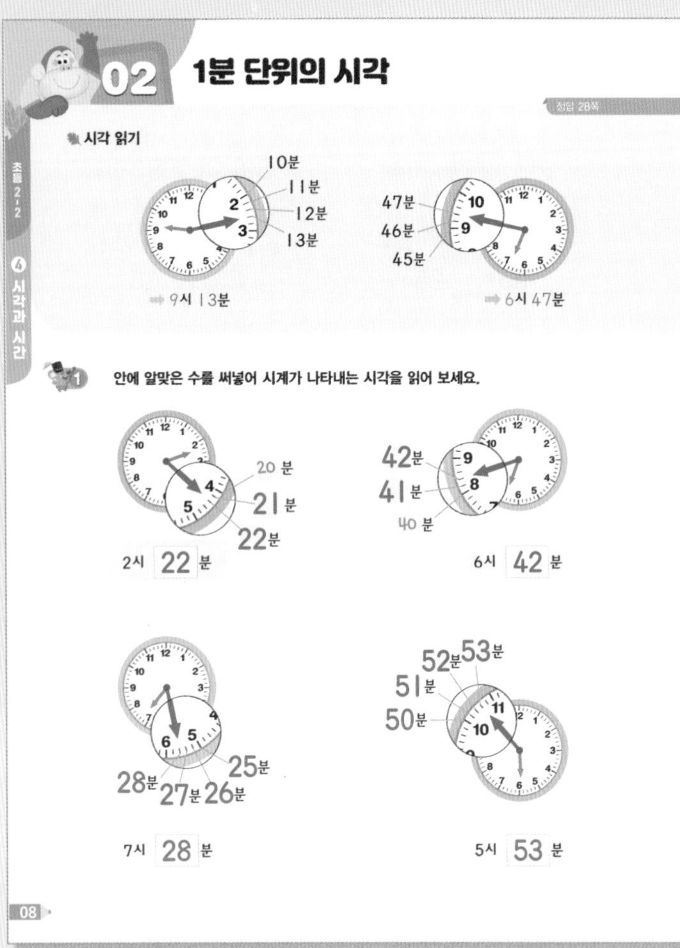
02 1분 단위의 시각
정답 28쪽
시각 읽기
10분
11분
12분
13분
9시 13분
47분
46분
45분
6시 47분
1 안에 알맞은 수를 써넣어 시계가 나타내는 시각을 읽어 보세요.
20분
21분
22분
2시 22분
42분
41분
40분
6시 42분
25분
28분 27분 26분
7시 28분
52분 53분
51분
50분
5시 53분
08

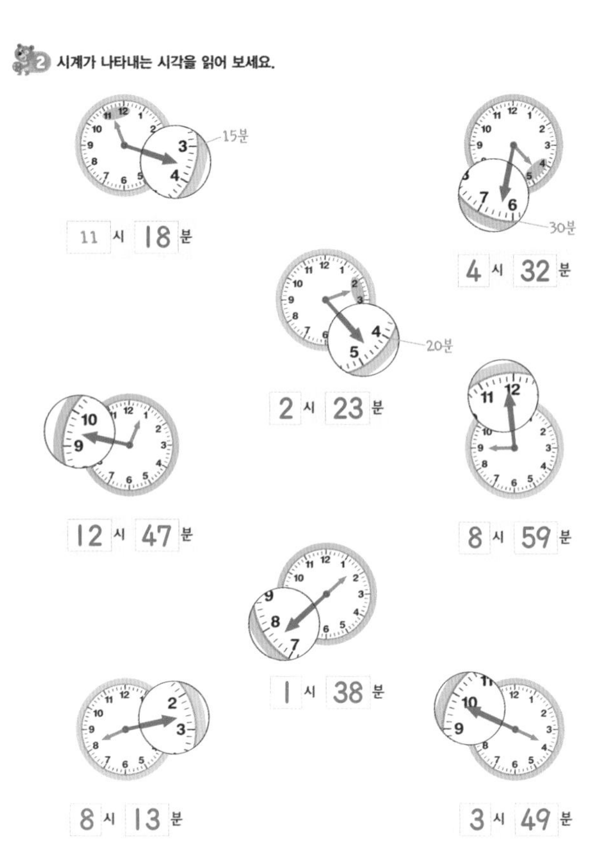
2 시계가 나타내는 시각을 읽어 보세요.
15분
11 시 18 분
30분
4 시 32 분
20분
2 시 23 분
12 시 47 분
8 시 59 분
1 시 38 분
8 시 13 분
3 시 49 분
09

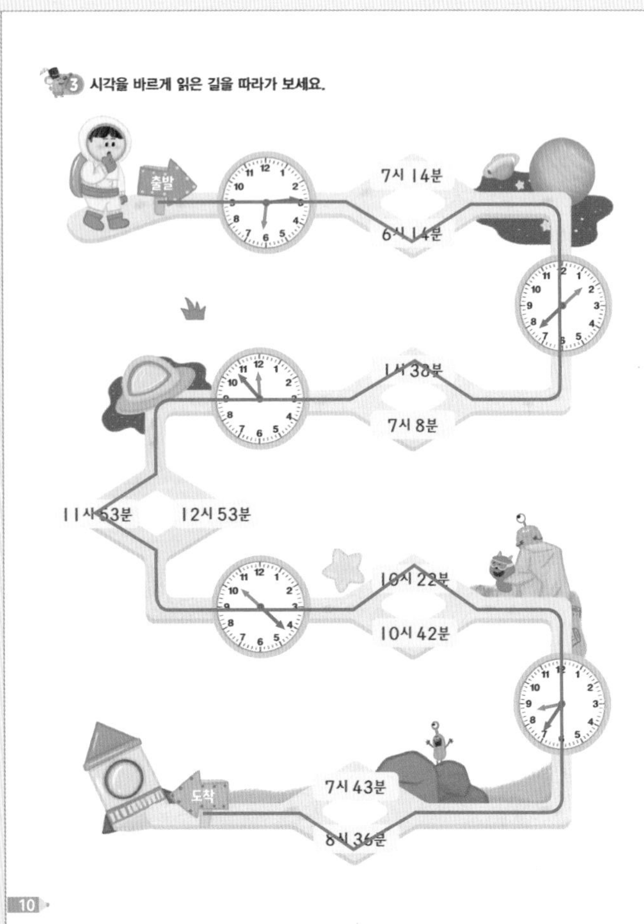
3 시각을 바르게 읽은 길을 따라가 보세요.
출발
7시 14분
6시 14분
1시 38분
7시 8분
11시 53분
12시 53분
10시 22분
10시 42분
7시 43분
8시 36분
도착
10

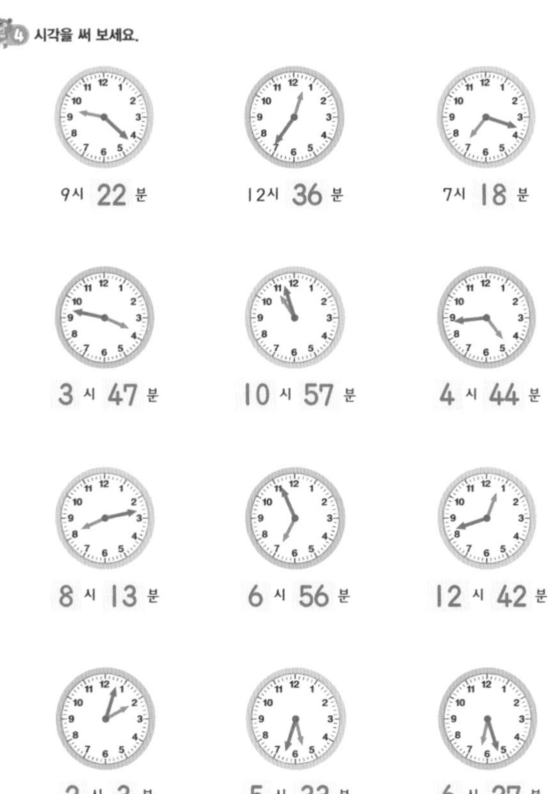
4 시각을 써 보세요.
9시 22 분
12시 36 분
7시 18 분
3 시 47 분
10 시 57 분
4 시 44 분
8 시 13 분
6 시 56 분
12 시 42 분
2 시 3 분
5 시 33 분
6 시 27 분
11

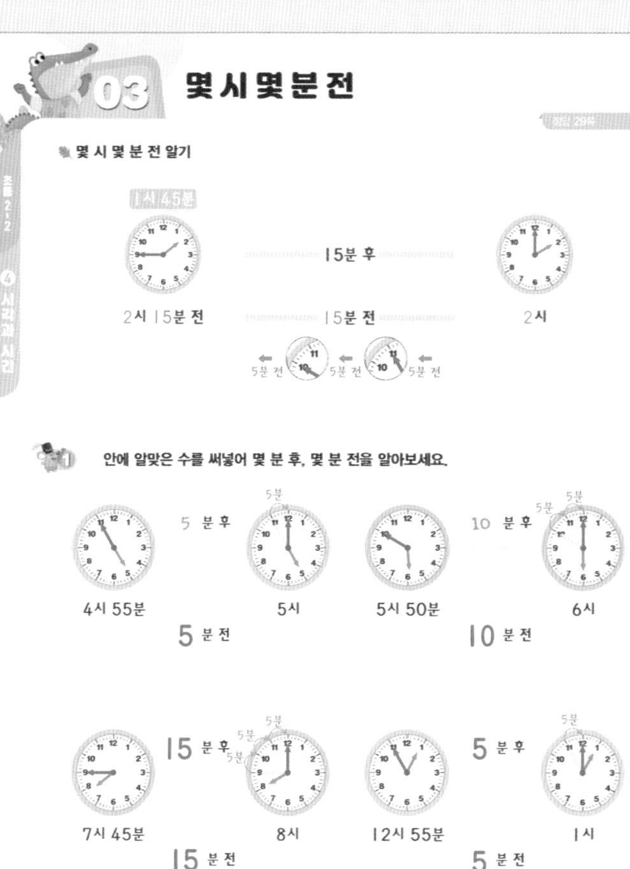

03 몇 시 몇 분 전

몇 시 몇 분 전 알기

1시 45분 — 15분 후 — 2시

2시 15분 전 — 15분 전 — 2시

5분 전 5분 전 5분 전

1 안에 알맞은 수를 써넣어 몇 분 후, 몇 분 전을 알아보세요.

4시 55분 — 5 분 후 — 5시 / 5 분 전

5시 50분 — 10 분 후 — 6시 / 10 분 전

7시 45분 — 15 분 후 — 8시 / 15 분 전

12시 55분 — 5 분 후 — 1시 / 5 분 전

12

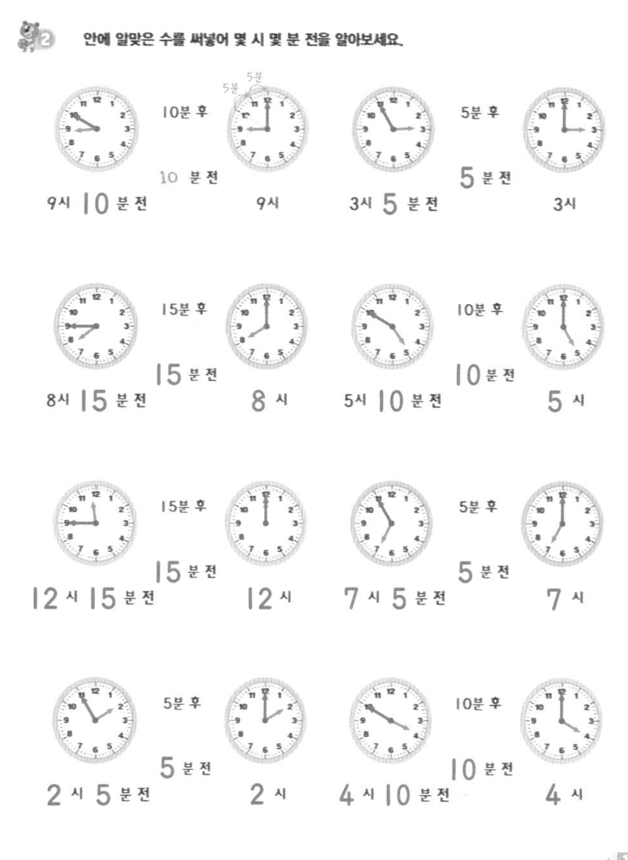

2 안에 알맞은 수를 써넣어 몇 시 몇 분 전을 알아보세요.

9시 10 분 전 — 10분 후 / 10 분 전 — 9시

3시 5 분 전 — 5분 후 / 5 분 전 — 3시

8시 15 분 전 — 15분 후 / 15 분 전 — 8 시

5시 10 분 전 — 10분 후 / 10 분 전 — 5 시

12 시 15 분 전 — 15분 후 / 15 분 전 — 12 시

7 시 5 분 전 — 5분 후 / 5 분 전 — 7 시

2 시 5 분 전 — 5분 후 / 5 분 전 — 2 시

4 시 10 분 전 — 10분 후 / 10 분 전 — 4 시

13

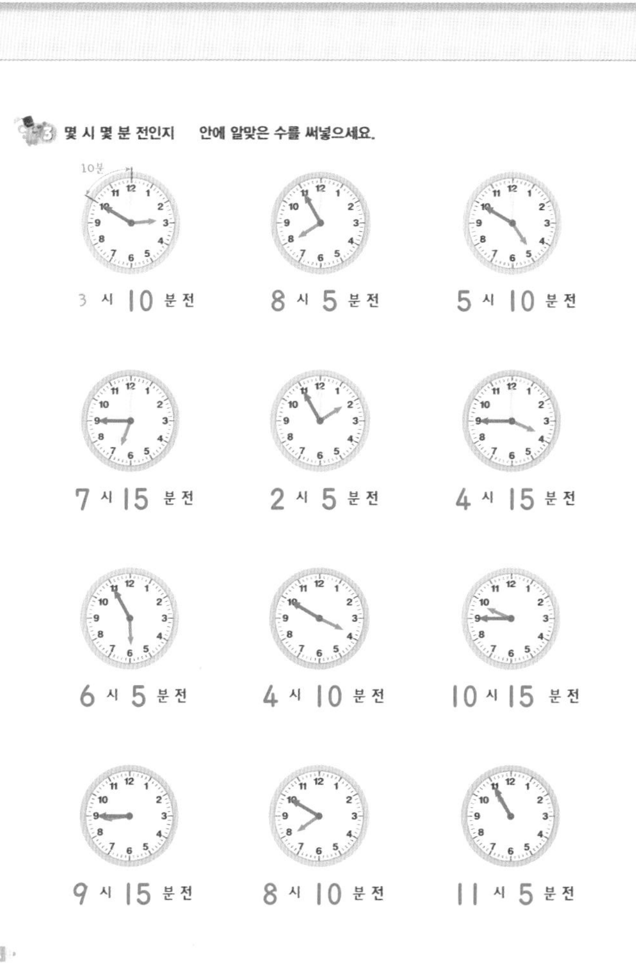

3 몇 시 몇 분 전인지 안에 알맞은 수를 써넣으세요.

3 시 10 분 전　8 시 5 분 전　5 시 10 분 전

7 시 15 분 전　2 시 5 분 전　4 시 15 분 전

6 시 5 분 전　4 시 10 분 전　10 시 15 분 전

9 시 15 분 전　8 시 10 분 전　11 시 5 분 전

14

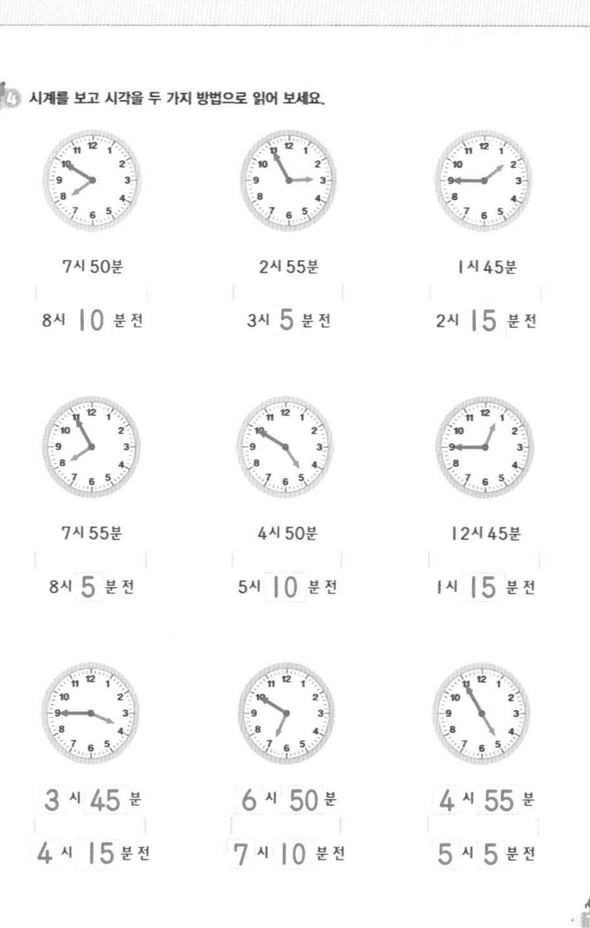

4 시계를 보고 시각을 두 가지 방법으로 읽어 보세요.

7시 50분 / 8시 10 분 전　2시 55분 / 3시 5 분 전　1시 45분 / 2시 15 분 전

7시 55분 / 8시 5 분 전　4시 50분 / 5시 10 분 전　12시 45분 / 1시 15 분 전

3 시 45 분 / 4 시 15 분 전　6 시 50 분 / 7 시 10 분 전　4 시 55 분 / 5 시 5 분 전

15

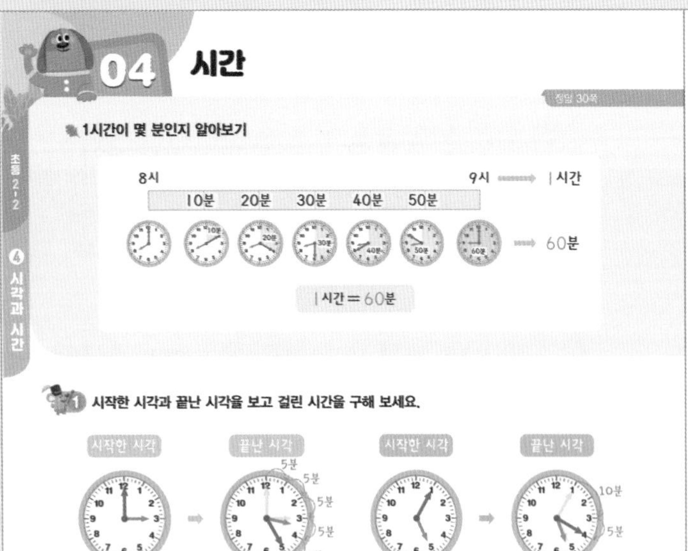

04 시간

정답 30쪽

1시간이 몇 분인지 알아보기

8시 … 9시 → 1시간

10분 20분 30분 40분 50분 → 60분

1시간 = 60분

1 시작한 시각과 끝난 시각을 보고 걸린 시간을 구해 보세요.

25 분 15 분

30 분 20 분

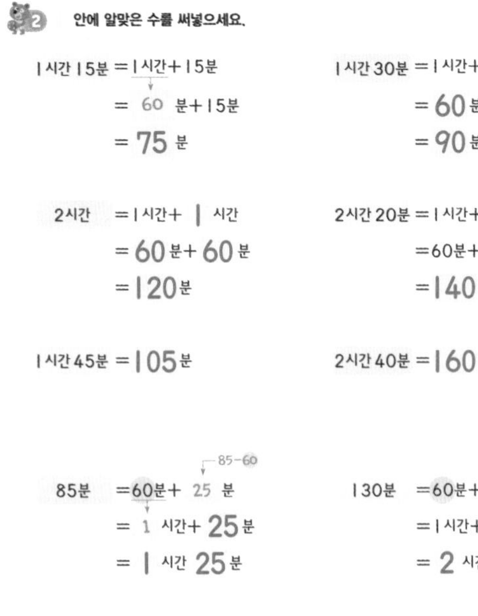

2 안에 알맞은 수를 써넣으세요.

1시간 15분 = 1시간+15분
= 60 분+15분
= 75 분

1시간 30분 = 1시간+30분
= 60 분+30분
= 90 분

2시간 = 1시간+ 1 시간
= 60 분+ 60 분
= 120 분

2시간 20분 = 1시간+ 1 시간+20분
= 60분+ 60 분+ 20 분
= 140 분

1시간 45분 = 105 분

2시간 40분 = 160 분

85분 = 60분+ 25 분 (85−60)
= 1 시간+ 25 분
= 1 시간 25 분

130분 = 60분+60분+ 10 분 (130−60−60)
= 1시간+1시간+ 10 분
= 2 시간 10 분

100분 = 60분+ 40 분
= 1 시간+ 40 분
= 1 시간 40 분

155분 = 60분+60분+ 35 분
= 1시간+ 1 시간+ 35 분
= 2 시간 35 분

95분 = 1 시간 35 분

150분 = 2 시간 30 분

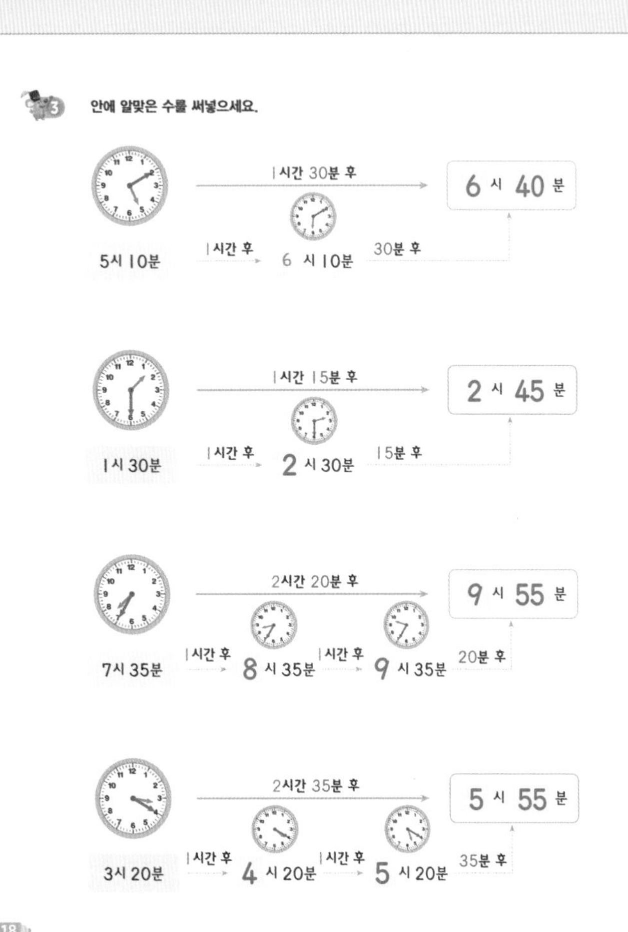

3 안에 알맞은 수를 써넣으세요.

5시 10분 → 1시간 30분 후 → 6 시 40 분
(1시간 후 → 6 시 10분, 30분 후)

1시 30분 → 1시간 15분 후 → 2 시 45 분
(1시간 후 → 2 시 30분, 15분 후)

7시 35분 → 2시간 20분 후 → 9 시 55 분
(1시간 후 → 8 시 35분, 1시간 후 → 9 시 35분, 20분 후)

3시 20분 → 2시간 35분 후 → 5 시 55 분
(1시간 후 → 4 시 20분, 1시간 후 → 5 시 20분, 35분 후)

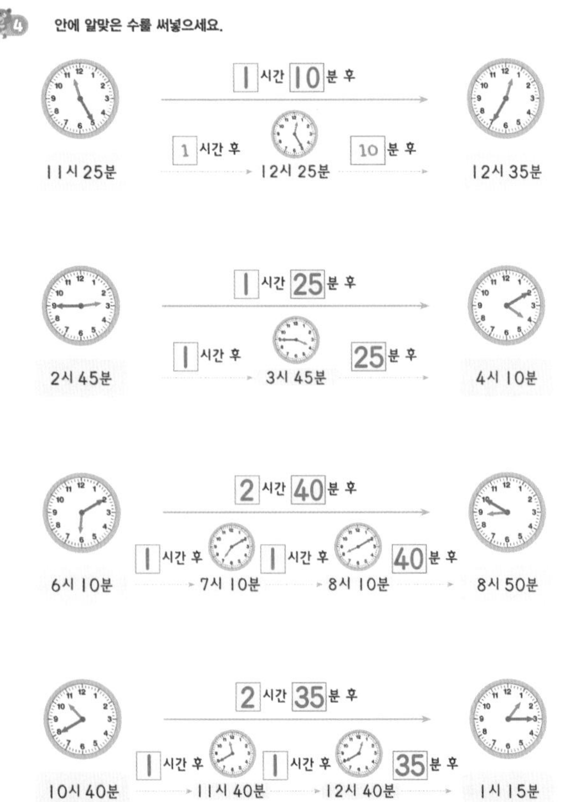

4 안에 알맞은 수를 써넣으세요.

11시 25분 → 1 시간 10 분 후 → 12시 35분
(1 시간 후 → 12시 25분, 10 분 후)

2시 45분 → 1 시간 25 분 후 → 4시 10분
(1 시간 후 → 3시 45분, 25 분 후)

6시 10분 → 2 시간 40 분 후 → 8시 50분
(1 시간 후 → 7시 10분, 1 시간 후 → 8시 10분, 40 분 후)

10시 40분 → 2 시간 35 분 후 → 1시 15분
(1 시간 후 → 11시 40분, 1 시간 후 → 12시 40분, 35 분 후)

05 하루의 시간

정답 31쪽

하루의 시간 알기

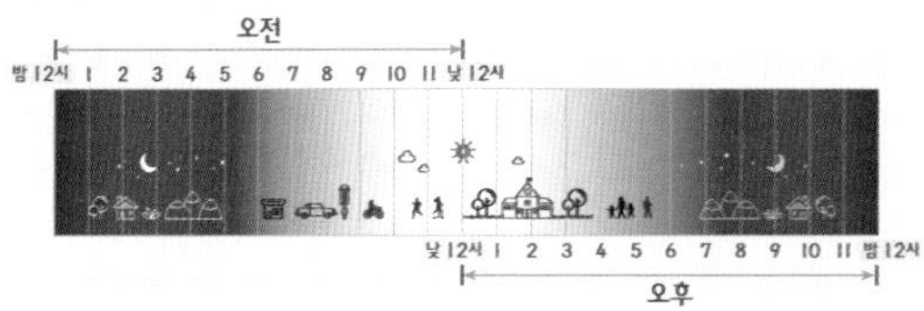

1 알맞은 것에 ◯표 하세요.

- 아침 6시 (오전), 오후
- 저녁 7시 오전, (오후)
- 낮 2시 오전, (오후)
- 새벽 1시 (오전), 오후
- 저녁 8시 오전, (오후)
- 낮 4시 오전, (오후)
- 새벽 3시 (오전), 오후
- 아침 8시 (오전), 오후
- 저녁 9시 오전, (오후)
- 낮 3시 오전, (오후)

2 시간 띠에 나타낸 계획한 일을 보고 ☐ 안에 알맞은 수나 말을 써넣으세요.

밤12시 1시 2시 3시 4시 5시 6시 7시 8시 9시 10시 11시 낮12시 / 잠자기, 아침 식사, 영화 보기, 점심 식사, 공부, 운동, 저녁 식사, 자유 시간, 잠자기

유나의 하루
- 유나가 점심 식사를 하는 데 걸리는 시간은 1 시간입니다.
- 유나가 운동을 하는 데 걸리는 시간은 2 시간입니다.
- 하루는 24 시간입니다.

잠자기, 운동, 아침 식사, 독서, 점심 식사, 놀이 공원, 저녁 식사, TV 시청, 잠자기

은주의 하루
- 은주가 독서를 하는 데 걸리는 시간은 3 시간입니다.
- 저녁 식사를 끝내고 할 일은 TV 시청 입니다.
- 은주가 잠을 자는 시간은 9 시간입니다.

잠자기, 아침 식사, 공부, 점심 식사, 박물관 견학, 저녁 식사, 휴식, 축구, 독서, 잠자기

준호의 하루
- 준호가 축구를 하는 데 걸리는 시간은 2 시간입니다.
- 잠을 자기 전에 할 일은 독서 입니다.
- 잠을 자고 일어나서 오전에 할 일은 아침 식사 , 공부 입니다.

3 ☐ 안에 알맞은 수를 써넣으세요.

1일 12시간 = 1일 + 12시간
= 24 시간 + 12시간
= 36 시간

1일 17시간 = 1일 + 17시간
= 24시간 + 17 시간
= 41 시간

2일 = 1일 + 1 일
= 24시간 + 24 시간
= 48 시간

2일 4시간 = 2일 + 4시간
= 1일 + 1일 + 4 시간
= 24시간 + 24 시간 + 4 시간
= 52 시간

1일 15시간 = 39 시간

2일 10시간 = 58 시간

36시간 = 24시간 + 12 시간 (36−24)
= 1 일 12 시간

40시간 = 24시간 + 16 시간 (40−24)
= 1 일 16 시간

43시간 = 24시간 + 19 시간
= 1 일 19 시간

48시간 = 24 시간 + 24 시간
= 1 일 + 1 일
= 2 일

30시간 = 1 일 6 시간

46시간 = 1 일 22 시간

4 아쿠아리스트의 하루의 시간을 알아보고 ☐ 안에 알맞게 써넣으세요.

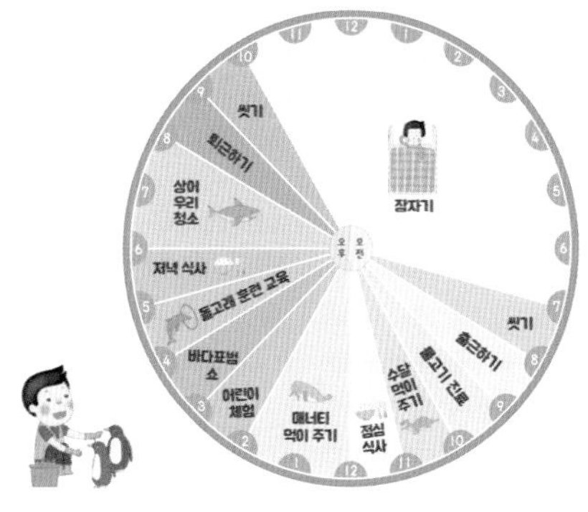

- 아쿠아리스트가 일어나는 시각은 ((오전), 오후) 7 시이고, 잠을 자는 시각은 (오전, (오후)) 10 시입니다.
- 아쿠아리스트가 출근을 해서 가장 먼저 하는 일은 물고기 진료 입니다.
- 매너티 먹이를 주기 시작하는 시각은 ((낮), 밤) 12 시이고, 끝나는 시각은 (오전, (오후)) 2 시입니다.
- 상어 우리를 (오전, (오후)) 6 시부터 8 시까지 2 시간 동안 청소합니다.
- 아쿠아리스트는 하루에 잠을 9 시간 동안 잡니다.

※아쿠아리스트: 대형 수족관에서 고객이 관람할 수중생물을 사육·관리·연구하고, 전시회 등을 기획하는 사람

06 달력

정답 32쪽

달력 알아보기

	일	월	화	수	목	금	토
첫째 주				1	2	3	4
둘째 주	5	6	7	8	9	10	11
셋째 주	12	13	14	15	16	17	18
넷째 주	19	20	21	22	23	24	25
다섯째 주	26	27	28	29	30		

- 1주일은 7일입니다.
- 같은 요일은 7일마다 반복됩니다.
- 22일은 넷째 수요일입니다.
- 1년은 12개월입니다.

1 빈 곳에 알맞은 수 또는 말을 써넣으세요.

1주일은 며칠일까요?

7 일

요일의 순서는 어떻게 될까요?

일 → 월 → 화 → 수 → 목 → 금 → 토 요일

2주일은 며칠일까요?

14 일

1년은 몇 개월일까요?

12 개월

1년의 각 달은 며칠일까요?

1월	2월	3월	4월	5월	6월
31일	28일 29(일)	31일	30일	31일	30일
7월	8월	9월	10월	11월	12월
31일	31일	30일	31일	30일	31일

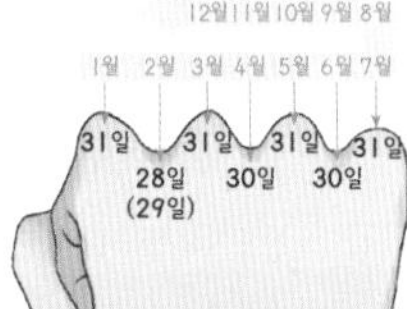

2 안에 알맞은 수나 말을 써넣으세요.

7월

일	월	화	수	목	금	토
	1	2	3	4	5	6
7	8	9	10	11	12	13
14	15	16	17	18	19	20
21	22	23	24	25	26	27
28	29	30	31			

- 7월 9일은 화 요일입니다.
- 7월의 둘째 목요일은 11 일입니다.
- 7월의 마지막 날은 31 일입니다.

11월

일	월	화	수	목	금	토
			1	2	3	4
5	6	7	8	9	10	11
12	13	14	15	16	17	18
19	20	21	22	23	24	25
26	27	28	29	30		

- 11월 넷째 화요일은 28 일입니다.
- 11월 12일부터 5일 후는 11월 17 일입니다.
- 11월의 토요일은 4 일, 11 일, 18 일, 25 일입니다.

4월

일	월	화	수	목	금	토
1	2	3	4	5	6	7
8	9	10	11	12	13	14
15	16	17	18	19	20	21
22	23	24	25	26	27	28
29	30					

- 4월 6일은 금 요일입니다.
- 4월의 마지막 날은 30 일입니다.
- 4월의 셋째 수요일은 18 일입니다.
- 4월 12일부터 2주일 후는 26 일입니다.

3 안에 알맞은 수를 써넣으세요.

1년 3개월 = 1년+3개월
= 12 개월+3개월
= 15 개월

1년 6개월 = 1년+6개월
= 12 개월+6개월
= 18 개월

1년 7개월 = 1년+7개월
= 12개월+ 7 개월
= 19 개월

1년 10개월 = 1년+10개월
= 12 개월+ 10 개월
= 22 개월

1년 5개월 = 17 개월

1년 9개월 = 21 개월

14개월 = 12개월+ 2 개월 (14−12)
= 1 년+ 2 개월
= 1 년 2 개월

16개월 = 12개월+ 4 개월 (16−12)
= 1 년+ 4 개월
= 1 년 4 개월

20개월 = 12개월+ 8 개월
= 1 년+ 8 개월
= 1 년 8 개월

24개월 = 12 개월+ 12 개월
= 1 년+ 1 년
= 2 년

13개월 = 1 년 1 개월

23개월 = 1 년 11 개월

4 안에 알맞은 수나 말을 써넣으세요.

일	월	화	수	목	금	토
					1	2
3	4			7	8	9
	11					
				21		
24	25	26				30

(+1, +7, +7, +7, −1)

일	월	화	수	목	금	토
	1	2		4		
7	8	9				13
14				18		20
		23	24	25		27
28			31			

일	월	화	수	목	금	토
			1	2		
5		7		9		11
			15		17	
			22			25
	27					

일	월	화	수	목	금	토
1			4			7
8		10				
	16		18			21
				26	27	
	30					

일	월	화	수	목	금	토
				3		
6			9			
	14					19
		22			25	
27			30			

일	월	화	수	목	금	토
					2	
	5					10
				15		
	19		21			
25					30	

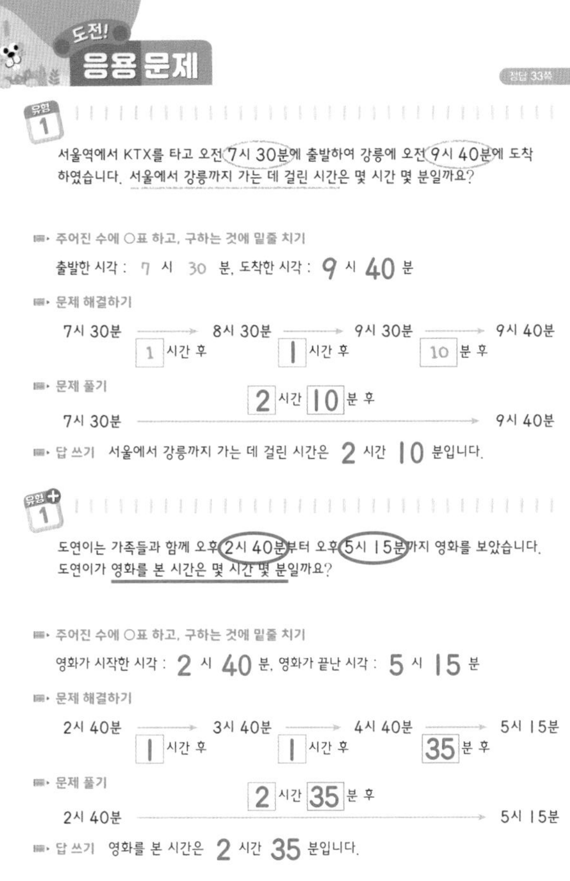

도전! 응용 문제

정답 33쪽

유형 1

서울역에서 KTX를 타고 오전 7시 30분에 출발하여 강릉에 오전 9시 40분에 도착하였습니다. 서울에서 강릉까지 가는 데 걸린 시간은 몇 시간 몇 분일까요?

주어진 수에 ○표 하고, 구하는 것에 밑줄 치기

출발한 시각 : 7 시 30 분, 도착한 시각 : 9 시 40 분

문제 해결하기

7시 30분 → (1 시간 후) 8시 30분 → (1 시간 후) 9시 30분 → (10 분 후) 9시 40분

문제 풀기

7시 30분 → (2 시간 10 분 후) 9시 40분

답 쓰기 서울에서 강릉까지 가는 데 걸린 시간은 2 시간 10 분입니다.

유형 1+

도연이는 가족들과 함께 오후 2시 40분부터 오후 5시 15분까지 영화를 보았습니다. 도연이가 영화를 본 시간은 몇 시간 몇 분일까요?

주어진 수에 ○표 하고, 구하는 것에 밑줄 치기

영화가 시작한 시각 : 2 시 40 분, 영화가 끝난 시각 : 5 시 15 분

문제 해결하기

2시 40분 → (1 시간 후) 3시 40분 → (1 시간 후) 4시 40분 → (35 분 후) 5시 15분

문제 풀기

2시 40분 → (2 시간 35 분 후) 5시 15분

답 쓰기 영화를 본 시간은 2 시간 35 분입니다.

28

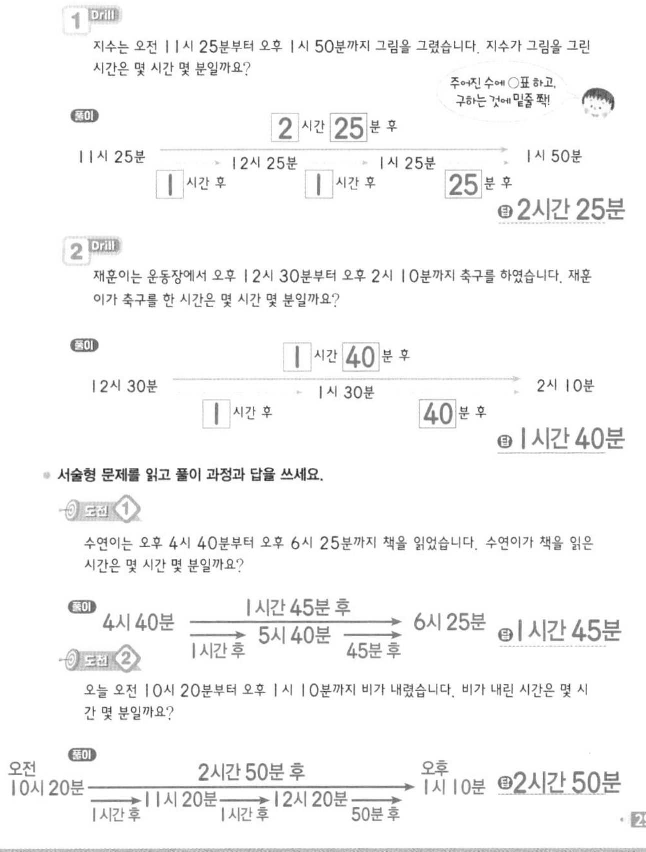

1 Drill

지수는 오전 11시 25분부터 오후 1시 50분까지 그림을 그렸습니다. 지수가 그림을 그린 시간은 몇 시간 몇 분일까요?

주어진 수에 ○표 하고, 구하는 것에 밑줄 쫙!

풀이 11시 25분 → (1 시간 후) 12시 25분 → (1 시간 후) 1시 25분 → (25 분 후) 1시 50분 (2 시간 25 분 후)

답 2시간 25분

2 Drill

재훈이는 운동장에서 오후 12시 30분부터 오후 2시 10분까지 축구를 하였습니다. 재훈이가 축구를 한 시간은 몇 시간 몇 분일까요?

풀이 12시 30분 → (1 시간 후) 1시 30분 → (40 분 후) 2시 10분 (1 시간 40 분 후)

답 1시간 40분

서술형 문제를 읽고 풀이 과정과 답을 쓰세요.

도전 1

수연이는 오후 4시 40분부터 오후 6시 25분까지 책을 읽었습니다. 수연이가 책을 읽은 시간은 몇 시간 몇 분일까요?

풀이 4시 40분 → (1시간 후) 5시 40분 → (45분 후) 6시 25분 (1시간 45분 후)

답 1시간 45분

도전 2

오늘 오전 10시 20분부터 오후 1시 10분까지 비가 내렸습니다. 비가 내린 시간은 몇 시간 몇 분일까요?

풀이 오전 10시 20분 → (1시간 후) 11시 20분 → (1시간 후) 12시 20분 → (50분 후) 오후 1시 10분 (2시간 50분 후)

답 2시간 50분

29

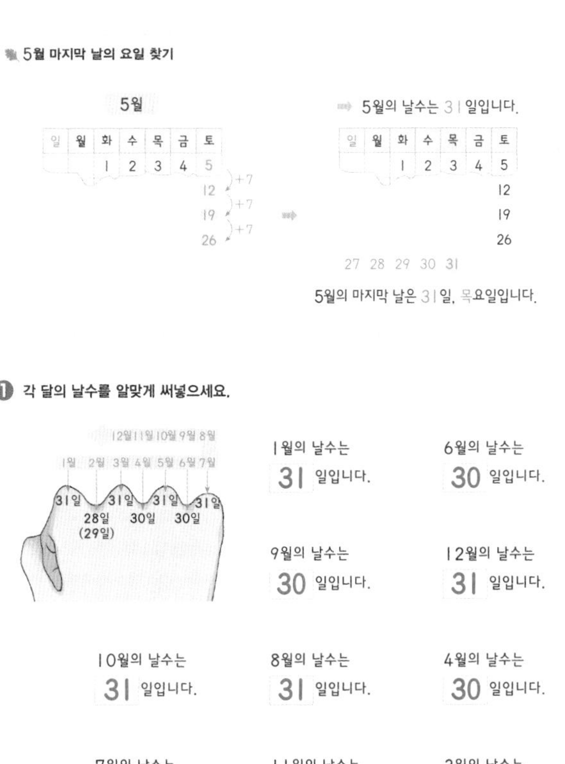

5월 마지막 날의 요일 찾기

5월

일	월	화	수	목	금	토
		1	2	3	4	5
						12
						19
						26

→ 5월의 날수는 31일입니다.

일	월	화	수	목	금	토
		1	2	3	4	5
						12
						19
						26
27	28	29	30	31		

5월의 마지막 날은 31일, 목요일입니다.

연습 1 각 달의 날수를 알맞게 써넣으세요.

1월의 날수는 31 일입니다.
6월의 날수는 30 일입니다.
9월의 날수는 30 일입니다.
12월의 날수는 31 일입니다.
10월의 날수는 31 일입니다.
8월의 날수는 31 일입니다.
4월의 날수는 30 일입니다.
7월의 날수는 31 일입니다.
11월의 날수는 30 일입니다.
3월의 날수는 31 일입니다.

30

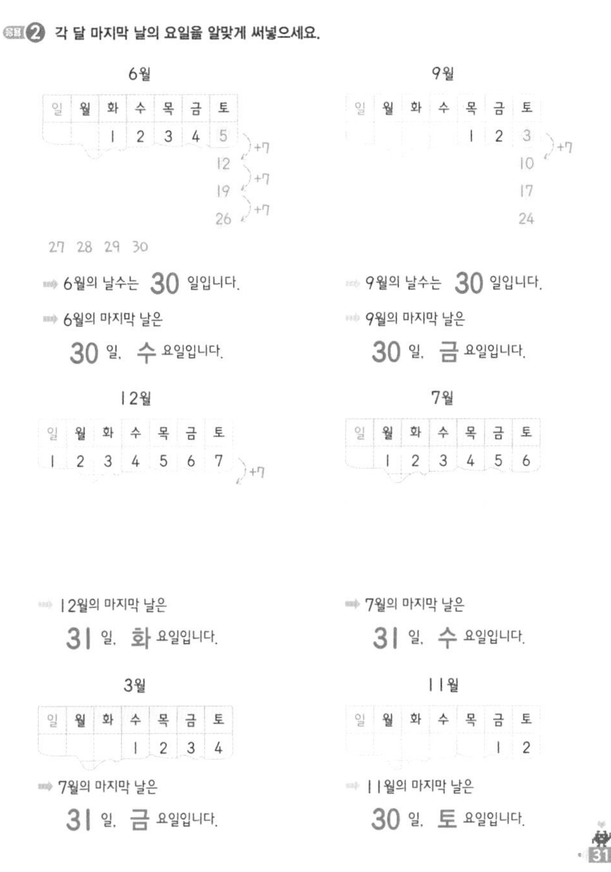

연습 2 각 달 마지막 날의 요일을 알맞게 써넣으세요.

6월

일	월	화	수	목	금	토
		1	2	3	4	5
						12
						19
						26
27	28	29	30			

→ 6월의 날수는 30 일입니다.
→ 6월의 마지막 날은 30 일, 수 요일입니다.

9월

일	월	화	수	목	금	토
				1	2	3
						10
						17
						24

→ 9월의 날수는 30 일입니다.
→ 9월의 마지막 날은 30 일, 금 요일입니다.

12월

일	월	화	수	목	금	토
1	2	3	4	5	6	7

→ 12월의 마지막 날은 31 일, 화 요일입니다.

7월

일	월	화	수	목	금	토
	1	2	3	4	5	6

→ 7월의 마지막 날은 31 일, 수 요일입니다.

3월

일	월	화	수	목	금	토
			1	2	3	4

→ 7월의 마지막 날은 31 일, 금 요일입니다.

11월

일	월	화	수	목	금	토
					1	2

→ 11월의 마지막 날은 30 일, 토 요일입니다.

31

형성 평가

정답 34쪽

01 시각을 읽어 보고 안에 알맞은 수를 써넣으세요.

(1) 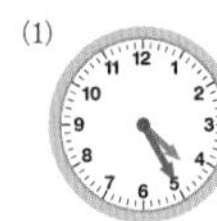 4 시 25분

(2)  8 시 50분

02 시계에서 각각의 수가 몇 분을 나타내는지 써넣으세요.

03 시각을 읽어 보고 안에 알맞은 수를 써넣으세요.

(1)  6 시 40 분

(2)  5 시 15 분

04 빈 곳에 알맞은 수를 써넣어 시계가 나타내는 시각을 읽어 보세요.

9시 12 분

05 시각을 바르게 읽은 것에 ○표 하세요.

(1) 

9시 39분 (7시 48분)

(2) 

(2시 36분) 1시 36분

06 시각을 써 보세요.

(1) 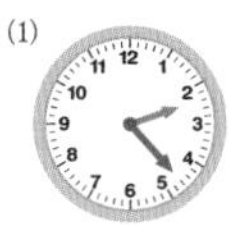 2 시 23 분

(2)  10 시 44 분

07 안에 알맞은 수를 써넣으세요.

08 안에 알맞은 수를 써넣으세요.

10분 후

10 분 전

1시 10 분 전 1 시

09 몇 시 몇 분 전인지 안에 알맞은 수를 써넣으세요.

(1)  10 시 15 분 전

(2)  12 시 5 분 전

10 시계를 보고 시각을 두 가지 방법으로 읽어 보세요.

5 시 50 분

6 시 10 분 전

11 시작한 시각과 끝난 시각을 보고 걸린 시간을 구해 보세요.

25 분

12 안에 알맞은 수를 써넣으세요.

(1) 1시간= 60 분

(2) 1시간 40분= 100 분

(3) 2시간 15분= 135 분

(4) 75분= 1 시간 15 분

(5) 160분= 2 시간 40 분

13 안에 알맞은 수를 써넣으세요.

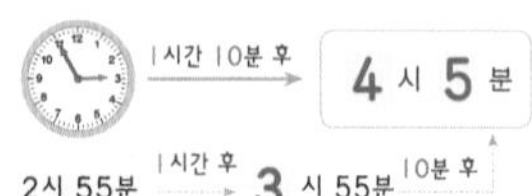

14 안에 알맞은 수를 써넣으세요.

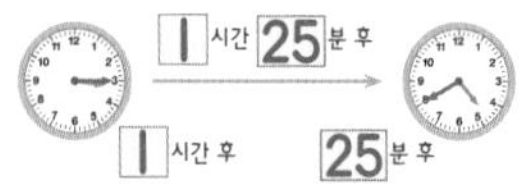

15 알맞은 것에 ○표 하세요.

(1) 아침 8시 

(2) 낮 3시 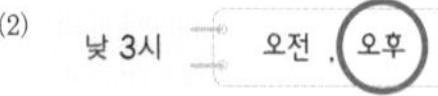

16 안에 알맞은 수를 써넣으세요.

(1) 1일 3시간= 27 시간

(2) 2일= 48 시간

(3) 2일 15시간= 63 시간

(4) 34시간= 1 일 10 시간

(5) 50시간= 2 일 2 시간

17 안에 알맞은 수를 써넣으세요.

(1) 2주일은 며칠일까요?

14 일

(2) 1년은 몇 개월일까요?

12 개월

18 안에 알맞게 써넣으세요.

8월

일	월	화	수	목	금	토
			1	2	3	4
5	6	7	8	9	10	11
12	13	14	15	16	17	18
19	20	21	22	23	24	25
26	27	28	29	30	31	

(1) 8월 17일은 금 요일입니다.

(2) 8월의 마지막 날은 31 일입니다.

(3) 8월의 둘째 금요일은 10 일입니다.

(4) 8월 8일부터 4일 후는 8월 12 일입니다.

(5) 8월 2일부터 3주일 후는 23 일입니다.

19 안에 알맞은 수를 써넣으세요.

(1) 1년 4개월= 16 개월

(2) 1년 11개월= 23 개월

(3) 2년 2개월= 26 개월

(4) 15개월= 1 년 3 개월

(5) 22개월= 1 년 10 개월

20 안에 알맞게 써넣으세요.

일	월	화	수	목	금	토
	5		7			10
				15		
			21		23	
25					30	

단원평가 4. 시각과 시간

정답 35쪽

1 시계를 보고 □ 안에 알맞은 수를 써넣으세요.

(1) 짧은바늘은 3 과 4 사이에 있고, 긴바늘은 2 를 가리키고 있습니다.

(2) 시계가 나타내는 시각은 3 시 10 분입니다.

2 시각을 읽어 보세요.

(1)

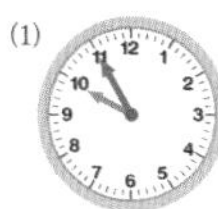

9 시 55 분

(2)

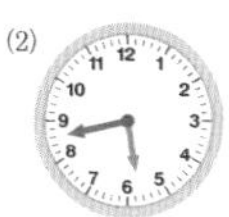

5 시 43 분

3 시각에 맞게 긴바늘을 그려 넣으세요.

1시 27분

4 시계를 보고 시각을 바르게 읽은 것에 ○표 하세요.

3시 45분

3시 15분 전

5 □ 안에 알맞은 수를 써넣으세요.

(1) 1시간= 60 분

(2) 1시간 20분= 80 분

(3) 2시간 10분= 130 분

(4) 100분= 1 시간 40 분

(5) 145분= 2 시간 25 분

6 □ 안에 '오전' 또는 '오후'를 알맞게 써넣으세요.

(1) 지원이는 오전 7시 30분에 아침 식사를 했습니다.

(2) 지원이네 학교의 점심 시간은 오후 12시 40분부터입니다.

7 날수가 나머지와 다른 것을 찾아 기호를 쓰세요.

㉠ 1월 ㉡ 2월
㉢ 7월 ㉣ 8월

(㉡)

8 □ 안에 알맞은 수를 써넣으세요.

(1) 27시간= 1 일 3 시간

(2) 1일 6시간= 30 시간

9 시각을 두 가지 방법으로 읽어 보세요.

11 시 50 분

12 시 10 분 전

10 어느 해 4월의 달력입니다. 달력을 완성하세요.

일	월	화	수	목	금	토
		1	2	3	4	5
6	7	8	9	10	11	12
13	14	15	16	17	18	19
20	21	22	23	24	25	26
27	28	29	30			

11 민수가 몇 시 몇 분에 어떤 일을 하였는지 써 보세요.

예 민수는 오전 7시 17분에 일어났습니다.

12 같은 시각을 나타내는 것끼리 이어 보세요.

13 경수가 축구를 하는 데 걸린 시간은 몇 분인지 구해 보세요.

시작한 시각 / 끝난 시각

(50)분

14 □ 안에 알맞은 수를 써넣으세요.

4:35 —1시간 15분 후→ 5 시 50 분

15 다음 중 틀린 것은 어느 것일까요? (④)

① 2시간 = 120분
② 40시간 = 1일 16시간
③ 27일 = 3주 6일
④ 1년 8개월 = 18개월
⑤ 26개월 = 2년 2개월

16 현수와 소연이가 오늘 아침에 학교에 도착한 시각입니다. 더 늦게 도착한 사람은 누구일까요?

현수	소연
8시 50분	9시 15분 전

(현수)

17 서진이는 9월에 하루도 빠짐없이 일기를 썼습니다. 서진이가 9월에 일기를 쓴 날수는 모두 며칠일까요?

(30)일

18 다음을 읽고 진호와 보라의 생일은 몇 월 며칠인지 각각 구해 보세요.

- 진호의 생일은 11월 마지막 날입니다.
- 보라는 진호보다 8일 먼저 태어났습니다.

진호: 11 월 30 일

보라: 11 월 22 일

19 4월 5일은 식목일입니다. 식목일로부터 2주일 후는 며칠일까요?

4월

일	월	화	수	목	금	토
	1	2	3	4	5	6

(19)일

20 민기는 1시간 40분 동안 연극을 봤습니다. 연극이 시작한 시각이 7시 50분이라면 연극이 끝난 시각은 몇 시 몇 분인지 풀이 과정을 쓰고 답을 구하세요.

시작한 시각

예
풀이 시작한 시각이 7시 50분이므로
7시 50분 —1시간 후→ 8시 50분 —40분 후→ 9시 30분
따라서 연극이 끝난 시각은 9시 30분입니다.

답 9시 30분

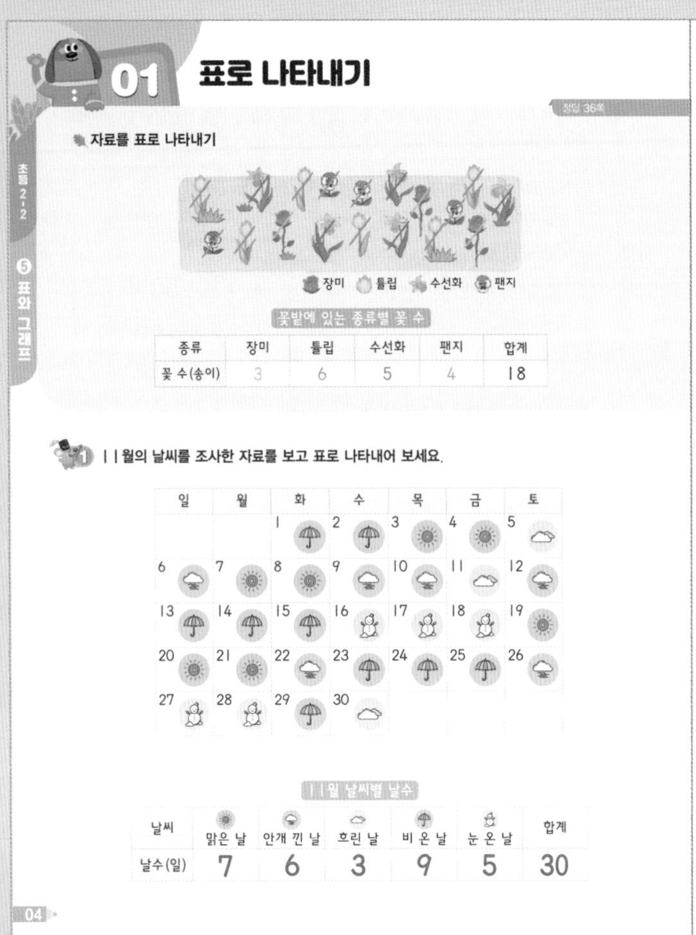

01 표로 나타내기

정답 36쪽

자료를 표로 나타내기

장미 튤립 수선화 팬지

꽃밭에 있는 종류별 꽃 수

종류	장미	튤립	수선화	팬지	합계
꽃 수(송이)	3	6	5	4	18

1 11월의 날씨를 조사한 자료를 보고 표로 나타내어 보세요.

일	월	화	수	목	금	토
		1	2	3	4	5
6	7	8	9	10	11	12
13	14	15	16	17	18	19
20	21	22	23	24	25	26
27	28	29	30			

11월 날씨별 날수

날씨	맑은 날	안개 낀 날	흐린 날	비 온 날	눈 온 날	합계
날수(일)	7	6	3	9	5	30

04

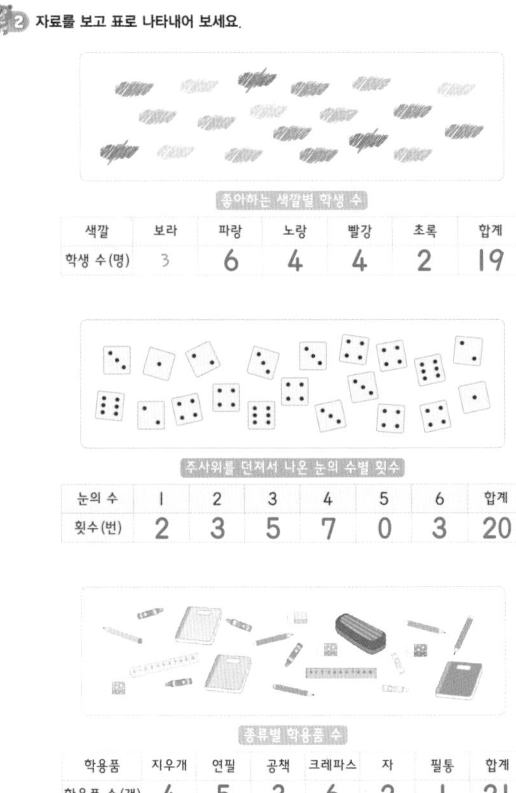

2 자료를 보고 표로 나타내어 보세요.

좋아하는 색깔별 학생 수

색깔	보라	파랑	노랑	빨강	초록	합계
학생 수(명)	3	6	4	4	2	19

주사위를 던져서 나온 눈의 수별 횟수

눈의 수	1	2	3	4	5	6	합계
횟수(번)	2	3	5	7	0	3	20

종류별 학용품 수

학용품	지우개	연필	공책	크레파스	자	필통	합계
학용품 수(개)	4	5	3	6	2	1	21

05

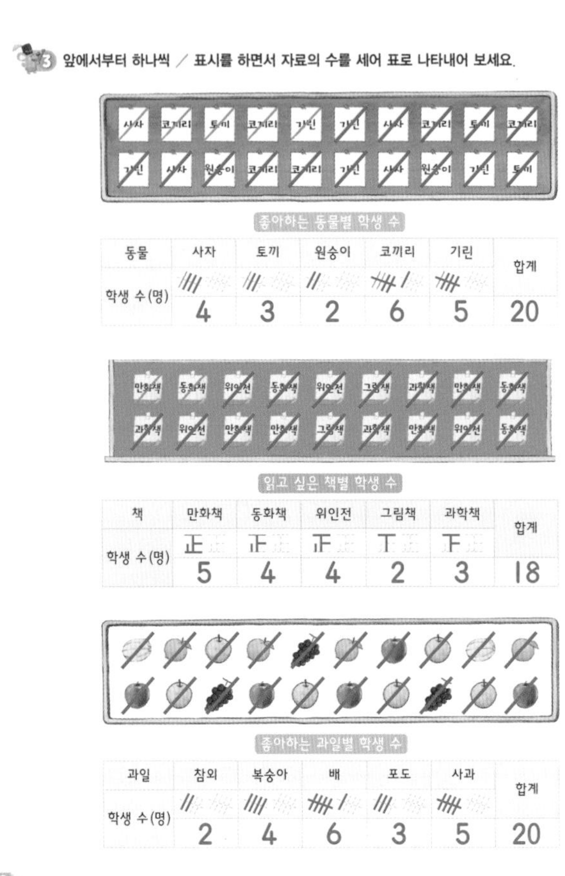

3 앞에서부터 하나씩 / 표시를 하면서 자료의 수를 세어 표로 나타내어 보세요.

좋아하는 동물별 학생 수

동물	사자	토끼	원숭이	코끼리	기린	합계
학생 수(명)	//// 4	/// 3	// 2	卌 / 6	卌 5	20

읽고 싶은 책별 학생 수

책	만화책	동화책	위인전	그림책	과학책	합계
학생 수(명)	正 5	正 4	正 4	丅 2	下 3	18

좋아하는 과일별 학생 수

과일	참외	복숭아	배	포도	사과	합계
학생 수(명)	// 2	//// 4	卌 / 6	/// 3	卌 5	20

06

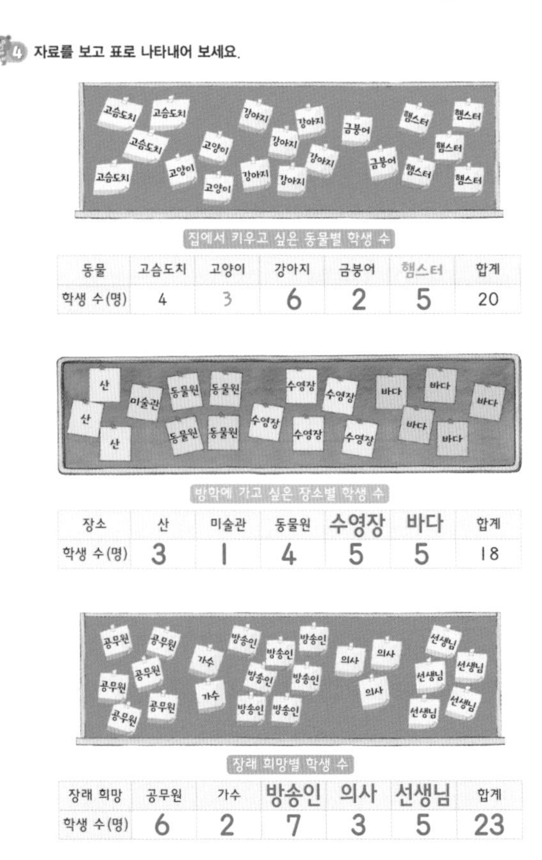

4 자료를 보고 표로 나타내어 보세요.

집에서 키우고 싶은 동물별 학생 수

동물	고슴도치	고양이	강아지	금붕어	햄스터	합계
학생 수(명)	4	3	6	2	5	20

방학에 가고 싶은 장소별 학생 수

장소	산	미술관	동물원	수영장	바다	합계
학생 수(명)	3	1	4	5	5	18

장래 희망별 학생 수

장래 희망	공무원	가수	방송인	의사	선생님	합계
학생 수(명)	6	2	7	3	5	23

07

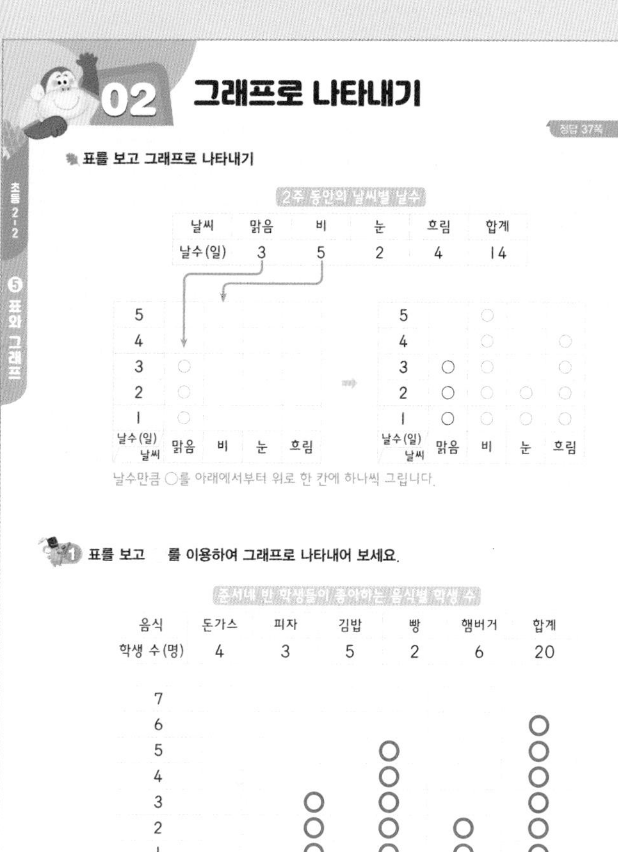

02 그래프로 나타내기

정답 37쪽

초등 2-2 5 표와 그래프

표를 보고 그래프로 나타내기

2주 동안의 날씨별 날수

날씨	맑음	비	눈	흐림	합계
날수(일)	3	5	2	4	14

날수만큼 ○를 아래에서부터 위로 한 칸에 하나씩 그립니다.

1 표를 보고 ○를 이용하여 그래프로 나타내어 보세요.

준서네 반 학생들이 좋아하는 음식별 학생 수

음식	돈가스	피자	김밥	빵	햄버거	합계
학생 수(명)	4	3	5	2	6	20

08

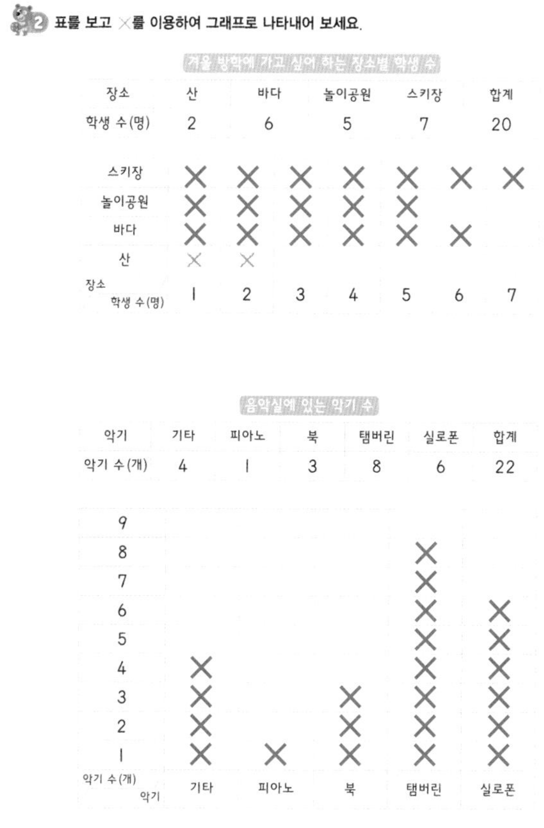

2 표를 보고 ×를 이용하여 그래프로 나타내어 보세요.

겨울 방학에 가고 싶어 하는 장소별 학생 수

장소	산	바다	놀이공원	스키장	합계
학생 수(명)	2	6	5	7	20

음악실에 있는 악기 수

악기	기타	피아노	북	탬버린	실로폰	합계
악기 수(개)	4	1	3	8	6	22

09

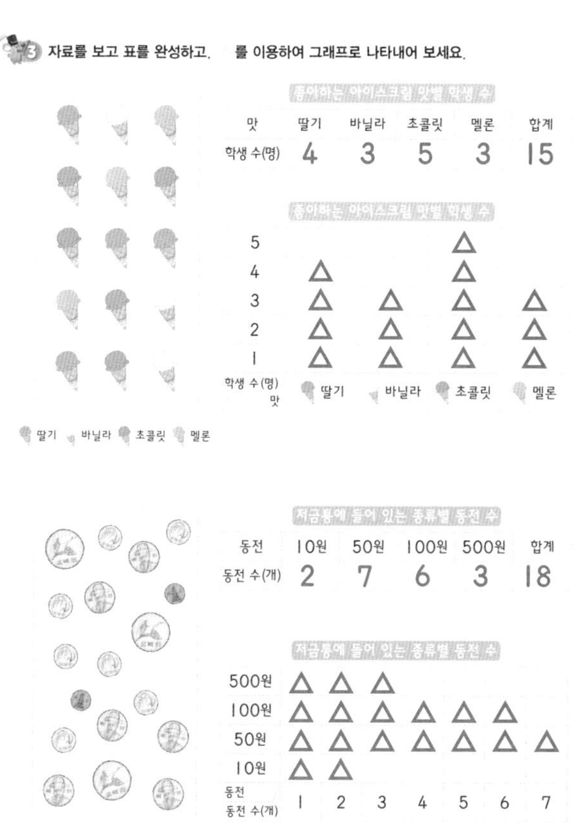

3 자료를 보고 표를 완성하고, △를 이용하여 그래프로 나타내어 보세요.

좋아하는 아이스크림 맛별 학생 수

맛	딸기	바닐라	초콜릿	멜론	합계
학생 수(명)	4	3	5	3	15

저금통에 들어 있는 종류별 동전 수

동전	10원	50원	100원	500원	합계
동전 수(개)	2	7	6	3	18

10

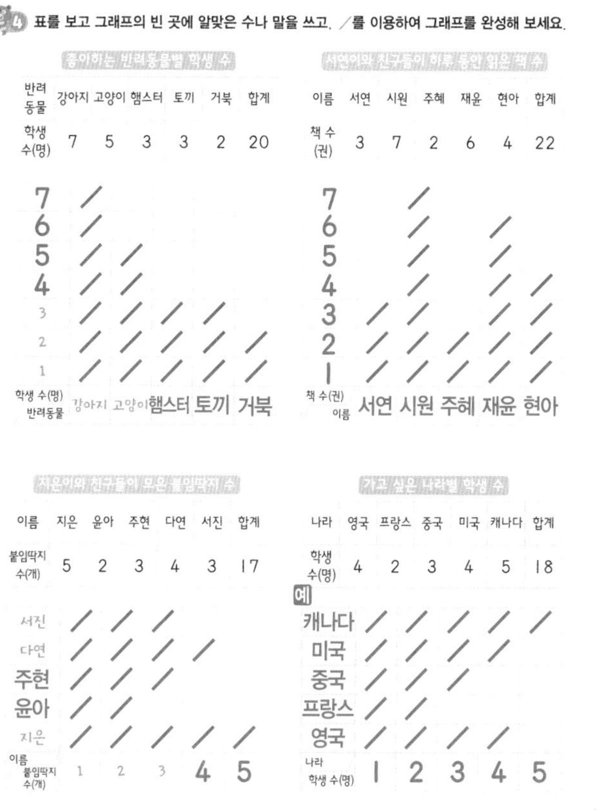

4 표를 보고 그래프의 빈 곳에 알맞은 수나 말을 쓰고, /를 이용하여 그래프를 완성해 보세요.

좋아하는 반려동물별 학생 수

반려동물	강아지	고양이	햄스터	토끼	거북	합계
학생 수(명)	7	5	3	3	2	20

서연이와 친구들이 하루 동안 읽은 책 수

이름	서연	시원	주혜	재윤	현아	합계
책 수(권)	3	7	2	6	4	22

지은이와 친구들이 모은 붙임딱지 수

이름	지은	윤아	주현	다연	서진	합계
붙임딱지 수(개)	5	2	3	4	3	17

가고 싶은 나라별 학생 수

나라	영국	프랑스	중국	미국	캐나다	합계
학생 수(명)	4	2	3	4	5	18

11

03 표와 그래프의 내용 알기

정답 38쪽

표에서 알 수 있는 것	그래프에서 알 수 있는 것
조사한 자료별 수를 쉽게 알 수 있습니다.	가장 많은 것과 가장 적은 것을 한눈에 알 수 있습니다.
조사한 자료의 전체 수를 쉽게 알 수 있습니다.	자료의 수를 한눈에 비교할 수 있습니다.

1 표를 보고 알 수 있는 사실을 완성해 보세요.

좋아하는 요일별 학생 수

요일	일요일	월요일	화요일	수요일	목요일	금요일	토요일	합계
학생 수(명)	7	1	2	4	3	5	8	30

- 조사에 참여한 학생은 모두 30 명입니다.
- 목요일을 좋아하는 학생은 3 명입니다.
- 토요일을 좋아하는 학생은 수요일을 좋아하는 학생보다 4 명 더 많습니다.

지수네 반 학생들이 여행하고 싶은 나라별 학생 수

나라	일본	호주	프랑스	미국	캐나다	합계
학생 수(명)	3	5	7	6	5	26

- 캐나다를 여행하고 싶은 학생은 5 명입니다.
- 조사에 참여한 학생은 모두 26 명입니다.
- 미국과 캐나다를 여행하고 싶은 학생은 모두 11 명입니다.

2 그래프를 보고 알 수 있는 사실을 완성해 보세요.

크리스마스에 받고 싶은 선물별 학생 수

게임기	△	△	△	△			
장난감	△	△	△	△	△	△	△
학용품	△	△	△				
책	△	△	△	△	△	△	
신발	△	△					
컴퓨터	△	△	△	△	△		
선물 / 학생 수(명)	1	2	3	4	5	6	7

- 가장 많은 학생들이 받고 싶은 선물은 장난감 입니다.
- 두 번째로 적은 학생들이 받고 싶은 선물은 학용품 입니다.
- 5명보다 많은 학생들이 받고 싶은 선물은 책, 장난감 입니다.
- 책을 받고 싶은 학생은 게임기를 받고 싶은 학생보다 2 명 더 많습니다.

가 보고 싶은 나라별 학생 수

8					
7			○		
6			○	○	
5		○	○	○	○
4		○	○	○	○
3	○	○	○	○	○
2	○	○	○	○	○
1	○	○	○	○	○
학생 수(명) / 나라	일본	호주	프랑스	미국	캐나다

- 가장 적은 학생들이 가 보고 싶은 나라는 일본 입니다.
- 두 번째로 많은 학생들이 가 보고 싶은 나라는 미국 입니다.
- 5명보다 많은 학생들이 가 보고 싶은 나라는 프랑스, 미국 입니다.
- 프랑스를 가 보고 싶은 학생은 호주를 가 보고 싶은 학생보다 2 명 더 많습니다.

3 표와 그래프를 보고 설명한 것입니다. 안에 알맞게 써넣고, 알맞은 말에 ○표 하세요.

좋아하는 운동별 학생 수

운동	줄넘기	축구	달리기	수영	요가	합계
학생 수(명)	3	7	4	6	4	24

좋아하는 운동별 학생 수

7		○			
6		○		○	
5		○		○	
4		○	○	○	○
3	○	○	○	○	○
2	○	○	○	○	○
1	○	○	○	○	○
학생 수(명) / 운동	줄넘기	축구	달리기	수영	요가

- 조사에 참여한 학생은 모두 24 명입니다.
  - 조사한 자료의 전체 수를 쉽게 알 수 있는 것은 (표 , 그래프)입니다.
- 가장 많은 학생들이 좋아하는 운동은 축구 입니다.
  - 가장 많은 것을 한눈에 알 수 있는 것은 (표 , 그래프)입니다.
- 수영을 좋아하는 학생은 6 명입니다.
  - 조사한 자료별 수를 쉽게 알 수 있는 것은 (표 , 그래프)입니다.
- 달리기를 좋아하는 학생과 요가를 좋아하는 학생 수는 (같습니다 , 다릅니다).
  - 자료의 수를 한눈에 비교할 수 있는 것은 (표 , 그래프)입니다.

4 승찬이네 반 학생들이 가고 싶은 산을 조사한 자료입니다. 표와 그래프를 완성하고, 빈칸에 알맞게 써넣으세요.

승찬이네 반 학생들이 가고 싶은 산별 학생 수

산	백두산	지리산	한라산	설악산	합계
학생 수(명)	7	5	6	3	21

승찬이네 반 학생들이 가고 싶은 산별 학생 수

7	○			
6	○		○	
5	○	○	○	
4	○	○	○	
3	○	○	○	○
2	○	○	○	○
1	○	○	○	○
학생 수(명) / 산	백두산	지리산	한라산	설악산

- 한라산에 가고 싶은 학생은 지리산에 가고 싶은 학생보다 1 명 더 많습니다.
- 많은 학생들이 가고 싶은 산부터 차례로 쓰면 백두산, 한라산, 지리산, 설악산입니다.

도전! 응용 문제

정답 39쪽

딸기와 수박을 좋아하는 학생 수 구하기

좋아하는 과일별 학생 수

과일	사과	딸기	수박	포도	합계
학생 수(명)	4			8	20

(1) 딸기와 수박을 좋아하는 학생은 몇 명일까요?

(합계)−(사과)−(포도)=(딸기+수박)

⇒ 20 − 4 − 8 = 8(명)

(2) 딸기를 좋아하는 학생이 수박을 좋아하는 학생보다 2명 더 많을 때, 딸기와 수박을 좋아하는 학생은 각각 몇 명일까요?

딸기: ○○○○○ ⇒ 5명
수박: ○○○ ⇒ 3명

응용 1 안에 알맞은 수를 써넣으세요.

좋아하는 운동별 학생 수

운동	농구	축구	야구	달리기	합계
학생 수(명)	5		4		21

⇒ 축구와 달리기를 좋아하는 학생 수의 합: 12 명 (21−5−4)

냉장고에 있는 채소의 수

채소	감자	당근	오이	양파	합계
채소 수(개)	5	6			20

⇒ 오이와 양파 수의 합: 9 개

태어난 계절별 학생 수

계절	봄	여름	가을	겨울	합계
학생 수(명)		6	7		22

⇒ 봄과 겨울에 태어난 학생 수의 합: 9 명

좋아하는 색깔별 학생 수

색깔	노랑	빨강	초록	파랑	합계
학생 수(명)	8			4	23

⇒ 빨강과 초록을 좋아하는 학생 수의 합: 11 명

응용 2 조건 을 보고 알맞게 ○를 그리고, □ 안에 알맞은 수를 써넣으세요.

조건
- 학생은 모두 7명입니다.
- 박물관에 가고 싶은 학생은 미술관에 가고 싶은 학생보다 1명 더 많습니다.

박물관에 1명 더 많이 그리기
박물관: ○ (1명)
미술관:

⇒ 나머지 6명을 똑같이 나누어 그리기
박물관: ○ ○○○ ⇒ 박물관: 4 명
미술관: ○○○ ⇒ 미술관: 3 명

조건
- 학생은 모두 8명입니다.
- 피자를 좋아하는 학생은 치킨을 좋아하는 학생보다 2명 더 많습니다.

피자에 2명 더 많이 그리기
피자: ○○ (2명)
치킨:

⇒ 나머지 6명을 똑같이 나누어 그리기
피자: ○○ ○○○ ⇒ 피자: 5 명
치킨: ○○○ ⇒ 치킨: 3 명

조건
- 학생은 모두 11명입니다.
- 여름을 좋아하는 학생은 겨울을 좋아하는 학생보다 3명 더 많습니다.

여름에 3명 더 많이 그리기
여름: ○○○
겨울:

⇒ 나머지 8명을 똑같이 나누어 그리기
여름: ○○○ ○○○○ ⇒ 여름: 7 명
겨울: ○○○○ ⇒ 겨울: 4 명

응용 3 조사한 자료를 보고 물음에 답하세요.

좋아하는 운동별 학생 수

운동	줄넘기	축구	수영	농구	배드민턴	합계
학생 수(명)	8	7			5	27

(1) 수영과 농구를 좋아하는 학생은 몇 명일까요?

(합계) − (줄넘기) − (축구) − (배드민턴) = (수영+농구)

⇒ 27 − 8 − 7 − 5 = 7 (명)

(2) 수영을 좋아하는 학생이 농구를 좋아하는 학생보다 1명 더 많을 때, 각각의 학생 수를 구하세요.

수영: ○ ○○○ ⇒ 4 명 (1명, 6명)
농구: ○○○ ⇒ 3 명

체육관에 있는 종류별 공 수

공	농구공	배구공	핸드볼공	축구공	야구공	합계
공 수(개)	5	7	9			30

(1) 축구공과 야구공은 몇 개일까요?

⇒ 30 − 5 − 7 − 9 = 9 (개)

(2) 야구공이 축구공보다 3개 더 많을 때, 알맞게 ○를 그리고 각각의 공 수를 구하세요.

축구공: ○○○ ⇒ 3 개
야구공: ○○○ ○○○ ⇒ 6 개

응용 4 조사한 자료를 보고 물음에 답하세요.

한 달 동안 읽은 종류별 책 수

책	전래동화	위인전	만화책	동화책	역사책	합계
책 수(권)	4	5	8	7	6	30

(1) 한 달 동안 위인전과 만화책을 모두 몇 권 읽었을까요?

30−4−7−6=13(권)　　13 권

(2) 한 달 동안 읽은 만화책 수가 위인전 수보다 3권 더 많을 때, 표의 빈 곳에 알맞은 수를 써넣으세요.

위인전: ○○○○○ → 5권
만화책: ○○○ ○○○○○ → 8권

(3) 한 달 동안 가장 많이 읽은 책의 종류는 무엇일까요?

만화책

반장 선거에서 학생별 얻은 표 수

이름	지윤	현준	은우	예빈	재희	합계
표 수(표)	4	8	4	6	6	28

(1) 지윤이와 예빈이가 얻은 표는 모두 몇 표일까요?

28−8−4−6=10(표)　　10 표

(2) 예빈이가 얻은 표가 지윤이가 얻은 표보다 2표 더 많을 때, 표의 빈 곳에 알맞은 수를 써넣으세요.

지윤: ○○○○ → 4표
예빈: ○○ ○○○○ → 6표

(3) 반장이 된 학생은 누구일까요?

현준

형성 평가

[01~03] 자료를 보고 표로 나타내어 보세요.

01

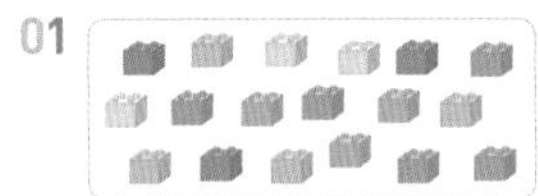

색깔별 블록 수

색깔	초록	빨강	노랑	분홍	파랑	합계
블록 수(개)	3	3	3	4	5	18

02

종류별 식기 수

종류	컵	냄비	포크	접시	국자	합계
식기 수(개)	6	2	3	2	4	17

03

좋아하는 간식별 학생 수

간식	피자	도넛	쿠키	김밥	치킨	합계
학생 수(명)	3	2	4	4	6	19

[04~05] ╱표시를 하면서 자료의 수를 세어 표로 나타내어 보세요.

04

좋아하는 계절별 학생 수

계절	봄	여름	가을	겨울	합계
학생 수(명)	𝍸	𝍸	//	////	
	5	5	2	4	16

05

좋아하는 과목별 학생 수

과목	국어	수학	체육	음악	합계
학생 수(명)	////	////	𝍸 /	////	
	4	4	6	4	18

06 자료를 보고 표로 나타내어 보세요.

배우고 싶은 악기별 학생 수

악기	피아노	바이올린	첼로	플루트	합계
학생 수(명)	4	5	3	4	16

[07~09] 표를 보고 ○를 이용하여 그래프로 나타내어 보세요.

07 좋아하는 동물별 학생 수

동물	강아지	고양이	토끼	원숭이	햄스터	합계
학생 수(명)	5	2	3	5	4	19

5	○			○	
4	○			○	○
3	○		○	○	○
2	○	○	○	○	○
1	○	○	○	○	○
학생 수(명) / 동물	강아지	고양이	토끼	원숭이	햄스터

08 좋아하는 꽃별 학생 수

꽃	튤립	장미	국화	백합	합계
학생 수(명)	7	4	3	6	20

백합	○	○	○	○	○	○	
국화	○	○	○				
장미	○	○	○	○			
튤립	○	○	○	○	○	○	○
꽃 / 학생 수(명)	1	2	3	4	5	6	7

09 가고 싶은 나라별 학생 수

나라	영국	독일	호주	미국	캐나다	합계
학생 수(명)	5	3	4	5	4	21

5	○			○	
4	○		○	○	○
3	○	○	○	○	○
2	○	○	○	○	○
1	○	○	○	○	○
학생 수(명) / 나라	영국	독일	호주	미국	캐나다

[10~11] 자료를 보고 표와 그래프를 완성하세요.

10 표를 완성하세요.

좋아하는 과일별 학생 수

과일	사과	멜론	딸기	포도	합계
학생 수(명)	4	3	7	6	20

11 10의 표를 보고 △를 이용하여 그래프로 나타내어 보세요.

좋아하는 과일별 학생 수

7			△	
6			△	△
5			△	△
4	△		△	△
3	△	△	△	△
2	△	△	△	△
1	△	△	△	△
학생 수(명) / 과일	사과	멜론	딸기	포도

[12~13] 표를 보고 그래프의 빈 곳에 알맞은 수나 말을 쓰고, ╱를 이용하여 그래프를 완성하세요.

12 가고 싶은 장소별 학생 수

장소	바다	놀이동산	공원	영화관	합계
학생 수(명)	6	7	5	4	22

7		╱		
6	╱	╱		
5	╱	╱	╱	
4	╱	╱	╱	╱
3	╱	╱	╱	╱
2	╱	╱	╱	╱
1	╱	╱	╱	╱
학생 수(명) / 장소	바다	놀이동산	공원	영화관

13 종류별 필기도구 수

종류	연필	볼펜	사인펜	형광펜	색연필	합계
필기도구 수(자루)	6	2	3	7	4	22

예

색연필	╱	╱	╱	╱			
형광펜	╱	╱	╱	╱	╱	╱	╱
사인펜	╱	╱	╱				
볼펜	╱	╱					
연필	╱	╱	╱	╱	╱	╱	
종류 / 필기도구 수(자루)	1	2	3	4	5	6	7

[14~16] 주원이네 반 학생들이 좋아하는 TV 프로그램을 조사하여 나타낸 표입니다. 물음에 답하세요.

좋아하는 TV 프로그램별 학생 수

프로그램	코미디	드라마	만화	음악	퀴즈	합계
학생 수(명)	5	7	6	8	4	30

14 조사에 참여한 학생은 모두 몇 명일까요?

(30)명

15 코미디와 드라마를 좋아하는 학생은 모두 몇 명일까요?

(12)명

16 음악 프로그램을 좋아하는 학생은 퀴즈 프로그램을 좋아하는 학생보다 몇 명 더 많을까요?

(4)명

[17~18] 하은이네 반 학생들이 일주일 동안 읽은 책의 수를 조사하여 나타낸 그래프입니다. 물음에 답하세요.

일주일 동안 읽은 학생별 책 수

7	○				
6	○		○		
5	○	○	○		
4	○	○	○		○
3	○	○	○		○
2	○	○	○	○	○
1	○	○	○	○	○
책 수(권) / 이름	하은	성윤	가윤	예준	시원

17 일주일 동안 가장 많은 책을 읽은 학생은 누구일까요?

(하은)

18 5권보다 많은 책을 읽은 학생은 누구와 누구일까요?

(하은 , 가윤)

[19~20] 서연이네 반 학생들이 좋아하는 음식을 조사하여 나타낸 표와 그래프입니다. 물음에 답하세요.

좋아하는 음식별 학생 수

음식	떡볶이	햄버거	자장면	피자	스파게티	합계
학생 수(명)	6	3	2	4	5	20

6	○				
5	○				○
4	○			○	○
3	○	○		○	○
2	○	○	○	○	○
1	○	○	○	○	○
학생 수(명) / 음식	떡볶이	햄버거	자장면	피자	스파게티

19 알맞은 말에 ○표 하세요.

(1) 어떤 음식을 몇 명이 좋아하는지 알아보기 편리한 것은 (표 , 그래프)입니다. — 표에 ○

(2) 가장 많은 학생과 가장 적은 학생이 좋아하는 음식이 무엇인지 한눈에 알아보기 편리한 것은 (표 , 그래프)입니다. — 그래프에 ○

20 가장 많은 학생들이 좋아하는 음식은 무엇일까요?

(떡볶이)

단원평가 5. 표와 그래프

정답 41쪽

[1~2] 자료를 보고 물음에 답하세요.

민희네 반 학생들이 좋아하는 과일

민희	성호	유진	소현	도겸
주원	진우	경호	도현	지수
영표	두호	하연	민주	주혜
새와	민식	석규	찬호	희열

딸기 오렌지 체리 포도

1 민희가 좋아하는 과일은 무엇일까요?

(딸기)

2 자료를 보고 표로 나타내어 보세요.

민희네 반 학생들이 좋아하는 과일별 학생 수

과일	딸기	오렌지	체리	포도	합계
	卌	卌 /	卌	////	
학생 수(명)	5	6	5	4	20

[3~5] 자료를 보고 물음에 답하세요.

성규네 반 학생들이 태어난 계절

이름	계절	이름	계절	이름	계절
성규	봄	민영	겨울	주아	봄
민정	가을	석진	가을	신복	겨울
규진	가을	소연	여름	미지	가을
영호	여름	진수	여름	하늘	여름
윤주	봄	병찬	가을	주영	가을

3 성규네 반 학생은 모두 몇 명일까요?

(15)명

4 자료를 보고 표로 나타내어 보세요.

성규네 반 학생들이 태어난 계절별 학생 수

계절	봄	여름	가을	겨울	합계
학생 수(명)	3	4	6	2	15

5 조사한 자료와 표 중 태어난 계절별 학생 수를 알아보기 편리한 것은 어느 것일까요?

(표)

[6~10] 표를 보고 물음에 답하세요.

배우고 싶은 악기별 학생 수

악기	리코더	오카리나	피아노	바이올린	합계
학생 수(명)	5	6	4	3	18

6 표를 보고 ○를 이용하여 그래프로 나타내어 보세요.

배우고 싶은 악기별 학생 수

6		○		
5	○	○		
4	○	○	○	
3	○	○	○	○
2	○	○	○	○
1	○	○	○	○
학생 수(명) / 악기	리코더	오카리나	피아노	바이올린

7 그래프의 가로와 세로에 나타낸 것은 각각 무엇일까요?

가로 (악기)

세로 (학생 수)

8 가장 적은 학생들이 배우고 싶은 악기는 무엇일까요?

(바이올린)

9 표와 그래프 중 가장 많은 학생들이 배우고 싶은 악기를 한눈에 알아보기 편리한 것은 어느 것일까요?

(그래프)

10 6의 그래프를 보고 알 수 없는 것을 찾아 기호를 쓰세요.

㉠ 바이올린을 배우고 싶은 학생의 수
㉡ 서현이가 배우고 싶은 악기
㉢ 학생들이 배우고 싶은 악기의 종류

(㉡)

[11~15] 자료를 보고 물음에 답하세요.

혜영이네 반 학생들이 좋아하는 운동

이름	운동	이름	운동
혜영	야구	명호	달리기
정민	축구	준기	축구
동하	야구	호영	축구
슬기	달리기	태우	야구
윤수	수영	계상	축구
태연	축구	진태	달리기

11 달리기를 좋아하는 학생들의 이름을 모두 쓰세요.

(슬기, 명호, 진태)

12 자료를 보고 표로 나타내어 보세요.

혜영이네 반 학생들이 좋아하는 운동별 학생 수

운동	야구	축구	달리기	수영	합계
학생 수(명)	3	5	3	1	12

13 12의 표를 보고 ×를 이용하여 그래프를 완성하세요.

혜영이네 반 학생들이 좋아하는 운동별 학생 수

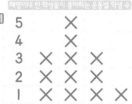

예

5		×		
4		×		
3	×	×	×	
2	×	×	×	
1	×	×	×	×
학생 수(명) / 운동	야구	축구	달리기	수영

14 가장 많은 학생들이 좋아하는 운동은 무엇이고, 몇 명의 학생이 좋아할까요?

(축구), (5)명

15 좋아하는 학생 수가 같은 운동은 무엇과 무엇일까요?

(야구), (달리기)

[16~18] 표를 보고 물음에 답하세요.

유지네 반 학생들이 좋아하는 동물별 학생 수

동물	강아지	고양이	햄스터	토끼	합계
학생 수(명)	7	5	3	4	19

16 표를 완성하세요.

17 강아지를 좋아하는 학생은 햄스터를 좋아하는 학생보다 몇 명 더 많을까요?

(4)명

18 표를 보고 잘못 말한 것을 찾아 기호를 쓰세요.

㉠ 가장 적은 학생들이 좋아하는 동물은 햄스터입니다.
㉡ 가장 많은 학생들이 좋아하는 동물은 고양이입니다.
㉢ 토끼를 좋아하는 학생이 두 번째로 적습니다.

(㉡)

19 수미네 반 학생 15명의 혈액형을 조사하여 나타낸 그래프입니다. O형인 학생은 몇 명인지 풀이 과정을 쓰고 답을 구하세요.

수미네 반 학생들의 혈액형별 학생 수

O형					
AB형	/	/			
B형	/	/	/		
A형	/	/	/	/	/
혈액형 / 학생 수(명)	1	2	3	4	5

풀이 예 (O형인 학생 수)
=15−(A형)−(B형)−(AB형)
=15−5−3−2=5(명)

답 5명

20 용주네 반 학생들이 좋아하는 색깔을 조사하여 표로 나타내었습니다. 분홍색을 좋아하는 학생이 보라색을 좋아하는 학생보다 3명 더 많다고 할 때, 표를 완성하세요.

용주네 반 학생들이 좋아하는 색깔별 학생 수

색깔	노란색	분홍색	초록색	파란색	보라색	합계
학생 수(명)	3	5	4	8	2	22

01 덧셈표, 곱셈표에서 규칙 찾기

정답 42쪽

덧셈표의 규칙

+	3	4	5	6	7
3	6	7	8	9	10
4	7	8	9	10	11
5	8	9	10	11	12
6	9	10	11	12	13
7	10	11	12	13	14

규칙
- → 방향으로 갈수록 1 씩 커집니다.
- ↙ 방향으로는 같은 수들이 있습니다.
- ╲ 점선을 따라 접으면 만나는 수는 서로 같습니다.

1 덧셈표에서 규칙을 찾아 문장을 완성하세요.

+	5	6	7	8	9
1	6	7	8	9	10
3	8	9	10	11	12
5	10	11	12	13	14
7	12	13	14	15	16
9	14	15	16	17	18

규칙
- ↓ 방향으로 갈수록 2 씩 커집니다.
- ↘ 방향으로 갈수록 3 씩 커집니다.
- ↗ 방향으로 갈수록 1 씩 커집니다.

+	1	3	5	7	9
4	5	7	9	11	13
6	7	9	11	13	15
8	9	11	13	15	17
10	11	13	15	17	19
12	13	15	17	19	21

규칙
- → 방향으로 갈수록 2 씩 커집니다.
- ↘ 방향으로 갈수록 4 씩 커집니다.
- ↙ 방향으로는 (**같은 수**, 다른 수)들이 있습니다.

2 덧셈표의 빈칸에 알맞은 수를 써넣고, 규칙을 찾아 알 수 있는 사실을 완성하세요.

+	1	3	5	7	9
1	2	4	6	8	10
3	4	6	8	10	12
5	6	8	10	12	14
7	8	10	12	14	16
9	10	12	14	16	18

알 수 있는 사실
- 덧셈표에 있는 수들은 모두 (**짝수**, 홀수)입니다.
- → 방향으로 갈수록 2 씩 커집니다.
- ↓ 방향으로 갈수록 2 씩 커집니다.
- ↙ 방향으로는 (**같은 수**, 다른 수)들이 있습니다.

+	1	3	5	7	9
2	3	5	7	9	11
4	5	7	9	11	13
6	7	9	11	13	15
8	9	11	13	15	17
10	11	13	15	17	19

알 수 있는 사실
- 덧셈표에 있는 수들은 모두 (짝수, **홀수**)입니다.
- → 방향으로 갈수록 2 씩 커집니다.
- ↓ 방향으로 갈수록 2 씩 커집니다.
- ↘ 방향으로는 4 씩 커집니다.

+	2	3	4	5	6
2	4	5	6	7	8
3	5	6	7	8	9
4	6	7	8	9	10
5	7	8	9	10	11
6	8	9	10	11	12

알 수 있는 사실
- → 방향으로 갈수록 1 씩 커집니다.
- ↓ 방향으로 갈수록 1 씩 커집니다.
- ↙ 방향으로는 (**같은 수**, 다른 수)들이 있습니다.

곱셈표의 규칙

×	2	3	4	5	6
2	4	6	8	10	12
3	6	9	12	15	18
4	8	12	16	20	24
5	10	15	20	25	30
6	12	18	24	30	36

규칙
- → 방향으로 갈수록 2 씩 커집니다.
- ↓ 방향으로 갈수록 3 씩 커집니다.
- ╲ 점선을 따라 접으면 만나는 수는 서로 같습니다.

3 곱셈표에서 규칙을 찾아 문장을 완성하세요.

×	2	4	6	8	10
2	4	8	12	16	20
3	6	12	18	24	30
4	8	16	24	32	40
5	10	20	30	40	50
6	12	24	36	48	60

규칙
- → 방향으로 갈수록 4 씩 커집니다.
- ↓ 방향으로 갈수록 4 씩 커집니다.
- ╲ 점선을 따라 접으면 만나는 수는 서로 (같습니다, **다릅니다**).

×	5	6	7	8	9
1	5	6	7	8	9
3	15	18	21	24	27
5	25	30	35	40	45
7	35	42	49	56	63
9	45	54	63	72	81

규칙
- → 방향으로 갈수록 7 씩 커집니다.
- ↓ 방향으로 갈수록 16 씩 커집니다.
- ╲ 점선을 따라 접으면 만나는 수는 서로 (같습니다, **다릅니다**).

4 곱셈표의 빈칸에 알맞은 수를 써넣고, 규칙을 찾아 알 수 있는 사실을 완성하세요.

×	1	3	5	7	9
1	1	3	5	7	9
3	3	9	15	21	27
5	5	15	25	35	45
7	7	21	35	49	63
9	9	27	45	63	81

알 수 있는 사실
- 곱셈표에 있는 수들은 모두 (짝수, **홀수**)입니다.
- → 방향으로 갈수록 6 씩 커집니다.
- ↓ 방향으로 갈수록 10 씩 커집니다.
- ╲ 점선을 따라 접으면 만나는 수는 서로 (**같습니다**, 다릅니다).

×	1	3	5	7	9
2	2	6	10	14	18
4	4	12	20	28	36
6	6	18	30	42	54
8	8	24	40	56	72
10	10	30	50	70	90

알 수 있는 사실
- 곱셈표에 있는 수들은 모두 (**짝수**, 홀수)입니다.
- → 방향으로 갈수록 12 씩 커집니다.
- ↓ 방향으로 갈수록 14 씩 커집니다.
- ╲ 점선을 따라 접으면 만나는 수는 서로 (같습니다, **다릅니다**).

×	2	4	6	8	10
2	4	8	12	16	20
4	8	16	24	32	40
6	12	24	36	48	60
8	16	32	48	64	80
10	20	40	60	80	100

알 수 있는 사실
- 곱셈표에 있는 수들은 모두 (**짝수**, 홀수)입니다.
- → 방향으로 갈수록 8 씩 커집니다.
- ↓ 방향으로 갈수록 16 씩 커집니다.
- ╲ 점선을 따라 접으면 만나는 수는 서로 (**같습니다**, 다릅니다).

02 무늬에서 규칙 찾기
정답 43쪽
규칙을 찾아 표 채우기
1 규칙을 찾아 표를 채우고 ? 안에 알맞은 그림에 ○표 하세요.

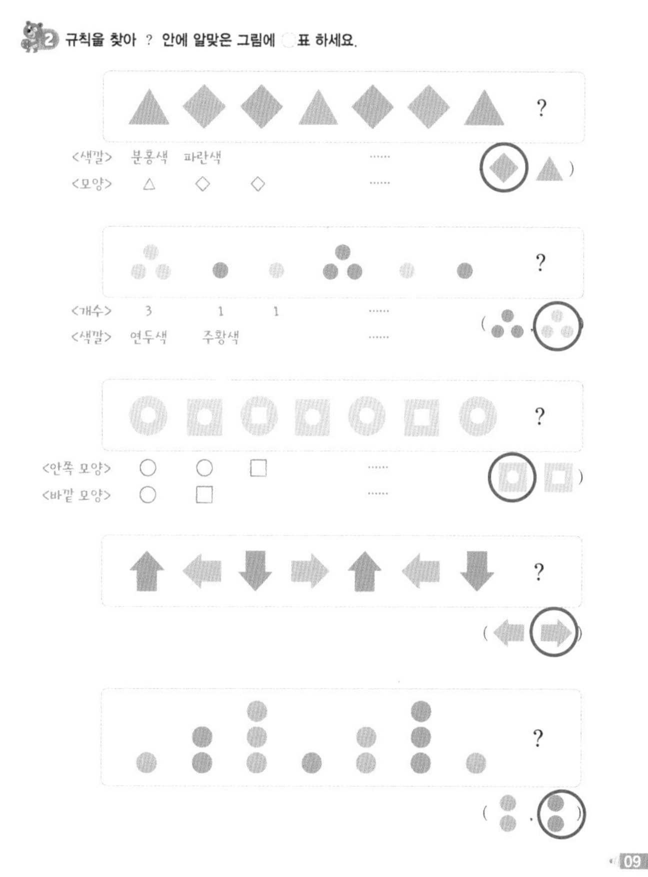
2 규칙을 찾아 ? 안에 알맞은 그림에 ○표 하세요.

3 규칙을 찾아 알 수 있는 사실을 완성하세요.
알 수 있는 사실

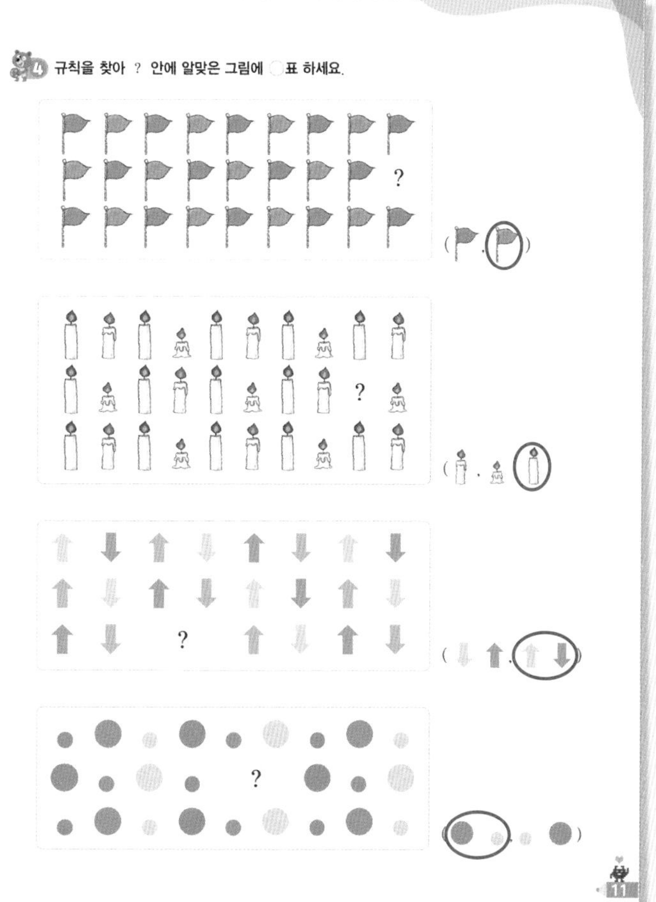
4 규칙을 찾아 ? 안에 알맞은 그림에 ○표 하세요.

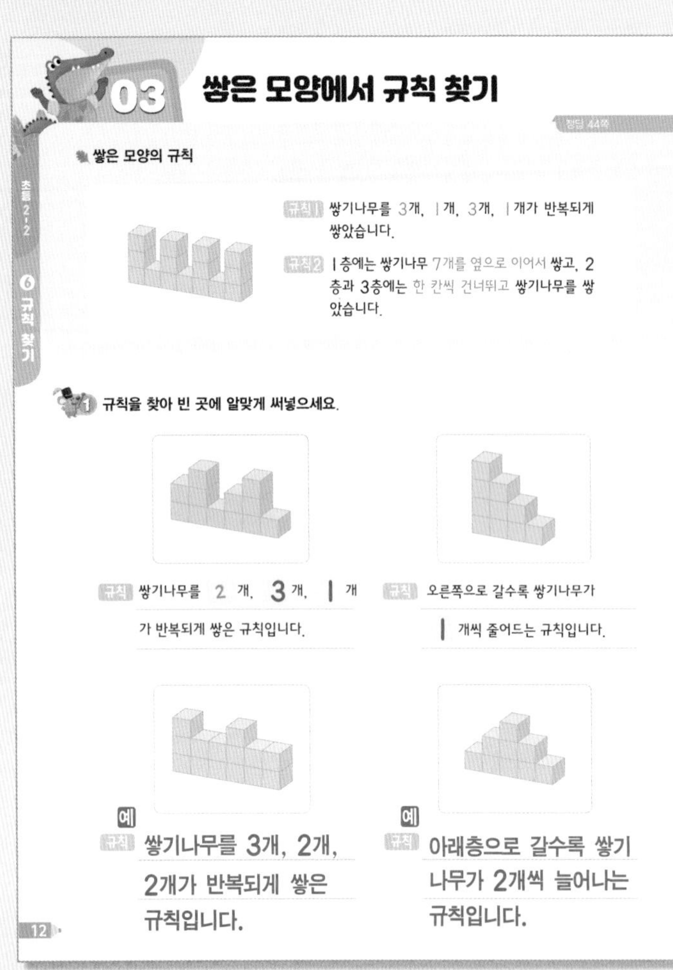

초등 2-2 6 규칙 찾기

03 쌓은 모양에서 규칙 찾기

정답 44쪽

쌓은 모양의 규칙

규칙1 쌓기나무를 3개, 1개, 3개, 1개가 반복되게 쌓았습니다.

규칙2 1층에는 쌓기나무 7개를 옆으로 이어서 쌓고, 2층과 3층에는 한 칸씩 건너뛰고 쌓기나무를 쌓았습니다.

1 규칙을 찾아 빈 곳에 알맞게 써넣으세요.

규칙 쌓기나무를 2 개, 3 개, 1 개가 반복되게 쌓은 규칙입니다.

규칙 오른쪽으로 갈수록 쌓기나무가 1 개씩 줄어드는 규칙입니다.

예 규칙 쌓기나무를 3개, 2개, 2개가 반복되게 쌓은 규칙입니다.

예 규칙 아래층으로 갈수록 쌓기나무가 2개씩 늘어나는 규칙입니다.

12

2 규칙을 찾아 □ 안에 알맞은 수를 써넣으세요.

규칙 쌓기나무가 위쪽으로 2 개씩 늘어나는 규칙이 있습니다.

규칙 쌓기나무가 오른쪽으로 2개, 3개, 4 개……씩 늘어나는 규칙이 있습니다.

규칙 쌓기나무가 왼쪽으로 1 개, 앞쪽으로 1 개씩 늘어나는 규칙이 있습니다.

규칙 쌓기나무가 오른쪽으로 1 개, 2 개, 1 개, 2 개씩 늘어나는 규칙이 있습니다.

13

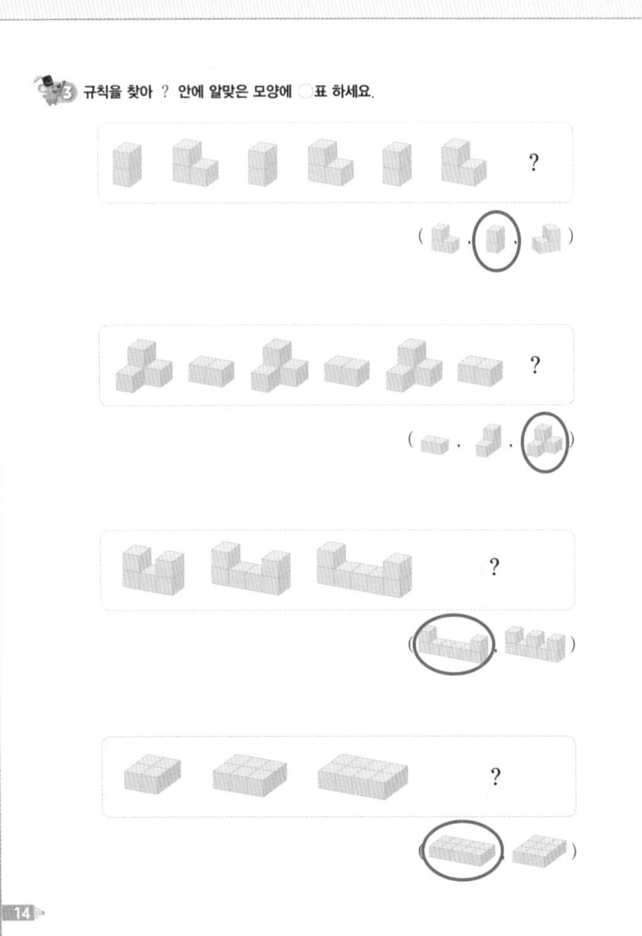

3 규칙을 찾아 ? 안에 알맞은 모양에 ○표 하세요.

?

?

?

?

14

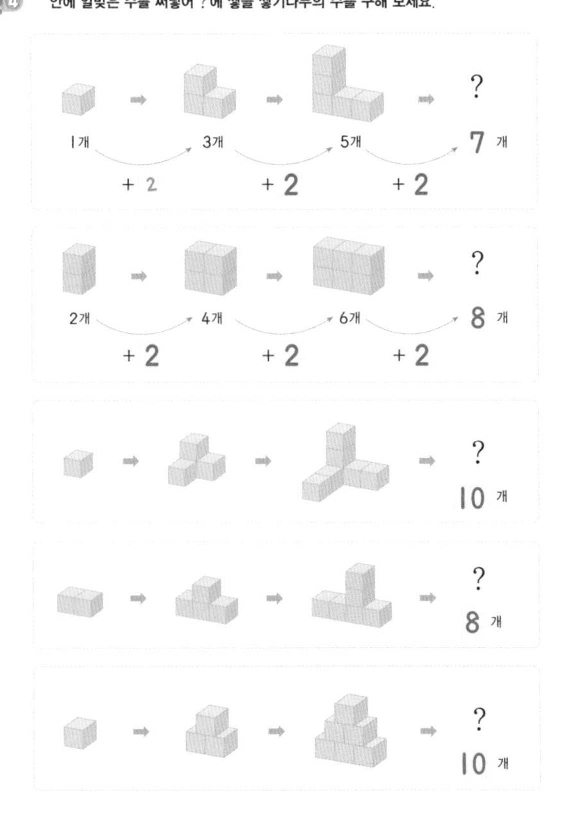

4 □ 안에 알맞은 수를 써넣어 ?에 쌓을 쌓기나무의 수를 구해 보세요.

1개 → 3개 → 5개 → ? 7 개

+ 2 + 2 + 2

2개 → 4개 → 6개 → ? 8 개

+ 2 + 2 + 2

? 10 개

? 8 개

? 10 개

15

도전! 응용 문제

정답 45쪽

생활에서 찾을 수 있는 여러 가지 규칙

- 영화관에 있는 의자의 번호에는 가로줄의 규칙, 세로줄의 규칙이 있습니다.
- 달력에는 오른쪽으로 갈수록 1씩 커지고, 아래로 내려갈수록 7씩 커지는 규칙이 있습니다.
- 시계, 엘리베이터 층수, 전화기의 숫자 등에도 수들의 규칙이 있습니다.

응용 1 영화관의 자리를 나타낸 그림입니다. 친구들이 앉을 자리를 찾아보세요.

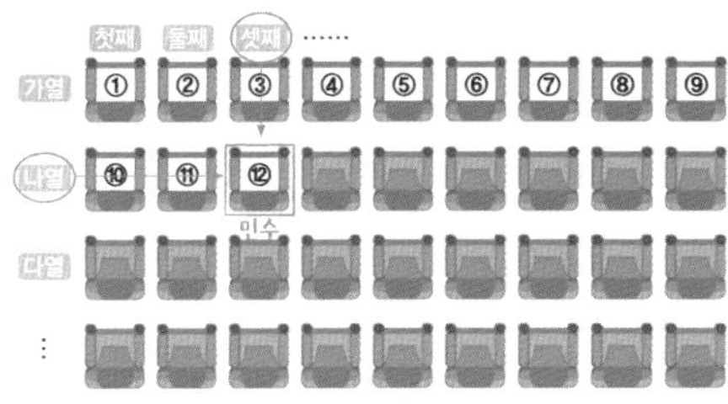

- 민수의 자리는 나열 셋째 번입니다. (12)번
- 지호의 자리는 라열 첫째 번입니다. (28)번
- 유경이의 자리는 마열 다섯째 번입니다. (41)번
- 현규의 자리는 27번입니다. (다)열 (아홉째 번) 자리
- 세호의 자리는 34번입니다. (라)열 (일곱째 번) 자리

응용 2 달력의 규칙을 찾아 안에 알맞게 써넣으세요.

- 금요일의 날짜는 2일, 9일, 16 일, 23 일, 30 일입니다.
- 금요일에 있는 수들은 7 씩 커지는 규칙입니다.

- 월요일의 날짜는 6 일, 13 일, 20 일, 27 일입니다.
- 월요일에 있는 수들은 7 씩 커지는 규칙입니다.

- ➡ 방향의 수들은 가로로 1 씩 커지는 규칙입니다.
- 달력에서 같은 요일의 수들은 7 씩 커지는 규칙입니다.

- ↙ 방향의 수들은 6 씩 커지는 규칙입니다.
- ↘ 방향의 수들은 8 씩 커지는 규칙입니다.

응용 3 규칙을 찾아 마지막 시계의 시곗바늘을 알맞게 그려 보세요.

7시 30분 → 8시 → 8시 30분 → 9시

9시 10분 → 10시 10분 → 11시 10분 → 12시 10분

5시 → 5시 20분 → 5시 40분 → 6시

2시 20분 → 3시 → 3시 40분 → 4시 20분

12시 → 1시 10분 → 2시 20분 → 3시 30분

응용 4 생활 속에서 규칙을 찾아보세요.

시계

시계에 있는 수는 1부터 12까지 1 씩 커집니다.

신호등

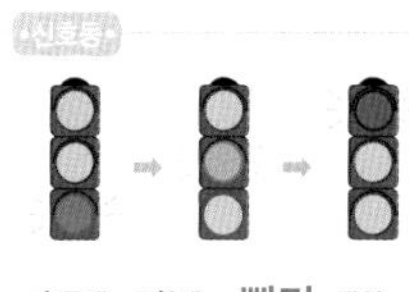

초록색, 주황색, 빨간 색의 순서로 신호등의 색이 바뀌는 규칙입니다.

사물함

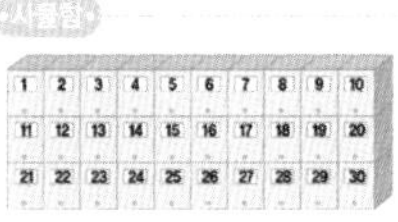

사물함에 있는 수는 오른쪽으로 1씩 커지고, 아래쪽으로 10 씩 커집니다.

계절

계절은 봄, 여름, 가을, 겨울 의 순서로 규칙적으로 반복됩니다.

꽃밭

빨간색, 노란색, 빨간 색의 규칙으로 꽃을 심었습니다.

엘리베이터

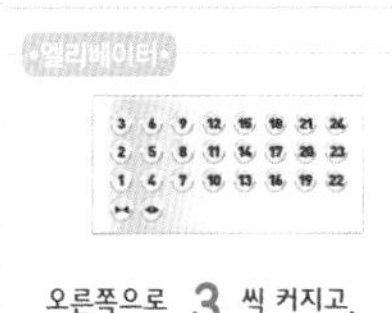

오른쪽으로 3 씩 커지고, 아래쪽으로 1 씩 작아집니다.

형성 평가

정답 46쪽

[01~03] 덧셈표에서 규칙을 찾아보려고 합니다. 물음에 답하세요.

+	2	4	6	8	10
2	4	6	8	10	12
4	6	8	10	12	14
6	8	10	12	14	16
8	10	12	14	16	18
10	12	14	16	18	20

01 덧셈표의 빈칸에 알맞은 수를 써넣으세요.

02 알맞은 말에 ○표 하세요.

(1) ↗ 방향으로는 (같은 수, 다른 수) 들이 있습니다.

(2) ↘ 점선을 따라 접으면 만나는 수는 서로 (같습니다, 다릅니다).

03 덧셈표에서 알 수 있는 사실을 완성하세요.

(1) → 방향으로 갈수록 2 씩 커집니다.

(2) ↘ 방향으로 갈수록 4 씩 커집니다.

[04~06] 곱셈표에서 규칙을 찾아보려고 합니다. 물음에 답하세요.

×	2	3	4	5	6
2	4	6	8	10	12
4	8	12	16	20	24
6	12	18	24	30	36
8	16	24	32	40	48
10	20	30	40	50	60

04 곱셈표의 빈칸에 알맞은 수를 써넣으세요.

05 알맞은 말에 ○표 하세요.

(1) 곱셈표에 있는 수들은 모두 (짝수, 홀수)입니다.

(2) ↘ 점선을 따라 접으면 만나는 수는 서로 (같습니다, 다릅니다).

06 곱셈표에서 알 수 있는 사실을 완성하세요.

(1) → 방향으로 갈수록 4 씩 커집니다.

(2) ↓ 방향으로 갈수록 6 씩 커집니다.

[07~08] 규칙을 찾아 표를 채우고, ? 안에 알맞은 그림에 ○표 하세요.

07

규칙						
안쪽 모양	○	□	○	□	○	□
바깥 모양	□	○	□	○	□	○

08

규칙							
개수	1	2	1	2	1	2	1
모양	♡	◇	◇	♡	◇	◇	♡

[09~10] 규칙을 찾아 ? 안에 알맞은 그림에 ○표 하세요.

09

10

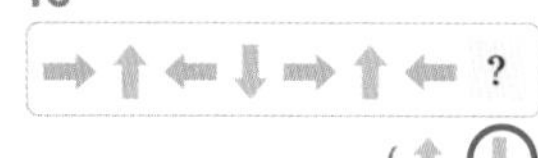

11 규칙을 찾아 알 수 있는 사실을 완성하세요.

(1) 모양은 ☆, ♡이 반복됩니다.

(2) 색깔은 파란 색, 분홍 색, 연두 색이 반복됩니다.

(3) ↘ 방향으로 모두 (같은, 다른) 모양입니다.

(4) ↗ 방향으로 모두 (같은, 다른) 색깔입니다.

(5) ? 안에 알맞은 그림은 (★, ♥)입니다.

[12~13] 규칙을 찾아 ? 안에 알맞은 그림에 ○표 하세요.

12

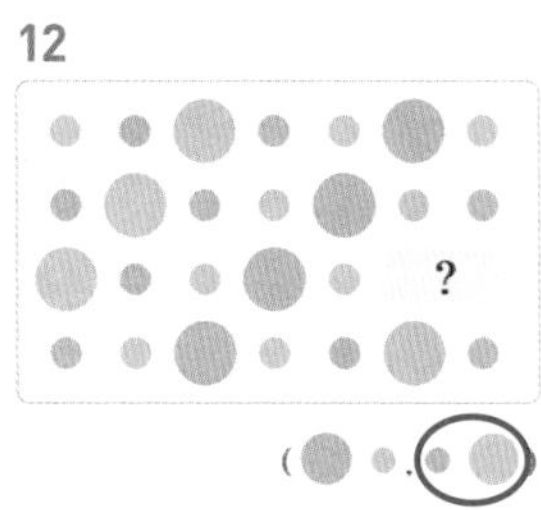

13

14 규칙을 찾아 □ 안에 알맞은 수를 써넣으세요.

(1)

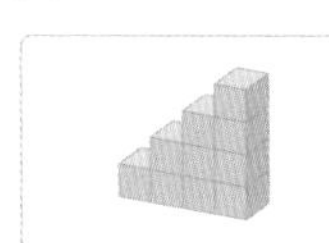

규칙 오른쪽으로 갈수록 쌓기나무가 1 개씩 늘어나는 규칙입니다.

(2)

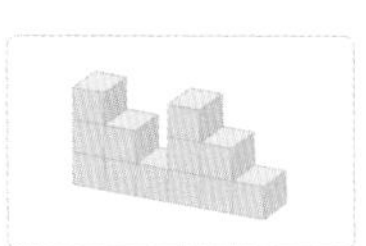

규칙 쌓기나무가 3개, 2 개, 1 개가 반복되는 규칙입니다.

15 쌓은 규칙을 찾아 써 보세요.

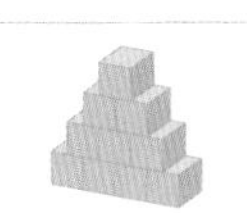

규칙 예 아래층으로 갈수록 쌓기나무가 1개씩 늘어나는 규칙입니다.

16 규칙을 찾아 □ 안에 알맞은 수를 써넣으세요.

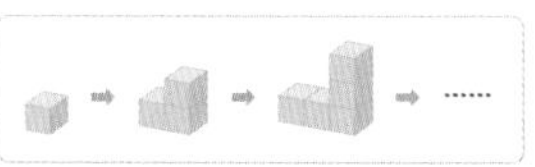

규칙 쌓기나무가 왼쪽으로 1 개, 위쪽으로 1 개씩 늘어나는 규칙입니다.

[17~18] 규칙을 찾아 ? 안에 알맞은 모양에 ○표 하세요.

17

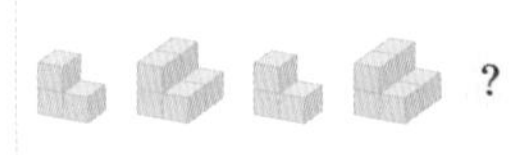

18

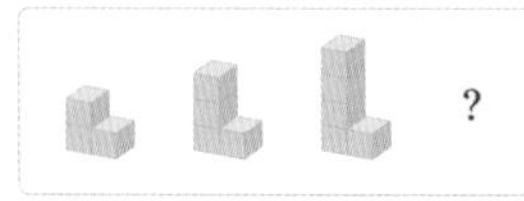

19 □ 안에 알맞은 수를 써넣어 ?에 쌓을 쌓기나무의 수를 구해 보세요.

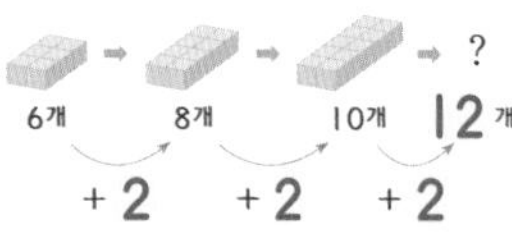

20 ?에 쌓을 쌓기나무의 수를 구해 보세요.

(1)

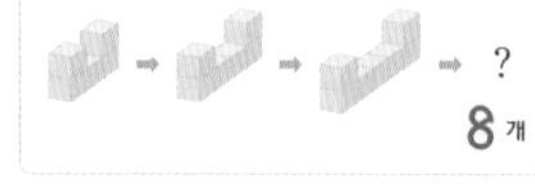

(2)

7 개

단원평가 6. 규칙 찾기

정답 47쪽

[1~2] 덧셈표를 보고 물음에 답하세요.

+	1	3	5	7	9
2	3	5	7	9	11
4	5	7	9	11	13
6	7	9	11	13	15
8	9	11	13	15	17
10	11	13	15	17	19

1 규칙을 찾아 빈칸에 알맞은 수를 써넣으세요.

2 덧셈표에서 규칙을 찾아 문장을 완성해 보세요.

(1) 방향으로 갈수록 2 씩 커집니다.

(2) 방향으로는 (같은 수, 다른 수) 들이 있습니다.

[3~4] 곱셈표를 보고 물음에 답하세요.

×	3	5	7	9
3	9	15	21	27
5	15	25	35	45
7	21	35	49	63
9	27	45	63	81

3 규칙을 찾아 빈칸에 알맞은 수를 써넣으세요.

4 알맞은 말에 ○표 하세요.

곱셈표에 있는 수들은 모두 (짝수, 홀수)입니다.

5 보도블록의 모양에는 규칙이 있습니다. 규칙에 맞게 □ 안에 알맞은 모양을 그려 보세요.

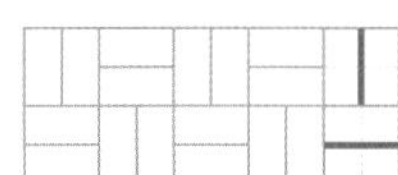

6 규칙에 맞게 계속해서 실에 구슬을 꿴다면 다음에는 어떤 색의 구슬을 꿰어야 하는지 빈 곳에 색칠해 보세요.

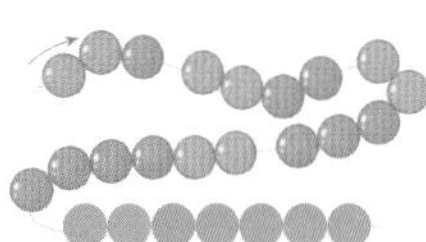

7 쌓기나무로 다음과 같은 모양을 쌓았습니다. 규칙을 찾아 □ 안에 알맞은 수를 써넣으세요.

쌓기나무를 1 층, 3 층이 반복되게 쌓았습니다.

8 휴대전화의 숫자판에서 규칙을 찾아 □ 안에 알맞은 수를 써넣으세요.

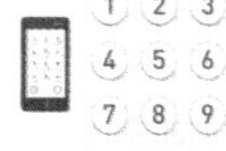

규칙 ↑ 방향으로 갈수록 3 씩 작아집니다.

[9~10] 어느 해 12월의 달력입니다. 물음에 답하세요.

9 달력에서 ↘ 방향의 수들은 몇씩 커지는지 써 보세요.

(8)씩

10 목요일에 있는 수들의 규칙을 써 보세요.

규칙 목요일에 있는 수들은 3 부터 시작하여 7 씩 커집니다.

11 규칙을 찾아 빈 곳에 알맞게 색칠해 보세요.

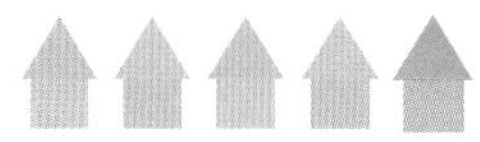

12 덧셈표에 있는 규칙에 맞게 빈칸에 알맞은 수를 써넣으세요.

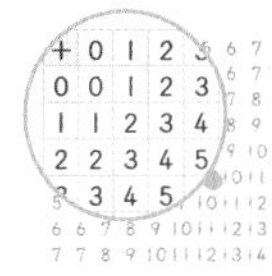

4 / 4 5 6 / 6 7 / 7

13 규칙에 따라 ? 안에 알맞은 모양은 어느 것일까요? (②)

14 규칙에 맞게 □ 안에 ●를 그려 보세요.

15 규칙을 찾아 네 번째에 쌓을 쌓기나무의 수를 구해 보세요.

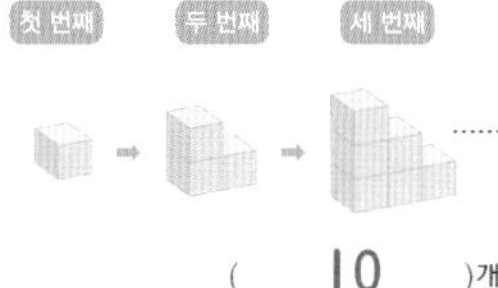

(10)개

16 곱셈표에서 규칙을 찾아 빈칸에 알맞은 수를 써넣으세요.

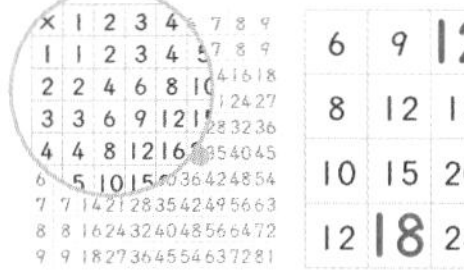

6	9	12
8	12	16
10	15	20
12	18	24

17 규칙을 찾아 무늬를 그려 보려고 합니다. 물음에 답하세요.

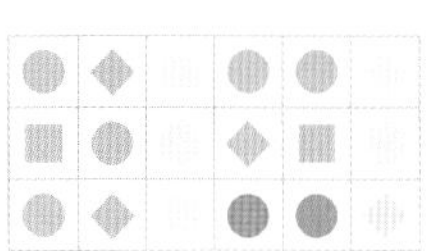

(1) 규칙에 따라 빈칸에 알맞은 모양을 그리고 색칠해 보세요.

(2) 모양과 색깔은 어떤 규칙이 있는지 □ 안에 알맞게 써넣으세요.

모양은 ○, ◇, □, ○가 반복되고, 색깔은 분홍 색, 보라 색, 노란 색이 반복됩니다.

18 규칙에 따라 바둑돌을 12개 늘어놓으면 흰색 바둑돌은 모두 몇 개일까요?

(6)개

19 어떤 규칙에 따라 상자를 쌓은 것입니다. 5층으로 쌓으려면 상자는 몇 개가 더 필요한지 풀이 과정을 쓰고 답을 구하세요.

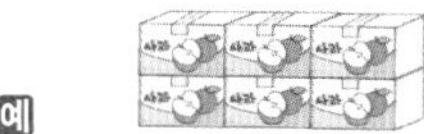

예 풀이 한 층에 3개씩 5층으로 쌓으면 상자는 3×5=15(개)입니다. 따라서 상자는 15−6=9(개) 더 필요합니다. 답 9개

20 규칙에 따라 쌓기나무를 쌓은 것입니다. 4층으로 쌓기 위해서는 쌓기나무가 모두 몇 개 필요할까요?

(20)개

1층: 8개, 2층: 6개, 3층: 4개, 4층: 2개 → 8+6+4+2=20(개)

memo